D0396485

HISTOIRE
DE LA
LITTÉRATURE
FRANÇAISE
DU
QUÉBEC

Rédacteur en chef,
directeur de l'équipe de rédaction:

Pierre de GRANDPRÉ, critique et écrivain, licencié ès lettres de
l'Université de Paris, diplômé de l'École de préparation et de
perfectionnement des professeurs de français à l'étranger
(Sorbonne),
Directeur général des Arts et des Lettres au ministère des
Affaires culturelles du Québec

Collaborateurs du Tome I:

Georges-André VACHON, docteur de l'Université de Paris,
professeur de lettres et directeur de la revue
« Études françaises » à l'Université de Montréal.

Claude GALARNEAU, licencié ès lettres,
professeur titulaire d'histoire moderne à l'Université Laval et
directeur, jusqu'à une date récente, de l'Institut d'Histoire
de cette université.

Léopold LeBLANC, M.A. lettres,
chargé d'enseignement au Département d'Études françaises
de l'Université de Montréal.

Georges-Henri d'AUTEUIL, s.j.,
professeur d'histoire et de littérature, critique dramatique de
la revue « Relations »

Marcel RIOUX, M.A. lettres, licencié en sciences politiques et
sociales (Paris),
professeur titulaire de sociologie et d'ethnologie à l'Université
de Montréal.

Gaston DULONG, licencié ès lettres,
professeur agrégé d'histoire et de philologie à l'Université
Laval.

Michel TÉTU, docteur ès lettres,
professeur agrégé de littérature et directeur d'études au
département d'Études françaises de l'Université Laval.

Arsène LAUZIÈRE, docteur ès lettres (Paris),
professeur de littérature, directeur du département d'Études
françaises au Collège Loyola.

Pierre SAVARD, docteur ès lettres,
professeur d'histoire et secrétaire, jusqu'à une date récente,
de l'Institut d'Histoire de l'Université Laval.

Choix des illustrations:

Paul MERCIER, diplômé de l'École des Beaux-Arts de Montréal,
président de la Commission consultative des musées,
directeur du Service de l'aide à la création et à la recherche
au ministère des Affaires culturelles du Québec.

PIERRE DE GRANDPRÉ

HISTOIRE
DE LA
LITTÉRATURE
FRANÇAISE
DU
QUÉBEC

1967
Librairie Beauchemin Limitée
MONTRÉAL

INTRODUCTION

par Pierre de GRANDPRÉ

Cet ouvrage est la première histoire de la littérature française du Québec rédigée en collaboration. Une entreprise collective de ce type, conduite jusqu'à son terme dans un milieu intellectuel à la fois clairsemé et individualiste, voilà un succès déjà appréciable. Mais ce travail de collaboration, tel qu'on l'a conçu, présentait en outre des avantages précis au niveau des méthodes.

L'histoire littéraire n'est pas une branche de l'histoire tout à fait comparable aux autres puisque, si objective qu'elle se veuille, elle repose à tout instant, ne serait-ce qu'en raison de ses choix et de ses exclusions, sur l'appréciation critique. Elle ne saurait non plus se présenter comme la juxtaposition sans ossature d'exposés critiques intemporels. Elle est la mise en ordre chronologique, en même temps qu'explicative, d'une matière au sein de laquelle un historien qui est de surcroît homme de goût, introduit constamment des jugements de valeur. Ces jugements d'ordre esthétique allègent, ou enrichissent, en tout cas modifient perpétuellement l'objet même de la recherche.

En face de l'ensemble des documents écrits qui constituent la matière du présent ouvrage, il est possible de passer d'un extrême à l'autre et de proclamer presque d'un même souffle: « Il n'y a là rien ni personne qui vaille. Il n'existe pas encore au Québec de littérature digne de ce nom; il n'y a donc pas lieu d'en entreprendre l'histoire », ou au contraire: « Aucun document n'est ici négligeable. Tout contribue à enrichir, éclairer et étayer la jeune et passionnante histoire intellectuelle du Canada francais ». Dans le public, dans la presse, parmi les critiques, ces deux attitudes, selon la sévérité des critères ou selon les cadres de référence, se retrouvent périodiquement.

L'historiographie littéraire au Canada français

Lorsque Edmond Lareau [1] au XIXe siècle et Mgr Camille Roy [2] vers le début du vingtième, firent le relevé de nos premiers écrits, il

---

1. *Histoire de la littérature canadienne*, Montréal, John Lovell, 1874. Une année plus tôt avait paru, de L. M. Darveau: *Nos hommes de lettres*, Montréal, Imprimerie Stevenson, 1873, mais il s'agissait là d'un recueil de biographies plutôt que d'une histoire littéraire.
2. *Manuel d'histoire de la littérature canadienne de langue française*, 10e édition, Montréal, Beauchemin, 1945. Le premier *Tableau de la littérature canadienne-française*, devenu *Manuel* en 1918, parut dès 1907.

7

faut reconnaître, de quelque ironie qu'on ait parfois accueilli leurs tentatives, que l'histoire littéraire du Canada français n'eût guère pu prendre une autre forme que celle qu'ils lui imprimèrent: un inventaire indulgent et consciencieux de chétives ressources.

Dégageant le tableau de maints éléments superflus et le mettant à jour bien que mal, indiquant convenablement les rapports avec les courants littéraires français, l'ouvrage de Samuel Baillargeon, rédemptoriste[3], malgré quelque désinvolture et d'évidentes imperfections, marquait sur ses prédécesseurs un net progrès, dans la qualité didactique de la présentation plutôt que dans le style ou dans quelque apport original à l'historiographie littéraire. L'histoire de la civilisation au Canada français n'était pas intégrée à l'étude de l'évolution des lettres; on la trouvait présentée à part, en une sorte d'aide-mémoire schématique.

Gérard Tougas posait une question opportune dans l'Avant-propos de sa propre *Histoire de la littérature canadienne-française* [4]: « Une jeune littérature nécessite-t-elle de la part du critique des dispositions spéciales? » Il est vrai qu'après avoir répondu: « Nous croyons que oui », il ramenait ces dispositions particulières à rejeter les comparaisons et l'établissement de filiations avec la littérature-mère, et à faire usage de la « critique structurale » contemporaine. Celle-ci en effet, s'attaquant avant tout au texte, serait « particulièrement apte à rendre une élémentaire justice aux jeunes littératures ». Seule, selon M. Tougas, l'*Histoire littéraire de l'Amérique française* d'Auguste Viatte [5] aurait jusque là répondu aux exigences d'une critique moderne, « soucieuse de mettre en valeur ce que la littérature canadienne-française a déjà créé d'original, tout en conservant un sens des proportions ». M. Tougas — comme certains mauvais partisans des arts non-figuratifs au Québec — voit trop exclusivement l'aspect négatif, « protectionniste » en quelque sorte, de cette critique structurale. On ne fait certes pas toujours, mais on a déjà fait de la poésie surréaliste, du « nouveau roman » et du « théâtre de l'absurde » pour les mêmes déplorables raisons. Nous avons affaire ici à une littérature qui, loin d'être à l'âge d'une contestation blasée de la parole, est dépourvue de véritables traditions d'art. Or une certaine critique structurale prolonge l'art là surtout où celui-ci mène une existence plus ou moins autonome et repliée sur ses propres richesses. Au reste il n'apparaît pas avec évidence que l'histoire littéraire telle que la pratique M. Gérard Tougas relève, comme il

---

3. *Littérature canadienne-française*, Fides, Montréal et Paris, 1957; 3e éd., 1962.
4. Paris, Presses Universitaires de France, 1960; 2e éd., 1964.
5. Paris, Presses Universitaires de France, 1954.

LE PROPOS DU PRÉSENT OUVRAGE

l'affirme, de la « critique textuelle ». Il nous faut insister, car nous touchons ici à un problème fondamental. M. Tougas n'hésite pas à déclarer que l'un des plus précieux services que peut rendre la critique textuelle est d'éviter au critique « les traquenards trop connus de l'histoire, de la sociologie, de la psychologie, traquenards dans lesquels donnent aujourd'hui encore, tête baissée, bon nombre de critiques prisonniers du XIXᵉ siècle déterministe ». Cette indication d'emprisonnement, voilà bien, ou je me trompe fort, de l'historicisme involontaire. Au rebours, il nous paraît, à nous, qu'un recours conscient et mesuré à ces disciplines, sans quitter la voie royale de l'attention esthétique aux textes mêmes, constitue, précisément, la grande chance, le biais véritablement privilégié pour porter un intérêt vivant à l'histoire d'une littérature qui en est à ses premières armes.

Le propos du présent ouvrage collectif

Il nous a semblé bon, en établissant le programme de la présente entreprise, de faire appel, d'une part, pour l'étude de l'évolution générale du milieu intellectuel, à des historiens et à des sociologues dont les recherches font autorité; et d'autre part, pour l'étude des textes, à quelques-uns des critiques dont les commentaires sont généralement reconnus comme les plus aigus et les plus sûrs dont nous disposions. Ce programme nous a paru s'imposer spontanément. Il pourrait être intéressant, toutefois, de tenter de justifier au niveau des principes l'usage concurrent de ces deux méthodes.

L'idéal serait évidemment de parvenir à fondre l'étude de l'évolution de tout le psychique au sein d'une civilisation avec l'étude des lettres elles-mêmes. Mais qui, aujourd'hui, le pourrait, avec la prolifération croissante des champs du savoir? En groupant des spécialistes, nous ne serons parvenus, dans cet ouvrage, qu'à nous rapprocher de cette visée. Face à un organisme palpitant où tout, art et vie, s'intègre de façon indissociable, la solution la meilleure serait évidemment que l'ensemble du tableau et son détail fussent issus d'une même réflexion, et que ce fût celle à la fois d'un esprit créateur et d'un savant.

Faute du tableau dont nous rêvons pour l'histoire intellectuelle et littéraire du Québec de langue française, le lecteur trouvera ici, nous le souhaitons, une déjà bien significative mosaïque. Un groupe compétent d'historiens, de sociologues, d'historiens littéraires et de critiques créateurs, ont minutieusement coloré, de cette mosaïque, la parcelle que leurs travaux leur avaient rendue familière. Restait au directeur de l'entreprise à aider les lecteurs à nouer tous les liens nécessaires; à opérer, par leur lecture même, la fusion la plus totale

9

possible entre deux perspectives majeures, aussi indispensables l'une que l'autre. La présente Introduction participe de cette ambition. L'étudiant et le lecteur cultivé doivent être en mesure d'établir une quantité de rapports que leur grand nombre, et parfois leur extrême finesse, ont empêché qu'on les puisse consigner tous dans les limites d'un manuel, rapports entre la littérature que font les hommes et l'histoire qu'ils vivent. La bonne lecture, comme la bonne critique, est frémissement et participation à la vie dans sa totalité. Non pas à la vie des œuvres exclusivement mais, au-delà des œuvres, sans passer outre bien entendu à leur singularité et à leur beauté, en restituant ces œuvres au réseau de tout ce qui les dépasse et leur prête sens, à la vie même, au complexe croisement de destinées humaines qui éclairent et emportent les plus hautes réussites de la littérature.

Développer les motifs qui ont fondé le choix de notre méthode, c'est du même coup doter l'usager du présent guide littéraire d'une sorte de clé, d'une carte de route, d'un mode d'emploi. On nous permettra donc un certain luxe de considérations qui serviront en même temps à familiariser nos amateurs de lettres avec les principaux problèmes au milieu desquels tente de se reconnaître et de se reconstituer, de nos jours, la démarche critique.

Notre dessein, avons-nous dit, fut de faire présenter les époques de la vie intellectuelle du Québec par les spécialistes les mieux préparés aux synthèses de cet ordre. Nous avons donc eu recours à des historiens des idées ou à des sociologues particulièrement attentifs aux vicissitudes du mental comme aux courants de la vie morale dans notre société: un Claude Galarneau, un Marcel Rioux, un Pierre Savard, un Jean-Charles Falardeau, un Fernand Dumont, cependant que Gaston Dulong précisait l'état de la langue au moment de la naissance de nos lettres. Puis, semblable connaissance ayant été prise des ensembles socio-historiques, il convenait que des critiques dont la visée a par essence un caractère moins « démystifiant », ou moins « justificatif », appliquassent les normes et mesures de l'examen esthétique au concret, à toute l'épaisseur des œuvres vivantes. Les écrivains sont donc successivement présentés, pour le XVIIIe siècle, par M. Léopold LeBlanc, professeur de littérature et d'histoire (les écrivains de l'Ancien Régime appartiennent pleinement à notre histoire, même s'ils ne sont qu'indirectement liés au développement ultérieur des lettres françaises au Québec); puis par des historiens littéraires (MM. Michel Tétu, Arsène Lauzière, Pierre Savard) pour le XIXe siècle; et ce sont de purs critiques: —Jean Ethier-Blais, Roger Duhamel, Réjean Robidoux, Jean-Louis Major, André Renaud, René

10

Garneau, Michel Van Schendel, Gilles Marcotte, Guy Boulizon, Georges-Henri d'Auteuil, Jean Marcel, Jean-Louis Gagnon et Alain Pontaut, qui cernent et commentent les œuvres, en un moment de l'essor du Québec, le XXᵉ siècle, où la production littéraire devient parfaitement digne d'affronter même la critique formelle la plus exigeante.

Les méthodes de l'histoire littéraire

Il apparaît maintenant aisé de délimiter avec quelque précision les considérations qui ont appelé ces choix et d'établir, du même coup, les substrats théoriques qui ont présidé à l'élaboration de cette Histoire littéraire.

Si, lorsqu'il s'agit de pure *critique*, la perspective esthétique peut suffire mais gagne déjà quelque chose à s'enrichir avec intelligence et discernement de l'apport d'autres méthodes, cet apport des diverses sciences humaines devient une quasi-nécessité lorsqu'il est question d'établir, par les voies du savoir, l'*histoire* d'une littérature. Une science qui se voudrait ici entièrement autonome, de même qu'une critique « créatrice » qui s'afficherait comme purement intrinsèque, c'est-à-dire sourde par principe à toute contingence socio-historique, ne feraient l'une et l'autre qu'appauvrir leur perspective particulière et trahir le domaine humain qui leur est commun, domaine où l'on n'aura jamais fini de « distinguer pour unir ». La science de l'homme ne peut qu'être une discipline de synthèse, comme la littérature qui la recoupe, la précède et court-circuite intuitivement, par l'illustration puissante du vécu et du senti, chacun des résultats vers lesquels, patiemment, elle chemine.

Le sociologue et l'historien n'ignorent généralement pas combien, comme principe d'explication et comme agent d'influence sur la société, la littérature est un instrument peu sûr d'investigation; peu sûr et peu rassurant en raison de la subjectivité, de la singularité, c'est-à-dire de l'essentielle liberté de l'artiste. Et si la société explique jusqu'à un certain point la littérature, tout critique digne de ce nom, et même le plus accueillant aux apports de disciplines humaines connexes, sait que l'invention créatrice et le génie dérangeront toujours les conclusions d'une histoire intellectuelle étroitement sociologique. Si la voie d'approche esthétique conduit à une sévérité et à des coupes sombres que seules les littératures prospères sont en mesure de supporter, la perspective socio-historique, tout en étant profondément destructrice des mythes, petits et grands, et sans doute pour cette raison, conduit au plus large accueil et à une compréhension dont le sens, toutefois, ne devrait duper personne. L'art a ses raisons, la science a les siennes: toutes sont valables. On trouvera

11

exprimés avec beaucoup de franchise le fort et le faible de chacun de ces points de vue dans la courageuse introduction littéraire de cet ouvrage, œuvre de M. Georges-André Vachon. C'est un jeu subtil du mépris et de la considération, l'un fondant l'autre en quelque sorte, qui peut inciter l'homme tout entier qu'est ou que devrait être l'amateur de belles-lettres — ni pur esthète, ni pur savant — à prêter attention à l'ensemble de notre production littéraire, témoignage ou point d'achèvement, et à tout événement banc d'essai infaillible du degré de l'activité spirituelle vécue au Québec.

« L'œuvre insignifiante, écrit Serge Doubrovsky dans *Pourquoi la nouvelle critique* [6], a une essence, l'œuvre magistrale une existence, c'est-à-dire une essence en devenir, qui reste pour toujours, et tant qu'il y aura des hommes, en sursis. » Ce qui veut dire que le sens d'une œuvre n'appartient pas en dernier ressort à l'écrivain, quel qu'ait pu être son propos créateur; ce sens ne saurait se découvrir que par la sympathie re-créatrice; mais il s'éclaire mieux encore lorsqu'on parvient à y intégrer les connaissances de l'époque dans le domaine de la psychologie, de la sociologie, de l'histoire et des autres disciplines qui s'attachent à étudier l'homme sous toutes ses faces.

Les auteurs d'histoires littéraires ont-ils jusqu'ici suffisamment mis au jour l'espèce de contradiction qui gît en permanence au cœur de leur entreprise ? Ils se flattent, certes, de porter des jugements critiques valables. Mais ou bien ces jugements sont déjà arrêtés, ou bien ils fixent inexorablement le sens pourtant mouvant des œuvres, leur valeur pourtant variable pour les générations successives; et le pire est qu'ils sont professionnellement tentés de recourir exclusivement à diverses formes d'historicisme, qui sont toujours les formes les moins complices, les moins participantes, les moins créatrices de l'activité critique. La moissonneuse-lieuse de la critique historiciste a des moyens si grossiers et si puissants que l'art est toujours devant elle en danger d'être traqué, brimé, refoulé.

Et cependant on doit pouvoir écrire l'histoire littéraire. Comment y parvenir? Il faudrait un auteur capable d'être tour à tour et tout à la fois poète créateur et analyste rigoureux. Ou bien il faudrait plusieurs auteurs: un premier groupe qui sache éclairer l'évolution selon les démarches mises au point par les sciences; un second groupe, plus nombreux, qui s'attache aux œuvres les plus hautes pour leur arracher leur secret de fabrication ou faire resplendir leur mystère.

---

6. Paris, Mercure de France, 1966.

I

L'HISTOIRE LITTÉRAIRE COMME ART ET CRITIQUE

Il nous faut insister sur le fait d'exigences apparemment proches parentes, quasi-interchangeables au point de départ, dans l'histoire littéraire et dans la critique, exigences qui, ultimement, se situent loin les unes des autres.

La thèse de la « nouvelle critique »

La thèse de la « nouvelle critique », brillamment prônée ou discutée au Canada par deux de nos collaborateurs, MM. Réjean Robidoux [7] et Georges-André Vachon [8], est que la critique ne participe à l'aventure créatrice de la littérature que lorsqu'elle abandonne toute forme d'historicisme pour se placer exclusivement devant le style, afin d'en saisir les secrets par l'intérieur, d'en recréer les schèmes constructeurs pour ainsi dire phénoménologiquement, de pratiquer à son égard ce que M. Manuel de Diéguez nomme une « psychanalyse existentielle » [9].

Le postulat fondamental est ici celui de la primauté et de l'antériorité absolues du style. Il est vrai que si l'on parvient de la sorte à prendre au pied de la lettre le paradoxe valéryen selon lequel « la forme dicte le fond » et à proclamer le plus sérieusement du monde que le style précède toujours la matière (un peu comme on assurerait qu'il importe de bien parler avant de penser), ce n'est jamais sans avoir pris la précaution de réintroduire au préalable dans le mot « style » le plus de connotations possible, d'élargir le terme jusqu'à lui faire signifier quelque chose d'aussi important et aussi étendu qu'une « vision du monde », ou « le comportement originel » de tel ou tel écrivain. De sorte qu'une « psychanalyse existentielle » ou une « psychologie phénoménologique » à la recherche de la forme fixe, native, des symboles matriciels en quelque sorte, a des chances de toucher parfois au mystère intime de la création. Ce n'est certainement pas, dans ce cas, trop mutiler la fonction critique que de la restreindre à cerner, à travers les grands textes, cette réponse originelle au monde, antérieure à toute pensée, ce « résidu » antérieur à toute

---

7. Notamment dans l'Introduction et le dernier chapitre de l'ouvrage qu'il a rédigé en collaboration avec M. André Renaud: *Le Roman canadien-français du vingtième siècle*, Ottawa, Editions de l'Université d'Ottawa, 1966.
8. Notamment dans l'article « Le conflit des méthodes », Etudes françaises, juin 1966. G.-André Vachon fait aussi de la critique sociologique.
9. *L'Ecrivain et son langage*, Paris, Gallimard, 1960.

« dérivation » pour emprunter au langage de Pareto, que l'on nomme-
ra par convention le *style.*

Et il est naturel que, dans cette perspective, il paraisse au bon
critique plus important de découvrir comment les chefs-d'œuvre ont
été écrits, que de savoir ce que des écrivains de génie peuvent avoir
de commun avec Pierre ou Paul. Cette attitude artisanale fut spontanément celle d'un Boileau; c'est également pour l'avoir pratiquée
qu'un Chateaubriand critique a mieux servi les lettres, sans doute,
qu'une Mme de Staël préoccupée de « caractères nationaux »; qu'un
Brunetière (hé oui! quoi qu'en en pense) et qu'un Anatole France
ont moins erré sur le bon usage de la fonction critique qu'un Sainte-
Beuve et un Taine avec tout leur génie; et qu'aujourd'hui un Poulet,
un Bachelard, un Blanchot, un Starobinski, un Richard, parlent de
ce qui convient, c'est-à-dire de la démarche propre de l'écrivain, là
où un Sartre, un Mauron, un Goldmann continuent la tradition de
passer en partie à côté de leur objet.

L'écueil contemporain: un progressif amenuisement de la matière

On peut toutefois soupçonner qu'une démarche aussi épurée vaille surtout pour certaines catégories d'œuvres: celles qui naissent plus
de l'art lui-même que de la vie. L'on parle surtout de communion
créatrice ou d'effort de « re-création » de la critique lorsque l'on
estime, avec Malraux, que l'art ne vient pas d'une vision, mais
d'un autre art; que chaque style, voulu et construit comme une
méthode, est « une création formelle édifiée à partir d'autres créations formelles, à l'intérieur d'un domaine qui n'est ni celui de la
pensée, ni celui de la sensibilité ».

Quelque discutables et byzantines que soient ces conceptions de
l'art, comme de la critique qui tâche à les suivre à la trace, il y a
plus fin et plus frêle encore. Un Maurice Blanchot voit la littérature comme un ordre souverain et autonome, sans référence au monde.
M. Gaétan Picon [10] a commenté cette ambition: tout en acceptant
avec Malraux que le tableau, s'il ne vient pas du monde, vienne du
tableau, il manifeste cependant des réticences à l'égard d'une littérature issue d'elle-même par parthénogésèse pour ainsi dire, et qui
semble avoir perdu son élément mâle, le vécu. Il s'inscrit en faux
contre la pensée de Blanchot selon laquelle l'œuvre ne naîtrait même
pas des autres œuvres, mais du néant; il ne lui paraît pas que seules
les œuvres mettant en cause leur propre possibilité méritent l'atten-

---

10. *L'usage de la lecture,* Paris, Mercure de France, 1961.

tion du critique-philosophe. Picon épouse avec fidélité les dédales d'une pensée subtile et impressionnante pour en désamorcer un à un les postulats. L'on y voit très bien comment la valorisation métaphysique de l'art se relie, depuis Mallarmé, à une philosophie de la transcendance négative. Mais « c'est la mort qui contraint l'art à refaire le monde... ce n'est pas d'elle que viennent à l'artiste ses armes, ni au monde sa nouvelle lumière ».

Au néant choisi comme suprême autorité, à la transcendance du Rien — étrange aberration d'un moment de notre culture — on peut opposer un « bon usage de la lecture », c'est-à-dire une critique qui saisisse l'œuvre dans son pouvoir sur nous et, donc, dans son mouvement propre. L'extériorité d'une critique de jugement peut respecter une œuvre tout autant que cette critique d'intériorité et de compréhension qui se flatte de coïncider avec ses substructures. « Ce qui a été dit de meilleur et de plus juste d'une œuvre, écrit encore Picon, n'est-ce pas ce qui a été dit dans le moment qui suit le soulèvement d'une lecture, sous le bref éclair d'une lucidité qui retient encore la chaleur du contact? » Il s'agit de se laisser suffisamment pénétrer par les œuvres pour pouvoir en dégager la substance formelle et les significations essentielles.

En fait, il faut toujours en venir à ce principe capital, que l'on n'a pas découvert au cours des dernières années même s'il est vrai que l'on est en train de lui donner une toilette neuve: profondément, il n'y a jamais eu que la sympathie, l'admiration et l'enthousiasme — ce que Chateaubriand appelait la « critique des beautés » — pour fonder la grande critique. Et c'est quand les littératures se mettent à donner aux amateurs de solides raisons d'admirer qu'elles commencent à la fois à exister vraiment et à faire exister et pulluler, sous mille formes, l'essai critique; celui-ci devient de la sorte le signe irrécusable de nouvelles effervescences, de richesses qui étonnent et appellent le commentaire, d'authentiques mutations. L'échenillage, l'abattage, les condamnations tranchées, les fins de non-recevoir ne sont jamais que des techniques de remplacement servant à amuser la galerie, pour la gloire du critique-acteur, avant la venue des maîtres.

Trois paliers dans le travail du critique

Mais distinguons de façon plus méthodique: il nous paraît que l'art de la critique peut s'exercer à trois différents niveaux. Il y a d'abord l'espèce assez anachronique de critique dont je viens de parler : une critique tatillonne, toute négative, celle d'étroits gardiens de l'ordre pleins de leurs certitudes et de leur bonne conscience esthétique, qui établissent, sur le ton grave ou amusé, des constats de carence, le procès-verbal des défauts. Une telle critique est parfois de salubrité publique, pour les travaux de premier déblaiement. Elle n'a en réalité de raison d'être que lorsqu'il est question d'œuvres demeurant en deçà de la littérature. Elle trouve son usage en histoire littéraire lorsque des faussaires ont maquillé sous les mêmes hyperboles l'art authentique et sa contrefaçon, le diamant et la verroterie, lorsqu'il est urgent de lutter contre une conspiration de la médiocrité qui empêche de discerner à quel étage de la littérature il convient de placer tel ou tel écrivain. Mais pour l'historien littéraire, le silence est déjà en pareille circonstance un jugement.

Lorsque la production littéraire d'un milieu donné ne s'élève guère au-dessus d'une honnête moyenne et aux époques de génie poussif, je persiste à penser qu'une critique psycho-sociologique pertinente devient un biais idéal pour valoriser une matière relativement ingrate et tirer d'elle des observations dignes d'intérêt. Pourvu, bien entendu, que l'on ait pleinement conscience d'intellectualiser de la sorte l'univers de l'imaginaire. Aussi une telle étude n'est-elle convenablement conduite que si l'on a soin de laisser au monde des images et de la gratuité ses harmoniques propres. L'intérêt majeur de l'enquête doit demeurer artistique plutôt que généralement humain. C'est dans cet esprit qu'a été menée ici l'étude des écrivains antérieurs au premier tiers du XXe siècle.

En présence du talent indéniable ou au sein d'une époque d'une certaine façon géniale par le foisonnement et la qualité de ses recherches, la critique, participant plus intimement au travail créateur des lettres, est mise en état de hausser ses ambitions et de recourir à de tout autres méthodes: c'est son point d'aboutissement le plus délié. Plus question alors de cette critique « objective » qui s'attache, autant qu'à l'œuvre, à des considérations relevant d'une causalité extérieure et qui, par là, risquerait d'étouffer le « retentissement », de refuser, par principe, cette profondeur où éclôt l'acte créateur primitif. L'art en lui-même devient l'objet ultime de la critique littéraire, qui n'a plus pour ambition que de le continuer, de lui trouver des prolongements, de le paraphraser en l'illuminant, plutôt que de chercher à l'expliquer, à le situer et à le délimiter.

Délibérément, il nous a paru bon de faire appel, pour l'étude de la période la plus récente, à des collaborateurs pour qui les secrets formels, la symbolique des œuvres, les précieux procédés de fabrication, les structures mêmes de l'imaginaire chez tel poète ou tel romancier, apparussent comme l'essentiel. Le temps semble venu en littérature québécoise de toucher à cet essentiel-là, d'entreprendre cette quête de l'or secret: l'attention à l'art par les moyens de l'art, la « co-existence » à l'intérieur d'un effort créateur. Que le style arrache l'œuvre de qualité à l'histoire, aux contingences et aux déterminismes les plus grossiers, l'on en conviendra en effet aisément. Il est facile d'apercevoir ce que cela signifie.

Convenance, en histoire littéraire, d'une critique de « compréhension »

Si l'art possède parfois une sorte de vie autonome, est-ce à dire qu'il ne se réalise jamais qu'en marge de l'histoire et contre le réel? Il devient trop facile, sur cette pente, de se payer de mots. Cette vision suicidaire et de plus en plus étriquée de l'art, venue d'épigones du Romantisme, est fort en vogue de nos jours, et tout donne à penser que voici notre littérature engagée pour un long périple dans l'exploration des chemins qui mènent vers l'intérieur, comme disait Novalis, c'est-à-dire, à la limite, vers une recherche de plus en plus épuisée de l'incommunicable [11].

Plutôt donc que de croire que l'étude de la littérature canadienne-française dût relever d'une critique s'ouvrant sur la seule esthétique, position à notre avis prétentieuse et naïve, il nous a paru préférable, d'une façon générale, de recourir à une critique s'inspirant d'une esthétique suffisamment ouverte [12] pour englober ce qui est aussi, *à d'autres égards*, bien entendu, objet de psychologie, de psychanalyse, de sociologie, d'histoire, et plus particulièrement d'histoire des sentiments et des idées.

En résumé, voici notre position: l'amour-révélation, état privilégié de la critique, est aussi son état le plus rare; nous avons tenu cependant à lui donner sa place devant certaines œuvres particulièrement bien venues, des œuvres où il n'y a à peu près plus que la réussite esthétique qui vaille considération. Mais advenant l'absence de chefs-d'œuvre, ou lorsque les œuvres du plus incontestable talent elles-mêmes crient leur signification collective et appellent le commentaire extra-littéraire, lorsque la critique se fait, par choix ou nécessité, simple « histoire littéraire », elle se priverait de tout objet réel, elle se fixerait artificiellement une tâche de peu d'intérêt, en ne se voulant que « communion créatrice ». L'esprit créateur étant à

---

11. Il est instructif à ce propos de se reporter à l'essai de notre compatriote Fernande Saint-Martin sur *La Littérature et le non-verbal*, Montréal, Éditions Orphée, 1958.
12. Il nous paraît que cette critique totale est celle qui mérite le mieux d'être appelée « critique de compréhension ». Voir, sur l'historique du genre, le petit livre de Carloni et Filloux: *La Critique littéraire*, coll. « Que sais-je? », P.U.F., 1957.

la fois « agi » et « agissant » par rapport au milieu, la critique la
plus utilisable et la mieux adaptée à son objet est celle qui, assez
large en sa conception pour assumer les méthodes les plus diverses,
en tirer parti et les dépasser — du dogmatisme esthétique aux im-
pressionnismes, des tentatives d'objectivité scientifique aux efforts de
critique créatrice — demande à la littérature, comme à chaque œuvre, quel aspect du monde elle exprime, quelle interprétation elle
en apporte, et quelle est la valeur aussi bien de cette expression que
de cette interprétation.

Avec les nuances et la variété sur lesquelles je crois maintenant
m'être suffisamment expliqué, des critiques ont donc été invités à
parler des écrivains d'expression française du Québec et à présenter
leurs auteurs de prédilection en commentant chacune de leurs œuvres
importantes.

*

* *

Ainsi aura-t-il été rendu justice à l'art littéraire. Mais puisque
ce livre en est un d'histoire littéraire, qu'il s'agit d'*expliquer* l'évolution d'une littérature en plus de la *comprendre* en pénétrant au
cœur des œuvres, il aura bien fallu également faire droit aux lumières apportées par les sciences de l'homme et de la société, surtout
par ces sortes de coupes à travers l'histoire intellectuelle qu'excellent
à pratiquer sociologues et ethnologues.

I I

L'HISTOIRE LITTÉRAIRE COMME SCIENCE

Lorsque M. Manuel de Diéguez [13] ou M. Serge Doubrovsky [14]
définissent la nouvelle critique comme une « psychanalyse existentielle », le premier nous parlant de Blanchot, Sartre, Paulhan, Barthes,
Béguin, Poulet, Bachelard, le second discutant des conceptions de
MM. Charles Mauron (trop purement psychanalyste) et Lucien Goldmann (trop purement sociologue), et accordant sa préférence à la
méthode de M. Roland Barthes [15], il est à noter que l'un et l'autre
sont accueillants à plusieurs théories qui font appel, pour l'interprétation des œuvres littéraires, aux sciences humaines.

13. *Op. cit.*
14. *Op. cit.*
15. Voir sur ce problème des théories nouvelles, de Roland Barthes: *Essais critiques*, Paris, Le Seuil, 1964, *Sur Racine*, Paris, Le Seuil, 1963, *Critique et vérité*, Paris, Le Seuil, 1966; lire également, de Michel Foucault, *Les Mots et
les choses* (Gallimard, Paris, 1966); *Les Chemins actuels de la critique* (colloque de Cerisy, dir. G. Poulet), Paris, Plon, 1967.

18

Expliquer, après avoir compris

L'on n'eût pas cru que la nouvelle critique dite « structuraliste » pût faire une aussi grande consommation de méthodes d'origine scientifique. Robert Kanters notait un jour malicieusement à ce propos: « Si la critique est une lecture armée, il n'y a aucune raison pour que son armement en reste au chassepot et néglige les facteurs d'intelligibilité de l'homme qui ont été mis en évidence par Marx, par Freud ou par leurs successeurs. Mais du même coup cette critique reste parfaitement dans la ligne de l'explication humaniste de la littérature, dans la tradition beuvienne ou universitaire. Elle fouille les dessous, elle se trompe quand elle prétend tout y ramener comme dit bien M. Picard [16], mais ce n'est pas pour cela qu'elle rate l'explication de l'œuvre, au contraire. » [17]

S'il arrive donc à la néo-critique anti-historiciste elle-même d'*expliquer* par mégarde, en plus de *comprendre* par les voies phénoménologiques, à plus forte raison l'histoire littéraire peut-elle, sans mauvaise conscience, proposer une lecture « scientifique » du corpus entier des œuvres littéraires d'un pays, emprunter aux sciences humaines pour élargir et étayer l'explication.

Selon une remarque de M. Robert Escarpit [18], l'appartenance simultanée du fait littéraire aux mondes des esprits individuels, des formes abstraites et des structures collectives ne saurait plus être niée aujourd'hui, même par les plus exigeants « puristes » de la littérature. L'étude des œuvres s'est depuis longtemps (...) élargie et approfondie par la psychologie des créateurs; mais l'absence d'une véritable perspective sociologique est sensible même dans les meilleurs manuels d'histoire littéraire de type traditionnel [19].

Sciences humaines et littérature

De par leur objet même, si mouvant et si complexe, les jeunes sciences de l'homme ne peuvent évidemment prétendre au même degré d'objectivité que les sciences de la nature. La difficulté pour elles est de se discipliner, de refuser avec une sorte d'ascétisme

---

16. *Nouvelle critique ou nouvelle imposture*, Paris, J.-J. Pauvert, 1965.
17. R. Kanters, dans « *Le Figaro littéraire* », 1er sept. 1966.
18. *Sociologie de la littérature*, coll. « Que sais-je? », P.U.F., Paris, 1958.
19. Voir sur cette question: Gilbert Durand: *Les Structures anthropologiques de l'imaginaire*, Paris, Presses Universitaires de France, 1963. Aussi, sur la sociologie de la littérature, les livres de Lucien Goldmann, en particulier le début de son essai *Le Dieu caché*, Paris, Gallimard, 1955, et ceux de G. Lukacs.

les résultats les plus révélateurs ou les plus intéressants, dès lors que ceux-ci seraient acquis par l'intuition, même géniale, et aux dépens de la rigueur. Il est facile d'observer qu'en ces matières, l'intérêt humain des enquêtes croît presque toujours en raison inverse de la précision prudente de la démarche intellectuelle. A la limite de l'usage intensif de toutes les facultés chez l'observateur, de la mobilisation de toutes les forces de son intuition, de son talent, de son expérience et de sa culture, l'on quitte presque fatalement le champ de la recherche scientifique pour entrer dans un domaine qui est en définitive celui de la meilleure littérature elle-même.

Ne fut-ce pas en effet de tout temps l'objet même de l'effort des écrivains que de jeter des coups de sonde aux profondeurs de la *psukhê* humaine, d'éclairer la psychologie des individus et des groupes par une observation pénétrante, d'ailleurs plus ou moins réussie selon la valeur des écrivains, du concret, du vécu, du particulier? La psychologie, la sociologie et surtout l'anthropologie culturelle — qui prétend synthétiser les résultats des deux premières disciplines — auront fort à faire pour qu'apparaisse périmé le travail très particulier qu'accomplissent les littérateurs. Sur ce sujet, Nathalie Sarraute [20] et quelques théoriciens du nouveau roman nous semblent avoir jonglé bien aventureusement avec certaines notions et donné dans un masochisme issu d'un paradoxal et naïf raisonnement. Pour que la route à parcourir ne semble pas longue à l'infini devant une approche « scientifique » de l'homme assez satisfaisante pour déclasser les autres modes d'appréhension du mystère humain — ce à quoi elle n'a jamais prétendu, heureusement — il faudrait premièrement que ces jeunes sciences passent victorieusement à travers la gangue de l'héritage philosophique qui fut nécessaire pour les fonder; qu'elles se délivrent, en l'assimilant, de ce corps de conventions et de « prisons verbales », pour parler comme Jean-François Revel [21], qui ne renvoient qu'à elles-mêmes; qu'elles se montrent aptes à saisir avec une pénétrante justesse le détail, le particulier, le concret, l'infinitésimal du vécu humain. Mais il faudrait surtout qu'elles soient aptes à suivre l'homme dans sa liberté, c'est-à-dire qu'elles ne se contentent pas d'observer, de décrire ni même seulement d'expliquer les comportements humains, mais qu'en outre elles les comprennent dans leur devenir. Une telle compréhension pourra-t-elle jamais être du ressort de la stricte connaissance scientifique? On en peut sérieusement douter, puisque sa mission est précisément inverse, s'il est vrai qu'« il n'y a de science que du général ».

---

20. *L'Ere du soupçon*, Paris, Gallimard, 1956.
21. *Pourquoi des philosophes?*, Paris, Julliard, 1956.

Il n'en reste pas moins que ces disciplines parfaitement valables et fécondes au niveau de la connaissance scientifique ont affirmé une à une leur existence ou se sont complètement renouvelées depuis un siècle, qu'elles cherchent leurs méthodes [22], précisent leurs places respectives, affirment leur droit à l'existence et mènent quelquefois entre elles une curieuse et passionnante lutte pour la vie. Comme elles enquêtent sur l'homme et que la littérature le fait aussi de temps immémorial, il est inévitable que la critique et l'histoire littéraire du XXᵉ siècle s'arrêtent au problème de leurs rapports avec ces sciences.

L'attention aux « constantes »

Ayant marqué comme nous l'avons fait les raisons qui imposent aux praticiens et aux usagers de l'art littéraire de ne se tourner qu'avec circonspection vers un recours actif à ces sciences de l'homme, dont les résultats, obtenus en manœuvrant de trop peu souples machines, risquent, à ce jour, de n'apparaître le plus souvent que comme des banalités et des truismes au point de vue propre de la critique et de l'histoire littéraire, il nous semble opportun d'indiquer maintenant pourquoi l'indifférence ne nous paraît pas souhaitable, pourquoi et dans quelles conditions nous y avons eu recours.

Ces sciences de l'homme se fondent sur une distinction capitale pour déterminer leurs champs d'action respectifs. Tout homme est à certains égards *comme tous les autres hommes,* et ainsi il a une nature humaine; à certains égards, il *ne ressemble à personne d'autre,* en quoi il possède une personnalité individuelle; mais il est indéniable qu'à certains points de vue, tout homme *présente des traits communs* avec un certain nombre d'autres hommes constituant le ou les groupes qui l'entourent.

Le classicisme français n'a voulu apercevoir que la *nature humaine,* l'homme universel; ce qui constitue sans doute une grande vérité morale, mais elle est partielle. Le « préjugé classique » continue encore à voiler aux yeux de plusieurs la *diversité humaine,* objet des sciences de l'homme, qui est l'autre moitié de la vérité, déjà aperçue dans le passé par un Thucydide, un Tacite, un Strabon, un Ibn Khaldoun ou un Montesquieu. Mais il y a loin de leurs observations à celles des sciences humaines dans leurs plus récents développements.

---

22. On trouvera un tableau synthétique et critique de l'évolution des sciences de l'homme dans l'essai remarquable et trop peu connu de Georges Gusdorf: *Introduction aux sciences humaines,* Paris, Les Belles Lettres, 1960.

L'idée d'un fonds commun aux individus d'une même société, d'une « configuration psychologique » ou «personnalité de base », d'ailleurs variable, à la fois produite par le groupe (par les institutions dites *primaires* du groupe) et réagissant sur lui, c'est-à-dire formant par cette réaction de l'individu, le *secondaire* dans la collectivité, n'est-ce pas la situation dialectique que l'on trouve également, en microcosme, dans la production intellectuelle, dans la littérature d'un pays? Un écrivain reçoit, s'adapte; mais aussi il ajoute au donné, à l'héritage: il crée. La valeur d'une littérature, comme celle d'une société, ne se mesure pas seulement à sa capacité d'intégrer les « déviants », les inadaptés, mais aussi de les *utiliser,* s'ils sont tels au nom d'une plus haute norme humaine. L'homme est à la fois un donné et un vécu; il est une *nature* et une *liberté.* Parce qu'il faut l'expliquer comme nature et le comprendre comme liberté, il est nécessaire que cœxistent une psychologie de laboratoire et une psychologie de conscience, une sociologie objective et une sociologie compréhensive; et pourrions-nous ajouter: une anthropologie culturelle et une psychologie des peuples? Il est nécessaire en tout cas, dans le champ de la littérature, qu'il y ait une critique d'explication et une critique de création, ou compréhensive. La critique, pour autant qu'elle se préoccupe d'explication, a beaucoup à apprendre des sciences de l'homme, et l'histoire littéraire en fera, naturellement, un usage encore plus fécond.

Ouvrons ici une parenthèse pour faire observer que le critique ou l'historien littéraire, par la fréquentation de ces disciplines, en même temps qu'il prend des leçons de méthode et de rigueur, peut aiguiser ses exigences propres et mieux éclairer l'objet particulier de son étude. Il lui est bénéficiable de connaître, au moins dans leurs grandes lignes, les recherches de la sociologie, de la psychologie et celles de toutes les branches ou sous-branches de ces deux sciences, ne serait-ce que pour recueillir d'elles un sentiment accru du relativisme culturel; ne serait-ce, aussi, que pour éviter de s'enfermer lui-même involontairement dans l'une de ces disciplines captée avec une passion d'amateur, de s'emprisonner dans son point de vue nécessairement partiel, ou même dans un quelconque système d'explication subordonné à ces disciplines. N'a-t-on pas vu, par exemple, aux États-Unis et ailleurs, se déployer une critique marxiste et une critique psychanalytique, l'une et l'autre plus ou moins aveugles dans la mesure où elles étaient exclusives et de stricte observance, subdivisions malencontreuses d'une saine critique sociologique ou d'une éclairante critique de genèse psychologique. Ces explications fragmentaires, étrangères à la spécificité du phénomène littéraire, ne peuvent que le dénaturer, en mutiler l'essence.

L'apport de la sociologie

Que peuvent apporter au lecteur avisé, dans l'étude du phénomène littéraire, les diverses sciences humaines, et particulièrement la sociologie? Dans le *Traité de sociologie* de Georges Gurvitch [23], Albert Memmi, reconnaissant que la sociologie de la littérature est encore pratiquement à fonder, ne craint pas de saisir à bras-le-corps et dans toute son ampleur une matière aussi rebelle à la « réduction » objective. Il n'élude aucune difficulté, puisqu'il distingue, dès le départ, entre une *sociologie de l'écrit* et une *sociologie de la littérature,* allant ainsi tout droit au cœur des choses, à l'exigence d'une sociologie de ce qui est *propre* au fait littéraire. Est-il possible de faire une sociologie non pas de l'écrit comme marchandise, comme produit de transformation, de distribution ou de consommation, mais du fait littéraire dans sa spécificité, c'est-à-dire finalement la sociologie d'une valeur? N'est-ce pas de l'esthétique seule que relève cet ordre de valeurs? Non pas, car les problèmes de leur genèse, de leurs liaisons et de leurs effets dans le reste du corps social, c'est-à-dire des corrélations fonctionnelles, du conditionnement réciproque entre littérature et société, sont des problèmes bien réels.

Il existe une répugnance assez répandue à reconnaître l'intérêt de telles recherches. L'échec des premières tentatives d'explication scientifique, depuis le déterminisme simpliste des continuateurs de Taine jusqu'aux enquêtes marxistes ou psychanalytiques inattentives à l'essentiel, à ce qui distingue précisément le fait littéraire d'autres faits connexes, y sont pour quelque chose. Aide ruineuse en effet que celle d'une science qui détruit à mesure l'objet de sa quête en réduisant celle-ci à ce qu'il y a, en elle, de moins fondamental. Indépendamment de cela, il existe un refus de la démarche sociologique en matière littéraire qui provient de la résistance même du corps social devant une prise de conscience ressentie comme plus ou moins « déstructurante », et de la bien naturelle répulsion des écrivains eux-mêmes à se voir saisis sociologiquement, au détriment du respect attaché aux mystères de l'inspiration créatrice. Pierre Francastel indique une source fort plausible de l'espèce de religieux respect que l'art inspire aujourd'hui: les théories symbolistes des années 1885, dont on sait le lien avec le romantisme, ou plus exactement avec le néo-romantisme issu de Novalis et de Hölderlin.

Quoi qu'il en soit, l'insistance de Memmi à préserver au fait littéraire son essence de fait de *valeur,* à finalité esthétique, lui permet de mettre l'accent sur ce qu'il y a de plus efficace dans cette méthode.

---

23. Tome II, Paris, Presses Universitaires de France, 1961.

La division de la matière entre la genèse des faits littéraires, leurs mécanismes structurels et leur destin socio-historique, correspond au découpage habituel: auteur, œuvre, public (Escarpit distinguait plus brutalement, en termes économiques: production, distribution, consommation). Toutefois il importe de voir que le statut économique ou professionnel, la classe sociale ou la génération, lorsqu'on étudie les auteurs, sont des déterminations qui ont moins d'intérêt en elles-mêmes que dans leur relation aux œuvres. De même la genèse ou la diffusion des œuvres seraient des voies de recherches bien incomplètes sans la considération de l'œuvre en soi, c'est-à-dire sans une sociologie des formes, des thèmes, des personnages et des styles. Enfin une sociologie attentive et nuancée des divers publics fera apparaître les correspondances entre « les principaux thèmes socio-affectifs, valeurs et modèles illustrés par l'auteur et certains thèmes, valeurs et modèles fortement présents dans le public récepteur ».

Le recours à la psychologie

Cette étude de l'auteur, de l'œuvre et du public nous montre le fait littéraire tantôt comme effet, tantôt comme reflet et tantôt comme cause au sein de la société. Mais cela nous renvoie, notamment, à une distinction de M. Pierre Francastel entre les « modèles » initiateurs et les « séries » dans la vie des formes. Se trouvent ainsi opposées aux phases de tradition les périodes fécondes où renaît l'invention; à la pensée « symbolique » caractérisée par la pression de la société sur l'art, la pensée « opératoire », alors que l'art joue un rôle dans la société.

Lorsque le social et le psychologique se trouvent aussi étroitement emmêlés, dans un objet d'étude hardiment affronté selon ses seules dimensions vraiment significatives, il est aisé de comprendre que seule une sociologie très déliée, très avertie des travaux concomitants de la psychologie, très attentive également à la littérature et à la production intellectuelle, peut être à la hauteur des tâches qui lui sont proposées.

Ai-je besoin de souligner — ce que le lecteur ne tardera pas à vérifier par lui-même — qu'avec des esprits scientifiques de la nature et du tempérament de MM. Claude Galarneau, Marcel Rioux, Pierre Savard, Jean-Charles Falardeau et Fernand Dumont, une semblable ouverture était d'avance acquise?

Histoire et littérature

Venons-en aux exigences de l'histoire proprement dite, lorsque son objet est l'évolution d'une littérature.

Henri-Irénée Marrou, dans son admirable petit livre sur *La Connaissance historique* [24], fait le bilan des efforts passionnants accomplis, depuis Dilthey, dans la méthodologie des sciences humaines. Il montre que l'ambition chimérique des théoriciens positivistes du XIXᵉ siècle rêvant d'aligner l'histoire sur les sciences exactes, assignait en réalité à l'historien une méthode inadaptée à la nature profonde de son travail: connaître et comprendre le passé humain. Encore ici, une intense transfusion de psychologie, le souci de l'homme et des hommes, sont l'élément salvateur de la science historique en général, et donc singulièrement de l'histoire littéraire. Dans un chapitre capital sur « l'existentiel en histoire », Marrou écrit que « l'histoire *est* la relation, la conjonction établie, par l'intuition de l'historien, entre deux plans d'humanité, le passé vécu par les hommes d'autrefois, le présent où se développe l'effort de récupération de ce passé au profit de l'homme ». Plus l'historien a de culture et de valeur personnelles, plus s'enrichit la connaissance qu'il peut communiquer du passé humain. L'art véritable de l'historien ne méprise pas les règles classiques élaborées par les historiens positivistes: il dépasse, en l'assumant, leur idéal, dans l'élaboration d'une histoire d'ailleurs élargie, beaucoup plus « compréhensive » qu'il y a cinquante ans. « Pour connaître son objet, l'historien doit posséder dans sa culture personnelle, dans la structure même de son esprit, les affinités psychologiques qui lui permettront d'imaginer, de ressentir, de comprendre les sentiments, les idées, le comportement des hommes du passé qu'il retrouvera dans les documents. »

Et c'est ainsi que le travail le plus rigoureux de l'historien puise aux mêmes sources que celui de l'artiste et qu'il relève de plein droit, lui aussi, de la littérature. La connaissance que l'historien veut élaborer d'un passé confus, multiforme, vise à une intelligibilité: « Ne comparons pas trop vite l'historien au dramaturge et au romancier, car il doit être toujours souligné que cette intelligibilité doit être vraie, et non pas imaginaire...; mais cela rappelé, il est vrai de dire que l'histoire doit chercher à élaborer une connaissance qui soit aussi intelligible que du Shakespeare ou du Balzac ».

Conclusion

Cet ouvrage soumet donc nos lettres françaises du Québec à une double étude, c'est-à-dire successivement et tout ensemble aux vues « déstructurantes », explicatives de la science, et aux commentaires « re-structurants » d'une critique de compréhension. Il en propose ainsi le réexamen à la fois le plus serré possible et le plus accueillant. Tous nos efforts ont tendu vers cet objectif; notre espoir est de nous en être au moins rapprochés.

24. Editions du Seuil, Paris, 1954.

Chapitre premier

LE DOMAINE LITTÉRAIRE QUÉBÉCOIS
EN PERSPECTIVE CAVALIÈRE

par Georges-André VACHON

« *Un peuple ... sans littérature* »
Lord Durham

Comment expliquer le malaise que j'éprouve devant tout ouvrage qui porte le titre d'*Histoire de la littérature canadienne-française*?

Certes, nous figurons au tome III de l'*Histoire des littératures*
de la Bibliothèque de la Pléiade, mais réduits à la portion congrue,
comme le domaine belge, où ne figurent que pour mémoire Maeter-
linck et Michaux, poètes « français », et le domaine romand, amputé
des noms de ceux qui écrivent *le Vicaire savoyard, Corinne* et
Adolphe. Oeuvres valables, œuvres françaises: telle est la règle, en
ces domaines périphériques, qui permettent à Rousseau, à Madame
de Staël, à Benjamin Constant, à Senghor lui-même, de n'être pas
plus provinciaux — c'est-à-dire de l'être tout autant — que Rabelais
ou Flaubert.

Le reste constitue la part proprement « nationale » de ces provinces littéraires. Or, telle est exactement la situation de notre littérature, par rapport à la république française des Lettres. De là, le
malaise dont je parlais tout à l'heure: le mot littérature, quand il
passe du domaine français au domaine québécois, change de sens.
Là, il englobe un certain ensemble d'œuvres incontestablement valables. Ici, il désigne la collection matérielle des œuvres produites
dans les limites d'un territoire national.

Qu'on ne se méprenne pas sur le sens du mot « valable ». Si je
compare notre littérature à celle du peuple français, ce n'est pas pour

les rapporter toutes deux à une hypothétique échelle — universelle, absolue — des valeurs littéraires. L'esthétique n'est plus normative, nous le savons (et l'a-t-elle jamais été, ailleurs que dans l'esprit de théoriciens qui n'étaient pas des créateurs?). De nos jours, en tous cas, une littérature se présente d'abord comme un ensemble, auquel une certaine tradition de lecture et de critique a imposé une structure. Ronsard, Corneille, Hugo, Baudelaire — et sans doute aussi: Jodelle, Scudéry, Monselet; mais avant tout: un certain nombre d'œuvres dont on dit qu'elles sont « grandes », simplement parce qu'on les « relit encore aujourd'hui », et compte non tenu de l'accueil qu'elles ont pu recevoir à leur époque.

Lectures et relectures: critère unique, ou plutôt: mécanisme profond de la valeur littéraire, par quoi s'établit, sur la base toujours très large de la production courante, le répertoire des œuvres « majeures ». On retrouve ici une idée que la critique dite « nouvelle » a prise à Proust et à Valéry: l'œuvre littéraire n'a pas d'existence « objective ». Encre et papier, elle existe, dans la seule mesure où elle est lue. Ajoutons qu'elle est en effet lue et relue, dans la mesure où d'abord elle existe, comme œuvre, dans la relation singulière qu'elle entretient avec son créateur.

Dans cette perspective, comment apparaît le domaine québécois? Sa culture présente-t-elle un ensemble de phénomènes qu'on puisse dénommer littérature, au sens défini ci-dessus?

« Un ensemble d'œuvres lues et relues ». Mais, ici, relues par qui? J'aimerais savoir combien d'exemplaires des *Anciens Canadiens* [1] étaient encore accessibles aux lecteurs québécois, avant la réédition toute récente de l'œuvre en format de poche. Et qui donc aura relu, avant la réimpression de 1946, les *Forestiers et Voyageurs,* de Joseph-Charles Taché? (J'écris ces noms et prénoms en toutes lettres, les lecteurs du présent ouvrage les ayant certainement oubliés; ou s'ils les ont retenus, ce sera en vertu d'une mémoire bien différente de cette mémoire traditionnelle, par quoi nous savons qui est l'auteur des *Fleurs du Mal,* de *Monsieur Teste,* de *la Porte étroite*). Et *Angéline de Montbrun* (de qui est-ce?), pendant le demi-siècle qui a précédé l'édition de 1950?

Sans doute, ces textes commencent-ils à être accessibles. Mais depuis quand, ce retour aux textes, à la lecture? Depuis une certaine date qui tend à devenir le pendant de 1760, pour les actuels épigones de notre historiographie nationale: 1960, point de départ d'une *reconquista* qui prend parfois, comme jadis en domaine espagnol, des allures de croisade. Mais la question soulevée par l'existence même du présent ouvrage, demeure entière. Cette Histoire couvre les deux

---

1. Oeuvre rééditée au moins une fois à chaque décennie.

siècles qui ont précédé la mort de Duplessis. Et il s'agit toujours de décider si, oui ou non, nous avons là l'histoire d'une *littérature*.

Des œuvres, disions-nous, mais point de tradition de lecture. Quand j'aborde les *Essais*, j'arrive après Descartes, après Pascal, après Sainte-Beuve, après Valéry, lecteurs de Montaigne. C'est à travers une tradition analogue que je rejoins les « classiques » même les plus récents — Proust, par exemple. Mais, que je feuillette *le Tableau de la Rivière-Ouelle*, et je sens tout de suite que pendant le siècle de possibles lectures qui me sépare de Casgrain, rien ne s'est passé. Dantin, Fournier, Brunet en ont peut-être écrit. Quelques lignes ou quelques pages: qu'importe! Cela ne peut constituer une tradition, c'est-à-dire un chemin sans cesse parcouru et reparcouru, et qui situerait l'œuvre à son exacte distance par rapport à moi. Devant Casgrain je suis à peu près dans la situation des lecteurs des *Soirées Canadiennes*, première livraison, mars 1861. L'œuvre ne m'est pas *transmise*. Elle n'a pas subi l'épreuve d'une tradition de lecture. Elle ne vient pas à moi; c'est moi qui choisis d'aller à elle, et pour la seule raison qu'elle se trouve sur les rayons d'une bibliothèque: elle fait partie de la collection matérielle des œuvres appelées québécoises.

D'autre part, je ne puis aller vers cette œuvre, comme on retourne aux classiques français ou anglais, même récents, pour y puiser un contenu à coup sûr nourrissant. Sauf pour certains auteurs du XXe siècle, l'œuvre me rejoint sans l'incidence, à la fois historique et sociologique, de ce que nous avons appelé la *valeur*. Je l'aborderai donc avec une secrète méfiance. Que sais-je, après tout, si elle va se prêter au corps à corps de la lecture? [2] Si je l'interroge, va-t-elle ré-

2. Les méthodes de la « nouvelle » critique ne promettent guère de lever de tels doutes. Elles permettent de révéler la « structure » de l'œuvre. Mais on ne peut faire, de l'existence d'une telle structure, un critère de la valeur littéraire. Ce serait renverser l'ordre normal de la vie des œuvres. La « valeur » de celles-ci une fois établie par une tradition de lecture, survient la nuée des glossateurs, lansoniens ou « nouveaux » critiques, historicistes ou structuralistes, qui s'appliquent, les uns à « expliquer », les autres à « décrire » l'œuvre, selon sa « genèse » ou sa « structure ». Du reste, les méthodes dites nouvelles n'ont jamais été appliquées, jusqu'ici, qu'à des œuvres majeures. Rien ne dit que les œuvres mineures, soumises au même traitement, n'eussent pas révélé une structure tout aussi cohérente. Une critique de type structuraliste n'est jamais, après tout, que le compte rendu de l'aventure singulière, *subjective*, d'un lecteur aux prises avec une œuvre. L'aventure vaut ce que vaut l'œuvre; elle est fonction de la résistance que celle-ci oppose à la lecture, du dialogue avec le lecteur que permet précisément son *objectivité*. L'œuvre faible, elle, ne résiste pas à la pénétration, et l'on y trace tout de suite des chemins de lecture qui se laissent aisément réunir en un « réseau » cohérent de relations. Au niveau de la description critique, nulle différence entre ces deux aventures. La critique structuraliste, répétons-le, permet tout au plus d'établir le compte rendu méthodique d'une aventure de lecture: aventure subjective, qui, loin de fonder un jugement littéraire, se fonde sur une valeur déjà établie.

LE DOMAINE LITTÉRAIRE QUÉBÉCOIS

pondre par l'amorce d'un dialogue? ou au contraire, va-t-elle se dérober, s'effriter? Je n'en puis rien savoir: entre l'œuvre et moi, nul sentier, nulle trace de lectures antérieures.

Casgrain n'a jamais été relu, comment le lirais-je, à mon tour? Que dis-je, relu? Casgrain a-t-il jamais été lu, tout simplement? On voit dans quel sens cette question peut être posée. Nos écrivains ont tous eu un certain nombre de lecteurs. Mais leur œuvre a-t-elle jamais été prise en charge par ce qu'on pourrait appeler une masse lisante? Ici, encore, il faut répondre: non. Une sociologie de la littérature prise comme produit de consommation (voir les études de Robert Escarpit) pourrait sans doute établir les dimensions en deçà desquelles une masse lisante n'est plus qu'une poussière de lecteurs isolés, incapables de faire exister une œuvre. Et la démographie ancienne du Canada français montrerait à coup sûr que son public lecteur n'a jamais atteint de telles dimensions.

Mais prenons garde de ne point trop simplifier le problème. Production et consommation de l'œuvre se trouvent plutôt dans un rapport d'implication mutuelle, s'il est vrai que l'écrivain est la voix par laquelle une société se dit à elle-même ce qu'elle est en profondeur, ou s'annonce à elle-même ce qu'elle doit être. Il y a donc un point optimum de conscience collective, comme aussi d'affinement de la culture, au-delà duquel la production d'œuvres valables devient possible; et non seulement possible, mais nécessaire. À partir de ce moment, une communauté nationale produit spontanément les œuvres dont elle a besoin; et elle les consomme, cela va sans dire. Les œuvres existent, étant lues. Mais tout d'abord, on les lit parce qu'elles existent intensément, dans le rapport qu'elles entretiennent avec une conscience créatrice profondément enracinée dans la conscience nationale.

Or, tout indique que le Canada français est parvenu à ce point optimum, depuis la dernière guerre. Le mécanisme profond de la création autochtone et de la lecture est déclenché; les premiers sédiments d'une tradition sont en train de se constituer, et nous savons, par exemple, ce que les poètes de l'Hexagone doivent à Grandbois. Tout cela date de 1939 environ. Mais les deux siècles de « littérature » antérieurs au moment de grâce que nous vivons actuellement, qu'allons-nous en faire?

Les soumettre, avant tout, à l'épreuve critique par excellence: la lecture. Plus précisément, nous demander si cela, c'est-à-dire Fréchette, Crémazie, Beauchemin, et l'École de Montréal, moins Nelligan, si cela, donc, supporte la *lecture*. Je souligne le mot, car il s'agit ici de cette attention qui est arrachement du lecteur à lui-même, par la vertu d'un texte; et non pas de l'attention volontaire, concertée, sans cesse ramenée sur l'objet, dont procède l'*étude*. Qu'il soit intéressant, passionnant même, d'étudier les œuvres québécoises antérieures à la dernière guerre, je le sais autant que quiconque. Mais je crois bien ne m'être jamais trouvé, devant la plupart de ces œuvres, en situation de lecture, au sens défini ci-dessus. Prenons même une œuvre comme *Trente arpents*, qui est par excellence le livre « bien fait » de notre littérature. Il peut être l'objet de thèses, de cours, d'études plus ou moins savantes. Mais qui donc, pour retrouver le pur plaisir de lire, aura l'idée d'aller rouvrir ce roman. Dès le moment où la lecture se présente comme un besoin, on se tourne à coup sûr vers des œuvres qui ne sont pas canadiennes: le Quichotte, ou Dickens, ou les romanciers américains, mais certainement pas Ringuet, ni aucun de ses prédécesseurs.

Cet aveu, je voudrais l'arracher à tous ceux qui, comme moi, se passionnent pour l'étude du domaine québécois. Il consiste à reconnaître, dans sa vérité, le type particulier de rapports que nous entretenons avec les œuvres publiées, depuis deux siècles, sur le territoire national. Faute de ce nettoyage préalable de la situation, le travail risque de s'engager sur des pistes qui ne tiennent pas compte de la spécificité du domaine de recherche qui est le nôtre.

Le premier postulat de cette recherche serait de reconnaître que la « littérature » québécoise doit s'entendre, historiquement, dans un sens particulier, les textes de prose et de poésie englobés sous cette dénomination n'étant guère plus « littéraires » que les mémoires, les correspondances, les discours politiques, les articles de journaux, et même les écrits didactiques qui ont vu le jour, ici, entre le Régime français et la seconde guerre mondiale. Pour ma part, je ne peux pas ne pas faire, de cette vérité, le premier postulat de la recherche en domaine québécois. Cela entraîne deux conséquences: d'abord, qu'il n'y a aucune raison de privilégier l'étude des romans, des nouvelles, des recueils de poèmes, au détriment des textes « non-littéraires »; et ensuite, qu'on ne peut aborder ces œuvres, d'emblée, par une méthode spécifiquement littéraire, applicable aux seules œuvres dont le statut d'objets esthétiques est certain.

J'imagine donc un domaine de recherche qui aurait ce double caractère: d'abord, de confondre en un seul objet d'étude tous les textes écrits, en refusant de savoir, *a priori*, s'ils ressortissent à un genre littéraire différencié: littérature romanesque, poésie lyrique, discours politique, essai ou histoire; et deuxièmement, d'appliquer à ces textes, indifféremment, toutes les méthodes d'approche mises au point par les sciences de l'homme: la méthode « littéraire », sans doute, mais aussi — et, chronologiquement, d'abord — celles des sciences historiques et sociales. Au regard de l'analyse thématique ou structurale, les *Mémoires* de Madame Bégon, un discours de Papineau, ne sont pas moins « poétiques » que le *Drapeau de Carillon*; *Angéline de Montbrun* et les catéchismes diocésains de la fin du XIXe siècle enregistrent les mêmes mouvements de la conscience nationale; et c'est une même nécessité, perceptible dans des analogies de structures, qui pousse le solitaire Laberge à écrire *La Scouine*, et Berthelot Brunet à polémiquer sur la place publique. Mais ces hypothèses, on ne peut les poser avec profit avant d'avoir restitué le réseau de corrélations objectives qui interviennent entre les textes, les hommes, les événements et le milieu.

L'existence d'un secteur spécifiquement littéraire étant ainsi affecté d'un doute méthodique, la recherche en domaine québécois semble réduite, à première vue, à une histoire des idées. Sans doute faudrait-il commencer par là, dans l'ignorance où nous sommes des sources, des influences, des courants de pensée qui ont marqué nos deux siècles de vie intellectuelle. Menée en liaison constante avec les méthodes utilisées par les disciplines sociologiques, cette recherche mènerait bientôt à la description d'une idéologie globale — l'idéologie étant la fonction générale au moyen de laquelle une société contrôle et ordonne spontanément sa propre évolution. Celle-ci se manifeste indifféremment dans des prises de positions politiques, individuelles ou collectives, dans des mouvements d'idées, dans des poèmes, comme aussi dans les fluctuations du sentiment religieux ou national. Dans cette optique, il ne saurait être question d'envisager la littérature comme le « reflet » d'une société, puisqu'aussi bien l'idéologie se trouve présente tout entière dans chacune de ses manifestations. On n'a plus qu'un éventail d'activités humaines, ou si l'on veut, de fonctions sociales, plus ou moins différenciées, susceptibles de se déchiffrer l'une par l'autre, les conduites individuelles ou collectives révélant des significations qui éclairent tel aspect ou partie d'un événement, d'une prise de position purement doctrinale, d'un texte littéraire, — et inversement.

Du reste, la société québécoise offre à de telles recherches un terrain privilégié: elle présente tous les problèmes d'une société évoluée, qui se constitue et se développe en passant par des crises caractéristiques, mais à une échelle réduite, et dans des conditions d'observation qui permettent, mieux que nulle part ailleurs, d'isoler les différentes variables du phénomène global. Cela, nos sociologues

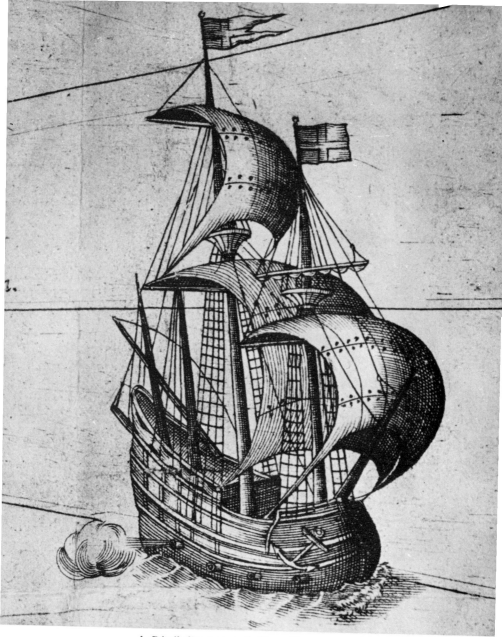

1. Détail d'une carte de Champlain.

32a

Plan et profil de SAINT MALO ville épiscopale et Port de la Haute Bretagne

2. Gravure d'époque représentant Saint-Malo

3. Le Père Crespel, récollet.   4. La Mère Catherine de Saint-Augustin.

5. L'arrivée de Cartier à Québec.

32c

6. Québec en 1699.

32d

7. Jean Talon, intendant.

8. La chapelle du Petit-Cap à Saint-Joachim

9. Le vieux manoir de la Baie Saint-Paul.

10. Vieux moulin banal.

11. Monnaie de carte, sous le régime français.

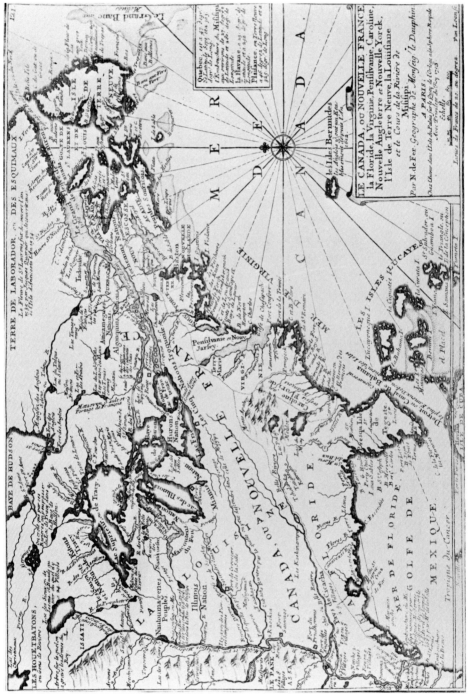

12. La Nouvelle-France en 1705

13. Le coureur des bois.

14. La fileuse.

15. Famille paysanne.

16. Michel Sarrazin, botaniste.

17. Les forges Saint-Maurice fondées en 1733.

le savent. Souhaitons que cette manière d'envisager le domaine québécois s'étende aux autres secteurs de la recherche. Si la fierté nationale a besoin d'un aliment, que du moins elle aille le puiser dans la reconnaissance de ce que le peuple québécois est, et non dans le désir et l'affirmation stériles de ce qu'il n'est pas, ou n'a pas. En domaine français, par exemple, Corneille et Hugo sont aussi grands, dans leur ordre, que le furent Louis XIV et Napoléon dans l'ordre politique. Tandis que nous, à un Papineau, à un Bourassa, à un Laurier, hommes politiques d'une incontestable valeur, nous ne pouvons rien comparer, dans l'ordre littéraire. Être Québécois, c'est cela. Et cet aveu, loin de contenir un jugement dépréciatif sur ce que nous sommes, ne peut qu'aider à l'affirmation de notre originalité. Précisément parce que la littérature, ici, constitue une sphère d'activité mal différenciée, le domaine québécois se prête, mieux que nul autre, à l'observation de l'*émergence* de la fonction littéraire dans une société, et de son fractionnement progressif en « genres », toujours liés aux avatars d'autres fonctions et d'autres variables sociologiques. Je songe, par exemple, à la fonction religieuse, si importante chez nous, et dont l'incidence sur la vie politique et intellectuelle peut être de mille manières observée. En un mot, le domaine québécois semble bien être le terrain où l'on puisse le mieux observer la naissance et la différenciation progressive des grandes fonctions sociales: vie politique, vie religieuse, vie intellectuelle et artistique, etc.

Pour que cette recherche soit possible, la plus étroite collaboration devrait exister entre les secteurs de recherche qui ressortissent aux diverses Facultés et Départements, si fâcheusement cloisonnés, de nos Universités: « littérature canadienne », folklore, mais aussi linguistique, histoire, sociologie, anthropologie, etc. Quant aux moyens d'assurer cette collaboration, ce n'est pas le lieu de les décrire avec précision. Ils peuvent aller de la création d'un Institut « interdépartemental » de recherche, à la mise sur pied d'un organisme national de coordination de la recherche en domaine québécois. Il ne s'agit pas de faire que les littéraires deviennent anthropologues, et les historiens, linguistes, bien au contraire. De tels organismes sont indispensables précisément parce qu'il faut respecter à la fois l'unité vivante de chaque domaine, et la spécificité des méthodes.

Qu'ajouter à ces lignes, sinon le vœu que la recherche s'organise, et que le « domaine québécois » dans son ensemble apparaisse de plus en plus comme le contexte adéquat — j'allais écrire: comme l'objet adéquat — de toute étude portant sur notre « littérature ».

Chapitre II

TOILE DE FOND:
HISTOIRE DE LA MENTALITÉ ET DES IDÉES

par Claude GALARNEAU

Chacun sait depuis le premier âge scolaire que la France a fondé la Nouvelle-France au début du XVIIᵉ siècle, qu'elle a fourni son plus grand effort sous Louis XIV et qu'elle a dû quitter le Canada après cent cinquante ans.

Composantes historiques françaises

Cette France colonisatrice était déjà, à l'époque, un pays qui vivait d'une civilisation agraire plus de deux fois millénaire, et du christianisme depuis quinze siècles, deux mondes dont le dernier avait épousé tous les contours du premier, l'un portant l'autre. À ces deux phénomènes de très longue durée s'ajoutait, depuis l'an mille, une société féodale qui avait presque atteint le terme de sa course et une monarchie qui était à son sommet. Si la société médiévale avait fourni à l'Occident des artistes incomparables en architecture et en sculpture, elle n'avait pas encore donné à la littérature le même éclat. La colonisation française sur le continent américain s'est effectuée enfin à deux moments précis du XVIIᵉ siècle: l'un marqué surtout par l'aspect religieux, l'autre par le nombre des hommes et la vigueur des institutions.

Les origines mystiques

Au début du siècle, la situation politique en Europe et en France même ne permet pas à la métropole de s'occuper de sa colonie autant qu'elle le voudrait. Pourtant, au cours des guerres avec l'Empire et des révoltes de nobles et de paysans, sous Richelieu et sous Mazarin, la France connaît l'un des plus grands moments de la restauration religieuse issue du Concile de Trente. C'est l'époque des grands mystiques, de la réforme des monastères, de la création ou de l'implantation de nouvelles communautés, de l'essor missionnaire des jésuites et des capucins, l'ère des Bérulle, des Olier, des Vincent de Paul. C'est dans ce climat de ferveur religieuse extraordinaire que le Canada est né. Avec les quelques centaines de colons qui se sont établis sur les bords du Saint-Laurent, est venu un groupe important de missionnaires récollets et jésuites de la meilleure trempe, ainsi que des religieuses conduites par des femmes d'aussi forte carrure morale que Marie de l'Incarnation et Marguerite Bourgeoys. Mgr de Laval, élève des jésuites, disciple des laïques de la Compagnie du Saint-Sacrement de l'Autel, établit l'Église du Canada sous la même poussée. Ce catholicisme de la restauration religieuse est marqué au coin de la mystique, de l'ascétisme, de la rigueur doctrinale et même du rigorisme. L'un des caractères les plus constants de la religion des Canadiens sera justement ce rigorisme, si souvent observé, qui imprégnera toute notre vie culturelle.

Le nombre et l'organisation

Une fois la paix rétablie en France, Louis XIV et Colbert reprennent l'œuvre esquissée par Richelieu. Ils envoient en l'espace de quelques années le plus fort contingent d'hommes que le Canada ait reçu et lui donnent des institutions. Ces Français qui passent les mers sont pour la plupart des paysans et des hommes de métiers, auxquels s'ajoutent quelques nobles besogneux et des marchands de petite ou moyenne bourgeoisie. Cet établissement fut la seule colonie de type agraire que la France ait créée outre-mer, la seule qui ne fût pas une île à sucre, un comptoir à nègres ou à épices. Ce fut vraiment une Nouvelle-France, une province de France dans un pays neuf, selon le schéma des structures agraires du régime féodal et seigneurial, avec des cadres administratifs dont le gouverneur, l'intendant et le conseil souverain étaient les rouages essentiels. Il s'en faut de beaucoup cependant que tout le détail des institutions de la France se soit retrouvé au Canada. De même que Louis XIII et Richelieu avaient interdit aux protestants de s'établir au Canada, ne voulant pas voir les querelles intestines que la France connaissait se transporter en Amérique, Louis XIV et Louis XV ont toujours empêché, en particulier, que le monde de la chicane et les détenteurs d'offices prissent racine chez nous.

La transformation des mentalités

Les Français du Canada ont évidemment apporté ce qui était essentiel à leur établissement. Mais il s'est produit, de par la nature des choses, un phénomène analogue à celui de l'entropie en sciences physiques: quand ils sont passés en Amérique, les Français n'ont transporté qu'une partie de l'avoir collectif en institutions, en techniques, en biens de culture. Et les soixante-quinze ans qui ont séparé l'époque d'organisation de la fin du régime français ont tout juste permis aux hommes d'imprimer un caractère original à la vallée du Saint-Laurent. Ce que les Français ont apporté d'intact par contre, ce qu'ils ne pouvaient pas ne pas apporter, c'était leurs structures mentales. Les représentations collectives sont en effet, dans les groupes humains, les phénomènes les plus fortement ancrés et les plus lents à se modifier. Devenu Canadien, et après trois générations, le Français a gardé la même mentalité, que certaines conditions propres au pays n'ont modifiée que de façon superficielle. L'habitant de nos campagnes au milieu du XVIIIe siècle possédait toujours l'univers mental du terrien millénaire, dont certains des traits fondamentaux sont le culte suréminent et la force contraignante de la tradition, l'insécurité matérielle devant les mauvaises récoltes; à cela s'ajoutait l'insécurité sociale face à l'Iroquois ou à l'Anglais. Cette double insécurité a développé l'esprit de travail, la ténacité, la résistance au découragement [1], le sens de la solidarité rurale, mais aussi la peur, réelle ou illusoire. D'autre part, la longueur des hivers et le séjour prolongé en forêt fournissaient des conditions propres à enrichir la civilisation traditionnelle, à développer la culture populaire. L'habitant canadien est enfin un chrétien, moralement encadré par son curé et qui ajoute à la foi catholique la foi monarchique; il est inébranlablement attaché au Roi, protecteur des humbles.

Conceptions du monde chez nobles et colons

La noblesse n'avait pas davantage abandonné ses valeurs et les visions du monde qui lui étaient propres. Il est vrai que le petit noble ruiné venu au Canada exerçait nombre de métiers, mais il le faisait sans déroger à sa qualité de noble. En fait, il se retrouvait propriétaire et seigneur d'un bon domaine, avec des censitaires qui le respectaient; il s'adonnait au métier des armes comme officier du

---

1. Définissant les lois de l'écologie, le botaniste Pierre Dansereau appliqua un jour au colon humain la loi de l'écèse, selon laquelle les ressources d'un milieu non occupé seront d'abord exploitées par des organismes à haute tolérance et le plus souvent à faibles exigences. (*Contradictions et biculture*, éd. du Jour, 1964, p. 39). — P. de G.

Roi, participait à l'administration civile, établissait quelques fils et filles dans le clergé séculier et régulier de Québec et de Montréal, touchait des pensions ou des gratifications royales. Ces nobles avaient reconstitué leur univers, fondé sur le culte de la race et de l'honneur.

Pendant que les bourgeois s'affairaient au commerce des fourrures, des blés ou à la construction des bateaux, les gens de la boutique continuaient de pratiquer les traditions du métier, avec le souci du travail bien fait selon les règles de l'apprentissage et du compagnonnage, sans les contraintes de la corporation.

Comme en France enfin, les colons n'ont pas manqué de se donner quelques moyens d'instruire leurs enfants. Le Canada comptait à la fin du régime français une quarantaine d'écoles élémentaires pour une centaine de paroisses, un grand séminaire et un collège classique, et quelques salons où les nobles, les officiers, les membres supérieurs de l'administration et les bourgeois cultivaient la vie de société. Ce petit groupe de lettrés et d'hommes éclairés lisait, s'intéressait au mouvement des idées européennes et surtout françaises, aux sciences autant qu'à la littérature. On le sait par les témoignages des contemporains, et mieux encore par les catalogues des bibliothèques du procureur Verrier ou de l'avocat et homme d'affaires Cugnet, qui — et ce ne sont que des exemples — possédaient chacun plus de deux mille volumes. Bref, avant la Guerre de Sept Ans, la vie intellectuelle était sur le point de prendre un essor certain, auquel il manquait un instrument indispensable, l'imprimerie, que les Anglais installeront à Québec dès 1764.

Le Québec sous régime britannique

La France partie, le Québec allait continuer à vivre de sa poussée antérieure, mais selon une direction infléchie par la présence britannique. Au point de vue politique, on sait les grandes étapes par lesquelles nos ancêtres ont passé pour faire l'apprentissage de la vie parlementaire, désirée d'abord par les Anglais, acceptée ensuite par les Canadiens, qui en vinrent vite à comprendre le mécanisme des institutions anglaises, à demander un gouvernement responsable et à l'obtenir avant 1850. La Confédération rendit les Canadiens français maîtres chez eux politiquement, en apparence tout au moins. N'ayant plus à lutter pour leurs libertés, nos pères se sont retrouvés entre eux. les gouvernements se succédant les uns aux autres, conservateurs et libéraux selon l'étiquette, fondamentalement conservateurs et impuissants, enfoncés dans l'électoralisme. Si bien qu'au cours des quinze années qui ont suivi la seconde guerre mondiale on aura touché le fond du conservatisme réactionnaire et de la corruption.

Une communauté rurale

Dans le domaine économique et social, ce que le régime français n'avait pu accomplir faute de temps se réalisa. La vie rurale s'installa définitivement dans la vallée du Saint-Laurent, le village se créa partout et, dans le siècle qui suivit la Conquête, la civilisation traditionnelle s'est épanouie et s'est même poursuivie jusqu'au premier quart du vingtième siècle. Ce n'est pas dire que l'agriculutre fut toujours prospère. Car, outre les années de conjoncture défavorable, le marasme agricole exista à l'état endémique faute de techniques appropriées et à cause de la surpopulation rurale. Nos habitants ont vite pris la seule voie qui s'offrait à eux, celle de l'émigration aux États-Unis, puisque l'industrie était inexistante chez nous. Le commerce des fourrures fut encore longtemps la grande affaire, dirigée à partir de 1760 par les Anglais; puis ce furent le commerce du bois, l'apparition tardive de l'industrie et, avec la seconde guerre mondiale surtout, l'industrialisation. Manquant de capitaux et en vertu de sa mentalité de petit bourgeois d'origine rurale ou artisane, le Canadien français est resté l'homme de la petite et de la moyenne entreprise.

La vie culturelle allait se dérouler au rythme de l'évolution politique, économique et sociale. Un siècle et demi de prépondérance rurale, où l'occupation de la majorité des hommes demeurait la terre et la forêt, ne pouvait que développer à son plus haut période la tradition orale, la culture populaire dont les ethnographes nous révèlent la grande richesse. Les arts plastiques, l'architecture, la sculpture, l'orfèvrerie et l'ébénisterie ont donné des artisans de très grande classe, jusqu'au jour ou l'engouement pour le romantisme et la production de masse ont rejeté l'esthétique ancienne et installé le clinquant et la sensiblerie, phénomène d'ailleurs assez général en Occident à cette époque. Depuis un quart de siècle, mieux accordés à la sensibilité de leur temps, nos sculpteurs et nos peintres ont repris les sentiers de la création.

Culture et éducation

La culture savante a, pour sa part, suivi un autre cheminement. L'enseignement primaire a subi un net ralentissement après la Conquête et n'a recommencé à s'organiser qu'aux environs de 1800, et par secousses pour ainsi dire, avec l'Institution royale, la loi des écoles de Fabrique et la loi des écoles d'Assemblée, les lois d'après 1840 pour l'instruction publique et les écoles normales et enfin, tout près de nous, la création d'un ministère de l'Éducation. D'abord aux mains des instituteurs laïques, l'enseignement primaire est passé dans une large mesure à celles des religieux à la fin du dix-neuvième siècle; et le mouvement inverse a repris depuis quelques années. L'enseignement secondaire est resté jusqu'à nos jours l'apanage exclusif du clergé. Dès le début de la colonie, les Français avaient demandé un collège, que les jésuites ont ouvert en 1635. À la Conquête, le Séminaire de Québec a pris la relève des jésuites forcés de disparaître, cependant que les sulpiciens de Montréal ont établi leur collège après 1770. Il y aura dix collèges en 1852, lors de la fondation de l'Université Laval, plus de vingt en 1900 et une centaine au milieu du vingtième siècle. Cet enseignement secondaire classique, issu de la civilisation hellénistique, a été l'enseignement par excellence de l'Occident médiéval et moderne, la pierre d'assise de la culture savante. Les jésuites lui ont donné sa forme définitive à la fin du seizième siècle, que nous avons connue intacte jusqu'à 1960. Ces collèges ont façonné toutes les générations de prêtres, de religieux, d'hommes de loi, de médecins et d'ingénieurs jusqu'à 1940, alors que les élèves du primaire supérieur ou du secondaire public ont pu pénétrer dans les écoles de commerce et les facultés de sciences.

Quant à l'enseignement supérieur, pendant un siècle il n'a donné à la société que des hommes de professions libérales, il n'a été qu'une école technique supérieure. Du collège classique et de l'université sont sortis des hommes d'une coulée homogène. La naissance de facultés de Lettres et de Sciences sociales a trop longtemps tardé et il a fallu attendre les années trente, et surtout l'après-guerre, pour qu'un enseignement supérieur des sciences humaines s'organise.

Les liens intellectuels avec la France

Les cadres de la culture savante étant fondés à l'époque moderne sur l'école, le collège et l'université, il faut voir quels ont été les aliments de cette culture. La vie intellectuelle au Canada français est demeurée essentiellement nourrie de la culture française. Le changement d'allégeance politique n'entraînait, en soi, aucune solution de continuité intellectuelle. Les gens instruits ont toujours continué de lire les auteurs français, d'étudier dans des manuels français et selon des modèles français, peu importe la qualité ou la quantité de ce qu'ils ont lu, et ils n'ont jamais cessé de s'intéresser à la vie française sous toutes ses formes. Les Canadiens d'ailleurs sont toujours allés en France comme les Français sont venus au Canada. Entre le traité de Paris et la révolution de 1789, le mouvement des Canadiens entre le Canada et la France est incessant, cependant que les Français, sauf exceptions, sont empêchés de venir. La révolution interdit à son tour aux Canadiens d'aller en France, mais elle augmente le clergé d'un tiers en dix ans. Après 1815, il n'y a plus aucune entrave: les Canadiens vont en France de plus en plus nombreux comme étudiants, artistes, commerçants, parlementaires, clercs, touristes ou soldats. Les Français, pour leur part, n'ont jamais émigré en grand nombre, comme chacun sait, mais leur pénétration a toujours été qualitative et d'ordre moral et intellectuel, formée de journalistes, de professeurs ou d'artistes chez les laïcs, d'instituteurs et de professeurs chez les clercs. En effet, avec l'arrivée des Frères des Écoles Chrétiennes, les communautés enseignantes que Mgr Bourget et ses successeurs iront chercher en France ou que le combisme enverra sur nos rives, ont joué un rôle majeur dans l'éducation et dans la vie intellectuelle de la nation. En 1837, le clergé canadien-français comptait moins de communautés religieuses qu'en 1760 et le clergé séculier n'avait pas augmenté ses effectifs. — On peut dire incidemment que la France a établi deux fois l'Église canadienne, au dix-septième et au dix-neuvième siècle —. C'est également à cause de cet essaimage que l'instituteur laïque a été remplacé par le religieux et que le professeur laïque au collège classique n'a jamais existé avant le milieu du vingtième siècle. Il n'est pas difficile, sachant cela, d'expliquer pourquoi et comment « la droite », le traditionalisme et le cléricalisme non seulement l'ont emporté, mais ont pris toute la place à la fin du siècle dernier.

La pensée française n'a donc jamais cessé d'être présente parmi nous. Tous les grands écrivains et penseurs français sont lus dans la province de Québec en même temps qu'à Paris: Montesquieu, Voltaire, Diderot, l'abbé Raynal au dix-huitième siècle, Chateaubriand, de Maistre, Lamennais, Veuillot et les romanciers et les poètes de toutes les écoles au dix-neuvième siècle, Barrès, Bazin, Péguy, Claudel, Maurras, Valéry, Gide, Sartre et Camus au vingtième siècle. Non seulement les écrivains, mais encore les grands mouvements de la pensée politique ou littéraire française ont plongé des racines au Canada, tantôt plus à droite, tantôt plus à gauche, depuis la pensée libérale et anticléricale de Voltaire et le traditionalisme de Maistre et de Bonald jusqu'au personnalisme de Mounier et à l'existentialisme de Sartre, en passant par le romantisme mennaisien, le catholicisme social de La Tour du Pin et d'Albert de Mun, l'ultramontanisme, le gaumisme et l'Action française. Enfin l'influence de la sociologie de Durkheim, de l'histoire de Lucien Febvre, de Marc Bloch et de Henri Marrou marque fortement nos sociologues et nos historiens contemporains. Non seulement cette culture n'a jamais cessé de nous imprégner, mais encore elle s'est faite plus dense à proportion de la facilité des moyens de communication. Pendant longtemps, elle fut notre seul partage — avant que la culture anglo-américaine ne nous envahisse — et elle nous parvient toujours par l'imprimé, le cinéma et la télévision.

Les conjonctures politiques ou sociales ont même poussé, à diverses reprises, les Canadiens français à penser leurs problèmes par rapport à la France. Les révolutions de 1789, de 1830 et de 1848, la guerre de 1870, le combisme et les deux guerres mondiales ont, bien entendu, forcé l'opinion canadienne à prendre parti, mais il est arrivé aussi aux Canadiens d'emprunter des arguments ou des armes à l'événement français pour livrer leurs propres combats. C'est ainsi par exemple que le clergé canadien, qui ne désirait pas voir le régime parlementaire s'instaurer à Québec en 1791, l'accepte tout de suite après, face à la Révolution française; que le parti patriote de 1830 puise à pleines mains dans le vocabulaire et les symboles de la Révolution de juillet; que les lois françaises sur l'enseignement ont empêché pendant plus de cent ans l'établissement d'un ministère de l'Éducation au Québec.

Un épanouissement: la littérature française du Québec

Une littérature ne peut naître qu'après quelques centaines d'années d'existence d'un peuple. Il faut un large développement des institutions, une grande accumulation de richesses matérielles et morales et de biens de culture, des époques de luttes et d'aventures collectives, une diversification sociale élaborée que seule la longue durée peut accomplir. L'évolution globale de la société canadienne-française et le dialogue permanent avec la France, ainsi qu'on l'a vu, ne pouvaient que donner des œuvres, ou une « littérature » dans la mouvance française. C'était dans la nature des choses, et il ne pouvait pas ne pas en être ainsi. Ceux qui parlent de « colonisation intellectuelle » devant une telle situation confondent des catégories politiques et des catégories culturelles, et cela n'a aucun sens. Heureusement d'ailleurs que nous sommes restés sous l'influence française, autrement nous ne serions plus. Nous sommes des Français canadiens comme il y a des Français belges et des Français suisses. Nous n'avons pas encore donné une grande littérature au monde parce que nous n'avons pas satisfait à la loi de l'évolution et du nombre. N'ayons aucune crainte cependant, les œuvres vont venir parce que désormais les conditions paraissent réunies, à moins que la culture anglo-saxonne d'Amérique ne nous submerge. Nous devons étudier l'histoire de la littérature française du Québec comme l'expression et le témoignage de nos lents cheminements sur la route de la survivance, puis de la croissance collective. Il n'y a, au reste, de littérature qu'engagée dans le temps et l'espace, est-il besoin de le rappeler? En témoignent, au

XIXe siècle, le *Discours* de Mgr Plessis contre la révolution française (en 1799), premier monument de notre littérature, [2] l'*Histoire du Canada* de Garneau en 1845, qui caractérise l'émergence de la conscience historique de notre groupe ethnique, ou encore le rôle prépondérant de la presse périodique, la rareté du roman, l'absence quasi totale des mémoires, de l'autobiographie, des journaux intimes, et à travers tout cela, l'exaltation de la terre et le culte de la tradition.

Henri Marrou a écrit quelque part que « les vrais historiens ne s'interdisent jamais de remonter aussi haut dans le temps et d'explorer aussi loin dans l'espace qu'il leur paraît nécessaire pour atteindre à une plus parfaite intelligibilité de leur objet ». Puissent ces quelques pages d'introduction historique avoir permis au lecteur de saisir les grands traits des développements coordonnés qui ont conduit le Canada français, qui l'ont façonné de très loin et de plus près, et l'avoir ainsi mis à même d'étudier avec un suffisant recul l'histoire de la littérature française du Québec.

---

2. Etienne Gilson, pour sa part, indique comme premier monument des lettres canadiennes d'expression française l'*Appel à la justice de l'Etat*, de Pierre du Calvet (Londres, 1784). En fait, l'*Appel* et le *Discours*, importants comme documents d'histoire générale, ne le sont guère pour l'histoire littéraire. Au reste, il est bien difficile de désigner l'écrit qu'il y aurait lieu de considérer comme la *Cantilène de Sainte Eulalie* du Canada français; il se situe probablement au temps de la Nouvelle-France. Mais à cette époque, il est périlleux de vouloir trop distinguer entre Français et Canadiens, ces derniers n'étant tels que de souche récente (P. de G.).

Première partie

LES ECRITS EN NOUVELLE-FRANCE

(1534-1760)

Première partie

LES ÉCRITS EN NOUVELLE-FRANCE
(1534-1760)

Chapitre III

DÉCOUVREURS ET VISITEURS
(1534-1632)

par Léopold LeBLANC, Pierre de GRANDPRÉ
et Georges-Henri d'AUTEUIL

On peut difficilement soutenir que le Québec ait déjà une littérature à la fin du régime français. On n'a vu naître en Nouvelle-
France aucune grande œuvre d'imagination ou de style. Ni les colons, ni les premiers Canadiens n'ont écrit de comédie ou de tragédie, de roman ou de recueil de poèmes. Quant aux milliers de
lettres, textes administratifs ou livres de ces deux siècles — tous
imprimés en France — rien ne fut jugé digne d'être intégré à la
littérature française. Il ne faudrait pas cependant mésestimer les
écrits de ces débuts. On y peut relever d'admirables pages d'anthologie, voir le langage acquérir certaines caractéristiques locales, suivre la formation de nouveaux types humains. Surtout on y constate
l'éveil d'une conscience collective qui va bientôt rendre possible une
véritable littérature. La subdivision de cette longue période, environ
la moitié de notre histoire, en quatre phases, permettra d'en mieux
saisir l'originalité et l'évolution.

Les premiers textes ne sont que des relations de voyage. Et ce
genre continuera par-delà la fondation puis la cession du pays.

Il est heureux, toutefois, que le premier de tous ces récits soit encore le plus émouvant. Très peu, en effet, peuvent concurrencer, du point de vue littéraire, les passages directs, simples et humains du premier découvreur.

JACQUES CARTIER

par Léopold LeBLANC

Jacques Cartier (1491-1557), marchand et armateur malouin, reçut instruction « de voyager, découvrir et conquérir à Neuve-France, ainsi que de trouver par le Nord un passage au Cathay ». En 1534, il explora le Golfe Saint-Laurent, ses îles, ses rivages; il revint en 1535, se rendit jusqu'à Montréal, hiverna près de Québec. Il a laissé un récit de chacun de ces voyages. L'édition originale du premier a été perdue pendant plus de trois siècles; on n'en connaissait que des versions, anglaise et italienne, et une traduction française de l'édition anglaise. La seconde relation, *Le Brief Récit,* mieux connue et comportant plus d'événements remarquables, a joui d'une vogue considérable. C'est la première relation, cependant, qui révèle les qualités de Cartier avec le plus de concision et de verdeur. Cartier nomme et décrit les lieux avec précision et clarté; on suit ses moindres courses, on connaît ses caps et repères; avec lui on prend possession du pays moins par les croix qu'il plante que par les noms qu'il donne:

> Je nomme icelle isle Saincte Katherine. — Nous passâmes parmi les isles qui sont en si grant nombre qu'il n'est possible de sçavoir nombrez...lesdites isles furent nommées Toutes Isles. — Lequel je pencze l'un des bons hables du monde; Et iceluy fut nommé le hable Jacques-Cartier.

Les faits bruts narrés par un esprit alerte confèrent au récit une forte allégresse qui est d'abord rapidité du récit, curiosité aux aguets, recherche confiante au fond des baies, du haut des caps, au bout des rivières, et l'émerveillement qui ne tarit pas de superlatifs. La franchise et le goût du concret suscitent des comparaisons ou autres images d'un rare bonheur:

> Il y a force grouaiseliers, frassiers et rosses de Provins, persil et aultres bonnes erbes de grant odeur. — Et celle devers le Nort est une terre haulte, à montaignes, toute plaine de arbres de haulte fustaille de pluseurs sortez, et entre aultres y a pluseurs cèdres et pruches aussi beaulx qu'il soict possible de voir. pour faire mastz suffisans de mastez nauires de troys cents tonneaulx et plus.

VOIR ILLUSTRATIONS — 18-19

Il faut ajouter son attitude si noble envers l'équipage et l'Indien, envers Dieu, envers soi-même. Plus que le plaisir de découvrir et de nommer le pays, ces récits nous apportent la joie de découvrir un annaliste éminemment humain, doué du goût le plus vif pour les êtres et les choses.

L'ÎLE AUX OISEAUX

Et le XXIe jour dudit moys de May, partismes dudit hable avecques ung vent de Ouaist, et fûmes portez au Nort, ung de Nordeist de Cap de Bonne viste, jucques à l'isle des Ouaiseaulx, laquelle isle estoit toute avironnée et circuitte d'un bancq de glasses rompues et departies par pièces. Nonobstant ledit banc, noz deux barques furent à ladite isle pour avoir des ouaiseaulx, desqueulx y a si grant numbre, que c'est une chosse increable, qui ne la voyt; car nonobstant que ladite isle contienne environ une lieue de circumferance, en soit si très plaine qu'i semble que on les ayt arimez. Il y en a cent plus à l'environ d'icelle et en l'oir que dedans l'isle, dont partie d'iceulx ouaiseaulx sont grans comme ouays noirs et blancs, et ont le bec comme ung corbin, et sont tousiours en la mer, sans jamais pouoir voller en l'air pour ce qu'ilz ont petites aesles, comme la moitié d'une; de quoy ilz vollent aussi fort dedans la mer, comme les aultres ouaiseaulx font en l'air; et sont iceulx ouaiseaux si gras que c'est une chosse merveilleuse. Nous noumons iceulx ouaiseaulz "Apponatz" desqueulx noz deux barques en chargèrent, en moins de demye heure, comme de pierres, dont chaincun de noz navires en sallèrent quatre ou cinq pippes, sans ce que nous en peumes mangier de froys. [1]

LE LABRADOR

Si la terre estoit aussi bonne qu'il y a bons hables, se serait ung bien; mais elle ne se doibt noumer Terre Neuffue, mais pierres et rochiers effrables et mal rabottez, car en toute ladite coste du Nort, je n'y vy une charetée de terre, et si descendy en plusseurs lieux; fors à Blanc Sablon, il n'y a que de la mousse et de petiz bouays avortez; fin, j'estime mieulx que aultremnet que c'est la terre que Dieu donna à Cayn. [2]

PREMIER CONTACT INDIEN

A celuy cap nous vint ung homme qui couroict apres nos barcques, le long de la coste, qui nous fessoict pluseurs signes que nous retournissions vers ledit cap; et nous, voyans telz signes, commanczames à nages vers luy, et luy voyant que retournyons, commencza à fuir et à s'en couriz devant nous. Nous dessandimes à terre devant luy et luy mysmes ung couteau et une saincture de laine sur une verge, et puix nous en allames à nos navires. [3]

LE TABAC

Ils ont aussi une herbe dequoy ilz font grand amastz l'esté durand pour l'yver. Laquelle ilz estiment fort, & en usent les hommes seulement en façon que ensuit. Ilz la font seicher au soleil, & la portent à leur col en une petite peau

1. *Relation du Premier Voyage,* d'après l'Edition Tross.
2. *Ibid.*
3. *Ibid.*

de beste en lieu de sac, avec ung cornet de pierre ou de boys; puis à toute heure font pouldre de ladicte herbe, & la mettent en l'ung des boutz dudict cornet, puis mettent ung charbon de feu dessus, & sussent par l'autre bout, tant qu'ils semplent le corps de fumée, tellement qu'elle leur sort par la bouche, & par les nazilles, comme par ung tuyau de cheminée: & disent que cela les tient sains & chauldement, & ne vont jamais sans avoir sesdictes choses. Nous avons esprouvé ladicte fumée, apres laquelle avoir mis dedans notre bouche, semble y avoir mis de la pouldre de poyvre tant est chaulde. [4]

LA GROSSE MALADIE

Au moys de Decembre feusmes advertis que la mortalite s'estoit mise au peuple de Stadacone, tellement que ja en estoient mors par leur confession plus de cinquante. Au moyen dequoy leur deffendismes nostre fort, & de ne venir entour nous: mais nonobstant les avoir chassez commenca la maladie entour nous d'une merveilleuse sorte, & la plus incongneue: car les ungs perdoient la substance, & leur devenoient les jambes grosses & enflez, & les nerfs retirez & noirciz comme charbon, & a aucuns toutes semées de gouttes de sang comme pourpre; puis montoit ladicte maladie aux hanches, cuisses & espaulles, aux bras & au col. Et à tous venoit la bouche si infecte & pourrye par les gensyves, que toute la chair en tombait jusques à la racine des dentz, lesquelles tumboient presque toutes. Et tellement se esprit ladicte maladie à nos trois navires, que à la my Febvrier de cent dix hommes que nous estions, il n'y en avait pas dix sains, en sorte que l'ung ne pouvoit secourir l'aultre qui estoit chose piteuse à veoir, considéré le lieu ou nous estions. Car les gens du pays venoient tous les jours devant nostre fort, qui peu de gens veoyent, & ja y en avoit huict de mors, & plus de cinquante, en qui on ne esperoit plus de vie.

Un jour nostre cappitaine voyant la maladie si esmeue & les gens si fort esprins d'icelle, estant sorty dehors du fort, Et soy promenant sur la glace, apperceust venir une bende de gens de Stadacone, en laquelle estoit Dom Agaya, lequel cappitaine avoit veu dix ou douze jours au paravant fort malade de ladicte maladie que avoient ses gens. Car il avoit l'une des jambes par le genoul aussy grosse qu'ung enfant de deux ans. Et tous les nerfs d'icelle retirez: les dents perdues & gastees, & les gensives pourries & infectées.

Le cappitaine voyant ledict Dom Agaya sain & deliberé, feust joyeulx, esperant par luy scavoir comme il estoit guary: Affin de donner ordre & secours à ses gens. Lors qu'ilz furent arrivez pres le fort, le cappitaine luy demanda comme il s'estoit guary de sa maladie: lequel Dom Agaya respondit qu'il avoit le jus & le marcq des feuilles d'un arbre dont il s'estoit guary, & que c'estoit le singulier remede pour maladie. Ledict cappitaine luy demanda s'il y en avoit point la entour, & qu'il luy en monstrast pour guarir son serviteur qui avoit prins ladicte maladie audict Canada, durant qu'il demouroit avec Donnacona, ne luy voulant declarer le nombre des compaignons qui estoient malades. Lors ledict Dom Agaya envoya deux femmes pour en querir: lesquelles en apporterent neuf ou dix rameault, & nous monstrerent comme il failloit peller l'escorce & les fueilles dudict boys, & mettre tout bouillir en eaue, puis en boire de deux jours l'un, & mettre le marcq sur les jambes enflees & malades, & que de toute maladie ledict arbre guerrissoit, ilz appellent ledict arbre en leur langaige Ameda.

Tost apres le cappitaine feist faire du breuvage pour faire boire es malades, desquelz n'y avoit nul d'eulx qui voulsist essayer ledict bruvage, synon ung ou deux qui se misrent en adventure d'icelluy essayer. Tout incontinent qu'ils en eurent

---

4. *Brief recit*, d'après l'édition de 1545.

beu, ilz eurent l'advantage qui se trouva estre ung vray & evident myracle. Car de toutes maladies dequoy ils estoient entachez, apres en avoir beu deux ou trois foys, recouvrerent santé & guarison. Tellement que tel y avoit desdictz compaignons qui avoit la grosse verolle cinq ou six ans au parvant ladicte maladie: a esté par icelle medecine curé nectement. Apres ce avoir veu & congneu, ya eu telle presse sur ladicte medecine, que on si vouloit tuer, à qui premier en auroit. De sorte que ung arbre aussi gros & aussi grand que chesne qui soit en France, a esté employé en six jours; lequel a faict telle operation, que si tous les medecins de Louvain & Montpellyer y eussent esté avec toutes les drogues de Alexandrie, ilz n'en eussent pas tant faict en ung an, que ledict arbre a faict en six jours. Car il nous a tellement profitte, que tous ceulx qui en ont voullu user, ont recouvert santé & guarison la grâce à dieu. [5]

MARC LESCARBOT

par Pierre de GRANDPRÉ et Georges-Henri d'AUTEUIL

Marc Lescarbot (né vers 1570, mort vers 1630) n'a passé qu'un an en Acadie, et il ferait donc un peu figure de simple voyageur en terre d'Amérique s'il n'avait multiplié en l'honneur de la Nouvelle-France, en vers aussi bien qu'en prose, des pages frémissantes d'enthousiasme et de belle humeur. La terre et la nature canadiennes, grâce à lui, ont figuré en littérature dès les premières années du XVIIᵉ siècle. Cet avocat du Barreau de Paris, poète humaniste tout imprégné de l'harmonieuse éloquence de Malherbe et des poètes de la Pléiade, se souvenant aussi, dans ses joyeuses énumérations, de la verdeur et des naïvetés d'un Baïf ou d'un Marot, quittait La Rochelle au printemps de 1606, désireux de fuir un monde « corrompu » et ce qu'il estimait les injustices du vieux continent, pour aller, comme en témoigne sa lettre « à mademoiselle ma mère » [1], en compagnie du sieur de Poutrincourt et de Champlain, « en une entreprise la plus généreuse qui fut jamais au monde, qui est d'établir la foi Chrétienne et le nom Français parmi les peuples barbares destitués de la connaissance de Dieu. » Grâce à son recueil *Les Muses de la Nouvelle-France,* le Canada peut se glorifier d'avoir produit les premiers poèmes qui soient éclos en Amérique du nord. Poèmes en vérité fort inégaux, ne redoutant ni prosaïsmes, ni remplissages, ni abus de la mythologie, mais dont certains passages sont d'une indiscutable valeur.

---

5. Cartier, Jacques, *Brief Recit,* d'après l'édition de 1545.

1. « Mademoiselle » était le titre des bourgeoises mariées, Madame étant réservé à la noblesse (*cf.* Claude Francis et Sibylle Sinval, dans *L'Evolution de la civilisation canadienne d'après les témoins,* Québec, Ed. du Pélican, 1963).

LA TABAGIE MARINE

Compagnons, où est le temps
Qu'avions notre passe-temps
A descendre au plus habile
Sur le pied ferme d'une île,
Fourrageant de toutes parts
Deçà et delà épars
Parmi l'épais des feuillages
Et des orgueilleux herbages
L'honneur des jeunes oiseaux
Qu'enlevions à grands troupeaux,
Le gros tangueu, la marmette,
Et la mauve et la roquette,
Ou l'oie, ou le cormoran,
Ou l'outarde au corps plus grand.
Ça (ce disais-je à la troupe)
Emplissons notre chaloupe
De ces oiseaux tendrelets,
Ils valent bien des poulets.
Dieu! quelle plaisante chasse...

. . . .

Par mon âme je voudrais
Que dès ore il plût au Roi
Me bailler des bonnes rentes
En ma bourse bien venantes
Tous les ans dix mille écus,
Voire trente mille, et plus,
Pour employer à l'usage
D'un honnête mariage,
A la charge de venir
En ce pays me tenir,
Et y planter une race,
Digne de sa bonne grâce,
Qui service lui ferait
Tant qu'au monde elle serait,
Quittant du barreau la lice,
Et du monde la malice,
Et les injustes faveurs
Des hommes de qui les cœurs
S'inclinent à l'apparence
Pour opprimer l'innocence ...

Marc Lescarbot s'est fait le chroniqueur de la colonie naissante de Port-Royal dans sa pittoresque *Histoire de la Nouvelle-France,* qui abonde en détails familiers sur la vie quotidienne d'hommes que leurs grands desseins et les rigueurs de leur entreprise n'empêchaient ni de sourire ni de se souvenir de la joie de vivre à la française.

L'ORDRE DU BON-TEMPS

... Pour nous tenir joyeusement et nettement quant aux vivres, fut établi un Ordre en la Table dudit sieur de Poutrincourt, qui fut nommé *L'Ordre de Bon-Temps,* mis premièrement en avant par le sieur Champlain, suivant lequel ceux d'icelle table étaient maîtres-d'hôtel chacun à son jour, qui était en quinze jours une fois. Or avait-il le soin de faire que nous fussions bien et honorablement traités. Ce qui fut si bien observé, que (quoique les gourmands de deçà nous disent souvent que là nous n'avions point la rue aux Ours de Paris) nous y avons fait ordinairement aussi bonne chère que nous saurions faire en cette rue aux Ours et à moins de frais. Car il n'y avait celui qui deux jours devant que son tour vint ne fut soigneux d'aller à la chasse, ou à la pêcherie, et n'apportât quelque chose de rare, outre ce qui était de notre ordinaire. Si bien que jamais au déjeuner nous n'avons manqué de saupiquets de chair ou de poissons, et au repas de midi et du soir encore moins: car c'était le grand festin, là où l'Architriclin, ou maître-d'hôtel (que les sauvages appellent *Atoctegic*), ayant fait préparer toutes choses au cuisinier, marchait la serviette sur l'épaule, le bâton d'office en main, et le collier de l'Ordre au col, qui valait plus de quatre écus, et tous ceux d'icelui Ordre après lui, portant chacun son plat. Le même était au desser, non toutefois avec tant de suite. Et au soir, avant rendre grâces à Dieu, il résignait le collier de l'Ordre avec un verre de vin à son successeur en la charge, et buvaient l'un à l'autre... »

Il y a du courage dans le joyeux entrain qui fait écrire au chroniqueur philosophe: « La plus belle mine que je connaisse, c'est du blé et du vin. Qui a ceci, il a de l'argent. Et des mines nous n'en vivons point. Et tel bien souvent a bonne mine qui n'a pas bon jeu », ou qui dicte ces vers au poète:

« Allons où le bon heur et le ciel nous appelle;
Et provignons au loin une France plus belle. »

Mais il faut aussi aiguillonner ce courage:

« Et si nous parjurons, la mer nous soit parjure. »

Quel qu'ait été l'intérêt de la vie à Port-Royal, ce n'est pas sans mélancolie que Lescarbot voit se rembarquer pour l'Europe, le 25 août 1606, une partie de la troupe. Le parallèle suivant entre le Vieux et le Nouveau Monde trouve excellemment sa place à l'aube de nos lettres, au moment où des hommes s'efforcent de « provigner » un continent plus beau. L'auteur tire argument des charmes de la nature canadienne, sujet sur lequel il est intarissable.

ADIEU AUX FRANÇAIS RETOURNANT DE LA NOUVELLE-FRANCE EN LA FRANCE GAULOISE

Fatigués de travaux vous nous laissez ici
Ayant également l'un de l'autre souci,
Vous, que nous ne soyons saisis de maladies
Qui fassent à Pluton offrandes de nos vies;
Nous, qu'un contraire flot, ou un secret rocher
Ne vienne votre nef à l'impourvu toucher
Mais un point entre nous met de la différence,
C'est que vous allez voir les beautés de la France,
Un royaume enrichi depuis les siècles vieux
De tout ce que le monde a de plus précieux;
Et nous comme perdus parmi la gent sauvage
Demeurons étonnés sur ce marin rivage,
Privés du doux plaisir et du contentement
Que là vous recevrez dès votre avènement.
Que dis-je, je me trompe, en ce lieu solitaire,
L'homme juste a de quoi à soi-même complaire...
Car qu'on aille rôdant toute la terre ronde,
Et qu'on furette encor tous les cachots du monde,
On ne trouvera rien si beau, ni si parfait
Que l'aspect de ce lieu ne passe d'un long trait.
Y désirez-vous voir une large campagne?
La mer de toutes parts ses moites rives baigne.
Y désirez-vous voir des coteaux à l'entour?
C'est ce qui de ce lieu rend plus beau le séjour.
Y voulez-vous avoir le plaisir de la chasse?
Un monde de forêts de toutes parts l'embrasse.
Voulez-vous des oiseaux avoir la venaison?
Par bandes ils y sont chacun en sa saison.
Cherchez-vous changement en votre nourriture?
La mer abondamment vous fournit la pâture.

Un an plus tard, le 30 juillet 1607, c'est la fin de ce rêve d'un premier établissement permanent à Port-Royal et, pour Marc Lescarbot, la fin de l'aventure américaine.

ADIEU À LA NOUVELLE-FRANCE

Faut-il abandonner les beautés de ce lieu,
Et dire au Port-Royal un éternel adieu?
Serons-nous donc toujours accusés d'inconstance
En l'établissement d'une Nouvelle-France?
Que nous sert-il d'avoir porté tant de travaux,

Et des flots irrités combattu les assauts,
Si notre espoir est vain, et si cette province
Ne fléchit sous les lois de Henri notre prince?
... Il faut doncques partir, il faut appareiller,
Et au port Saint-Malo aller l'ancre mouiller.

Adieu donc beaux coteaux et montagnes aussi,
Qui d'un double rempart ceignez ce Port ici.
Adieu vallons herbus que le flot de Neptune
Va baignant largement deux fois à chaque lune,
Pour donner nourriture aux arborés élans,
Et d'autres animaux qui ne sont pas si grands,
Et au gibier aussi, qui pour trouver pâture
Y vient de tous côtés tant qu'il y a verdure.
Adieu mon doux plaisir fontaines et ruisseaux,
Qui les vaux et les monts arrosez de vos eaux.
... Car c'est à grand regret, et je ne le puis taire,
Que je quitte ce lieu, quoiqu'assez solitaire.
Car c'est à grand regret qu'ores ici je vois
Ebranlé le sujet d'y enter notre foi...

Car la terre ici n'est telle qu'un fol l'estime,
Elle y est plantureuse à cil qui sait l'escrime
Du plaisant jardinage et du labeur des champs.

Et si tu veux encor des oiseaux les doux chants,
Elle a le rossignol, le merle, la linotte,
Et maint autre inconnu, qui plaisamment gringotte
En la jeune saison. Si tu veux des oiseaux
Qui se vont repaissant sur les rives des eaux,
Elle a le cormoran, la mauve, la marmette,
L'outarde, le héron, la grue, l'alouette,
Et l'oie, et le canard. Canard de six façons,
Dont autant de couleurs sont autant d'hameçons
Qui ravissent mes yeux. Désires-tu encore
De ces oiseaux chasseurs dont le noble s'honore?
Elle a l'aigle, le duc, le faucon, le vautour,
Le sacre, l'épervier, l'émérillon, l'autour,
Et bref tous les oiseaux de haute volerie,
Et outre iceux encor une bande infinie
Qui ne nous sont communs. Mais elle a le courlis,
L'aigrette, le coucou, la bécasse, et mauvis,
La palombe, le geai, le hibou, l'hirondelle,
Le ramier, la verdière, avec la tourterelle,
Le bêche-bois huppé, le lascif passereau,
La perdrix bigarrée, et aussi le corbeau.

Que te dirai-je plus? Quelqu'un pourra-t-il croire
Que Dieu même ait voulu manifester sa gloire
Créant un oiselet semblable au papillon
(Du moins n'excède point la grosseur d'un grillon)
Portant dessus son dos un vert-doré plumage,
Et un teint rouge-blanc au surplus du corsage?

Admirable oiselet, pourquoi donc, envieux,
T'es-tu cent fois rendu invisible à mes yeux,
Lorsque légèrement me passant à l'oreille
Tu laissais seulement d'un doux bruit la merveille?
... *Nirideau* c'est ton nom que je ne veux changer
Pour t'en imposer un qui serait étranger.

Mais puisque ja déjà nos voiles sont tendus,
Et allons revoir ceux qui nous cuident perdus,
Je dis encore adieu à vos beaux jardinages,
Qui nous avez cet an repus de vos herbages...
Hé que sera-ce donc s'il arrive jamais
(Ce qu'il est de besoin qu'on fasse désormais)
Que la terre ici soit un petit mignardée,
Et par humain travail quelquefois amendée?
Qui croira que le seigle, et le chanvre, et le pois,
Le chef d'un jeune gars ait surpassé deux fois?
Qui croira que le blé que l'on appelle d'Inde
En cette saison-ci si hautement se guinde,
Qu'il semble être porté d'insupportable orgueil
Pour se rendre, hautain, aux arbrisseaux pareil?
Ha que ce m'est grand deuil de ne pouvoir attendre
Le fruit qu'en peu de temps vous promettiez nous rendre!

Dans le plus pur goût des poètes de la Renaissance, Marc Lescarbot a pratiqué en Nouvelle-France le sonnet. Il nous faut citer, en raison de son intérêt historique tout autant que littéraire, celui qu'il a dédié « au sieur Champlain, géographe du roi ».

AU SIEUR CHAMPLAIN
Sonnet

Un roi numidien poussé d'un beau désir
Fit jadis rechercher la source de ce fleuve
Qui le peuple d'Egypte et de Lybie abreuve,
Prenant en son portrait son unique plaisir.

Champlain, ja dès longtemps je vois que ton loisir
S'emploie obstinément et sans aucune treuve
A rechercher les flots, qui de la Terre-Neuve
Viennent, après maints sauts, les rivages saisir

Que si tu viens à chef de ta belle entreprise,
On ne peut estimer combien de gloire un jour
Acquerras à ton nom que déjà chacun prise.

Car d'un fleuve infini tu cherches l'origine,
Afin qu'à l'avenir y faisant ton séjour
Tu nous fasses par là parvenir à la Chine.

*
*   *

Enfin, la fantaisie nautique de Marc Lescarbot pour célébrer, le 14 novembre 1606, la venue de Jean de Biencourt de Poutrincourt à Port-Royal, allégorie poétique qui fut jouée sous le nom de *Théâtre de Neptune*, est la première manifestation théâtrale en Nouvelle-France. Pour chanter un événement aussi prestigieux, Lescarbot, négligeant la prose sévère de l'historien, utilisa, comme il s'entendait à le faire, le rythme plus éclatant de la poésie, cette fois récitée, dans une heureuse fraternité, par le dieu Neptune, ses Tritons et des Sauvages de la région. Comme il convenait, le dieu de la Mer ouvre le jeu en prononçant un solennel couplet de bienvenue, qu'il clôt sur ces vers encourageants:

Va donc heureusement, et poursui ton chemin
Où le sort te conduit: car je voy le destin
Preparer à la France un florissant Empire
En ce monde nouveau, qui bien loin fera bruire
Le renom immortel de De Monts et de toy
Sous le regne puissant de HENRY vôtre Roy. [2]

Suivent de gentils compliments des six Tritons qui accompagnent Neptune, puis quatre sauvages s'approchent dans un canot et offrent à leur hôte des présents: les deux premiers « un quartier d'Ellan ou Orignac », « des peaux de castors », un troisième des « escharpes et brasselets faits de la main de sa maîtresse », le quatrième, hélas, comme dans la chanson « ne portait rien », car

« Fortune n'est pas toujours
Aux bons chasseurs favorable. »

Il décide d'aller à la pêche, comptant y être plus heureux.

Et le tout se termine par un appel à une plantureuse boustifaille:

Cuisiniers, ces canars sont-ils point à la broche?
Qu'on tuë ces poulets, que cette oye on embroche,
Voici venir à nous force bons compagnons
Autant deliberez des dents que des roignons.
Entrez dedans, Messieurs, pour vôtre bien-venuë,
Qu'avant boire chacun hautement éternuë,
A fin de decharger toutes froides humeurs
Et remplir vos cerveaux de plus douces vapeurs. [3]

Lescarbot nous gratifie, à la fin de son œuvre, d'une note prudente:

« Ie prie le Lecteur excuser si ces rhimes ne sont si bien limées que les hommes delicats pourroient desirer. Elles ont esté faites à la hate. Mais

2. Ecrits du Canada français, 18, p. 286.
3. *Ibidem*, p. 295.

neantmoins je les ay voulu inserer ici, tant pour-ce qu'elles servent à nôtre Histoire, que pour montrer que nous vivions joyeusement. » [5]

C'est tout. Pendant un siècle et demi, les Canadiens allaient abattre des arbres, des Indiens, des Anglais, courir le bois, « portager » rivières et lacs, découvrir un continent: ils n'écriront aucune autre pièce de théâtre, aucun roman ou poème qui nous soit parvenu.

SAMUEL DE CHAMPLAIN

par Pierre de GRANDPRÉ

Le fondateur de Québec et du Canada, Samuel de Champlain (env. 1570-1635), explorateur, homme pieux et soldat qui a joué un si grand rôle dans la colonisation de la Nouvelle-France, est un écrivain assez quelconque; il appartient donc plus à l'histoire générale qu'à celle des lettres françaises du Canada. Pourtant, cet ethnographe, géographe et cartographe a bien vu le pays, dans les onze séjours — dont certains de trois et même quatre ans — qu'il a faits en Nouvelle-France de 1603 à 1629, avant de publier, en 1632, la dernière série de ses *Voyages*. Et il sait raconter (les contacts avec l'indigène, un décimant scorbut, des constructions, des combats) tout autant qu'il sait décrire: avec précision, en observateur curieux et en homme d'action.

L'HIVERNEMENT DE 1608 À QUÉBEC

« De L'île d'Orléans jusques à Québec, y a une lieue, et j'y arrivai le 3 juillet: où étant, je cherchai lieu propre pour notre habitation, mais je n'en pu trouver de plus commode ni mieux situé que la pointe de Québec, ainsi appelée des sauvages, laquelle était remplie de noyers. Aussitôt, j'employai une partie de nos ouvriers à les abattre pour y faire notre habitation, l'autre à scier des ais, l'autre fouiller la cave et faire des fossés, et l'autre à aller quérir nos commodités à Tadoussac avec la barque... Pour ce qui est du pays, il est beau et plaisant, et apporte toutes sortes de grains et graines à maturité, y ayant de toutes les espèces d'arbres que nous avons en nos forêts par-deçà, et quantité de fruits, bien qu'ils soient sauvages pour n'être cultivés: comme noyers, cerisiers, pruniers, vignes, framboises, fraises, groseilles vertes et rouges, et plusieurs autres petits fruits qui y sont assez bons. »

Chapitre IV

LES PÈRES FONDATEURS
(1632-1660)

par Léopold LeBLANC

Dès le début du XVIIe siècle, la France s'établissait le long du Saint-Laurent.

Les commencements sont très lents. Après vingt-cinq ans, la colonie compte à peine 150 habitants: il lui faut un demi-siècle pour dépasser les 2000. On essaie cependant de conserver le ton de la haute société française et de promouvoir la vie intellectuelle. Les jésuites fondent un collège, les ursulines un couvent. Le clergé soigne l'éclat des cérémonies, le gouverneur donne des bals, encourage le théâtre. On joue *Le Cid* en 1646, dix ans seulement après sa création à Paris, puis en 1652; *Héraclius*, en 1651; on crée quatre spectacles à l'occasion de fêtes locales, dont la délicieuse *Réception de Monseigneur d'Argenson par toutes les nations du pais de Canada*. Mais la population est nettement insuffisante pour susciter une vie littéraire autonome. Même les chansons que nous appelons canadiennes nous viennent presque toutes de France avec les premiers colons. Quant aux nombreux mémoires et lettres que les administrateurs et les missionnaires adressent en France, ce sont des écrits utilitaires. On veut intéresser la métropole à l'œuvre coloniale; on dit le pays, les réalisations, les besoins. Il arrive que l'art littéraire y soit utilisé sciemment. Sachant que leurs écrits seront diffusés, et même sous la forme du livre, certains auteurs soignent leur style, rédigent des récits vivants, donnent du pays et de l'Indien des descriptions pittoresques. Plus que par leurs qualités littéraires cependant, ces écrits valent comme témoignages de l'équilibre humain des hommes qui ont fondé le Canada, et comme reflets de la civilisation dont le Québec est issu.

GABRIEL SAGARD

Gabriel Sagard, frère récollet, arriva à Québec en juin 1623, et presque immédiatement il partit avec quelques Hurons vers leur pays. Il revint à Québec en juillet 1624 et fut rappelé en France. Huit ans plus tard, il publia *Le Grand Voyage au pays des Hurons,* ouvrage qu'il intégrera par la suite à une étude apologétique de l'œuvre des récollets en Amérique. En vingt-sept chapitres, Sagard raconte son voyage et décrit abondamment la faune et la flore du Canada, mais surtout les habitudes et mœurs des Hurons, dont la civilisation sera bientôt détruite par les Iroquois. Observateur et curieux, simple et naïf, parfois trop crédule, Sagard a écrit quelques-unes des bonnes pages de cette période.

QUÉBEC

De l'Isle d'Orleans nous voyons à plein Kebec devant nous, basty sur le bord d'un destroit, de la grande rivière Sainct Laurent, qui n'a en cet endroit qu'environ un bon quart de lieue de largeur, au pied d'une montagne, au sommet de laquelle est le petit fort de bois, basty pour la deffence du pays; pour Kebec, ou maison des Marchands, il est à présent un assez beau logis, environné d'une muraille en quarré, avec deux petites tourelles aux coins que l'on y a faictes depuis peu pour la seureté du lieu. Il y a un autre logis au dessus de la terre haute, en lieu fort commode, où l'on nourrit quantité de bestail qu'on y a mené de France, on y seme aussi tous les ans force bled d'Inde et des pois que l'on traicte par apres aux Sauvages pour des pelleteries: Je vis en ce desert un jeune pommier, qui y avoit esté apporté de Normandie, chargé de fort belles pommes, et des jeunes plantes de vignes qui y estoient bien belles, et tout plein d'autres petites choses qui tesmoignoient la bonté de la terre. [4]

ROBUSTESSE

Les Cimbres mettoient leurs enfans nouveaux naiz parmy les neiges, pour les endurcir au mal, et nos Sauvages n'en font pas moins; car ils les laissent non seulement nuds parmy les Cabanes; mais mesme grandelets ils se veautrent, courent et se jouent dans les neiges, et parmy les plus grandes ardeurs de l'esté, sans en recevoir aucune incommodité, comme j'ay veu en plusieurs, admirant que ces petits corps tendrelets puissent supporter (sans en être malades) tant de froid et tant de chaud, selon le temps et la saison. Et de là vient qu'ils s'endurcissent tellement au mal et à la peine, qu'estans devenus grands, vieils et chenus, ils restent tousiours forts et robustes, et ne ressentent presque aucune incommodité ny indisposition, et mesmes les femmes enceintes sont tellement fortes, qu'elles s'accouchent d'elles-mesmes, et n'en gardent point la chambre pour la plupart. J'en ay veu arriver de la forest, chargées d'un gros faisseau de bois, qui accouchoient aussitot qu'elles estoient arrivées, puis au mesme instant sus pieds, à leur ordinaire exercice. [5]

---

4. Sagard, *Le Grand Voyage*, Tross, 1865, p. 37-38.
5. Sagard, *Le Grand Voyage*, Tross, 1865, p. 119-120.

VOIR ILLUSTRATION — 25

LES RELATIONS DES JÉSUITES

Chaque année, le supérieur de la mission jésuite du Canada adressait à son provincial de France un rapport des activités apostoliques. Afin d'intéresser le public à l'œuvre missionnaire, on prit l'habitude de publier annuellement ces relations. Elles parurent de 1632 à 1672 et furent interrompues par une querelle de préséance. On y ajoute deux relations antérieures, celle de Pierre Biard, écrite de Paris en 1616, à son retour de l'Acadie, et celle de 1626 en provenance de Québec. Témoin honnête quoique intéressé de toute la vie coloniale, la série des Relations décrit les trois villes et les postes éloignés, les grands et le peuple. Elle raconte abondamment le missionnaire et ses labeurs. Mais le personnage principal est certainement l'Indien. Nous apprenons tout sur lui: ses mœurs, ses habitudes, sa vie quotidienne, son histoire et ses croyances. Bien que ces textes se contredisent parfois, la figure de l'Indien y paraît autrement estimable que dans les caricatures qu'on en a faites depuis. On y retrouve même certaines coutumes, certains traits de caractère qui sont devenus nôtres. Huit jésuites se succédèrent à la rédaction des relations canadiennes. Ce sont parfois de remarquables hommes de lettres, sinon des écrivains. L'histoire de la littérature peut retenir les noms de Paul LeJeune et de Jérôme Lalemant.

L'EAU DE FEU

Depuis que je suis icy je n'ay veu que des Sauvages yvres, on les entend crier & tempester jour & nuict, ils se battent & se blessent les uns les autres, ils tuent le bestial de madame Hebert: & quand ils sont retournez à leur bon sens, ils vous disent, Ce n'est pas nous qui avons fait cela, mais toy qui nous donne cette boisson: ont ils cuve leur vin, ils sont entr'eux aussi grands amis qu'auparavant, se disans l'un l'autre tu es mon frere je t'ayme, ce n'est pas moy qui t'ay blessé, mais la boisson qui s'est servy de mon bras. [6] (Paul LeJeune, 1632).

PAROLES DU CIEL

Le Ciel & la Terre nous ont parlé bien des fois depuis un an. C'estoit un langage aimable & inconnu, qui nous jettoit en mesme temps dans la crainte et dans l'admiration: Le Ciel a commencé par de beaux Phenomenes, la Terre a suivy par de furieux soulevements, qui nous ont bien fait paroistre que ces voix de l'air muettes & brillantes, n'estoient pas pourtant des paroles en l'air, puisqu'elles nous presageoient les convulsions qui nous devoient faire trembler, en faisant trembler la Terre.

Nous avons veu dès l'automne dernier des Serpents embrasés qui s'enlaçoient les uns dans les autres en forme de Caducée, & voloient par le milieu des airs, portez sur des aisles de feu: Nous avons veu sur Quebec un grand Globe de flames, qui faisoit un asses beau jour pendant la nuict; si les estincelles qu'il dardoit de

6. *The Jesuits relations and allied documents*, Thwaites, Cleveland, 1897, V. p. 49-50.

toutes parts, n'eussent meslé de frayeur le plaisir qu'on prenoit à le voir: Ce mesme Meteore a paru sur Montreal; mais il sembloit sortir du sein de la Lune, avec un bruit qui égale celuy des Canons ou des Tonnerres, & s'estant promené trois lieues en l'air, fut se perdre enfin derriere la grosse montagne dont cette Isle porte le nom.

Mais ce qui nous a semblé plus extraordinaire est l'apparition de trois Soleils. Ce fut un beau jour de l'Hyver dernier, que sur les huict heures du matin, une legere vapeur presque imperceptible s'éleva de nostre grand fleuve, & estant frappée par les premiers rayons du Soleil, devenoit transparente, de telle sorte néantmoins qu'elle avoit assez de corps pour soustenir les deux Images que cet Astre peignoit dessus; Ces trois Soleils estoient presque en ligne droite, esloignez de quelques toises les uns des autres, selon l'apparence; le vray tenant le milieu, & ayant les deux autres à ses deux costez. Tous trois estoient couronnés d'un Arc-en-ciel, dont les couleurs n'estoient pas bien arrestees, tantost paroissans comme celles d'Iris, puis apres d'un blanc lumineux, comme si au dessous tout proche, il y eût eu une lumiere excessivement forte.

Ce spectacle dura prés de deux heures la premiere fois qu'il parût, c'estoit le septième de Janvier 1663. Et la seconde fois, qui fut le 14 du mesme mois, il ne dura pas si long-temps, mais seulement jusqu'à ce que les couleurs de l'Iris venant à se perdre petit à petit, les deux Soleils des costez s'eclipsoient aussi, laissant celuy du milieu comme victorieux. 7 (Jérôme Lalemant, 1663).

MARIE DE L'INCARNATION

Marie de l'Incarnation, ursuline de Tours, la « Thérèse française » (Bossuet), arriva à Québec en 1639, à l'âge de quarante ans, et y demeura jusqu'à sa mort, en 1672. Chaque année, à l'époque des vaisseaux, elle écrivait des centaines de lettres à ses correspondants européens. Rapidement rédigées, ces lettres n'ont guère de valeur littéraire que leur clarté et leur logique toutes classiques. Mais elles conservent une extraordinaire valeur historique. Lucidement tournée vers l'extérieur, intéressée au progrès de son nouveau pays, Marie de l'Incarnation constitue l'un des grands témoins de l'histoire et de la vie quotidienne au Canada. Davantage encore, peut-être, ces lettres nous permettent de saisir, poussé à un très haut degré, la vision chrétienne du monde qui soutenait l'immense labeur de la fondatrice, 8 qui structurait en bonne part la vie de la plupart des colons et qui est l'un des apports les plus importants de la France

---

7. *The Jesuit relations and allied documents*, Thwaites, Cleveland, Vol. XLVIII, p. 36-37.

8. "S'il m'accepte (Dieu) je vous verrai en passant, et je vous tirerai si fort, vous et votre compagnon, que j'emporterai la pièce de votre habit, si vous ne venez. » (Cité par abbé Brémond, t. VI de son *Histoire littéraire du sentiment religieux en France*).

à sa colonie. Au point que ce christianisme rigoureux et héroïque demeurera jusqu'au XXᵉ siècle le caractère principal des Québécois.

LE MARTYRE

Je suis en une consolation très sensible du bon souhait que vous faites pour moi: Hélas! mon très cher fils, mes péchés me priveront de ce bien. Je n'ai rien fait jusques icy qui soit capable d'avoir gagné le cœur de Dieu, car, pensez-vous, il faut avoir beaucoup travaillé pour être trouvée digne de répandre son sang pour Jésus-Christ. Je n'ose porter mes prétentions si haut. Je laisse faire à sa bonté immense, qui m'a toujours prévenue de tant de faveurs que si, sans mes mérites, elle me veut encore faire celle où je n'ose prétendre, je la supplie qu'elle la fasse. Je me donne à elle, je vous y donne aussi et la supplie, pour une bénédiction que vous me demandez, qu'elle vous comble de celles qu'elle a départies à tant de valeureux soldats qui lui ont gardé une fidélité inviolable. Si on me venait dire: « Votre fils est martyr », je pense que j'en mourais de joie. 9 — A son fils, le 4 sept. 1641.

LES IROQUOIS

Les Iroquois sont en dessein d'enlever les Trois-Rivières, et vous remarquerez qu'ils ont avec eux plusieurs hollandais qui les aident; on en a reconnu un dans le combat, et un huron qui s'est sauvé nous en a encore assuré. Quand ils auront pris les Trois-Rivières, ils sont résolus, à ce qu'on nous a dit, de venir nous attaquer. Or, bien qu'en apparence il n'y ait pas tant de sujet de craindre dans nos maisons qui sont fortes, ce qui est néanmoins arrivé dans tous les bourgs des Hurons, qui ont été ruinés par le feu et par les armes (car certes ils sont puissants), doit faire appréhender aux Français un semblable accident, s'il ne nous vient un prompt secours. C'est le sentiment des plus sages et expérimentés, comme le sont les Révérends Pères, qui sont descendus des Hurons et qui ont porté le poids de la tyrannie de ces barbares. Ce secours ne nous peut venir que de la France, parce qu'il n'y a pas assez de forces en tout le pays pour leur résister. Si donc la France nous manque, il faudra en bref ou quitter ou mourir. Mais parce que tous les Français, qui sont ici au nombre de plus de deux mille, ne pourront pas trouver des voies pour se retirer, ils seront contraints de périr ou de misère ou par la cruauté de leurs ennemis; et de plus quitter des biens qu'ils ont acquis en ce pays, pour se voir dépuillés de toutes commodités en France, cela leur fera plutôt choisir la mort en ce pays que la misère dans un autre. Pour nous autres, nous avons d'autres motifs, par la miséricorde de Notre-Seigneur. Ce ne sont point les biens qui nous y retiennent; mais bien le résidu de nos bons chrétiens, avec lesquels nous nous estimerions heureuses de mourir un million de fois, s'il était possible. Ce sont là nos trésors, nos frères, nos enfants spirituels, que nous chérissons plus que nos vies et que tous les biens qui sont sous le ciel. Réjouissez-vous donc si nous mourrons et si l'on vous porte la nouvelle que notre sang et nos cendres sont mêlées avec les leurs. Il y a de l'apparence que cela arrivera, si les mille Iroquois qui se sont détachés pour aller à la Nation Neutre viennent rejoindre ceux qui sont à nos portes. 10 — A son fils, le 30 août 1650.

---

9. Marie de l'Incarnation, *Écrits spirituels et historiques*, Dom Jamet, 3, p. 232.
10. Marie de l'Incarnation, *Écrits spirituels et historiques*, Dom Jamet, 4, pp. 285-287.

Chapitre V

LES PREMIÈRES VOIX DU PAYS
(1660-1713)

par Léopold LeBLANC

Cette période correspond à l'effort colonial le plus important de la France et à l'élan qu'il imprime à tout. L'œuvre colonisatrice se détache de l'œuvre missionnaire, les intérêts se diversifient, se heurtent. Les colons et les Canadiens ne sont plus uniquement sédentaires, habitants et fondateurs, comme à l'époque précédente, mais aussi nomades, coureurs de bois et conquérants. La vie culturelle s'intensifie. On fonde le Petit Séminaire de Québec, on ouvre des écoles primaires; l'École des Arts et Métiers de Saint-Joachim et l'Institut des Frères Charron initient aux techniques, à l'architecture, à la peinture. Le Frère Luc passe quinze mois au Canada, y laisse de nombreuses toiles et une tradition; deux peintres canadiens signent des œuvres remarquables: Charles Bécard de Grandville et l'abbé Jean Guyon. Au théâtre, on joue une *Passion de Notre-Seigneur,* en latin, et *Le Sage visionnaire,* qui fut peut-être une adaptation de *L'Illusion comique,* puis *Nicomède,* et *Mithridate;* mais en 1694, Mgr de Saint-Vallier demande à Frontenac de ne pas faire représenter *Tartuffe,* lance un mandement « contre les comédies impies, impures et injurieuses », exige du supérieur des jésuites « qu'il n'y ait dans (le) collège ni déclamation ni tragédie ». Le théâtre ne reprendra vie qu'après la cession du pays.

Les écrits aussi participent de l'élan général, deviennent plus variés, plus riches de passions humaines. Une littérature de société se développe: Sœur Marie-Hélène échange épigrammes et madrigaux avec l'intendant Talon, René Louis de Lotbinière écrit un poème burlesque sur une expédition manquée contre les Agniers, les grands événements suscitent des chansons, le père de la Colombière est si fier de son sermon pour célébrer la victoire contre Phipps qu'il le reprend pour la victoire sur Walker, vingt ans plus tard.

L'époque produit encore des œuvres assimilables aux précédentes: des récits de voyages des pères Hennepin, Marquette, LeClercq; des textes de grands administrateurs: discours et lettres de Frontenac, Catéchisme du diocèse de Québec de Mgr de Saint-Vallier; des mémoires de fondateurs et fondatrices, comme Marguerite Bourgeoys. Mais elle offre aussi de l'inédit, les premiers textes écrits par des Canadiens et les livres du baron de La Hontan.

UN OBSERVATEUR FRANÇAIS : LE BARON DE LA HONTAN

Les livres de La Hontan constituent peut-être l'œuvre littéraire la plus importante du régime français par le style, le projet nettement littéraire, et son intégration occasionnelle à l'histoire de la littérature française. Arrivé au Canada en 1683, à l'âge de 17 ans, La Hontan y passa dix ans dans l'armée et le fonctionnarisme. Forcé de retourner en Europe, il commença, dix ans plus tard, la publication d'une série de trois volumes qui eurent un succès extraordinaire. Le premier, *Les Nouveaux Voyages de Monsieur le Baron de La Hontan dans l'Amérique septentrionale*, est constitué de 25 lettres échelonnées de 1683 à 1694; La Hontan y raconte sa propre vie au Canada, les événements de la colonie, la vie indienne. *Les Mémoires de l'Amérique septentrionale ou la Suite des Voyages de Monsieur le Baron de La Hontan* comprennent 21 chapitres qui traitent successivement de trois grands sujets: le pays, les colonisateurs, les Indiens. Quant aux *Dialogues de monsieur le Baron de La Hontan et d'un sauvage dans l'Amérique (publiés avec les Voyages du même en Portugal et en Danemarc)*, ils constituent une allègre et virulente attaque contre cinq bastions de la civilisation européenne: le christianisme, les lois, la propriété, la médecine et le mariage. Chacun des cinq dialogues ne comprend qu'une longue tirade et une longue réponse: aucune mise en scène, aucun décor de lieu ou de nature. Mais quelle langue! La discussion porte sur les mœurs et coutumes respectives des Européens et des Hurons. Le baron feint de défendre la société européenne, mais sa défense est si faible qu'elle profite à l'adversaire; par ailleurs, le Huron Adario s'attaque aux points controversables de l'organisation sociale et avec tant de logique, d'assurance, de fierté, d'expressions originales, que « le pays des philosophes nus » l'emporte facilement sur la vieille Europe. Il faut noter que ces dialogues précédèrent Rousseau de cinquante ans et qu'ils furent extrêmement répandus (13 éditions en quatorze ans). En plus de l'influence que ces livres ont pu avoir sur les grands critiques et réévaluateurs de la société française, ils conservent un intérêt purement local. On relit avec plaisir les descriptions de Québec, de Trois-Riviè-res, du Niagara, la relation d'événements importants de la colonie comme l'attaque de Phipps, le récit d'histoires indiennes comme celles de Nadouessis et du Rat. L'un des plus forts intérêts de cette lecture est certainement la présence indiscutable d'une collectivité canadienne fort différente de la collectivité-mère.

COMMENT ÊTRE HOMME D'HONNEUR

Tu as raison de dire que je ne fais point de différence, de ce que nous appellons homme d'honneur à un brigand. J'ai bien peu d'esprit, mais il y a assez de temps que je traite avec les François, pour savoir ce qu'ils entendent par ce mot d'homme d'honneur. Ce n'est pas pour le moins un Huron; car un Huron ne connoît point l'argent, & sans argent on n'est pas homme d'honneur parmi vous. Il ne me seroit pas difficile de faire un homme d'honneur de mon esclave; je n'ai qu'à le mener à Paris, & lui fournir cent paquets de Castors pour la dépense d'un carosse, & de dix ou douze valets; il n'aura pas plutôt un habit doré avec tout ce train, qu'un chacun le saluera, qu'on l'introduira dans les meilleures tables, & dans les plus célèbres compagnies. Il n'aura qu'à donner des repas aux gentils hommes, des présens aux Dames, il passera par tout pour un homme d'esprit, de mérite, & de capacité; on dira que c'est le Roi des Hurons; on publiera par tout que son païs est couvert de mines d'or, que c'est le plus puissant Prince de l'Amé-rique, qu'il est savant, qu'il dit les plus agreables choses du monde en conversation, qu'il est redouté de tous ses voisins; enfin ce sera un homme d'honneur, tel que la plupart des Laquais le deviennent en France, après qu'ils ont seu trouver le moien d'attraper assez de richesses pour paroitre en ce pompeux équipage, par mille voies infames & detestables. [11] — (Propos d'Adario).

LES CANADIENS

Les Canadiens ou Creoles sont bien faits, robustes, grands, forts, vigoureux, entreprenans, braves & infatigables, il ne leur manque que la connoissance des belles lettres. Ils sont presomptueux & remplis d'eux-mêmes, s'estimant au dessus de toutes les nations de la terre, & par malheur ils n'ont pas toute la veneration qu'ils devroient avoir pour leurs parens. Le sang de Canada est fort beau, les femmes y sont generalement belles, les brunes y sont rares, les sages y sont communes; & les paresseuses y sont en assez grand nombre; elles aiment le luxe au dernier point, & c'est à qui mieux prendra les maris au piège. [12]

COURIR LA LUMETE

On ne parle jamais de galanterie aux sauvagesses durant le jour, car elles ne veulent pas l'écouter. Elles disent que le temps de la nuit est le plus propre; tellement que si par hazard un garçon alloit dire de jour à une fille, je t'aime plus que la clarté du Soleil (c'est la phrase sauvage) écoute que je te parle, &c. elle lui diroit quelque sottise en se retirant. C'est une regle generale que quand

11. La Hontan, *Dialogues,* La Haye, 1708, p. 121-123.
12. La Hontan, *Mémoires,* La Haye, 1708, p. 83.

   VOIR ILLUSTRATIONS — 32-33-34-35

18. Jacques Cartier.

DISCOVRS

DV

VOYAGE

FAIT PAR LE CAPI-
TAINE IAQVES CARTIER
aux Terres-neufues de Canadas, No-
rembergue, Hochelage, Labrador, &
pays adiacens, dite nouuelle France,
auec particulieres mœurs, langage, &
ceremonies des habitans d'icelle.

A ROVEN,

DE L'IMPRIMERIE
De Raphaël du Petit Val, Libraire & Imprimeur
du Roy, à l'Ange Raphaël.

M. D. XCVIII.
AVEC PERMISSION.

19. Page de titre d'un ouvrage de Cartier.

20. Édition d'époque d'un ouvrage de Champlain.

21. « L'ordre de bon temps » à Port-Royal.

22. L'Abitation Champlain à Québec.

23. Vieille gravure illustrant l'attaque d'un village huron.

24. Vieille gravure montrant une chasse d'hiver.

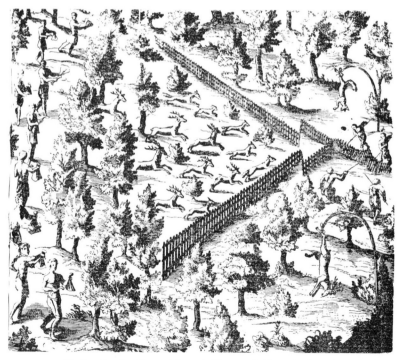

25. Dessins de Champlain relatifs aux Indiens du Canada et
à leur méthode de chasser le caribou.

RELATION

DE CE QVI S'EST PASSE'
EN LA
NOVVELLE FRANCE
EN L'ANNE'E 1636.

Enuoyée au

R. PERE PROVINCIAL
de la Compagnie de Iesvs
en la Prouince de France.

Par le P. Paul le Ieune de la mesme Compagnie,
Superieur de la Residence de Kébec.

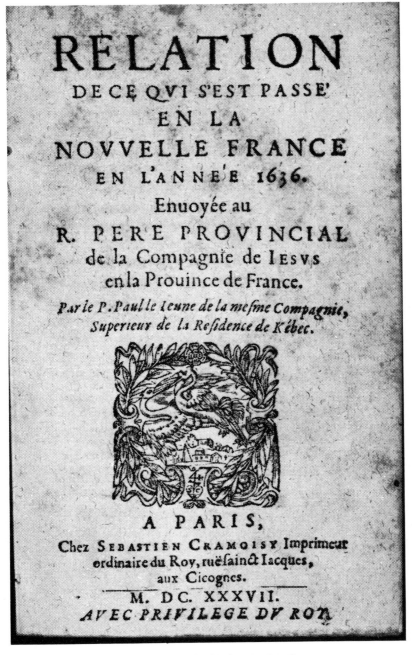

A PARIS,

Chez Sebastien Cramoisy Imprimeur
ordinaire du Roy, ruë sainct Iacques,
aux Cicognes.

M. DC. XXXVII.

AVEC PRIVILEGE DV ROY.

26. Les relations des jésuites au Canada.

64h   27. Le martyre du Père Jean de Brébeuf.

28. La Mère Marie de l'Incarnation.

29. Lettre de la Mère Marie de l'Incarnation.

64j   30. Gravure tirée de l'ouvrage du Père Sagard.

31. Gravure représentant les Indiens du Canada.

CONVOI FUNÈBRE des PEUPLES du CANADA.

CEREMONIE NUPTIALE du CANADA.

32 et 33. Vieilles gravures tirées d'un ouvrage de Lafitau
sur les Indiens du Canada.

64*l*

SAUVAGE qui alume une ALUMETTE, pour aller trouver sa MAITRESSE.

SAUVAGE en conversation avec sa MAITRESSE etant assis sur le pied de son Lit.

SAUVAGE dont la MAITRESSE se cache dans sa couverture ne voulant pas le recevoir.

SAUVAGE dont la MAITRESSE éteint L'ALUMETTE pour le recevoir.

34 et 35. Gravures tirées d'un ouvrage de Lafitau
sur les Indiens du Canada.

64m

36. Portrait présumé de Louis Jolliet.

37 et 38. Dessins de Bécard de Grandville.

39. Portrait de Pierre Boucher.

40. Portrait de Marguerite Bourgeoys.

41. Ferme Saint-Gabriel à Montréal.

42. Toile de l'abbé Guindon illustrant une légende indienne.

43. Toile de l'abbé Guindon illustrant une légende indienne.

44. Toile de l'abbé Guindon illustrant une légende indienne.

45. Portrait de madame Bégon.

46. Lettre de dame Bégon à son gendre.

47. Costume féminin en 1676.

48. Québec en 1699.

49. Manoir Mauvide-Genest construit vers 1734 à l'île d'Orléans.

50. Une victoire: la bataille de Carillon.

51. Une défaite: la déportation des Acadiens.

on veut s'attirer l'estime des filles, il faut leur parler durant le jour de toute autre matiere. On a tant de tête à tête qu'on veut avec elles; on peut parler de mille aventures qui surviennent à tout moment, à quoi elles répondent joliment; leur gayeté & leur humeur enjouée sont inconcevables, riant aisément & de l'air du monde le plus engageant. C'est dans ces conversations que les Sauvages s'aperçoivent par leurs regards de ce qu'elles ont dans l'âme, & quoique les sujets dont on traite soient indifferens on ne laisse pas d'agiter une autre matière par le langage des yeux. Dès qu'un jeune homme après avoir rendu deux ou trois visites à sa maitresse soupçonne qu'elle l'a regardé de bon œil, voici comment il s'y prend pour en être tout à fait persuade. Il faut remarquer que les Sauvages n'ayant ni tien ni mien, ni superriorite, ni subordination, & vivant dans une espece d'égalité conforme aux sentiments de la Nature, les voleurs, les ennemis particuliers ne sont pas à craindre parmi eux, ce qui fait que leurs Cabanes sont toujours ouvertes de nuit & de jour; de plus il faut savoir que deux heures après le coucher du Soleil les Vieillards où les esclaves qui ne couchent jamais dans la Cabane de leurs Maîtres, ont soin de couvrir les feux avant que de se retirer; alors le jeune Sauvage entre bien couvert dans la Cabane de sa belle, bien envelopé, allume au feu une espece d'allumete, puis ouvrant la porte de son cabinet il s'approche aussi-tôt de son lit, & si elle soufle ou éteint son allumete, il se couche auprès d'elle; mais si elle s'enfonce dans la couverture, il se retire. Car c'est une marque qu'elle ne veut pas le recevoir. [13]

LES CANADIENS

Durant cette période, on trouve un assez grand nombre de textes écrits par des Canadiens. Nommons Louis Jolliet, Marie Morin, NICOLAS JÉRÉMIE, CHARLES LEMOYNE D'IBERVILLE. Nés au pays, instruits dans les écoles locales, influencés par le milieu, souvent proches de l'Indien dont ils apprennent facilement les langues (plus facilement que l'anglais), les Canadiens écrivent des pages qui valent celles de la plupart des Français d'origine. Semblables à l'architecture et aux meubles canadiens dont la tradition remonte à cette époque, ce sont des œuvres artisanales mais franches et humaines. Signe d'une nouvelle appréciation des choses et des gens: la nature n'y est plus étrangère et fantastique, mais familière et normale. Et les éléments de la phrase apparaissent souvent dans leur autonomie naturelle, mal liés selon la pure logique. LOUIS JOLLIET écrit: « Le jour de Sainte Anne fut pluvieux, grande brume et grand vent, on ne fit rien ». Le découvreur du Mississipi était né à Québec en 1645 et avait fait ses études chez les jésuites; il devint hydrographe du roi. Il fit plusieurs voyages d'exploration. Dans le journal tenu lorsqu'il allait à la découverte du Labrador, son souci était d'exposer avec précision les particularités de la côte et de la route à suivre et de montrer l'état du pays et ses possibilités de commerce. Il s'in-

---

13. La Hontan, *Mémoires*, La Haye, 1708, p. 138-140.

téresse cependant beaucoup plus aux hommes qu'aux choses et ses meilleures pages sont consacrées aux Esquimaux; Dieu et le Roi ont une présence plus lointaine que dans les relations de Cartier. Sa langue est convenable; il utilise des comparaisons qui manifestent certaines structures originales de l'imaginaire. Sœur MARIE MORIN est née à Québec en 1649. Elle entra très jeune chez les hospitalières de Montréal dont elle rédigea les annales, de 1697 à 1725. En plus de sa propre expérience dans la communauté, elle utilisa les conversations qu'elle avait eues avec la fondatrice et ses compagnes pour reconstituer toute l'histoire de l'Hôtel-Dieu de Montréal. L'ordre du récit est nettement chronologique mais l'auteur esquisse le portrait et la biographie de ses compagnes et des amis de la communauté; l'on y perçoit aussi le choc des grands événements extérieurs, jusqu'au niveau des nerfs et des sensations. La vie canadienne y perd son auréole de grandeur et de libres choix, elle revêt un caractère de destin inéluctable.

À ces noms de Canadiens d'origine, on peut joindre ceux de deux Français venus au Canada à l'âge de quinze et de douze ans. Sœur REGNARD DUPLESSIS écrivit l'Histoire de l'Hôtel-Dieu de Québec. PIERRE BOUCHER, délégué auprès de Louis XIV en 1662 pour défendre la cause de la colonie, écrivit un important mémoire, l'*Histoire véritable et naturelle des mœurs et productions du pays de la Nouvelle-France vulgairement dit le Canada.*

LOUIS JOLLIET

REGARDS

Ce mesme jour plusieurs glaces parurent comme des chasteaux sur la mer. [14] Nous fismes nord-nord est 5 lieues jusqu'au gros cap-rouge, au pied duquel est une isle ronde, haute; et faite en citrouille. [15]

Pour leurs cheveux, il y en a (ce sont les jeunes), qui en font un bouquet sur chacune de leurs oreilles, le reste se tresse, et se met en rond, sur la teste, et finit faisant comme une belle rose espanouie, cette coiffure, avec un visage doux, blanc, et une voix qui n'a rien de rude, n'est pas désagréable. [16]

CHANTS & RIRES

Je demanday a les entendre chanter, et dancer; aussitôt seize femmes se mirent en rang, et le second chef au milieu, qui dançoit pendant que les femmes chantoient; leur dance a quelque chose de celle de nos sauvages, leur chant est plus melodieux, mais aussi leurs voix sont plus belles. [17]

14. Jolliet, Louis, *Voyage au Labrador*, p. 184.
15. *Idem*, p. 190.
16. *Idem*, p. 196.
17. *Idem*, p. 195.

 VOIR ILLUSTRATIONS — 37-38

Amaillouk entra dans le navire après que je l'en eus prié, et avec luy un jeune homme, qui a son entrée, montra l'adresse qu'ils ont a dérober, car estant dans la chambre pendant que je parlois au vieillard, il prit fort adroitement ma bousserolle, et estant de retour a son canot, la donna a sa femme qui estoit dans une de leur chaloupe, on luy vit mettre dans une de ses bottes, je l'envoye demander, elle fit difficulté de la rendre, je commanday absolument qu'on la fouilla, elle voulut la mettre dans un endroit que je ne veux pas nommer, mais la main de celuy qui cherchoit fut aussi prompte que la sienne et prit la bousserolle, qui a raison de ce qu'elle contient vaut plus de deux louis... j'aurois fait plus de perte qu'elle n'auroit fait de gain... la suitte fut un Ris de tous costez. [18]

LE CARIBOU

Ne voyant pas lieu de treuver sitost des sauvages, dont le trafic peut payer ce que le vaisseau coustoit tous les jours, nous resolumes d'un commun consentement de chercher havre, et accommoder le navire pour le retour à Quebec. Nous eusmes du bon-heur ce jour-là, car outre que nous en treuvasmes un fort beau a l'abry de tous costez, entre des montagnes a 15 et 18 brasses d'eau, vis à vis d'un beau bois, de beaux ruisseaux et d'une belle greve, tant au nordest qu'au sorouest; le soir au milieu du souper, qui estoit fort megre a l'ordinaire, on apperçeut deux caribous qui traversoient le dit havre, a la nage, c'estoit une mere et son petit, le canot et le bateau furent bien tost après, et nous eusmes le plaisir de les voir, et de les avoir en nostre disposition, c'estoit le veau gras que la providence nous donnoit, dont nous avions bien besoin, j'ai dit qu'il n'y avoit point de molue, et le gibier est fort rare, dans ces pais de neige, et de rochers. [19]

MARIE MORIN

TERRE DE PROMISSION

Cette sainte et vénérable troupe s'embarqua avec Monsieur de Chomedy dans une chaloupe, qui est la voiture ordinaire du pays; ils partirent de Kebec, à ce qu'on peut conjecturer, dans le commencement du mois de mai, puisqu'il arrivèrent à l'isle de Ville-Marie, terre de promission et de grande espérance, le 17e du dit mois; aussy tôt qu'ils aperçurent cette chère ville future dans les desseins de Dieu, qui n'estoit encore que des forêts de bois debout, ils chantèrent des cantiques de joie et d'action de grâces à Dieu, de les avoir amenés si heureusement à ce terme, comme les Israélites firent autrefois, et mirent pied à terre dans le lieu où est bâtie la ville à présent. Mademoiselle Mance m'a raconté plusieurs fois par récréation, que le long de la grève, plus d'une demi-lieue de chemin ci-devant, on ne voit que prairies émaillées de fleurs de toutes couleurs, qui fesois une beauté charmante; après avoir descendu de la chaloupe et mis pied à terre, Monsieur de Chomedy se jeta à genoux pour adorer Dieu dans cette terre sauvage, et toute la compagnie avec luy qui, tous ensemble, rendirent les devoirs de religion à la supresme Majesté de Dieu, qui ne luy avois point encore esté offert en ce lieu barbare, habité par les nations qui nous font la guerre aujourd'huy jusqu'à lors. Ils chantèrent encore des psaumes et des hymnes au Seigneur, puis les hommes travaillèrent à dresser des tentes ou pavillons, comme de vrais Israélites, pour se

---

18. Jolliet, *Voyage au Labrador*, p. 203.
19. *Idem*, p. 206.

mettre à couvert du plus fort des pluies et des orages, qui furent grandes et extraordinaires, cette année-là. [20]

MONSIEUR L'YROCOIS

Les pauvres malades ne manquois pas pendant tout ce temps depuis l'année 1660 jusqu'à 66 que la guerre des Yrocois étoit la plus allumée. D'où vient que presque tous les malades estois blesses par eux à la teste par des playes considérables qui obligeois les Hospitalières à des veilles continuelles; ce qui étoit pénible à un si petit nombre de religieuses, sans les travaux du jour dans les offices du ménage et à l'observance de la règle qui étoit gardée ponctuellement, et à la lettre. Mais quoy que cela fût pénible à la nature j'ose assurer que ce n'étoit rien ou peu de choses comparé à la peur continuelle où l'on étoit, d'estre pris par les Yrocois par les exemples qu'on avoit tous les jours de ces amis et voisins qui passois par leurs mains et qui estois traités d'une manière si cruelle; dont les spectacles estois devant nos yeux et ce qu'on savoit qu'ils font souffrir à ceux qu'ils menois au pays; les faisant brusler tout vifs à petit feu.

Tout cela imprimoit tant de frayeur de ces barbares que je vous assure mes sœurs que nul ne le scait que ceux qui y ont passé. Pour moi je croy que la mort auroit esté plus douce de beaucoup qu'une vie mélangée et traversée de tant d'alarmes et de compassion de nos pauvres frères qui estois si mal traités. Toutes les fois qu'on sonnoit le tocsin pour avertir les habitants de secourir ceux que les ennemis avois attaqués et ceux qui estois en des lieux dangereux à travailler de s'en retirer. Ce qu'on fesoit aussy tost au signal de la cloche. Ma Sr Maillet tomboit dès lors en faiblesse par l'excès de la peur et ma Sr Macé demeuroit sans paroles et dans un estat à faire pitié tout le temps que duroit l'alarme allant se cacher l'une et l'autre dans un coin du jubé devant le très St-Sacrement pour se préparer à la mort, ou dans leur cellule. Moy, qui savois le lieu de leur retraite, je les allois consoler aussy tost que j'avois appris que les Yrocois s'étois retirés et qu'ils ne paressois plus. Ce qui leur redonnoit la vie (...).

Monsieur de Chomedy qui étoit gouverneur de Montréal, quoy que notre amy avoit la dévotion de mettre dans notre hopital les prisonniers Yrocois qui étois blessés pour les guérir, quelques-uns desquels n'étois pas si malades qu'ils n'eussent tué et égorgé les Hospitalières sans qu'on l'eut pu apprendre qu'après que le mal auroit esté sans remèdes. Quelques fois il mettoit un soldat en sentinelle pour les garder tant la nuit que le jour mais le plus souvent il n'en mettoit point, et puis un homme n'étoit pas capable de résister à 3 ou 4 de ces mâtins qui sont grands et forts comme des turcs. Je suis témoin qu'un jour un d'eux voulut et tâcha d'étouffer ma Sr de Bressolles entre une porte et une armoire où elle étoit si pressée qu'elle en perdit la respiration et cela en plein jour. Ce qui marquoit une grande hardiesse. Je connus son dessein en passant par là par hasard, car c'étoit un lieu assez secret et courus promptement appeler les malades à son secours. Plusieurs desquels se jetèrent du lit et coururent de tout leur cœur secourir leur chère Mère, pour laquelle conserver ils aurois donné leur vie. Ils battirent Monsr. l'Yrocois et lui en donnèrent en riant autant qu'il en put porter; luy de sa part adret et rusé dit pour excuse qu'il ne pansoit pas à faire du mal à celle qui luy fesoit mil biens; qui luy pansoit ses playes qui lui donnois des médecines pour le guérir qui fesoit son lit afin qu'il dormît à son aise et luy donnoit tous les soirs de bonne sagamité et blédindes à manger avec du lait. Prenant aussy en riant les coups qu'on luy avoit donnés, disant qu"il vouloit seulement luy faire peur de l'Yroquois, mais qu'il convenait avoir tort. Il en fut quitte pour cela et demeura

---

20. Sœur Marie Morin, *Annales de l'Hôtel-Dieu de Montréal,* pp. 60-61.

VOIR ILLUSTRATIONS — 42-43-44

comme auparavant. Il est vrai qu'eux et généralement tous les sauvages avois une estime et vénération pour elle toute singulièrement. Ils la nommèrent d'un nom sauvage qui veut dire: *le soleil qui luit,* à cause disoit-ils qu'elle redonnoit la vie aux malades par ses soins et ses médecines comme le soleil la donne aux plantes de la terre. [21]

PIERRE BOUCHER

QUI VIENT EN NOUVELLE-FRANCE?

« ... En un mot, les gens de bien peuvent vivre ici bien contents; mais non pas les méchants, vu qu'ils y sont éclairés de trop près: c'est pourquoi je ne leur conseille pas de venir; car ils pourraient bien en être chassés et du moins être obligés de s'en retirer, comme plusieurs ont déjà fait; et ce sont ceux-là proprement qui décrient fort le pays, n'y ayant pas rencontré ce qu'ils pensaient. »

L'HIVER

« Pour l'hiver, quoiqu'il dure cinq mois et que la terre y soit couverte de neige, et que pendant ce temps le froid y soit un peu âpre, il n'est pas toutefois désagréable: c'est un froid qui est gai, et la plupart du temps ce sont des jours beaux et sereins, et on ne s'en trouve aucunement incommodé. On se promène partout sur les neiges, par le moyen de certaines chaussures, faites par les Sauvages, qu'on appelle raquettes, qui sont fort commodes. En vérité, les neiges sont ici moins importunes que ne sont les boues en France... »

LES PERSONNES LES PLUS PROPRES POUR CE PAYS

« Plusieurs personnes qui après avoir entendu discourir de la Nouvelle-France, soit qu'il leur prit envie de venir ou non, faisaient cette question: pensez-vous que je fusse propre pour ce pays-là?...

« La réponse que je vous fais c'est que ce pays-ci n'est pas encore propre pour les personnes de condition qui sont extrêmement riches, parce qu'ils ne rencontreraient pas toutes les douceurs qu'ils ont en France: il faut attendre qu'il soit plus habité, à moins que ce ne fussent des personnes qui voulussent se retirer du monde pour mener une vie plus douce et plus tranquille, hors de l'embarras; ou quelqu'un qui eut envie de s'immortaliser par la bâtisse de quelques villes, ou autres choses de considérable dans ce nouveau monde.

« ... Tous les pauvres gens seraient bien mieux ici qu'en France, pourvu qu'ils ne fussent pas paresseux; il ne manquerait pas ici d'emploi, et ne pourraient pas dire ce qu'ils disent en France, qu'ils sont obligés de chercher leur vie, parce qu'ils ne trouvent personne qui leur veuille donner de la besogne; en un mot, il ne faut personne ici, tant homme que femme, qui ne soit propre à mettre la main à l'œuvre, à moins que d'être bien riche. »

---

21. Sœur Marie Morin, *Annales de l'Hôtel-Dieu de Montréal,* p. 156-160.

Chapitre VI

« LE PEUPLE COLONIAL OCCUPE LA RAMPE » [22]

par Léopold LeBLANC
(1713-1760)

Depuis le Traité d'Utrecht, le Canada est presque complètement abandonné à ses propres forces. Aucune immigration massive; et cependant la population triple; elle atteint finalement 65,000. De nouveaux types humains se constituent définitivement: on a pu les styliser dans l'Habitant, terrien plus semblable au petit seigneur de la France rurale qu'à son paysan, et dans le Coureur des bois, nomade qui refuse la société, ses lois et ses limites et dont l'espace vital est l'aventure et la fuite. Le commerce, l'industrie, l'enseignement, les arts progressent. Mais de façon trop anémique. Le désintérêt de la métropole se fait sentir dans les domaines les plus vitaux. Le peuple canadien a déjà le sort de l'orphelin, pour ne pas dire de l'enfant abandonné. Peu de vie intellectuelle: pas de librairie, pas de journal, pas de presses, pas de théâtre. Peu de textes de grands colonisateurs, missionnaires ou politiques. Les touristes s'orientent plutôt vers la Louisiane, à l'exception du naturaliste suédois Pehr KALM. Décidément, le Canada n'est plus le pays des grandes aventures ou des grandes œuvres. La science prime, comme en Europe: Gauthier et Sarrazin adressent à Paris des bulletins botanico-météorologiques. Le Père LAFITAU continue la tradition « ethnographique » et contribue à accréditer la civilisation indienne dans *Mœurs des Sauvages américains comparées aux mœurs des Premiers temps* (1723). Le Père CHARLEVOIX fait la synthèse française de l'œuvre coloniale. À l'intérieur d'une vaste histoire du nouveau monde (« tous les pays qui étaient inconnus aux Européens avant le XIVe siècle »), il publie, en 1744, l'*Histoire et description générale de la Nouvelle-*

---

22. « Le peuple colonial occupe la rampe » est une expression du chanoine Groulx pour désigner cette période.

France. L'auteur dirigeait une revue, *Les Mémoires de Trévoux,* il avait écrit une biographie de Marie de l'Incarnation (1724), *l'Histoire du Japon* et *l'Histoire de l'Île Espagnole ou Saint-Domingue.* Il s'agit donc d'un historien de métier. Un des premiers. Composé très chronologiquement, de 1504 à 1736, son livre est abondant et bien documenté, la bibliographie comprenant plus de 100 pages. Le Père Charlevoix avait fait deux séjours au Canada et son érudition se colore d'expérience. À son histoire il ajoute la *Description des plantes principales* — il y en a 98 — et, sous forme de lettres datées de juin 1720 à juin 1722, le *Journal d'un voyage fait par ordre du roi dans l'Amérique septentrionale.* Cette œuvre remarquable, écrite dans la bonne langue du dix-huitième siècle, lui a valu d'être classé parmi les meilleurs écrivains du régime français. [23]

Parmi les Canadiens, il convient de citer LA VÉRENDRYE pour la relation de ses voyages vers les Rocheuses, de noter que l'abbé ÉTIENNE MARCHAND, né à Québec en 1701, écrivit un long poème de plus de 400 vers sur les funérailles de Mgr de Saint-Vallier. Voici quelques vers du premier chant de cette satire, intitulée « Les troubles de l'Église du Canada en 1728 ». C'est un pastiche du *Lutrin:*

> « Je chante les excès de ce zèle profane
> Qui dans les cœurs dévots enfanta la chicane
> Et qui dans une Eglise exerçant sa fureur
> A semé depuis peu le désordre et l'erreur...
> Muse, raconte-moi quelle jalouse envie
> De ces hommes de Dieu peut corrompre la vie
> Et comment en public prêchant l'humilité,
> Ils conservent dans l'âme autant de vanité.
> Parmi les embarras et les troubles du monde
> Québec voyait l'Eglise en une paix profonde.
> Saint-Vallier veillait toujours sur son troupeau,
> Par son exemple était sa règle et son flambeau.
> Ce vigilant Pasteur ennemi des intrigues
> Par sa rare prudence assoupissait les brigues
> Et chacun par ses soins, tenu dans le devoir,
> S'il avait un penchant n'osait le faire voir... »

ÉLISABETH BÉGON

Mais le texte le plus important est sans doute la correspondance d'Élisabeth Bégon. Née à Montréal en 1696, Dame Bégon quit-

---

23. On sait que Lesage, l'auteur de *Gil Blas,* écrivit *Les Aventures de Monsieur Robert Chevalier, dit de Beauchesne, capitaine de flibustiers dans la Nouvelle France* (1732); ce marin était né au Canada et c'est lui-même qui aurait conté ses aventures à Lesage

ta le Canada en 1749 pour la France où elle mourut en 1755. Sa correspondance couvre sa dernière année au Canada et ses premières de France, du 12 novembre 1748 au 12 avril 1753. Ce document ne fut découvert qu'en 1932. Dame Bégon écrit à son gendre, dont elle garde et élève la fille. Au début, cette correspondance prend la forme du journal quotidien. Le ton rappelle la conversation avec sa vivacité, ses malices, ses formules toutes faites mais employées fort à propos. Le document vaut d'abord par le visage du pays qu'il présente, une sorte de « Canada raconté par lui-même »: la narratrice conte les menus faits de la vie quotidienne de sa propre famille et de personnages officiels qu'elle connaît bien. Rendue en France, ce pays qu'elle avait tant désiré voir, et plus exactement à Rochefort, elle se découvre profondément canadienne et voit que son pays, les coutumes, la société de Montréal et de Québec, lui sont plus chers que la France; avec des nostalgies délicieuses: « Où sont ces bonnes perdrix que nous donnions... ». Elle déplore qu'en France, on ne parle que d'honneurs et de cérémonial, qu'on n'ait pas le sens des mêmes valeurs: « On ne fait pas tant de bruit ici pour un homme mort qu'en Canada ». Cette correspondance ressemble fort à une histoire d'amour malheureux entre cette femme et son gendre, veufs tous deux et ayant à peu près le même âge. Sous les formules polies, l'affection est d'abord toute frémissante: « Je ne sais rien que je t'aime » — « ce que je voudrais te dire de plus près » — « je ne puis m'accoutumer à ton absence » — « j'étais en goût ». Mais le « cher fils » ne répond pas à l'attente, semble se montrer mesquin et brutal. Les dernières lettres d'Élisabeth Bégon sont empreintes d'une dignité où vibre encore la tendresse blessée. À travers cette double déception du gendre et de la France, Elisabeth Begon se montre très attachante. C'est une personne de logique et de bon sens qui professe: « La raison est mon seul guide ». Elle est réaliste, intéressée à sa maison, ses terres, ses rentes, elle sait acheter, vendre et spéculer: « On t'a mis où tu es pour arranger tes affaires et point pour y être le réformateur du gouvernement ». Courageuse, bien qu'elle peste parfois, elle traverse cinq pénibles années de travail, d'adaptation et d'épreuves. Elle aime d'un amour sans faille son père, son gendre, sa fille et tout son monde. Elle ne cesse de le répéter et trouve alors ses formules les plus heureuses. Cette triste histoire vaut presque un roman. Elisabeth Begon quitte un pays et un mode de vie qui lui plaisent, et confort et considération, parce qu'on lui a vanté la France et qu'elle espère y retrouver son gendre. Rochefort lui déplaît: la vie est chère et difficile, « les maisons de boue et de crachats », les parents se montrent peu empressés et son cher fils reste en Louisiane, lui écrit peu, lui écrit durement, se permet des reproches... Madame

Bégon atteint alors à une grandeur presque tragique; à travers les espoirs déçus, elle constate que la vie blesse mais en même temps élève, durcit, épure. L'image dernière est celle d'une vieille femme affreusement seule, déjà abandonnée par une nièce qu'elle a élevée, craignant sans cesse de voir mourir son vieux père, menacée de se faire enlever la garde de cette petite-fille qu'elle chérit, et apprenant brusquement la mort de son « cher fils »: — « Quelque accoutumée que je doive être au poids des croix dont le Seigneur m'accable, j'avouerai que celle-ci est une des plus dures, puisqu'il semble que je ne devais point m'attendre à perdre ce cher fils aussi tôt et il faudrait plus de vertu que je n'ai pour soutenir ce coup avec fermeté. » [24]

TENDRESSE

C'est seulement, cher fils, pour te dire bonsoir, car je ne sais rien du tout. Te répéter que je t'aime, tu le sais. Si je pouvais te faire savoir au moins toutes les semaines une fois que nous sommes tous en bonne santé, je serais contente, et en savoir autant de toi, mais Dieu! que de temps à attendre et que de chimères il passera dans ma pauvre cervelle! Tu y as donné bonne occasion par ta dernière lettre, par l'incertitude où tu me laisses de ton sort. Quelquefois, je me flatte, d'autres, je jure contre ceux qui veulent me donner de l'inquiétude en te donnant du chagrin, puisque c'en est un pour toi que ce que tu me mandes sans me le marquer, je le sens parfaitement. Si je pouvais être auprès de toi, cher fils, au moins je partagerais tout ce qui peut t'arriver, mais éloignée comme nous le sommes, je n'ai que des croix à attendre, tant que cela durera. Adieu, cher fils, le chapitre des croix m'est trop sensible. Adieu. [25] — le 17 décembre 1748, de Québec.

Je suis fort aise de ce que tu me marques, que tu ne soupes plus. Tu es de taille à éviter de manger le soir et suis charmée que tu puisses trouver compagnie pour dîner et que tu aies des endroits de promenade. Mais ne t'accoutume point trop en ce pays et n'oublie point que tu as une mère qui a fait pour toi ce qu'elle n'avait jamais voulu faire, et pense à ce qu'il m'a coûté, et à ce qu'il m'en coûte encore par la différence de vie que je mène, qui n'est point, à beaucoup près, aussi aisée que celle que j'avais en Canada, et que j'aurais pu soutenir, la vie n'étant point aussi chère qu'ici. Ne pense pas, aimable fils, que je veuille me faire valoir. Tu me connais, ainsi je n'ai pas besoin de te rien dire de mes sentiments pour toi, je t'en ai donné des preuves. Adieu, cher fils, je souhaite bonne santé. Aime ta mère. [26] — Le 9 juin 1750, de Rochefort.

LE BAL DE BIGOT (1749)

le 25 Février

Il est question aujourd'hui, mardi, du sermon fait aux dames de la Ste-Famille. Mme Felz, qui en est supérieure et qui a été au bal comme bien d'autres, a été priée de se retirer et cela à peu près comme on me chassa pour le charivari, se servant à peu près de termes aussi doux. C'est là ce qui fait l'évangile du jour.

---

24. Dame Begon, *Correspondance*, p. 185.
25. *Ibid*, p. 17.
26. Dame Begon, *Correspondance*, p. 99-100

Il faut avouer, cher fils, que tous ceux qui s'occupent de si belles choses sont bien heureux, puisqu'il est sûr qu'il faut qu'ils n'aient pas grand'chose à faire.

le 6 mars

Voilà, cher fils, tout ce que je sais et que les prêtres envoient des lettres à toutes les dames de la Ste-Famille qui ont été au bal pour leur dire de s'en absenter trois mois et de faire pénitence du scandale qu'elles ont donné. J'ai dit à Déchambeau (Deschambault) d'en fabriquer une pour Mater afin de lui donner la peur. Etant de la Bonne Mort, elle n'aurait pas dû se produire au bal, mais nous aimons le monde à tout âge. Adieu, cher fils bien aimé.

le 7 mars

Rien de nouveau, cher fils, que la pièce curieuse que Déchambaul (Deschambault) a fait donner à Mater, dont elle est d'une colère terrible. Elle part pour aller trouver M. le curé, ne pouvant soutenir les reproches que les frères et sœurs de la confrérie lui font. Nous en avons ri un moment avec M. le général qui l'a beaucoup badinée: ce à quoi elle est très sensible. Il m'a dit que c'était un jour malheureux pour elle, parce qu'elle lui avait demandé quelque chose qu'il ne pouvait convenablement accorder et qu'il s'était aperçu qu'elle en était peu contente, mais c'est à quoi il n'est pas fort sensible. [27]

SOLITUDE

le 8 avril 1752

Mon cher père a aujourd'hui la santé très chancelante et me donne souvent de cruelles alarmes. Je me porte, moi, assez doucement aujourd'hui, mais plus de force. Je sens tout le poids de mes années et aurais grand besoin de mener la vie un peu plus tranquille, ce qui ne peut être que lorsque je te reverrai. Car tu dois savoir, malgré tout ce que tu me dis, que tu es toujours mon fils gâté que j'aime autant que j'ai jamais fait.

le 3 mai 1752

Va, tu ne crains guère de me donner du chagrin. Je n'en ai pourtant pas besoin d'augmentation, mon cher père étant presque toujours malade à présent; son âge ne me donne pas même d'espérance. Juge de mon état et du peu de consolation que j'ai ici où je suis actuellement seule avec ma petite-fille, Bégon étant parti il y a huit jours pour ne revenir qu'à la fin de l'année. [28]

CONCLUSION

Peu de textes du régime français peuvent soutenir une lecture intégrale. Le choix traditionnel favorise cependant les grands documents historiques, de Samuel de Champlain à Charlevoix, et l'on mentionne à peine les textes sans utilité. Il faut pourtant en venir à constituer une anthologie d'un point de vue strictement littéraire et ne pas craindre d'aller résolument aux textes des « Français cana-

---

27. Dame Begon, *Correspondance*, p. 42-45.
28. *Idem*, p. 167-170

diens ». Ceux-ci affirment la présence d'une collectivité qui occupe son pays comme jamais plus elle ne devait le faire. Le français ne lui est pas une langue étrangère mais le lieu de l'esprit, et l'on met les noms sur les choses avec le regard. À peine moins littéraires que les livres qui paraîtront entre 1830 et 1840, ces textes permettent, également, de mesurer le retard que la conquête a infligé au développement de la vie intellectuelle.

BIBLIOGRAPHIE

OUVRAGES GÉNÉRAUX:

Viatte, Auguste, *Histoire littéraire de l'Amérique française*, Québec, Presses Universitaires Laval, 1954.

Léger, Jules, *Le Canada et son expression littéraire*, Paris, Nizet et Bastard, 1938.

Chinard, Gilbert, *L'Amérique et le rêve exotique dans la littérature française au XVIIe et au XVIIIe siècles*, Paris, 1934.

Douville, Raymond et Casanova, Jacques-Donat, *La vie quotidienne en Nouvelle France — Le Canada de Champlain à Montcalm*, Paris, Hachette, 1964.

OEUVRES:

Cartier, Jacques, *Relation originale du voyage de Jacques Cartier au Canada en 1534*, Paris, Tross, 1867.
Brief recit & succincte narration, de la navigation faicte es ysles de Canada, Hochelaga & Saguenay & autres, avec parciculières meurs, langaige, & cerimonies des habitans d'icelles: fort delectables à veoir. Paris, 1545. (Reproduction photographique du seul exemplaire conservé au British Museum, XIXe Congrès International de Physiologie, Montréal, 1953.)

Lescarbot, Marc, *Histoire de la Nouvelle-France*, suivie des *Muses de la Nouvelle-France*, 3 volumes, Paris, Tross, 1866.

Samuel de Champlain, *Oeuvres*, éd. en 6 volumes par H. P. Biggar, Champlain Society, Toronto, 1922-1935; *Les Voyages de Samuel de Champlain, saintongeois, père du Canada*, éd. partielle et critique, avec introduction de 45 pages et cartes, par Hubert Deschamps, Paris, P.U.F., « Colonies et Empires », 2e série, 1951.

Gabriel Sagard, Theodat, *Le Grand voyage du pays des Hurons*, situé en l'Amérique vers la Mer Douce, ès derniers confins de la Nouvelle France dite Canada avec un dictionnaire de la langue huronne, Paris, Tross, 1865.

Les Relations des Jésuites, *The Jesuit Relation and Allied Documents*, Travels and Explorations of the Jesuit missionaries in New France, 1610-1791, The original French, Latin and Italian Texts, with English translations and notes; illustrated by portraits, maps and facsimiles. Edited by Reuben Gold Thwaites, Cleveland, 1896-1910.

Marie de l'Incarnation, *Ecrits spirituels et historiques*, publiés par Dom Claude Martin, réédités par Dom Albert Jamet, Paris, Desclée de Brouwer, 1929-1939.

La Hontan, Baron de, *Nouveaux voyages* de M. le baron de La Hontan dans l'Amérique Septentrionale, La Haye, L'Honoré, 1703.

Mémoires de l'Amérique Septentrionale ou la suite des voyages de M. le baron de Lahontan, La Haye, L'Honoré, 1703.

Supplément aux Voyages du baron de Lahontan, où l'on trouve des *Dialogues* curieux entre l'auteur et un sauvage de bon sens qui a voyagé, La Haye, 1703.

Jolliet, Louis, *Journal de Louis Jolliet*, allant à la découverte de Labrador, 1694, dans *Rapport de l'Archiviste* de la Province de Québec pour 1943-1944, Québec, Secrétariat de la Province, 1944.

Sœur Marie Morin, *Annales de l'Hôtel-Dieu de Montréal*, dans *Mémoires de la Société historique de Montréal*, douzième livraison, Montréal, 1921.

Pierre Boucher, *Histoire véritable et naturelle des mœurs et productions des pays de la Nouvelle-France, vulgairement dite le Canada*, Montréal, 1882.

Père de Charlevoix, *Histoire et Description générale de la Nouvelle France* avec le Journal historique d'un Voyage fait par ordre du Roi dans l'Amérique Septentrionale, Paris, Giffart, 1744, 6 vol.

Elisabeth Begon, *Correspondance de Madame Begon*, née Rocbert de la Morancière dans *Rapport de l'Archiviste* de la province de Québec pour 1934-1935, Québec, Secrétariat de la Province, 1935, pp. 1-277.

RECUEILS DE TEXTES ET ÉTUDES:

La collection Classiques canadiens, Fides, Montréal:

Cartier, Lescarbot, Champlain, Le Père Paul LeJeune, Brébeuf, Frontenac, Marguerite Bourgeoys, Charlevoix, Elisabeth Begon, Pierre Biard, Marie de l'Incarnation, Gabriel Sagard, Éloquence indienne...

Savard, Félix-Antoine, *Lettre à un ami sur les relations de Cartier*, dans *L'Abatis*, Montréal, Fides, 1943, pp. 171-180.

Pouliot, Léon, s.j., *Étude sur les Relations des Jésuites de la Nouvelle 'France*, 1632-1672, Montréal, Imprimerie du Messager, et Paris, Desclée de Brouwer, 1940; *Les Saints Martyrs canadiens*, Montréal, Bellarmin [1949].

Bremond, Henri; *Histoire littéraire du sentiment religieux en France*, T. IV, La Conquête mystique, Marie de l'Incarnation, Turba Magna, Paris, Bloud et Gay, 1926.

Lefebvre, Esther, *Marie Morin, premier historien canadien de Ville-Marie*, Montréal, Fides, 1959

Landels, Isabel, *La Correspondance de Madame Bégon,* Thèse présentée à la faculté des Lettres de l'Université Laval, pour l'obtention du grade de Doctorat d'Université, Québec, 1947.

Roy, Antoine, *Les lettres, les sciences et les arts au Canada sous le régime français*, Paris, Jouve, 1930.

Marion, Séraphin, *Relations des voyageurs français en Nouvelle-France au XVIIe siècle*, Paris, Presses Universitaires de France, 1923.

Francis, Claude, et Sinval, Sybille, *L'Évolution de la civilisation canadienne d'après les témoins* (Cartier, Lescarbot, Champlain, Sagard, les jésuites des Relations, Marie de l'Incarnation, Pierre Boucher), Québec, Ed. du Pélican, 1963

Vachon, André, « État des recherches sur le régime français » (bibliographie critique), dans *Situation de la recherche sur le Canada français*, Québec, Presses de l'Université Laval, 1962.

Deuxième partie

AUX LENDEMAINS DE LA CONQUÊTE
(1760-1830)

IIᵉ partie

AUX LENDEMAINS DE LA CONQUÊTE
(1760-1830)

UN « MOYEN ÂGE » QUÉBÉCOIS

Chapitre VII

LA FOLKLORISATION D'UNE SOCIÉTÉ

par Marcel RIOUX

« Comment toute culture française n'a-t-elle pas disparu au Canada après la Conquête? »[1] Question que la défaite des Français et la
pauvreté du milieu rendent inéluctable. L'historien de la littérature
constate que la classe lettrée s'est volatilisée et se demande comment
les lettres françaises — qu'il appelle « culture française » — ont pu
survivre dans ce pays devenu possession britannique. Le sociologue,
lui, qui s'intéresse non seulement à la vie de la littérature mais à
toutes les manifestations socio-culturelles, se demande à quelle période de son histoire le Canada français a commencé d'exister comme
entité distincte, comme culture nationale. Il constate, de son côté,
que si la période 1760-1830 peut sembler négligeable du point de
vue de la littérature, elle est d'une importance capitale du point de
vue de la formation de l'ethnie canadienne-française. Ces deux points

_____
1. La question est posée par M. Auguste Viatte, dans son *Histoire littéraire de
l'Amérique française* (Presses universitaires Laval, Québec, 1954, p. 47), au
début d'un chapitre qu'il intitule « Les primitfs canadiens » et qui correspond
à la période qui nous occupe ici.

de vue, celui de l'historien de la littérature et celui du sociologue, sont-ils aussi antithétiques qu'ils le paraissent? [2]

Que dire de la société canadienne-française de cette époque? La cession du Canada à l'Angleterre aura deux résultats immédiats: celui de décapiter le peuple de sa classe dirigeante et celui de pousser les 65,000 individus qui le composent à se concentrer, plus encore que par le passé, dans les communautés rurales.

Déjà, d'ailleurs, commence à se dessiner, à la fin du régime français, une coupure entre les deux principaux éléments de la population: une certaine élite composée des administrateurs de la colonie, du haut clergé et des gros négociants et, d'autre part, la masse des habitants qui vivent surtout dans les campagnes. L'élite a tendance à être française et la masse commence déjà à se sentir canadienne.

La disparition des élites

Les événements de 1760 allaient accentuer cette prise de conscience. Sortant ruinés de la guerre, les Canadiens accueillent la paix avec soulagement; ils vont même jusqu'à accepter les conquérants avec beaucoup de résignation et même d'espoir. Les bourgeois de Québec, en accueillant docilement les décrets de l'Être Suprême qui les font « sujets de notre nouveau monarque » ne doutent pas que celui-ci les comblera de ses grâces et de ses bontés. « N'ont-ils pas éprouvé, en qua-

---

2. Certains critiques et historiens de la littérature, aujourd'hui, étudient de plus en plus la littérature en relation avec la société et voient dans les créations artistiques des réponses que donnent les écrivains aux problèmes que se pose la communauté humaine dans laquelle ces œuvres s'inscrivent. Le comportement littéraire et artistique est replacé dans le contexte des autres comportements sociaux et s'explique en partie comme le résultat d'un mouvement dialectique entre le créateur et son milieu. Certains sociologues de la littérature, comme Lukacs et Goldmann, soutiennent « que le caractère collectif de la création littéraire provient du fait que les *structures* de l'œuvre sont homologues aux *structures* mentales de certains groupes sociaux ou en relation intelligible avec eux, alors que sur le plan des contenus, c'est-à-dire de la création d'univers imaginaires régis par ces structures, l'écrivain a une liberté totale » (Lucien Goldmann, dans *Pour une sociologie du roman*, Gallimard, Paris, 1964, p. 218). En quoi ce nouveau point de vue de la sociologie de la littérature peut-il nous aider à comprendre la situation littéraire du Canada français pendant les années 1760-1830? Peut-il s'appliquer aux balbutiements d'une littérature et d'une nation? En mettant ainsi en relation les groupes sociaux et la littérature, on comprend plus facilement que la plus grande partie des œuvres qu'on classe comme canadiennes-françaises n'ont rien à voir avec le peuple canadien lui-même et qu'elles sont tout au plus des exercices de rhétorique. D'autre part, l'évolution de la société canadienne pendant cette période fait comprendre la genèse des œuvres ultérieures et les inscrit dans la problématique de la société globale qui s'est créée pendant ces décennies.

lité de sujets vaincus, de la manière la plus marquée, la douceur, la justice et la modération de son gouvernement? » [3] Une bonne partie de la classe instruite, celle qui fait la littérature et la lit, repasse en France. Les petits bourgeois, ceux qui ne peuvent pas repartir, restent au pays. Bientôt ruinés eux-mêmes, ils doivent se cantonner dans le commerce de détail et les petites affaires. Les nobles qui sont restés ici se trouvent vite dans les meilleurs termes avec les Britanniques. Discréditée auprès des habitants, cette petite noblesse « continua de disparaître, soit par l'assimilation commencée dès les premiers mois de l'occupation anglaise, soit par l'exil de ses fils, obligés de fuir une patrie occupée où les anciennes classes dirigeantes avaient dû céder la place aux conquérants » [4].

Une communauté rurale

Après 1760, la société canadienne-française, amputée d'une partie importante de ses élites, va devenir de plus en plus homogène et de plus en plus isolée. Alors que les autres sociétés occidentales auront tendance, à cette époque, à se séculariser et à s'individualiser de plus en plus sous l'effet des révolutions politiques, de l'industrialisation et de l'urbanisation croissantes, le Canada français suivra une voie inverse. Les nouveaux conquérants auront tout intérêt à couper les relations que les Canadiens pourraient entretenir avec les Français et les républicains américains. Trente-cinq ans après la Conquête, « un grand seigneur comme le duc de La Rochefoucauld-Liancourt n'obtiendra pas, en 1795, l'autorisation de la visiter (la vallée du Saint-Laurent) ; le comte de la Puisaye, à la tête d'une colonie d'ultra-royalistes, est établi en 1797 non point à Montréal ni à Québec, mais près de Toronto, en plein pays anglais » [5].

Parqués dans le Bas-Canada, les Canadiens français vont accentuer le caractère traditionnel de leur société; on pourrait parler d'un mouvement de folklorisation de leur culture. Les occupations agricoles vont continuer de prédominer et la population va s'éparpiller dans des petits groupes (villages, paroisses, rangs) où dominent les réseaux de parenté. Devant les conquérants et la menace qu'ils font peser sur l'intégrité de leur culture, les Canadiens renforcent leurs normes morales et religieuses. Fixés davantage encore à leurs communautés rurales, ils vont chercher désespérément à conserver l'acquis plutôt qu'à innover.

---

3. Cité par Michel Brunet dans « Premières réactions des vaincus de 1760 devant leurs vainqueurs », *Revue d'Histoire de l'Amérique française*, Vol. VI, no 4, 1953, pp. 506-516.
4. Brunet, M., *Ibidem*.
5. Viatte, A., *Op. cit.*, p. 48.

À la fin du régime français, la population de la Nouvelle-France est aux trois quarts rurale; en 1790, elle l'est dans une proportion de 80%; en 1825, on cite des chiffres qui représentent 88% de ruralité. Si l'on tient compte du fait que nombre d'anglophones habitaient les villes, on doit se rendre compte qu'à cette époque, presque tous les Canadiens étaient dans leurs terres. La population augmente plus vite que sous le régime français. « Fait surprenant, écrit le démographe Henripin, sous la domination anglaise, de 1760 à 1850, la population canadienne a doublé tous les vingt-cinq ans, et ce probablement sans gain de l'immigration ». [6] Le Canada français évolue ainsi à contresens des grands pays occidentaux pendant plusieurs décennies. Au lieu de s'urbaniser, il se folklorise. Henri Marrou, parlant de l'Église canadienne après 1763, écrit: « Il ne faut pas y voir une survivance de l'ancien régime, voire du moyen âge, c'est le résultat d'un nouveau départ, littéralement d'un nouveau moyen âge. Comme aux temps mérovingiens chez nous [en France], le clergé canadien s'est trouvé, en 1763, seul représentant de la culture de la conscience nationale, seule élite. » [7] L'analphabétisme sévit dans le peuple pendant toute cette période. J.-Edmond Roy, qui a retracé l'histoire de la seigneurie de Lauzon, près de Québec, s'exprime ainsi au sujet de l'instruction du peuple: « Dans leur isolement au fond de leurs fermes, dans la continuité de leur travail manuel, peut-être aussi à cause de l'exiguïté de leurs ressources, les habitants de Lauzon étaient restés à peu près complètement étrangers à tout luxe intellectuel, à toute idée d'art, de science, de littérature... C'est à peine si dix pour cent avaient appris dans leur enfance à lire et à écrire tant bien que mal, à faire une addition et peut-être à chanter à l'église. Une fois qu'ils étaient sortis de l'école, adieu les livres et les cahiers. » [8]

Il semble bien qu'à la campagne, l'esprit de routine et l'indolence avaient pris le dessus sur l'innovation et l'initiative. Le goût d'une sociabilité facile l'emportait sur le désir de progresser. Plusieurs témoignages s'accordent pour décrire les Canadiens de la première moitié du XIXe siècle comme des traditionalistes incurables. En 1809, le journaliste anglais Jeremy Cockloft écrit: « Leur aversion pour le travail provient d'une indolence pure, véritable et sans mélange. Donnez à un habitant un toit, quelques racines, du tabac, du bois pour son poêle et un bonnet rouge, il ne travaille plus — les besoins de ces gens sont très peu nombreux, car ils n'ont aucun désir

---

6. Henripin, Jacques, *"From Acceptance of Nature to Control"*, C.J.E.P.S., 23 janvier 1957, p. 13.
7. Marrou, Henri, « Présence française », *Esprit*, 20, 8-9, 1952, p. 172 en note.
8. Roy, J.-Edmond, *Histoire de la seigneurie de Lauzon*, Tome IV, 1904, p. 194.

VOIR ILLUSTRATIONS — 53-54-55-58

de luxe et de raffinement... » [9] Quelques années plus tard, Durham portera un jugement presque aussi sévère. Il décrit les habitants, qui représentent alors le gros des Canadiens, comme « ... une race d'hommes habitués au labeur incessant d'une agriculture rude et primitive, habituellement friands de réjouissances sociales, se rassemblant en des groupements ruraux. — Pour toutes les choses essentielles, ils sont encore Français; mais Français en tout points différents de ceux de la France d'aujourd'hui. Ils ressemblent plutôt aux Français des provinces sous l'ancien régime ». [10]

Littérature populaire

Inutile de dire que pour la très grande majorité des Canadiens de cette époque, la culture des livres, la littérature écrite est chose inconnue. Le Canada français est, dans son ensemble, une culture traditionnelle, une société où prédomine la tradition orale. Le savoir, les connaissances, la culture, la littérature ne se transmettent pas par les livres mais de bouche à oreille. On se transmet donc, de génération en génération, tout ce qu'il faut pour maintenir la société. Lorsqu'au début du XXe siècle des spécialistes des traditions orales, les folkloristes, se mirent à inventorier le Canada français, ils y découvrirent un ensemble de traits d'une richesse extraordinaire et qui s'était conservé intact pendant des dizaines et des dizaines d'années. Cette littérature orale se compose de contes, récits, légendes, chansons, dictons, proverbes, devinettes et formulettes de toutes espèces. La plupart des pièces que les folkloristes ont recueillies sont manifestement d'origine française: un petit nombre, surtout des légendes, récits et complaintes, a été créé sur place.

Huston avait bien compris que les traditions orales font partie intégrante de la littérature canadienne; il inclut, dans son répertoire, deux chansons de folklore: « À la claire fontaine » et « Vive la Canadienne ». Il croit d'ailleurs que ces deux chansons ont été composées ici. Au sujet de la première, il écrit: « L'auteur de cette simple et douce mélodie est inconnu. L'air et les paroles paraissent avoir été composés par un des premiers voyageurs canadiens, malheureux sans doute dans ses amours et poète de cœur et de pensée, quoique ne connaissant ni les lois de la rime, ni celles de la versification ». [11] N'empêche qu'on a oublié les versificateurs du début du XIXe siècle et qu'on chante encore « À la claire fontaine ». Marius Barbeau a publié cette chanson: « Arrivée au nouveau monde, écrit-il, avec

9. Cité par Mason Wade, *Les Canadiens français*, Tome I, 1963, p. 138.
10. Wade Mason, *Ibidem*, pp. 222-223.
11. Huston, J., *Répertoire national*, Montréal, 2e éd., 1893, Tome I, pp. 1-2.

les colons du dix-septième siècle, elle les a escortés partout dans leurs aventures et dans leurs labeurs. De son rythme, elle les a aidés à bâtir leurs demeures, à repousser la forêt, à défricher la terre, à accomplir les multiples travaux de la grange, de la boutique et de la maison ». [12] « Vive la canadienne », l'autre chanson que Huston publie dans son répertoire et qui est encore aujourd'hui populaire, présente un cas plus complexe. Selon M. Barbeau, « ses mots primesautiers jaillissent du terroir laurentien »; et elle est française « parce que son inspiration et sa mélodie sont venues de la mère-patrie, par nos ancêtres d'il y a plus de deux cents ans. » [12] À cause de l'isolement du Canada français pendant la fin du XVIIIᵉ siècle et une bonne partie du XIXᵉ siècle, le folklore canadien s'est conservé étonnamment intact. C'était bien toute la littérature du peuple canadien à cette époque. La musicologue Marguerite Béclard d'Harcourt écrit: « Combien il est émouvant de retrouver là-bas, sur les rives du Saint-Laurent, ou dans les villages de la Gaspésie, des chansons normandes, poitevines, vendéennes ou saintongeoises qui se sont gardées pures, avec leur saveur intacte dans les mots et dans la musique, grâce à une tradition plus fidèle que celle de leur pays d'origine. » [13]

La littérature écrite

Que dire de la littérature écrite? Elle est de beaucoup moins importante que la littérature orale. À la lire aujourd'hui, on a l'impression de se retrouver devant des exercices de rhétorique sans aucun rapport avec le pays réel. D'ailleurs, les plus importants parmi ces auteurs, Quesnel et Mermet par exemple, sont arrivés au Canada au XIXᵉ siècle et perpétuent une tradition de poésie mineure. Plamondon, bien que né à Québec, semble se ranger dans la catégorie de ceux dont parle Huston: « Mais ces jeunes gens, devenus hommes, ne se livraient à la culture des lettres que pour leur amusement ou celui d'un petit cercle d'amis; car le peuple, ne sachant seulement pas lire, n'était nullement capable de goûter les travaux de l'esprit et de l'intelligence, ni d'apprécier l'importance d'une littérature nationale ». [14] Voici un exemple de cette littérature « nationale »: « Paraissez, ô habitants de l'île de Cos, apprenez-nous à aimer la pudeur. Praxitèle vous avait présenté deux statues de Vénus, dont l'une était bien inférieure à l'autre en beauté; vous la préférâtes néanmoins, parce qu'elle était modestement voilée, pour la placer à Cnide dans le temple de la déesse. Et vous, chastes Romaines, prenez un deuil général à la mort du premier Brutus; vous le pleurâtes un an, comme

12. Barbeau, Marius: « *Alouette* », Montréal, 1946, pp. 30 et 36.
13. Barbeau, Marius, « *Le Rossignol y chante* », Ottawa, 1962, p. 11.
14. Huston, J., *Op. cit.*, p. VI.

le vengeur de votre pudicité, par l'éclatant châtiment qu'il avait infligé à Tarquin, le meurtrier de Lucrèce ». [15]

Les Viger (Denis-Benjamin et Jacques) publient sur des sujets moins historiques et moins vertueux, qui se rapprochent davantage de la vie du pays. Voici le premier couplet d'une chanson de Denis-Benjamin Viger, publiée en 1828; elle emprunte à la littérature orale de ce temps-là:

> « À table réunis,
> Lorsque le vin abonde
> Quel plaisir d'être assis
> Auprès de ses amis!
> Chassons la noire tristesse,
> Faisons régner l'allégresse,
> La gaîté, l'amitié,
> Et la sincérité ». [16]

Il faut bien dire, à la décharge de nos auteurs, que le climat intellectuel du Bas-Canada n'était pas des plus propices à la création artistique. Rappelons que les deux villes les plus importantes, Québec et Montréal, ont été largement anglaises pendant une bonne partie du XIXe siècle. L'administration, et l'argent qui procure des loisirs, étaient aussi, surtout, aux mains des conquérants. Le clergé canadien, qui n'avait jamais été particulièrement réputé pour sa largeur de vues en matière d'arts, ne s'améliorera guère en accueillant dans ses rangs le clergé royaliste français, chassé par la grande Révolution. Quelques journaux, bilingues ou anglais, comme *la Gazette de Québec* qui paraît en 1764, *Le Courrier de Québec* en 1788 et *Le Magasin de Québec* en 1792, accueillent quelques maigres productions littéraires. *La Gazette Littéraire de Montréal*, que Fleury Mesplet fait paraître en 1778, consacre davantage ses pages à la littérature et plus particulièrement aux philosophes des Lumières. L'abbé Montgolfier, supérieur du séminaire de Montréal, dénonce *La Gazette* au gouverneur Haldimand; entre ce double ostracisme, la littérature ne peut que vivoter. Une pièce de théâtre, de temps à autre, vient compléter le bilan de cette vie intellectuelle à la fois rare et étouffée.

Ce sont les nombreux séminaires que le clergé va ouvrir au début du siècle qui prépareront la relève. De ces institutions sortira une élite, et celle-ci prendra en main les destinées non seulement littéraires mais politiques de la nation qui, de 1760 à 1830, s'était formée au fond des campagnes.

---

15. Huston, J., *Ibidem*, p. 91.
16. Huston, J., *Ibidem*, p. 91.

VOIR ILLUSTRATION — 59

Chapitre VIII

LA TRADITION ORALE

par Pierre de GRANDPRÉ

La littérature écrite des habitants de Nouvelle-France avait produit quelques pousses assez vigoureuses en dépit de leur rareté; mais les Canadiens d'ascendance française laisseront passer un demi-siècle et plus, après la Conquête, sans pouvoir reprendre la plume avec autorité. Pendant cette période où des émigrés français de fraîche date déploient, en leur nom, dans les « gazettes » de l'oligarchie victorieuse, à Québec et à Montréal, les astuces et les conventions, en prose comme en vers, d'un pseudo-classicisme fort livresque, le peuple du Québec, qui se tient à l'écart de cette étroite avant-scène, est-il totalement muet? Il n'écrit pas, certes, ne consigne dans aucun document de niveau littéraire des témoignages de ses humeurs et de son génie propres. Mais c'est un peuple — les observations à cet égard concordent — qui sait remarquablement rire, chanter, s'émouvoir et raconter.

Il a fallu attendre le XXe siècle pour qu'une prospection scientifique[1] des trésors préservés et sans cesse enrichis de la tradition orale française au Canada, révèle l'immense travail de conservation et de création collectives auquel se sont livrées, du XVIIIe siècle à la fin du XIXe et un peu au-delà, les couches les plus taciturnes, en apparence, de la population. Toute histoire de la littérature française écrite du Québec se doit à tout le moins d'orienter les curiosités vers le champ — ici exceptionnellement fertile — de la littérature orale, domaine considérable exploité de nos jours par Marius Barbeau, Luc

---

1. Aux travaux de M. Luc Lacourcière ont frayé la voie ceux de M. Marius Barbeau, dont la bibliographie, dressée par Clarisse Cardin en 1947, occupe une part considérable du tome II des *Archives du Folklore*.

Lacourcière, Félix-Antoine Savard et maints autres bons ouvriers des recherches folkloriques.

« On sait depuis deux siècles, écrit Luc Lacourcière, par les allusions fréquentes des premiers voyageurs étrangers, anglais, américains, français, allemands ou autres, à nous visiter, après 1760 et même avant, par les emprunts timides des premiers écrivains canadiens du XIXᵉ siècle, et surtout par les prospections directes des enquêteurs, musiciens, littérateurs, ethnographes et folkloristes auprès des petites gens de la campagne et quelquefois des villes, qu'une multitude de légendes, de superstitions, d'anecdotes, de contes et fabliaux, de chansons, de dires, etc. se sont transmis de bouche en oreille sans l'aide de l'écriture et continuent encore à circuler, bien que moins fréquents aujourd'hui, parmi ceux qui sont restés éloignés des livres. » [2]

Pour découvrir les idées, les sentiments, les habitudes, les faits et gestes de « cette masse fidèle, discrète, laborieuse », dont « procèdent les mouvements profonds et durables, les résistances tenaces et obscures, en un mot, ces grandes et mystérieuses forces historiques que ni les parlementaires, ni les guerriers, ni quelques héros, ni quelques groupes d'hommes, n'expliquent assez » [3], pour « entrer dans l'intimité de la famille, dans ses *penetralia* selon le mot de Tacite, savoir son esprit, ses croyances, ses mœurs, le secret de sa force invincible et toutes ses traditions et toutes ses œuvres » [3], c'est vers ce que ce peuple a su livrer de lui-même par l'imitation, l'exemple, la transmission fidèle ou par la création et l'invention expressives, que se tourne l'historien du folklore. Et l'historien de la littérature le suivra un moment dans cette pieuse et fervente démarche, s'arrêtant plus volontiers qu'ailleurs devant la chanson qui est la poésie de ce peuple, ou s'attardant à considérer les contes et les légendes, qui sont tout à la fois son théâtre parlé et mimé et sa littérature romanesque.

On peut dire très particulièrement des chants et récits traditionnels ce qu'ont écrit Lacourcière et Savard du folklore en général: « Greffier de l'itinéraire humain, le folklore enregistre tout: la religion, les superstitions, les croyances relatives aux éléments, à la flore et à la faune, les métiers agricoles, marins, forestiers, les arts utiles et agréables, les fêtes, cérémonies et usages... toute la vie populaire, physique et spirituelle, privée et sociale. » [3]

---

2. Rapport de M. Luc Lacourcière sur « La tradition orale au Canada » au colloque d'histoire intitulé *France et Canada français, du XVIᵉ au XXᵉ siècle*, édité par Claude Galarneau et Elzéar Lavoie, Presses de l'Université Laval, Québec, 1966.
3. Luc Lacourcière et Félix-Antoine Savard: « Le Folklore et l'Histoire », dans les *Archives du Folklore*, tome I, 1946, Fides, Montréal.

I

LA CHANSON

« Rien n'est aussi profond que la chanson populaire », disait Péguy. Rien, à coup sûr, n'a été aussi profond parmi les populations rurales du Saint-Laurent. La tradition française y a été mieux conservée encore que dans l'ancienne mère-patrie, qui a évolué rapidement « sous l'influence du livre, des guerres et de la Révolution. »[3] Plus que la province de France même, observe Marius Barbeau, le Québec est resté attaché au « passé obscur de la légende, de la féerie et de la chanson des jongleurs. » À propos des milliers de chansons populaires recueillies au Musée national — plus, dit-il, qu'il ne semble y en avoir dans toutes les collections de France réunies — il remarque que « de l'ensemble de tous ces documents se dégage un arôme d'antiquité, de distinction et de raffinement », et il en conclut que le campagnard a simplement hérité le riche patrimoine oral et artistique qu'il a si bien conservé: le patrimoine de l'ancienne France dont il s'est nourri dans son éloignement. [4]

De ce trésor de la chanson française en Amérique avec, pour chacune, le foisonnement de variantes dont elle a été la source[5], quelques titres évoqueront la grâce et l'attrait: *Le long de la mer jolie, À la claire fontaine, Je me lève à l'aurore du jour, L'hirondelle messagère des amours, L'alouette chanta le jour, Sur le joli vent, Là-haut sur la montagne, La Passion de Jésus-Christ, La Sainte Vierge aux cheveux pendants, Le roi Renaud, La nourrice du roi, Rossignolet sauvage, Au bois du rossignolet.* [6]

Si les campagnes québécoises constituent le plus riche domaine de la chanson populaire française, qui y a préservé vivantes ses ver-

---

4. Marius Barbeau: « Notre tradition, que devient-elle? » *Culture*, 1941, II, pp. 70-71.
5. Quelque 90 versions du texte et 50 mélodies différentes ont été découvertes par Barbeau pour la chanson *Trois beaux canards*.
6. Commencée vers 1860 par Ernest Gagnon qui publia, en 1865, ses *Chansons populaires du Canada*, la cueillette s'est faite méthodiquement, sur phonographe d'abord, avec Marius Barbeau assisté de E.-Z. Massicotte (et Lanctot, Louvigny de Montigny) à partir de 1916 environ; et aujourd'hui, dans le rayonnement en particulier des Archives du Folklore de l'Université Laval, des équipes bien préparées se hâtent d'enregistrer avec les moyens modernes (magnétophones, etc.) les plus intéressants vestiges de notre civilisation traditionnelle.

tus mélodiques et verbales, il n'en a pas moins existé une chanson du cru. [7] Peut-être une chanson populaire sur vingt, au Québec, est-elle autochtone. Cela pourrait former un recueil de quelques centaines de chansons. « Elles sont d'ordinaire, nous dit Marius Barbeau, assez maladroites, car leurs compositeurs n'étaient pas des jongleurs professionnels, comme dans la France ancienne, mais de simples chanteurs rustiques. Ces chanteurs, toutefois, savaient tellement de bonnes chansons, ils possédaient tant d'excellentes mélodies, ils éprouvaient parfois dans leur vie de si profondes émotions, qu'ils ne pouvaient s'empêcher de dire vrai et de sonner juste, comme dans *La Plainte du coureur de bois*, *Dans le cours du voyage*, *Le bal chez Boulé*, *Envoyons d'l'avant, nos gens* et *Les Raftsmen*. » [8]

LA PLAINTE DU COUREUR DE BOIS

« Il n'y a pas, dans tout notre répertoire, de chanson plus canadienne que *La plainte du coureur de bois*, et il ne s'en trouve guère dont la mélodie soit plus captivante. Elle est belle, dans sa rusticité. Non pas qu'elle soit un chef-d'œuvre, loin de là. On n'avait pas l'habitude d'en faire sur le Saint-Laurent, encore moins dans les pays sauvages du Nord-Ouest... À défaut de prosodie et de raffinements lyriques, le poète canotier qui composa cette chanson parlait de l'abondance du cœur » (Marius Barbeau: *Romancero du Canada*, Beauchemin, 1937).

Le six de mai, l'anné' dernièr'
Là-haut, je me suis engagé (bis)
Pour y faire un long voyage,
Aller aux pays hauts,
Parmi tous les sauvages.

---

7. cf. Georges Doncieux: *Le Romancero populaire du Canada*, Paris, Librairie E. Bouillon, 1904, 502 p. — Dans *Vieilles chansons de Nouvelle-France* (no 7 des Archives du Folklore, 1956), M. Russell Scott Young, définissant « les éléments très subtils du beau dans la musique du peuple », observe que, si la récolte de la chanson modale semble finie en France depuis cinquante ans, cette chanson, d'origine moyenâgeuse, subsiste, riche et presque inépuisable, dans la tradition du Québec. L'oreille y pourrait redécouvrir une libération des rigueurs du cadre classique, un recours aux libertés rythmiques et à d'anciens modes regrettablement tombés en désuétude. Le littérateur, lui, retiendra de la chanson populaire, outre évidemment ses qualités de fond, certaines formes prosodiques fort défendables, réputées inorthodoxes aussi longtemps qu'a exclusivement prévalu la prosodie classique: l'assonance, par exemple, que l'on trouve en particulier dans la laisse épique — uniformément assonancée — et surtout la césure épique, parfois d'un si bel effet, définie par Jeanine Bélanger (Archives du Folklore, I, 1946) comme « la présence, à la coupe du vers, d'une syllabe muette non élidée et appuyée d'un accent mélodique. » — Citons encore quelques-unes des plus connues parmi les chansons canadiennes, ou résolument canadianisées: *Sur la route de Berthier*, *Vive la Canadienne*, *Le galant éconduit* (« Bonsoir, ma Délima »), *C'était un vieux sauvage*, *Petit-Jean*, *Je monte en haut*, *Mon père m'a donné un mari*, *La randonnée du merle*, *Ah! si mon papa le savait*, *Alouette*.

8. Marius Barbeau: « Les chansons populaires », dans *Le Folklore*, Cahiers de l'Académie canadienne-française, no 9, 1956.

Ah! que l'hiver est long,
Que ce temps est ennuyant!
Nuit et jour, mon cœur soupire
De voir venir le doux printemps,
Le beau et doux printemps
Car c'est lui qui console
Les malheureux amants,
Avec leurs amours folles.

Quand le printemps est arrivé
Les vents d'avril soufflent dans nos voiles
Pour revenir dans mon pays.
Au coin de Saint-Sulpice,
J'irai saluer m'amie
Qui est la plus jolie.

Qui en a fait la chanson?
C'est un jeune garçon,
S'en allant à la voile,
La chantait tout au long.
Elle est bien véritable.
Adieu, tous les sauvages,
Adieu, les pays hauts,
Adieu, les grand's misères!

« Quand on a abandonné le canot, on a abandonné la chanson »,
a confié à l'enquêteur François Brassard le « recordeur de chansons »
Lazare Hudon. [9] Que de chansons, en effet, comme *Canot d'écorce
qui vole,* furent liés aux métiers de forestier et de voyageur:

Quand un chrétien se détermine
   À voyager
Faut bien penser qu'il se destine
   À des dangers... [10]

Une autre chanson dit: « Parmi les voyageurs, lui y a de bons
enfants — Et qui ne mangent guère, mais qui boivent souvent... »
C'est ce qu'affirme aussi ce couplet:

Voilà les voyageurs qui arrivent
Bien mal chaussés, bien mal vêtus;
Pauvre soldat, d'où reviens-tu?
— Madam' tirez-nous du vin blanc
Les voyageurs boiv' sans argent..

Le métier est dur et demande « bien du courage »; témoin encore
cette chanson:

---

9. *Archives du Folklore*, II, Fides, 1947.
10. Abbé Emile Dubois: *Autour du métier,* Bibliothèque de l'Action française,
Montréal, 1922.

Dans le cours du voyage,
Exposé aux naufrages;
Le corps trempé dans l'eau,
Éveillé par les oiseaux;
Nous n'avons de repos
Ni le jour ni la nuit.
N'y a que de l'ennui,
Préoccupé du temps,
Battu par les vents...
Ah! j'vous dis, mes frères
'Y a personne sur terre
Qu'endur' tant de misère.
Oui, c'est un mariage
Que d'épouser le voyage.
Moi j'attends la journée,
Jour de mon arrivée!
Jamais plus je n'irai
Dans ces pays damnés
Pour tant m'y ennuyer.

« Si la haute tradition orale de la poésie gallo-romane ne s'est conservée chez nous que par les chanteurs [11], non par les bardes, dit Marius Barbeau, elle n'y a pas moins survécu à l'état latent, en beaucoup de lieux obscurs. Il fallait bien peu de choses pour faire renaître le goût des vers, pour ne pas dire de la poésie. » [12]

COMPLAINTE DE CADIEUX

L'on peut rapprocher de la chanson de voyageur la complainte, ou « chant de mort », de Cadieux. Le poème fut d'ailleurs aussitôt chanté que découvert par les camarades du poète défunt. Cadieux était un voyageur du Nord-Ouest qui avait épousé une algonquine. Selon le récit de Joseph-Charles Taché dans *Forestiers et voyageurs*, le moribond aurait écrit ces vers « sur de l'écorce de bouleau, au petit Rocher des Sept-Chutes, avant de se placer dans la fosse creusée de ses propres mains ». L'épisode se serait déroulé vers 1730, au temps des dernières expéditions iroquoises. On est libre de déceler dans ces vers, par endroits, une sincérité et un charme à la Villon:

Petit-Rocher de la Haute Montagne,
Je viens finir ici cette campagne!
Ah! doux échos, entendez mes soupirs,
En languissant, je vais bientôt mourir!

11. Parmi les faiseurs de chansons à la rustique, dans les campagnes, on mentionne par exemple Robert Carle dans les comtés de Rimouski et de Gaspé, la vieille fille Pâquet de Saint-François de Beauce, Pierriche Falcon, né en 1793, « Pierre Falcon, le bon garçon » — de la Rivière-Rouge, dans le Nord-Ouest, et du village de Laprairie:

Qui a fait la chanson? ... Amis, buvons, trinquons
Un poète du canton. Saluons la chanson
Au bout de la chanson De Pierriche Falcon,
Nous vous le nommerons Ce faiseur de chansons!

12. *Romancero du Canada*, Beauchemin, 1937.

(...) Seul en ces bois que j'ai eu de soucis,
Pensant toujours à mes si chers amis;
Je demandais: hélas! sont-ils noyés?
Les Iroquois les auraient-ils tués?

Un de ces jours que m'étant éloigné,
En revenant je vis une fumée;
Je me suis dit: Ah! grand Dieu! qu'est ceci?
Les Iroquois m'ont-ils pris mon logis?

Je me suis mis un peu à l'ambassade,
Afin de voir si c'était embuscade;
Alors je vis trois visages français,
M'ont mis le cœur d'une trop grande joie!

Mes genoux plient, ma faible voix s'arrête,
Je tombe... Hélas! à partir ils s'apprêtent:
Je reste seul... Pas un qui me console,
Quand la mort vient par un si grand désole!

Un loup hurlant vint près de ma cabane
Voir si mon feu n'avait plus de boucane;
Je lui ai dit: Retire-toi d'ici;
Car, par ma foi, je perc'rai ton habit!

Un noir corbeau, volant à l'aventure,
Vint se percher tout près de ma toiture:
Je lui ai dit: Mangeur de chair humaine,
Va-t'en chercher autre viande que mienne.

Va-t'en là-bas, dans ces bois et marais,
Tu trouveras plusieurs corps iroquois:
Tu trouveras des chairs, aussi des os;
Va-t'en plus loin, laisse-moi en repos!

Rossignolet, va dire à ma maîtresse,
À mes enfants qu'un adieu je leur laisse,
Que j'ai gardé mon amour et ma foi,
Et désormais faut renoncer à moi! (...)

Ce sont là chansons et complaintes de voyageurs saisis par l'ennui de durs parcours, par l'impérieux besoin de confier à autrui quelque chose de leurs « grandes misères ». Il existe aussi, pour reprendre le vocabulaire de Taché, des chansons de « forestiers ». Ce sont les chansons de *chantiers*, pleines, d'habitude, de vigueur et de joie fruste; celle des *Raftsmen* — début du XIXe siècle — en est le plus mémorable exemple.

LES RAFTSMEN

« Les raftsmen », dit Marius Barbeau, est d'un rythme endiablé et d'une verve satanique, — les bûcherons et les « draveurs » n'étant pas tous du « bois de calvaire ».

1. Où sont allés tous les raftsmen?
   Dedans Bytown sont arrêtés,
   Où sont allés tous les raftsmen?
   Bing sur le ring,
   Laissez passer les raftsmen;
   Bing sur le ring, bing bang!

2. Dedans Bytown ils sont allés
   Dans les chantiers il faut monter.

3. Des provisions ont apporté.

4. Vers l'Outaouais s'sont dirigés.

5. En canots d'écorce embarqués.

6. Dans les chantiers sont arrivés.

7. Des manch's de haches ont fabriqué.

8. Ils ont joué de la cogné'.

9. À grands coups de hache trempé'.

10. Pour leur estomac restaurer.

11. Des pork and beans ils ont mangé

12. Après avoir fort bien dîné.

13. Une pip' de plât' ils ont fumé.

14. Quand le chantier fut terminé.

15. S'sont mis à fair' du bois carré.

16. Pour leur radeau bien emmancher.

17. En plein courant se sont lancés.

18. Su' l' ch'min d'Aylmer ils sont passés.

19. Avec leur argent bien gagné.

20. Sont allés voir la mèr' Gauthier.

21. Et les gross' filles ont demandé.

22. Ont pris du rhum à leur coucher.

23. Et leur gousset ont déchargé.

24. Et leur gousset ont déchargé,
    Le médecin ont consulté.
    Où sont allés tous les raftsmen?
    Bing sur le ring,
    Laissez passer les raftsmen
    Bing sur le ring, bing bang!

93

Dans cette même catégorie de joyeux aveux, de cris de liberté et de chansons bachiques plus ou moins inspirées des anciennes chansons à boire de la tradition française (« Les Canadiens sont pas des fous — Partiront pas sans boire un coup »), une chanson favorite des lurons de l'époque fut:

Les enfants de nos enfants	Donne à boire à ton voisin,
Auront de fichus grands-pères:	Car il aime, car il aime,
À la vie que nous menons,	Donne à boire à ton voisin,
Nos enfants s'en sentiront!	Car il aime le bon vin... [13]

II

CONTES ET LÉGENDES

Les légendes sont des « récits oraux qui se rapportent à un passé où l'on croyait aux « jeteux de sorts », aux revenants, aux feux follets... Quoique la légende s'inspire généralement de thèmes anciens et universellement répandus, elle prend, la plupart du temps, la forme d'un souvenir personnel, ce qui lui donne une apparence de vérité. Comme les autres genres de littérature populaire, la légende a

---

13. Bien que les railleries des chansonniers politiques ou militaires, devenues chansons d'une popularité plus ou moins prolongée, puissent difficilement se relier à la tradition orale continue que l'on examine ici à vol d'oiseau, on résiste mal à l'envie de citer quelques témoignages de la gouaille de nos pères, sous le régime français, tels ces petits vers adressés par Sœur Marie-Hélène à Jean Talon.

L'Anglais cherche des lauriers,	Les Français en font amas,
Autant en font nos guerriers,	L'Anglais n'en moissonne pas,
Voilà la ressemblance;	Voilà la différence.

Voici la sorte de *Te Deum* qui fut entonnée au lendemain d'Oswego:

Anglais, le chagrin t'étouffe,	Si tu veux faire merveille
Dis-moi, mon ami, qu'as-tu?	Et te guérir comme il faut
Tes souliers sont en pantouffe,	Tu prendras une bouteille
Ton chapeau z'est rabattu (...)	De la poudre de Rigaud (...)

Au lendemain de Carillon, nouveaux couplets de défi et de triomphe:

Vous avez dans ce jour perdu	Si les Indiens eussent paru
Vos chapeaux et vos tuques	Vous perdiez vos perruques ...

En 1775 et 1812, écrit Emile Dubois dans *Autour du métier*, nos chansonniers retrouvèrent leur esprit railleur pour flageller l'envahisseur américain:

Les premiers coups que je tirai	Yankee Doole, tiens-toi bien,
Sur ces pauvres rebelles	Entends bien, c'est la musique,
Cinq cents de leurs amis	C'est la gigue du Canadien,
Ont perdu la cervelle.	Qui surprend l'Amérique ...

suivi la voie traditionnelle. Les thèmes légendaires ont voyagé par toute l'Europe; ils se sont répandus dans les provinces du Canada ». [14] Il en va de même des contes populaires, genre fort voisin puisque ce sont « des récits merveilleux et romanesques dont le lieu d'action, en règle générale, n'est pas localisé (il y avait une fois...), dont les personnages ne sont pas individualisés (un roi, un géant, une fée). Les contes canadiens ne sont pas foncièrement originaux, en ce sens qu'ils appartiennent au patrimoine commun de l'humanité. Ils font partie du folklore universel par les thèmes », [15] sinon par les traits de mœurs et les détails secondaires.

L'origine de la plupart des contes et légendes traditionnels est si ancienne, si profondément enracinée dans l'histoire de l'humanité, qu'on retrouve des versions des mêmes récits dans la plupart des pays. C'est ce qu'a souligné ainsi Félix-Antoine Savard: « Parfois le champ de ces études s'agrandit jusqu'aux dimensions du monde, j'oserais dire. C'est alors tout le mystérieux problème des origines et des sources qui se pose; et toute la science des rapports et des comparaisons entre en jeu. Entre tel ou tel élément d'un conte de chez nous et certain thème de la littérature dite savante, des analogies, des parentés surgissent. C'est ainsi, par exemple, que *Le Grand Voleur de Paris*, raconté par Médéric Bouchard de Clermont, dans Charlevoix, nous ramène au conte du roi Rhamsinite transmis par Hérodote; que *La Magicienne* de Carolus Duguay de Petite-Lamèque évoque le mythe de Médée, rappelle *La Tempête* de Shakespeare; que les facéties de la *Grand'Gueule*, débitées par Armand Simard de Baie-Saint-Paul, nous replongent jusqu'au cou dans le pantagruélisme de Rabelais, et, de même, nos histoires d'ogre, dans l'*Odyssée* d'Homère. Un comparatiste qui voudrait s'y adonner n'en finirait plus de renouer les liens qui rattachent notre littérature populaire à celle des plus grands auteurs ». [16]

Les rapports de cette littérature populaire avec notre littérature écrite ont été maintenus avec une certaine constance depuis le premier roman en langue française publié au Québec, *L'Influence d'un livre*, de Philippe Aubert de Gaspé fils, où le récit de Rose Latulippe exploite la légende du diable danseur, jusqu'aux œuvres de Jacques ou de Madeleine Ferron (*L'Ogre, Le Loup-garou*), toujours proches, au moins allusivement, de ces souffles et de ces sources, entre bien d'autres qui émanent d'un même tuf populaire. L'auteur des *Anciens Canadiens* et maints autres parmi nos écrivains du XIXe siècle,

---

14. Sœur Marie-Ursule, c.j.s.: *Civilisation traditionnelle des Lavalois* (numéro spécial double, 5 et 6, des *Archives du Folklore*, Québec, P.U.L., 1951), p. 184.
15. *Id., ibid.*, p. 200.
16. *Le Barachois* (récit intitulé « Le vieux John »), Montréal, Fides, 1959.

de Hubert La Rue ou Joseph-Charles Taché à Honoré Beaugrand, ont puisé dans la tradition leurs histoires de chasse-galerie, de diables constructeurs d'églises ou beaux danseurs, de fantômes et de lieux hantés, d'apparitions, de revenants, de feux follets, de jeteurs de sort, de lutins ou de loups-garous. Ces utilisations épisodiques d'une tradition qui demeure le réservoir d'une éventuelle littérature fantastique au Québec, n'eurent évidemment pas la rigueur et l'authenticité de ton que met au jour le travail méthodique de cueillette entrepris depuis quelques dizaines d'années.

LE DIABLE PARRAIN

L'extrait suivant est le début d'un conte populaire, *La Reine des Ormeaux*, recueilli en 1930, à Ottawa, par Marie-Rose Turcot, de la bouche d'une conteuse, madame Alarie, originaire de Saint-Sauveur de Québec, âgée à ce moment-là de 92 ans.

« I'y avait une fois un pauvre homme qui avait une grosse famille. I'avait tant d'enfants que quand arriva au monde le petit dernier, i'eut beau regarder tout autour, i' pouvait pas trouver de parrain dans la place: les voisins, les connaissances et la parenté, tout le monde y avait passé.

Quand i'a vu ça, i' s'est mis dans la tête d'aller se planter à la fourche des trois chemins; et de parler au premier venu qui passerait par là; de lui expliquer que son petit dernier était pas encore baptisé, faute de parrain.

Ce qui prouve qu'i'avait eu bon nez, c'est qu'i'était pas sitôt rendu à la fourche des chemins, qu'i'vit ressoudre un beau cheval noir. Celui qui le montait avait l'air d'un grand seigneur.

L'étranger sauta à terre et en voyant le pauvre homme si piteux, i' lui demanda ce qui le chagrinait comme ça.

— Pas moyen de trouver de parrain dans la place pour faire baptiser mon petit dernier, que lui répond l'autre.

— T'inquiète pas, dit l'étranger. Je serai le parrain de ton rejeton. C'est lui qui sera le plus gaillard de la bande. La joie vient d'entrer chez vous, c'est moi qui te le dis.

Le pauvre homme, entendant ça, est tout excité. I'veut remercier le passant, mais l'étranger est déjà rembarqué sur son cheval qui repart au galop, à la fine épouvante, que ses quatre fers en font du feu.

Le père de famille n'se remet pas de sa surprise. I' s'en va don' conter son aventure à sa femme.

— Le petit sera débrouillard à plein, qu'i' lui explique; et avec un parrain pareil, c'est la joie qu'est entrée chez nous.

Le garçon que le diable venait d'adopter s'appela Jean, car c'était bi'n le diable en personne qui, ce jour-là, était descendu sur la terre pour lui servir de parrain... »

BIBLIOGRAPHIE

À la bibliographie du sujet qui apparaît dans les notes de ce chapitre, renvoyant pour la plupart aux *Archives du Folklore*, ajoutons un titre qui n'y figure pas:

E.-Z. Massicotte: « Formulettes, rimettes et devinettes du Canada », dans *Journal of American Folklore*, vol. 33, oct.-déc. 1920, pp. 298-320.

52. Québec en 1760.

53. L'auberge Jolifou de Krieghoff.

54. Habitants canadiens, par Krieghoff.

55. Québec, vue du château, par Coke Smith, 1830.

56. Une ancienne porte des remparts de Québec, 1838.

57. Portrait de Joseph Quesnel.

58. Promenade en calèche vers 1800.

96d

59. Un numéro bilingue de la Gazette de Québec, en 1799.

60. Rue Notre-Dame, à Montréal, vers la même époque.

61. Une ronde chez les Canadiens, Heriot, 1805.

62. Le menuet chez un Canadien, Hériot, 1805.

96g

63. Ouverture du parlement de Québec en 1792.

64. Michel Bibaud.

65. Joseph-François Perrault.

66. Michel de Salaberry, vainqueur à Châteauguay.

67. Un voyageur canadien.

68. Les « raftsmen » sur la Gatineau.

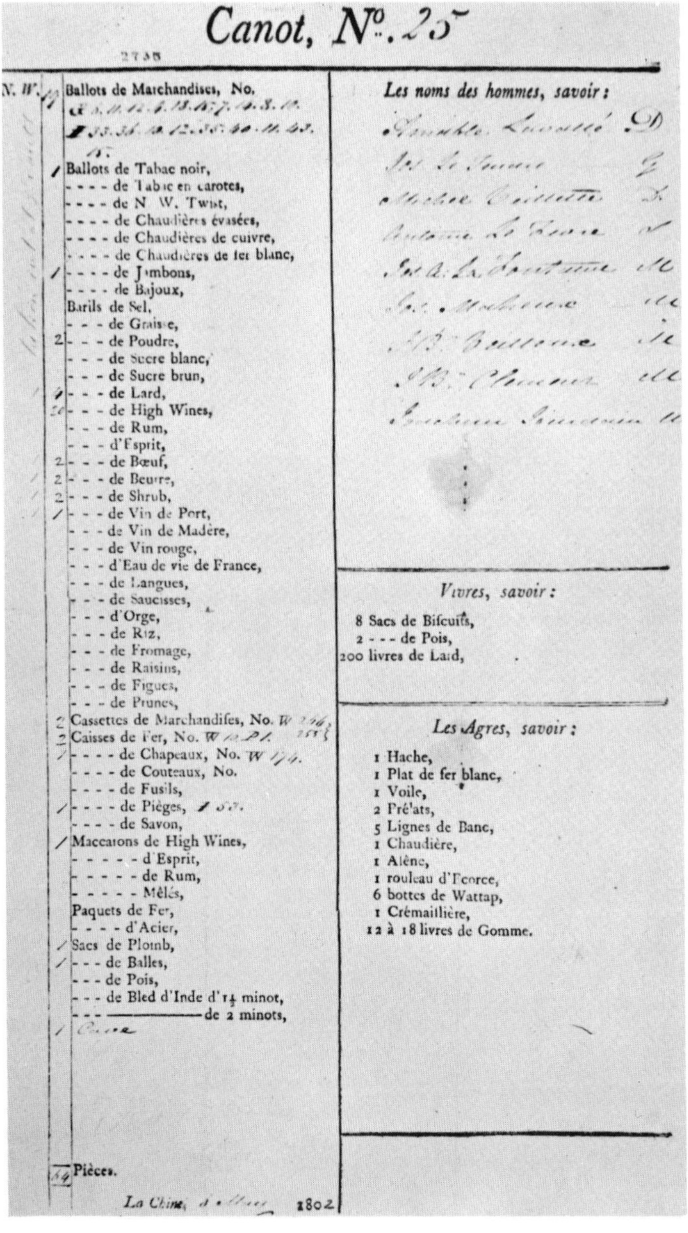

Canot, N°. 25

N. W. | Ballots de Marchandises, No.

Ballots de Tabac noir,
- - - - de Tabac en carotes,
- - - - de N. W. Twist,
- - - - de Chaudières évasées,
- - - - de Chaudières de cuivre,
- - - - de Chaudières de fer blanc,
- - - - de Jambons,
- - - - de Bajoux,
Barils de Sel,
- - - de Graisse,
- - - de Poudre,
- - - de Sucre blanc,
- - - de Sucre brun,
- - - de Lard,
- - - de High Wines,
- - - de Rum,
- - - d'Esprit,
- - - de Bœuf,
- - - de Beurre,
- - - de Shrub,
- - - de Vin de Port,
- - - de Vin de Madère,
- - - de Vin rouge,
- - - d'Eau de vie de France,
- - - de Langues,
- - - de Saucisses,
- - - d'Orge,
- - - de Riz,
- - - de Fromage,
- - - de Raisins,
- - - de Figues,
- - - de Prunes,
Cassettes de Marchandises, No.
Caisses de Fer, No.
- - - - de Chapeaux, No.
- - - - de Couteaux, No.
- - - - de Fusils,
- - - - de Pièges,
- - - - de Savon,
Maccarons de High Wines,
- - - - - d'Esprit,
- - - - - de Rum,
- - - - - Mêlés,
Paquets de Fer,
- - - - d'Acier,
Sacs de Plomb,
- - - de Balles,
- - - de Pois,
- - - de Bled d'Inde d'1½ minot,
- - - ——— de 2 minots,

Pièces.

La Chine, 1802

Les noms des hommes, savoir :

Vivres, savoir :

8 Sacs de Biscuits,
2 - - - de Pois,
200 livres de Lard,

Les Agres, savoir :

1 Hache,
1 Plat de fer blanc,
1 Voile,
2 Prélats,
5 Lignes de Banc,
1 Chaudière,
1 Alène,
1 rouleau d'Ecorce,
6 bottes de Wattap,
1 Crémaillière,
12 à 18 livres de Gomme.

69. Équipement d'un voyageur de l'Ouest, Lachine, 1802.

70. L'industrie du bois à l'Anse-au-Foulon de Québec.

96m

71. Jeunes Canadiens à la pêche.

72. Le pont de glace entre Québec et Lévis (détail).

73. Les chasseurs de tourtes, d'Antoine Plamondon.

74. Une vue du port de Montréal vers 1880.

Chapitre IX

LA LANGUE DES CANADIENS FRANÇAIS

par Gaston DULONG

Il est difficile de comprendre les débuts de la littérature d'expression française du Canada, si l'on n'a pas à l'esprit les conditions de vie bien particulières du français au cours du premier siècle qui a suivi la conquête.

Les nombreux témoignages sur la pureté de l'accent canadien et sur l'absence de patois au Canada nous font comprendre que les patois apportés par les colons aux XVIIe et XVIIIe siècles sont disparus très tôt et que, dès le XVIIe siècle, s'est constitué un français canadien commun, très proche du français commun. Ce français canadien renfermait des débris d'anciens patois — mots, prononciations, formes morphologiques — mais c'était déjà du français régional. Le Canada avait réalisé son unité linguistique en faveur d'un français régional alors qu'à la même époque, les patois, en France, n'étaient pour ainsi dire pas entamés par la langue commune [1].

La cession du Canada à l'Angleterre fut pour le français une véritable catastrophe. L'armée, l'administration, un certain nombre de seigneurs et une partie considérable de la bourgeoisie commerçante rentrèrent en France. L'armée d'occupation britannique, les administrateurs et les commerçants anglophones comblèrent le vide ainsi créé. Conséquence linguistique: l'anglais, langue étrangère, remplace le français comme langue du gouvernement, de l'administration et du commerce. Bien sûr, on devra communiquer en français avec la population unilingue française, mais le français dont on se servira sera une langue de traduction déjà gauchie, dans laquelle l'anglicisme se glisse sous toutes ses formes.

---

1. Gaston Dulong, *Bibliographie linguistique du Canada français.* Les Presses de l'Université Laval, 1966. Lire l'introduction, pp. XIX-XXXII (P. de G.).

97

L'élément anglophone, très puissant dès le début, sinon à cause de ses effectifs du moins à cause des positions-clefs qu'il occupe, reste cantonné surtout dans les villes (Québec, Montréal et Trois-Rivières), au cours des quinze premières années.

Il sera vite renforcé par trois vagues successives d'immigrants anglophones: la première, à partir de 1775, et la deuxième, à partir de 1810, ont comme résultat l'établissement sur le territoire actuel du Québec de Loyalistes américains; la troisième s'amorce vers 1830 et s'amplifiera vers 1840: cette dernière vague sera constituée surtout d'Irlandais.

À cause d'une « natalité triomphante » pour employer une expression de Raoul Blanchard [2], les effectifs francophones passent de 70,000 en 1760 à 670,000 en 1851. Mais au cours de cette même période des quatre-vingt-dix premières années du régime anglais, la proportion des francophones tombe à 75% dans le Québec. Certaines régions comme les Cantons de l'Est, le sud de Montréal et l'Ouest du Québec sont en majorité anglaises. Cependant, ce sont les centres urbains qui sont les centres de prédilection des anglophones: au milieu du 19e siècle, ils formaient près de 40% de la population de la ville de Québec; à Montréal même, ils devenaient majoritaires en 1831 et le resteront jusqu'en 1861.

Si la littérature française au Canada naît tardivement et si pendant près de quatre-vingts ans nous avons été complètement muets, les lignes précédentes apportent déjà un début d'explication. Mais il y a plus.

Le climat intellectuel favorable à l'éclosion de notre littérature n'existait pas. Vers 1850, l'enseignement dans les écoles primaires était à peine en voie d'organisation, et il faudra attendre 1857 pour voir la fondation des premières écoles normales dans le Québec.

Existaient, bien sûr, un certain nombre de collèges classiques ou séminaires préparant au baccalauréat, mais n'oublions pas que l'enseignement supérieur, lui, n'existait pas. L'Université Laval n'ouvrira ses portes qu'en 1852 (McGill existait depuis 1829), avec les facultés de théologie, de droit, de médecine et des arts.

Dans les villes (Montréal et Québec), l'élite était majoritairement anglophone, les fonctionnaires étaient eux aussi surtout anglophones, les commerçants et les industriels l'étaient également. La mince élite francophone devait nécessairement savoir l'anglais, travailler en anglais et servir surtout d'intermédiaire entre les deux communautés linguistiques. Dans l'ensemble, elle occupait des postes secondaires: traducteurs, bibliothécaires, etc.

---

2. Raoul Blanchard, *Le Canada français,* Paris, Librairie Arthème Fayard, 1966, chapitre II.

Le Canadien francophone trouvait difficilement le milieu bourgeois ou mondain, à l'aise et cultivé, où il aurait pu s'affiner. Le français restait une langue de seconde classe: celle de l'Église et de la famille sans doute, mais son prestige était bien mince à côté de l'anglais, langue des puissants, de la finance, de l'administration, de la bourgeoisie, du commerce et aussi de l'industrie naissante.

On pourrait prouver facilement pour cette époque l'état d'infériorité du français, langue de la majorité, en face de l'anglais, langue de la minorité, par le fait qu'au cours des cent premières années du régime anglais, le français au Canada n'a presque rien donné à l'anglais du Canada; au contraire, l'anglais a déteint sur le français. Dès le milieu du XIXe siècle, le français du Canada est infesté d'anglicismes. Dans le vocabulaire de la politique et de la justice abondent les termes étrangers comme *indictment, writ, poll, husting* et *warrant;* on *adresse* la multitude, on *oppose* une mesure; la langue des forestiers regorge de mots anglais comme *crib, cull, boom, cook,* même la langue du bas peuple emploie régulièrement *strap, bargain, barley, sink, cash, crook, drab, gang, boss, saucepan* et *tumbler.*

Chauveau, dans son roman *Charles Guérin,* publié en 1853, décrit assez bien la situation linguistique du Québec au milieu du XIXe siècle: « La classe lettrée parmi nous a peut-être, proportion gardée, plus de blâme à recevoir sous le rapport du langage que la classe inférieure. Outre qu'elle ne soigne pas toujours autant la prononciation qu'elle devrait le faire, elle se rend aussi coupable de nombreux anglicismes. La classe ouvrière des villes a adopté un bon nombre de termes anglais, dont elle paraît avoir oublié les équivalents français ».

Depuis longtemps l'anglomanie sévit, surtout chez les citadins, dans la bourgeoisie francophone naissante et chez les descendants des anciens seigneurs. Renforcée qu'elle est par le snobisme, l'anglomanie — déjà dénoncée par Louis-Joseph Quesnel dans la pièce intitulée *L'Anglomanie,* en 1802, puis par Michel Bibaud dans sa satire *Contre la paresse,* en 1818 — cause d'autant plus de ravages dans les milieux francophones bilingues de l'époque, que l'anglais n'a pas été appris comme langue de culture mais comme langue utile: comme langue qui non seulement ouvre les portes des salons de la bonne société anglophone de l'époque, mais aussi qui donne accès à la richesse.

Dans ces conditions, on imagine le courage qu'il a fallu aux Canadiens français pour sortir de leur mutisme et pour jeter les fondements de la littérature d'un peuple qui refusait de disparaître.

Chapitre X

LE JOURNALISME,
BERCEAU DES LETTRES CANADIENNES
(1764-1830)

par Michel TÉTU

Ce titre, fréquemment employé dans les manuels d'histoire littéraire — et qu'on pourrait d'ailleurs appliquer à plusieurs autres littératures modernes embryonnaires — couvre à peu près les trente dernières années du XVIIIe siècle et les trente premières du XIXe siècle. Cette période de balbutiements littéraires s'étend plus précisément de la fondation de *la Gazette de Québec* en 1764, à la publication, par Michel Bibaud, du premier recueil de poésies, en 1830.

On se souvient qu'une pétition populaire en faveur de Papineau contre le gouvernement de Dalhousie devait, en 1826, recueillir 87,000 signatures, chiffre considérable. Mais se rappelle-t-on que parmi ces signatures, 78,000 n'étaient que des croix?... Il ne faut donc pas se leurrer et imaginer, au cours de ce demi-siècle, une production littéraire abondante.

L'activité littéraire se ramène presque exclusivement, en fait, à la publication périodique de trois journaux: *La Gazette de Québec*, bilingue; *La Gazette Littéraire de Montréal*, d'inspiration française; et *Le Canadien*, national et patriotique.

C'est là que l'on voit se développer les idées voltairiennes, les sentiments d'abord anti-révolutionnaires, puis anti-bonapartistes, et se former des partis au sein de l'élite canadienne-française, qui se regroupe autour de ses chefs comme lorsque Papineau mobilisera à peu près toutes les énergies.

Ces premières et modestes manifestations intellectuelles seront toutefois à la source des œuvres à venir; c'est dans les journaux que les premiers poètes s'essayent. Dans son recueil d'*Épîtres, Satires, Épigrammes et autres poésies,* Michel Bibaud ne fera que réunir des poèmes précédemment publiés dans les périodiques dont il s'occupe.

On sera donc porté à rechercher dans les journaux de cette époque des renseignements surtout historiques et sociologiques sur la société canadienne.

I. LA GAZETTE DE QUÉBEC

C'est le 21 juin 1764 que voit le jour la *Gazette de Québec,* premier journal canadien, bilingue. Les propriétaires, MM. William Brown et Thomas Gilmore, sont deux Anglais qui ont compris la nécessité du bilinguisme en Bas-Canada, pour qui veut avoir une certaine audience auprès de la population, en grande majorité française.

Cette nécessité mercantile ne cache pas l'inspiration anglaise, que confirment les deux devises mises en exergue au journal: la devise royale « Dieu et mon droit », et celle des chevaliers de la Jarretière « Honni soit qui mal y pense ». Le français ne servira la plupart du temps qu'à la traduction d'articles et de nouvelles anglaises, à quoi s'ajouteront cependant, peu à peu, des textes rédigés sur place.

L'esprit anglais

Le prospectus de la gazette définit le but des éditeurs: mettre le public québécois au courant de la situation outre-atlantique et du développement des provinces américaines, tout en servant les intérêts locaux par la publication d'annonces diverses.

« Notre dessein est donc de publier en Anglais et en Français, sous le titre de La Gazette de Québec, un recueil d'affaires étrangères, et de transactions politiques, à fin qu'on puisse se former une idée des différents intérêts et des connexions réciproques des puissances de l'Europe. Nous aurons aussi un soin particulier de cueillir les transactions et les occurrences de la mère patrie, faisans [3] attention à chaque événement remarquable, à chaque débat intéressant, et à tout ouvrage extraordinaire, ainsi qu'aux tours que prendront les affaires, autant qu'on jugera dignes de l'attention du lecteur comme matière d'amusement, ou qu'elles puissent être utiles au Public en qualité d'habitants d'une colonie anglaise.

A l'égard des occurences matérielles des prémices et des isles de l'Amérique, nous avons affirmé que par le moyen d'une correspondance établie en chaqu'un

---

3. Les fautes d'orthographe ou de grammaire sont reproduites du texte même de *La Gazette.*

de ces lieux, le Public sera instruit de plusieurs vérités intéressantes, avec impartialité et une franchise convenable ».

Quant à la littérature, force sera d'en inclure un peu dans la publication, lorsque l'hiver interrompra le va-et-vient des bateaux et qu'on manquera de nouvelles à présenter au lecteur!

> « Comme la rigueur des hivers suspend l'arrivée des navires en ce port, pendant cette saison, et interrompt en quelque façon, le commerce ordinaire avec les provinces voisines, au Sud de nous, il sera nécessaire, dans une papier destiné à la lecture et à l'utilité du public, de trouver de quoi l'entretenir sans le secours des nouvelles des païs étrangers; à cette fin, quand de telles occasions l'exigeront, nous présenterons au lecteur, des pièces originalles en vers et en prose, qui plairont à l'imagination au même temps qu'elles instruiront le jugement; qu'il nous soit icy permis d'observer, que nous n'aurons rien tant à cœur que le soutien de la vérité, de la morale et de la noble cause de la liberté; on considérera les amusements raffinées de la litérature, et les saillies d'esprit, comme nécessaires à cette collection entresemées d'autres pièces choisies, et d'essays curieux, tirés des plus célèbres auteurs...! »

Voilà qui est bien pensé!... Mais l'allusion à la liberté que font à plusieurs reprises les éditeurs, oblige à une considération particulière sur la fidélité de la traduction. Ne lit-on pas dans le premier paragraphe de ce prospectus:

> « ... Il y a lieu d'espérer qu'une gazette soigneusement compilée, écrite avec choix des matières, sans partialité et avec une *liberté convenable*, ne manquera pas d'être encouragée... »
> Or le même paragraphe, en anglais, se lit comme suit: "... will be written with accuracy, impartiality and *freedom*".

Bel exemple de stylistique comparée de l'anglais et du français!

L'esprit voltairien

Le premier poème publié en français est une « énigme » et il court après l'esprit dans un style pseudo-classique d'une gaucherie qui n'est guère de bon augure:

> « Ennemi de Louïs, exilé de la France,
> J'ai la quatrième place en Hongrie, à Bragance,
> Mais George me trouvant le dernier de son sang
> Me reçoit le premier, me laisse au bout du rang.
> A personne sans moi l'on ne fait de louanges;
> Enfin sans moi jamais Dieu n'aurait fait les Anges

La lettre « G », on l'aura deviné, est la clef de ce jeu d'esprit. Les allusions en semblent toutes de la plus parfaite gratuité, sauf aux septième et huitième vers:

La Gazette, Lecteur, me découvre à tes yeux,
Car je tiens le milieu de la Règle des Cieux

Gratuité, amusette, non-sens? Il pourrait être curieux, puisqu'on joue aux énigmes, d'y déceler des significations religieuses ou politiques inconscientes: « À personne sans moi l'on ne fait de louanges... ».

Les poèmes, doit-on le préciser, n'étaient pas traduits d'une langue à l'autre, car la traduction des vers, disaient les imprimeurs, « exige une veine poétique » (5 juillet 1764).

Mais le premier poème véritable publié dans *La Gazette* fut une épître de Voltaire, le 23 mars 1767. Le titre en est fort long, comme c'était souvent le cas: « Épître de M. Voltaire à M. le Cardinal Querini, qui lui demandait absolument une Ode sur l'Église Catholique à laquelle il a fait des présents ».

C'est en fait, sous forme de satire, une critique de l'Église pour son intolérance et son sectarisme, en particulier dans le jugement qu'elle porte sur les fidèles des autres églises, qui « seront tous damnés ». Le poème se termine par la louange de Frédéric II.

Suivront plusieurs autres pièces du même auteur, dont l'œuvre domine de haut la maigre production locale. Ses écrits ont, dans l'esprit des rédacteurs, en plus de leurs qualités littéraires, le mérite d'irriter les jésuites; cela leur vaudra d'ailleurs une riposte assez violente en 1785.

Voltaire est considéré comme le grand poète de l'époque. On le cite, on utilise son nom. Mais le voltairianisme est, en fait, assez superficiel; ce qui s'explique aisément, si l'on tient compte du peu d'intérêt des éditeurs du journal pour la littérature et les idées philosophiques.

L'esprit anti-révolutionnaire et anti-bonapartiste

La mort du fondateur, William Brown, à qui succède Samuel Neilson, coïncide avec le début de la Révolution française, en 1789, Les premiers exploits révolutionnaires sont notés avec attention, ils sont même célébrés et applaudis. On en retient les notions de liberté, d'égalité et de fraternité de tous les hommes, bonne occasion de glisser quelque perfide allusion à l'Ancien Régime français.

L'opinion publique ne réagit pas. Elle est occupée de petites querelles de clocher, et deux prêtres se renvoient la balle dans *La Gazette*.

Mais voilà que le ton change au cours des années suivantes. En 1793, la mort de Louis XVI entraîne la guerre entre la France et l'Angleterre. Il ne saurait plus être question de célébrer les bienfaits de la Révolution. « La défense du présent système de Révolution en France est aussi indécente qu'elle a mauvaise grâce, quand elle vient de la plume ou de la presse d'un sujet britannique. »

Les armées anglaises ne peuvent venir à bout de celles de la Révolution, qui maintenant vont de victoire en victoire sous la conduite d'un petit général ambitieux, Napoléon Bonaparte. Celui-ci devient l'ennemi numéro un.

Aussi lorsque Nelson remporte un premier succès contre la flotte française en 1798, il est chanté avec émotion. *La Gazette* le célèbre longuement et se charge de la diffusion dans le public du discours de Mgr PLESSIS qui entonne, lui aussi, un chant de victoire. [4]

On peut lire alors des couplets variés sur ce même thème, témoins ceux-ci:

> Fiers Anglais, l'amour me convie
> À chanter votre auguste nom,
> Votre sort est digne d'envie,
> Vous faites régner la raison;

---

4. Mgr J.-O. Plessis, né en 1763, entraîna l'Eglise canadienne dans un choix déterminé, doctrinal, contre la France de la Révolution et de l'Empire, quelles que fussent parfois les raisons du cœur (il parlera, en débarquant en France, d'« un sentiment de délectation dont on n'est pas maître »). Son raisonnement était que si Dieu, « dans sa miséricorde », n'avait détaché le Canada de la France, « le funeste arbre de la liberté » y aurait été planté, avec les « funestes droits de l'homme ». On comprend qu'en 1819, un conservateur de cette trempe ait été accueilli en Europe par Louis XVIII, le comte d'Artois, l'abbé Barruel et Joseph de Maistre. « Tout ce qui affaiblit la France, décrétait-il aux lendemains d'Aboukir, tend à l'éloigner de nous. Tout ce qui l'en éloigne assure nos vies, notre liberté, notre repos, nos propriétés, notre culte, notre bonheur. » L'histoire de l'éloquence dans nos lettres ne peut passer sous silence la pompe onctueuse des hommages officiels de Mgr Plessis au peuple anglais: « Non, non, vous n'êtes pas nos ennemis » ... « Nation compatissante » ... « si, après avoir appris le bouleversement de l'Etat et la destruction du vrai culte en France, et après avoir goûté pendant trente-cinq ans les douceurs de votre Empire, il se trouve encore parmi nous quelques esprits assez aveugles et assez mal intentionnés pour entretenir les mêmes ombrages et inspirer au peuple des désirs criminels de retourner à ses anciens maîtres, n'imputez pas à la multitude ce qui n'est que la voix d'un petit nombre. » (Abbé J.-O. Plessis: *Oraison funèbre de Mgr Jean-Olivier Briand* (1794), publiée par Pierre-Georges Roy, Lévis, 1906; voir aussi: *Journal d'un voyage en Europe de Mgr Plessis*, publié par Mgr H. Têtu, Québec, 1903. — A consulter: la biographie de Mgr Plessis (1863) par l'abbé J.-B.-Antoine Ferland). — P. de G.

Mon cœur ne saurait se défendre
De vous célébrer à jamais,
Heureux celui qui peut comprendre
Quel est le prix de vos bienfaits.

Quel est de ton bras la puissance
Riche et superbe nation?
Unique par ta vigilance
Quelle est la gloire de ton nom?
Du Directoire tyrannique
Tu sapes courageusement
Le système ex-patriotique
De son affreux gouvernement.

Chantons de Nelson le courage
Couronnons son front de lauriers;
Des Français il dompte la rage;
Rien ne résiste à nos guerriers.
Conservons notre monarchie,
Respectons le trône et ses rois;
Détestons l'affreuse anarchie,
Qui réduit la France aux abois.

(Gazette de Québec, 17 janvier 1799)

Lorsque Nelson récidive à Trafalgar, c'est du délire. La seule édition du 23 janvier 1806 comporte quatre chansons sur le héros du jour. Son exploit est un thème d'inspiration pour tous les amateurs, qui célèbrent aussi à l'envi le nom du roi, George III.

La Gazette de Québec a maintenant un public assuré. Elle va continuer sa carrière tranquillement, adaptant au gré de l'actualité ses idées impérialistes. Mais d'autres journaux sont nés; ils vont lui voler la vedette.

II. LA GAZETTE LITTÉRAIRE DE MONTRÉAL

Fondée en 1778, *La Gazette du commerce et littéraire de Montréal* naît avec un nom bizarre qui deviendra, heureusement, *La Gazette Littéraire* tout court. L'éditeur, Fleury Mesplet, est un Français, assisté d'un autre Français, Valentin Jautard; ils impriment au journal un caractère tout à fait différent de celui de la *Gazette de Québec*.

Délibérément française, délaissant les nouvelles internationales pour les petites histoires locales et les querelles des pseudo-intellectuels de Montréal, *La Gazette Littéraire* ne contient pas d'annonces, ou presque pas [5]; elle disserte à n'en plus finir sur peu de chose; c'est une entreprise à fins littéraires et idéologiques beaucoup plus que commerciales; de ce fait, son existence sera brève: de 1778 à 1780; elle reparaîtra toutefois, selon une formule nouvelle, en 1785.

Les fondateurs, Mesplet et Jautard, personnages assez originaux, méritent quelques mots. Fleury MESPLET, né près de Lyon en 1735, était un bon ouvrier imprimeur; petit bourgeois libéral, démocrate et républicain, il dut, à cause de ses idées, s'exiler, d'ailleurs volontairement, à Londres, où Benjamin Franklin le rencontra en 1773. Voyant le parti qu'il pouvait tirer d'un tel homme, Benjamin Franklin l'invita à le suivre en terre américaine. L'année suivante, Mesplet débarquait à Philadelphie, d'où il écrit, mais sans grand succès, une « Lettre adressée aux habitants de la province de Québec, ci-devant le Canada, de la part du Congrès général de l'Amérique septentrionale tenu à Philadelphie ». En 1775, il vient en personne à Québec tenter de gagner les Canadiens à la cause de la révolution américaine, et en 1776 le Congrès américain consacre la somme de deux cents dollars à l'installation d'une presse au Canada. Mesplet s'établit à Montréal. Il n'y vivra cependant pas sans trouble. Il est emprisonné au mois de juin pour avoir « pactisé avec les ennemis du roi de la Grande-Bretagne et du Canada ». Recherché, Mesplet décide alors de s'installer à son propre compte, et c'est ainsi qu'il fonde, en 1778, le premier hebdomadaire de Montréal: *La Gazette Littéraire*.

Valentin JAUTARD, le rédacteur en chef que s'adjoint Mesplet, est beaucoup plus cultivé que lui. C'est un avocat venu au Canada en 1768, qui est avant tout un polémiste. Il ne tarde pas à manifester son talent en critiquant un jeune poète canadien qui écrivait « dans une langue imparfaite ». M. Gérard Tougas dit de ses préceptes littéraires qu'ils étaient « ceux qu'auraient approuvés La Harpe ». Mais nous savons, par les mémoires de Pierre de Sales Laterrière, qu'il avait un caractère vraiment difficile. Arrêté avec Mesplet, sur l'ordre du gouverneur, le suisse Haldimand, à cause de son article *Tant pis, tant mieux,* paru dans le dernier numéro de *La Gazette Littéraire* du 2 juin 1779, il fut incarcéré dans la même cellule que Pierre de Sales Laterrière. Or, racontent ces mémoires, Mesplet et lui passaient

---

5. On pouvait lire des annonces publicitaires de toute espèce dans la *Gazette de Québec,* jusqu'à celle-ci, par exemple: « A vendre, une négresse robuste, bien portante et active, d'environ 18 ans, qui a eu la petite vérole, a été accoutumée au ménage, entend la cuisine, sait blanchir, repasser, coudre et très habile à soigner les enfants. Elle peut convenir également à une famille anglaise, française ou allemande, car elle parle ces trois langues » (12 juillet 1787).

leur temps à boire et à se quereller, mais Jautard était le plus fourbe, puisqu'il fit des propositions malhonnêtes à la bonne amie de Laterrière, venue le voir en prison.

L'inspiration voltairienne

Née avec l'Académie de Montréal, dont elle est l'organe officiel, la *Gazette Littéraire* de Montréal est marquée par un esprit et une inspiration essentiellement voltairiens. Il n'en faut pour preuve que quelques citations de l'année 1778:

« Voltaire a levé le voile qui couvrait les vices et les crimes dont l'homme en général se parait... »

« ... enfin universel, il sut tout, parla de tout, décida de tout; il était profond, aucun homme ne peut lui disputer avec raison ces titres glorieux ».

« Cet homme unique dont la mort a plongé toute la République des Lettres dans une consternation que la suite des temps ne modérera jamais... » [7] etc.

Que représente ce voltairianisme? Rien de très précis, puisque chez Voltaire, c'est le poète qu'on loue ici le plus souvent, alors que le monde entier reconnaît sa valeur de philosophe. Et on le situe parmi les classiques. (L'Université Laval à ses débuts inclura les poésies de Voltaire dans le programme du B.A., avec Boileau, Racine et Bossuet, mais non les romantiques). Les grandes théories voltairiennes que l'on prétend défendre se ramènent à quelques mots bien sonnants. Du reste, *La Gazette* ouvre aussi ses colonnes aux anti-voltairiens, qui ripostent parfois assez durement. Cependant, l'ombre de Voltaire plane sur le journal, et le supérieur des sulpiciens de Montréal, Monsieur de Montgolfier, voit rouge lorsqu'on lui en parle. Le 30 décembre 1778, l'Académie de Montréal ne demande-t-elle pas, par l'intermédiaire de *La Gazette* — qui publie ce même jour un poème de Voltaire — sa reconnaissance officielle par le gouverneur Haldimand? Monsieur de Montgolfier écrit au gouverneur une lettre sévère, comportant une longue série d'accusations, la dernière relative à la hardiesse des journalistes « à mettre en question jusqu'à l'immortalité de l'âme », et demandant soit l'interdiction de *La Gazette,* soit la nomination d'un censeur rigoureux. Le gouverneur, après une semonce aux deux imprimeurs, les fera emprisonner, comme on le sait, dix mois plus tard.

---

6. *Mémoires de Pierre de Sales Laterrière* publiés dans les *Ecrits du Canada français,* T. VIII, p. 331-335.
7. Voltaire est mort en 1778, première année de publication de *La Gazette.*

III. LE CANADIEN (1806)

En 1805, un problème assez grave se pose à l'Assemblée législative du Bas-Canada. Où trouver suffisamment d'argent pour soutenir les institutions publiques? Deux solutions très différentes sont
préconisées: soit la création d'un impôt foncier, soit l'augmentation des droits de douane avec l'institution d'une taxe de vente.
Les Anglais, marchands pour la plupart, réclament l'impôt foncier,
mais les Français, dont la majorité est dans l'agriculture, ne le peuvent accepter et défendent hardiment l'autre solution. C'est la solution française qui l'emporte finalement. Les journalistes anglais se
répandent alors en diatribes violentes contre les Français, les esprits
s'échauffent. Ainsi peut-on lire, dans le *Quebec Mercury* du 27 octobre 1806, sous la plume d'un certain « Anglicanus »:

> "This province is already too much a French province for an English
> colony. To *unfrenchily* it, as much as possible, if I may be allowed
> the phrase, should be a primary object."

> (Cette province est déjà beaucoup trop française pour une colonie an-
> glaise. La défranciser autant que possible, si je peux me servir de
> cette expression, doit être notre premier but).

Il était difficile pour les Français de riposter dans la *Gazette
de Québec,* propriété des Anglais et patronnée maintenant par la
« clique du château », c'est-à-dire les Français sympathisant avec l'administration anglaise. La fondation d'un nouveau journal fut dès
lors décidée, et *Le Canadien* vit le jour le 22 novembre 1806, sous
l'impulsion de Pierre Bédard, aidé de deux autres avocats, Jean Thomas Taschereau, Joseph Louis Borgia, et d'un médecin, François
Blanchet, tous membres de l'Assemblée.

L'esprit du « Canadien »

On imagine aisément l'esprit du journal fondé dans de telles
conditions. Pierre BÉDARD s'était déjà fait remarquer en 1792, dans
un long débat à l'Assemblée, alors que l'on se demandait si le français devait rester langue officielle, avec l'anglais, dans le Bas-Canada.
« Si le conquis, disait-il alors, doit parler la langue du conquérant,
pourquoi les Anglais ne parlent-ils plus le normand? Ont-ils oublié
que les Normands se rendirent maîtres de leur île et y ont fait
souche?... N'est-il pas ridicule de vouloir faire consister la loyauté d'un
peuple uniquement dans sa langue?... »

Pierre Bédard n'avait pas convaincu les Anglais, puisqu'au lendemain de la fondation du *Canadien,* on pouvait lire dans le *Mercury:*

"In that case, what remains to do? To retrench the privileges which are called few, but in fact too many, enjoyed too freely by the conquered; and have the public administration of affairs carried on solely in english, by english men, or men english in principle."

(En l'occurrence, que reste-t-il à faire? Retirer au peuple conquis des privilèges qu'on dit peu nombreux, mais qui en fait le sont trop et dont il jouit trop librement. Prendre des mesures pour que l'administration des affaires publiques se fasse en anglais, par des Anglais, ou par des hommes ayant des principes anglais).

La riposte du *Canadien* fut vive; elle mérite d'être citée:

« Vous voyez que, bien loin d'adopter les sentiments de ceux dont vous suivez les traces pour empêcher les Canadiens d'obtenir les mêmes avantages que vous dans la constitution, l'intention de Sa Majesté (exprimée par son premier ministre) et celle de son parlement, a été, en divisant la province, de donner une grande majorité aux Canadiens dans le Bas-Canada, afin de les soustraire à la tyrannie que vous auriez voulu exercer sur eux. Vous dites que les Canadiens usent trop librement de leurs privilèges pour des conquis, et vous les menacez de la perte de ces privilèges. Comment osez-vous leur reprocher de jouir des privilèges que le parlement de la Grande-Bretagne leur a accordés? N'était-ce pas assez d'avoir fait tous vos efforts, d'avoir employé le mensonge et la calomnie pour empêcher qu'ils ne les obtinssent?... Ne devriez-vous pas vous soumettre enfin à ce que notre souverain et son parlement ont voulu? Quelle différence ont-ils laissée entre vous et les Canadiens; de quel droit osez-vous relever cette distinction odieuse de conquérants et de conquis, quand ils ont voulu l'effacer pour toujours? Vous mettez absurdement en question si les Canadiens ont droit d'exercer ces privilèges dans leur langue. Et dans quelle autre langue que la leur peuvent-ils les exercer? Le parlement de la Grande-Bretagne ignorait-il quelle était leur langue? »

Le Canadien se battit ainsi, fermement, pour la défense des droits menacés des Français. Lorsque Craig devint gouverneur, il ne put supporter longtemps cette avalanche de récriminations contre les impérialistes. Il commença par dissoudre l'Assemblée — qui se retrouva sensiblement la même après la tenue de nouvelles élections — et bientôt saisit les presses du *Canadien,* le 17 mars 1810, en faisant, de plus, arrêter Blanchet et Taschereau.

Mais *Le Canadien* reparut en 1820. Et le sentiment de la justice (sa devise était: « Fiat justicia, ruat cœlum »), et le sens de la liberté continuèrent à animer l'esprit des vaillants collaborateurs, tel Garneau qui, le 12 août 1833, célébrait ainsi la France:

109

> « Libres, enfin, preux aimés de l'Europe,
> Dans le forum, accueillez vos cadets,
> Le germe saint, partout se développe,
> La liberté descend sur leurs guérets,
> De chants proscrits les peuples sur la lyre,
> Vont adoucir le destin malheureux,
> Dans le vieux monde un jour commence à luire,
>   Il sera glorieux. »

Le problème de la liberté d'expression avait fait la matière des premiers numéros. Cette revendication s'élargit progressivement, se développant à la faveur des événements et grâce aussi à la fondation d'autres journaux, avec toute la diversité de leurs tendances.

AUTRES JOURNAUX

Après *Le Canadien*, plusieurs journaux en effet parurent à leur tour, les uns éphémères, d'autres plus vigoureux, tous entonnant l'hymne à la liberté, qui ira s'accentuant jusqu'aux événements de 1837.

Il serait trop long de les citer tous en précisant leur orientation. Contentons-nous de mentionner le *Courrier de Québec* (1807), le *Spectateur canadien* (1817), l'*Aurore* (1818) et l'*Abeille canadienne* dirigée par Henri Mézières, *la Minerve* (1827), et les périodiques successifs fondés par Michel Bibaud: la *Bibliothèque canadienne* (1825), l'*Observateur* (1830), le *Magasin du Bas-Canada* (1832), enfin l'*Encyclopédie canadienne* (1842).

BIBLIOGRAPHIE

Germain, Frère, e.c., *Un siècle de journalisme canadien et son influence sur l'expansion de la littérature,* Thèse de doctorat de l'Université d'Ottawa, 1941, 430 p.

Mc Lachlan, M., *Fleury Mesplet, the first printer at Montréal.* Mémoires de la Société Royale, 1906

Marion, Séraphin, *Les Lettres canadiennes d'autrefois.* Ed. de l'Université d'Ottawa. T. I, *La phase bilingue,* 1939; T. II, *La phase française,* 1940; T. III, *La phase canadienne,* 1942.

Roy, Mgr Camille, *Histoire de la littérature canadienne,* Québec, l'Action sociale, 1930.

Roy, Mgr Camille, *Nos origines littéraires,* Québec, l'Action sociale, 1909.

Laterrière, Pierre de Sales, *Mémoires,* Écrits du Canada français, T. VIII et IX, Montréal, 1961.

Trudel, Marcel, *L'Influence de Voltaire au Canada,* Montréal, Fides, 1945, 2 vol.

Wade, Mason, *Les Canadiens français de 1760 à nos jours,* T. I. Ottawa, Le Cercle du Livre de France, 1963.

110

Chapitre XI

LA POÉSIE, DE 1780 À 1830

par Michel TÉTU

La poésie a vu le jour au Canada, disions-nous, avec la publication des premiers journaux. La plupart des livraisons des « Gazettes » contiennent quelques petits poèmes de circonstance. Cette production dans son ensemble n'a guère de valeur. On imite les pâles auteurs du XVIIIᵉ siècle français, en croyant suivre la tradition classique. Mais la gaucherie étant plus forte de ce côté de l'océan, ces imitations n'ont que le mérite de venir en tête dans le déroulement chronologique de notre littérature.

On doit, à ce propos, citer M. Séraphin Marion: « À ceux qui ne le sauraient pas encore, disons sans fausse honte que les origines littéraires du Canada français n'ont suscité aucune œuvre immortelle; les amateurs d'anthologies perdraient donc leur temps et leur argent à compulser ces pages souvent grises dans la double acception du terme. » [1] Toutefois on ne saurait être rigoureux au point de renoncer d'emblée à toute tentative de choix. Qu'on ne s'attende pas à trouver la perle rare! Mais certains morceaux peuvent encore se lire sans ennui, apportant au lecteur une meilleure connaissance de ce début du XIXᵉ siècle.

Les chansons de circonstance

La production littéraire de la fin du XVIIIᵉ siècle et du début du XIXᵉ siècle est presque exclusivement composée de chansons à la gloire de l'Angleterre, ou de moqueries à l'endroit du Directoire, de la Révolution française et de Napoléon. Le style en est pauvre, les sentiments plus ou moins vifs et l'intérêt très contestable.

---

1. S. Marion, *Lettres canadiennes d'autrefois II*, p. 19-20.

Rappelons cette *Chanson patriotique* (1826) d'Auguste-Norbert Morin, le fondateur de *La Minerve:*

« Oh! mon pays, vois comme l'Angleterre
Fait respecter partout ses léopards;
Tu peux braver les fureurs de la guerre
La liberté veille sur nos remparts.
Dans ma douce patrie
Je veux finir ma vie;
Si je quittais ces lieux chers à mon cœur,
Je m'écrierais: j'ai perdu le bonheur ».

Inutile d'insister longuement sur de tels vers!

Nous retiendrons seulement trois noms dans la production littéraire de cette période [2]: ceux de deux Français venus au Canada, Quesnel et Mermet, et du premier des poètes canadiens, Michel Bibaud.

JOSEPH QUESNEL (1749-1809)

Né à Saint-Malo le 15 novembre 1749, Joseph Quesnel était destiné par ses parents à la carrière de marin. Aussi, pendant trois ans, voyagea-t-il sur mer, et il visita Pondichéry, Madagascar, la Guinée, le Sénégal. Il revint à Saint-Malo pour s'embarquer à nouveau en direction de la Guyane française, des Antilles et du Brésil. En 1779, alors qu'il commandait un vaisseau chargé de provisions et de munitions destinées à New York, il est pris par une frégate anglaise et conduit à Halifax. Il y trouve des amis, y séjourne quelque temps, puis se rend à Québec avec une lettre de recommandation pour le gouverneur Haldimand, qui avait connu sa famille en France. Quesnel décide de s'installer au Canada. Il obtient du général Haldimand ses lettres de naturalisation. Il se marie et s'établit à Boucherville, comme marchand. Il y demeure quelques années, et meurt à Montréal le 3 juillet 1809.

Ses œuvres

Une fois établi au Canada, Quesnel se met à écrire pour occuper ses loisirs et combler son besoin d'activité, ainsi que « pour éveiller les Canadiens aux plaisirs de l'esprit ». Il écrit quatre pièces de théâ-

---

2. Nombreux sont les vers de mirliton adressés à George III. La société littéraire de Québec, en 1809, organisa même un concours de poésie, pour l'anniversaire du roi. Il est préférable de ne pas citer le vainqueur!

tre: *Lucas et Cécile*, opéra; *Colas et Colinette*, comédie-vaudeville, imprimée à Québec en 1788 et représentée dans cette même ville; *L'Anglomanie*, comédie en vers; et *Les Républicains français*, comédie en prose, imprimée à Paris au dire de Benjamin Sulte, mais dont on ne trouve guère de trace. Assez bon violoniste, il compose plusieurs airs, ariettes et chansons, quelques quatuors ou duos, et différents morceaux de musique sacrée pour son église paroissiale. Enfin il publie, dans *La Gazette* de Montréal, une série de poèmes, dont un petit traité en vers sur l'art dramatique: *Adresse aux jeunes acteurs*.

Personnalité et idées poétiques

Joseph Quesnel n'est pas un grand poète; il le sait, bien qu'il garde souvent en littérature la suffisance du commandant de vaisseau.

« Toi qui trop inconnu mérites qu'à bon titre
Pour t'immortaliser, je t'écrive une épître ».
(Épître à M. Généreux Labadie) [3]

Il déplore qu'on prête beaucoup moins d'attention aux poètes qu'aux militaires,

« Qui parce qu'un boulet leur a cassé le bras
S'imaginent que d'eux l'on doit faire grand cas. » *(Ibid.)*

Et s'il loue l'hospitalité canadienne, il se voile la face devant un évident manque de sens poétique:

« O temps, O mœurs! O honte! Oh! que diront de nous
L'Iroquois, l'Algonquin et le Topinambous? »

Sa doctrine poétique est celle d'un classique attardé, qui cite encore Boileau comme le maître à écrire. Dans son *Adresse aux jeunes acteurs,* il soutient les thèmes traditionnels. La fidélité à la nature et le bon ton sont ses principaux soucis:

---

3. M. Généreux Labadie, instituteur à Verchères, peu payé, fit des vers en espérant recevoir ainsi une pension, qui malheureusement ne vint pas. Joseph Quesnel essaie de le consoler et se plaint avec lui de l'indifférence de ses concitoyens. Non sans une pointe d'ironie, se situant avec lui dans l'élite intellectuelle (« nous autres, beaux esprits »), il s'exclame avec emphase:

« Quelle honte en effet au pays où nous sommes
De voir le peu de cas que l'on fait des grands hommes ».

« Observez, imitez, copiez la nature
Sachez peindre en un mot l'exacte vérité » ...
« Imitant la nature en sa simplicité
Jusque dans le costume aimez la vérité » ...

La littérature doit instruire et défendre la morale:

« Gardez-vous de jamais blesser la modestie »

et au besoin, on aura recours à la censure:

« Si d'un trop libre auteur vous choisissez l'ouvrage
Des endroits mal sonnants, il faut rayer la page ».

PETIT BONHOMME

Quesnel n'a rien d'un novateur; mais il présente de l'intérêt par son esprit et sa verve naturelle. Sa chanson *Le petit bonhomme vit encore* fut longtemps populaire:

« Souvent notre plus doux penchant
Est condamné par la sagesse;
Elle nous commande sans cesse
De résister au sentiment;
Contre nos goûts elle murmure
Mais veut-on vaincre la nature
On s'apperçoit qu'au moindre effort
Le p'tit bonhomme vit encore...

Le vieux Cléon, dans le barreau,
Est convaincu d'être faussaire;
Certes, il doit pour cette affaire
Gambiller au bout d'un cordeau;
Sa jeune épouse sollicite,
A son juge elle rend visite;
Femme jolie est un trésor:
Le p'tit bonhomme vit encor!

Les exploits d'un guerrier fameux
Causaient une terreur secrète;
On vous le tue dans la gazette,
Et tout le monde dit: tant mieux;
Mais, tandis qu'on se félicite,
Voilà que le mort ressuscite
Certes, la gazette avait tort:
Le p'tit bonhomme vit encor!

La guerre a fait couler le sang
Dans tous les coins de ma patrie;
Jamais l'affreuse tyrannie
Ne fit périr tant d'innocents;

Pour moi que les destins prospères
Ont sauvé du sort de mes frères,
Je dis, en bénissant mon sort:
Le p'tit bonhomme vit encor! »

L'esprit lui évite de tomber dans la platitude, et on est surpris de trouver par instants chez lui une sensibilité pré-romantique:

« O ruisseau fortuné! ralentis un moment
Le cours impatient de ton onde incertaine;
Va soupirer aux pieds de celle qui m'enchaîne;
Et porte lui les vœux du plus fidèle amant!
Heureux ruisseau quand sur ta rive
Elle ira rêver en secret,
Si sur ton onde fugitive
Elle jette un regard distrait,
Ah! qu'une émotion... que ton cœur interprète
Lui dise que tu viens du fond de ma retraite:
Dans le plus triste de mes jours,
Que mon image retracée
Occupe un moment sa pensée
Du souvenir de mes amours. » *(Sur un ruisseau)*

Le théâtre de Quesnel

Quesnel fut le premier auteur dramatique à voir ses pièces re-présentées à Québec et à Montréal. Il remporta un franc succès.

Colas et Colinette [4] est une petite comédie à la manière de Ma-rivaux. Les personnages ne sont pas des Canadiens, mais des Français transposés. Le ton en est léger, la pièce assez vivement menée et cer-taines réparties sont agréables. Le gros défaut de la pièce est toute-fois la langue du jeune Colas. Molière se permit le patois pour des personnages secondaires comme les paysans de *Don Juan*; mais Ques-nel l'utilise pour l'amant de Colinette, qui tient le second rôle et dont le langage est à la longue assez fatigant. Une autre faiblesse de cette comédie est la fin trop précipitée. On peut prévoir le dénoue-ment dès le début, et tout se déroule sans surprise. Il manque au poète une certaine envergure pour dominer la pièce et bien la diriger.

---

4. « *Colas et Colinette ou le bailli dupé* ». Colinette, orpheline recueillie par le seigneur du village, M. Dolmont, aime un jeune paysan, Colas. Mais elle est courtisée par le bailli. Celui-ci fait enrôler Colas dans l'armée pour s'en débarrasser et tente d'enlever Colinette. Heureusement elle est rusée; elle monte un piège pour surprendre le bailli. M. Dolmont, apprenant la vérité, bénit les amours de sa protégée et soutire cent écus du bailli pour la doter.

La lecture de ce marivaudage est cependant assez agréable, en comparaison d'autres écrits de l'époque, à cause d'une fraîcheur dont on peut juger par cet extrait:

« Le bailli — Hé! bonjour, belle Colinette.
Colinette — Bonjour, monsieur le bailli.
Le bailli — Que fais-tu donc ici, ce matin?
Colinette — (se levant) Vous le voyez; je fais un bouquet.
Le bailli — Sera-t-il pour moi?
Colinette — Pour vous?
Le bailli — Oui. J'aimerais beaucoup un bouquet de ta jolie main. (Il veut lui baiser la main).
Colinette — Finissez.
Le bailli — Dis-moi, serais-tu toujours aussi farouche?
Colinette — Aussi farouche? Qu'est-ce que cela veut dire?
Le bailli — C'est que si tu voulais m'aimer, je saurais te rendre fort heureuse; tu ne sais pas tout le bien que je pourrais te faire.
Colinette — (ironiquement) Je vous suis obligée de votre bienveillance.
Le bailli — C'est répondre assez mal à mon empressement; tu n'ignores pas que je t'aime, et tu ne fais que rire de mon amour.
Colinette — (riant) Eh! que voulez-vous donc que j'en fasse? »...

(Acte I, sc. 2)

L'Anglomanie [5] a pour thème un sujet très canadien; le snobisme de quelques seigneurs impressionnés par la richesse des marchands anglais, et surtout par « l'allure crâne et victorieuse des beaux officiers saxons. » Cette pièce est courte (un seul acte). Aussi les mœurs ne sont-elles pas étudiées en profondeur; la psychologie est simple. Mais un personnage se détache de la pièce, intéressant, la douairière de Primenbourg, très « vieille France ». C'est elle qui tire la leçon finale:

« Un chacun vaut son prix; que l'Anglais soit Anglais
Et quant à nous, mon fils, soyons toujours Français ».

Influence

Homme assez sympathique et intelligent, Joseph Quesnel n'avait pas un talent immense pour les lettres. Il a surtout écrit parce qu'il aimait la littérature. Il a rimé passablement et son influence fut appréciable.

---

5. *L'Anglomanie ou le dîner à l'Anglaise*. Un seigneur de village, M. de Primenbourg, a donné sa fille en mariage au colonel Beauchamp, qui n'estime que ce qui est anglais. Ce dernier est l'ami du gouverneur qui est un beau jour invité à dîner — à l'anglaise! Mais voici qu'on annonce l'arrivée de parents bien français; on fait tout pour les éviter. Et quand finalement le gouverneur apprend que ceux-ci seront « empêchés », il demande de retarder l'invitation pour avoir le plaisir de les rencontrer. (La pièce sera publiée après 1830, avec *Le Rimeur dépité*, dans *Ma Saberdache* de Jacques Viger; *Colas et Colinette* paraîtra dans *Le Répertoire national* de Huston, 4 vol., Montréal, Lovell et Gibson, 1848-1850).

Michel Bibaud lui rendra hommage: « Il n'est aucun Canadien tant soit peu instruit, qui n'ait lu au moins quelques-unes des productions de feu M. Joseph Quesnel, et qui n'y ait remarqué un vrai génie poétique » [6]. Et les petits bouts-rimés seront nombreux qui mentionneront le nom du poète:

« Oh! que n'ai-je, de Quesnel
La légèreté, le sel
Le feu, la louable audace »   (Magasin du Bas-Canada, 1832)

dit un ancien lieutenant se lamentant de la perte de son grade; ou, plus connu, ce tercet:

« Quesnel, le père des amours
Semblable à son petit bonhomme
Vit et vivra toujours. »   (Bibliothèque canadienne, 1825)

L'œuvre de Quesnel est aujourd'hui assez oubliée, mais son nom mérite encore quelque attention.

JOSEPH MERMET (1775-1820)

À la différence de Quesnel, Joseph Mermet n'est pas venu s'installer au Canada. Il n'a fait qu'y passer, comme lieutenant-capitaine du régiment de Watteville, à l'époque glorieuse de Salaberry.

Né à Lyon, royaliste émigré à Londres, Mermet s'engagea pour vivre dans les armées étrangères et entra ainsi dans le régiment suisse de Watteville, venu prêter main forte aux Canadiens contre les Américains. C'est à Kingston, où le régiment s'était installé, que Jacques Viger, alors capitaine, fit sa rencontre et se lia d'amitié avec lui. Il fit paraître plusieurs de ses poèmes dans Le Spectateur de Montréal, qui venait d'être fondé (27 mai 1813), après la disparition du Canadien. Mermet refusa de les signer, ce qui fut à l'origine de sa popularité: on en cherchait l'auteur, et il fut assez vite reconnu.

Après la victoire de Châteauguay qu'il célébra habilement, il fut unanimement loué et devint un homme très recherché dans les salons de Montréal. Mais en 1816, il décida de retourner en France. Peu remarqué par Louis XVIII dans la foule des anciens émigrés, il mourut dans une quasi-pauvreté, à Marseille, quelques années plus tard.

---

6. M. Bibaud, Epîtres, Satires et Epigrammes, p. 46.

Poésie guerrière

Mermet chante presque exclusivement la guerre et la grandeur des exploits militaires. Il offre au Canada les accents patriotiques dont ce pays avait besoin. On connaît les premiers revers de fortune des habitants du Haut-Canada contre les Américains. Lorsque les Français entrent dans la lutte aux côtés des Anglais, Mermet les encourage, et tout émigré qu'il soit, il retrouve les accents de cet officier du génie de l'armée du Rhin, l'auteur de *La Marseillaise*, Rouget de Lisle:

> « Guerriers, éveillez-vous aux cris de la victoire,
> Aux armes, citoyens, il faut tenter le sort:
> Il n'est que deux sentiers dans les champs de la gloire,
> Le Triomphe ou la Mort. » [7]

Les accents guerriers sont-ils des réminiscences des guerres européennes? On peut le penser lorsqu'il parle plus loin des « nations jalouses », ce qui sans doute concernait davantage la France que le Canada. N'a-t-il pas utilisé, pour les armées canadiennes, d'anciens couplets composés en Europe?

> « Allons et repoussons des nations jalouses,
> De nos aïeux du moins défendons le tombeau
> Le sceptre de nos rois, le lit de nos épouses
> Nos enfants au berceau. » *(Ibid.)*

Mais le colonel de Salaberry vient de remporter la fameuse victoire de Châteauguay (le 26 octobre 1813). Mermet y voit un morceau d'épopée, et il s'emploie à célébrer l'héroïsme des trois cents Canadiens victorieux.

LA VICTOIRE DE CHÂTEAUGUAY

Le début est éclatant, les quatre premiers vers sont très martelés. Le ton ne peut toutefois se maintenir. La présentation des Américains est beaucoup moins bonne que celle des Canadiens. Quant à la bataille, elle est assez désordonnée et imprécise. Seul se dégage le héros, Salaberry, aidé du Très-Haut qu'il a imploré avant le combat. C'est la victoire. L'auteur n'a plus qu'à situer cette épopée au niveau des grandes pages de l'antiquité et à chanter la gloire des Canadiens.

La trompette a sonné: l'éclair luit, l'airain gronde;
Salaberry paraît, la valeur le seconde,
Et trois cents Canadiens qui marchent sur ses pas
Comme lui, d'un air gai, vont braver le trépas.

---

7. *Le Spectateur*, 28 oct. 1813.

Huit mille Américains s'avancent d'un air sombre;
Hampton, leur chef, en vain veut compter sur leur nombre.
C'est un nuage affreux qui paraît s'épaissir,
Mais que le fer de Mars doit bientôt éclaircir.
Le héros canadien, calme quand l'airain tonne,
Vaillant quand il combat, prudent quand il ordonne,
A placé ses guerriers, observé son rival:
Il a saisi l'instant, et donné le signal.
Sur le nuage épais qui contre lui s'avance,
Aussi prompt que l'éclair, le Canadien s'élance...
Le grand nombre l'arrête... il ne recule pas;
Il offre sa prière à l'ange des combats,
Implore du Très-Haut le secours invisible,
Remplit tous ses devoirs et se croit invincible.
Les ennemis confus poussent des hurlements;
Le chef et les soldats font de faux mouvements.
Salaberry, qui voit que son rival hésite,
Dans la horde nombreuse a lancé son élite:
Le nuage s'entr'ouvre; il en sort mille éclairs;
La foudre et ses éclairs se perdent dans les airs.
Du pâle Américain la honte se déploie:
Les Canadiens vainqueurs jettent des cris de joie;
Leur intrépide chef enchaîne le succès,
Et tout l'espoir d'Hampton s'enfuit dans les forêts.
Oui! généreux soldats, votre valeur enchante:
La patrie envers vous sera reconnaissante...
Ici les Canadiens se couvrirent de gloire;
Oui! trois cents sur huit mille obtinrent la victoire.
Leur constante union fut un rempart d'airain
Qui repoussa les traits du fier Américain.
Passant, admire-les... Ces rivages tranquilles
Ont été défendus comme les Thermopyles;
Ici Léonidas et ses trois cents guerriers
Revinrent parmi nous cueillir d'autres lauriers.

Poésie de la nature

L'enthousiasme populaire suppléa en partie à la valeur du poète. Mermet devint très célèbre et son nom fut associé désormais à celui de Salaberry. Ce dernier d'ailleurs invita le poète, ce qui fut pour lui l'occasion de nouveaux vers épiques: *Chambly*. Mais il est moins à l'aise dans les descriptions de la nature que dans les chants de guerre. Il s'y essaie encore une fois, pourtant, à l'occasion de la bataille de Niagara. Faute d'y avoir participé lui-même — le régiment de Watteville, venu en renfort, arriva après la victoire — il se console en décrivant la majesté du site:

« Un gouffre haut, profond, de ses bouches béantes
Gronde, écume et vomit, en ondes mugissantes
Deux fleuves mutinés, deux immenses torrents... »

Mermet suit la cataracte dans sa chute, et note le contraste entre le déluge assourdissant et le calme apparent de l'écume qui se résorbe à sa base. Il se retire alors dans la nuit, emportant avec lui un peu de ce grondement intérieur et de cette sérénité qui impressionnèrent Chateaubriand.

> « Je m'éloigne à regret de la scène sublime
> Où la grandeur de Dieu se peint dans un abîme.
> Dans cette solitude où tout paraît néant,
> L'âme voit du Très-Haut le chef-d'œuvre étonnant,
> Cette voûte d'azur, ces nombreuses étoiles...
> Ces antiques sapins, ces rochers sourcilleux,
> Tout ici parle à l'âme, et la met dans les cieux ».

Poésies légères

Mermet publia aussi des petits écrits, souvent antibonapartistes, qui contrastent avec l'allure pompeuse de ses grands poèmes. Ainsi en est-il de ce distique, qu'il envoie à Jacques Viger après la chute de Napoléon:

> « Ci-gît Napoléon premier
> Dieu veuille qu'il soit le dernier. »

Son esprit se manifeste à plusieurs reprises sur le dos des marchands:

> « Un marchand doit savoir babiller en Français
> Acheter en Normand, et vendre en Écossais. »

ou encore:

> « Si le rimeur est sec, ce n'est qu'à ses dépens
> Si le marchand est gras, c'est aux dépens des autres. »

Son esprit français recherche le raffinement et la distinction, qu'il trouve rares. Il aime l'élégance, même superficielle:

> « Rien ne m'attire
> Qu'un bel esprit.
> De l'agréable
> Il est l'appui.
> Aime l'aimable...
> N'aime que lui. »

Il se plaint de l'hiver, saison peu favorable à l'élégance vestimentaire et, dans *Le Sicilien au Canada,* il regrette ainsi la douceur du ciel méditerranéen:

« Je suis, grâce aux modes nouvelles,
Chat par la tête, et par les mains ourson. »

Enfin, bien qu'il se batte pour les Anglais, il s'ennuie fort à Kingston et préfère de beaucoup la compagnie des Canadiens français du Bas-Canada. Cela nous vaut les vers amusants du *Haut en Bas:*

« Enfin je connais l'Amérique,
Et j'ai vu les deux Canadas,
Je dis, sans craindre qu'on réplique
Que le Haut vaut moins que le Bas.

D'un côté la noire tristesse
Offre l'image du trépas,
De l'autre une pure allégresse,
Fait du Haut distinguer le Bas.

... Si cependant ta main propice
Sans m'immoler guide mes pas
O Dieu! j'attends de ta justice
D'aller bientôt du Haut en Bas. »

La réputation de Joseph Mermet fut éphémère. Seule sa *Victoire de Châteauguay* resta célèbre. Mais il eut le mérite d'avoir réchauffé l'inspiration patriotique, et d'avoir en même temps introduit un peu d'esprit et de brillant [8] dans la littérature de son époque.

MICHEL BIBAUD (1782-1857)

Si Quesnel et Mermet étaient français, Michel Bibaud, lui, est bien canadien, puisqu'il est né à Montréal, Côte-des-Neiges, le 20 janvier 1782, fils de Maximilien Bibaud, l'auteur du *Panthéon Canadien*. Après des études aussi sérieuses que possible — M. Bibaud brilla parmi ses camarades du Collège Saint-Raphaël — il se consacra à l'enseignement et aux lettres, il écrivit des poèmes, fonda successivement plusieurs journaux et occupa la fin de sa vie à la préparation d'une *Histoire du Canada* en trois volumes, dont le dernier ne sera d'ailleurs publié qu'après sa mort, survenue le 3 août 1857 à Montréal.

---

8. Il lui arrive néanmoins de manquer un peu de goût quand il chante les *Boucheries:*

« Et bientôt sont formés la succulente andouille
Le boudin lisse et gras, le saucisson friand,
Et plusieurs mets exquis, savourés du gourmand.
Ainsi le bon pourceau change pour notre usage,
Et ses pieds en gelée et sa tête en fromage. »

Par sa vie et ses occupations essentiellement littéraires, Michel Bibaud, ainsi que le dit M. Auguste Viatte [9], est le « premier au Canada à mériter le nom d'homme de lettres ».

Le poète

Bibaud est essentiellement connu comme poète, puisque c'est à lui que revient l'honneur d'avoir publié le premier recueil de poésies au Canada. Son livre, intitulé *Épîtres, satires, chansons, épigrammes et autres pièces de vers,* parut en 1830, à Montréal; c'était une collection des principaux poèmes écrits les années précédentes et déjà publiés dans les journaux de l'époque.

Toutefois sa poésie est peu impressionnante! Quesnel et Mermet étaient des petits poètes du XVIIIe siècle. Bibaud nous ramène au XVIIe, avec le culte et la facture de Boileau, les analyses intérieures banales, les critiques trop générales des travers humains, et un style ampoulé où font passablement défaut la spontanéité et l'esprit. Le succès de Bibaud fut assez grand auprès de ses contemporains; mais il diminua rapidement. Edmond Lareau, en 1874, dans son *Histoire de la littérature canadienne,* porte ce jugement très dur: « Les poésies de Bibaud ressemblent à sa prose, c'est-à-dire quelles sont imparfaites; toutefois, je dois reconnaître que la prose est encore meilleure que la poésie! » *La Revue Encyclopédique* de Paris avait signalé le livre à sa parution, mais pour faire remarquer, sous la plume d'Isidore Lebrun, que le poète manquait d'originalité [10]. L'année de la publication en France du *Rouge et le Noir,* il est un peu anachronique d'écrire, comme le fait Bibaud:

« Si je ne suis Boileau, je serai Chapelain.
Pourvu que ferme et fort, je bâtonne et je fouette,
En dépit d'Apollon, je veux être poète. »

---

9. A. Viatte, *Histoire littéraire de l'Amérique française,* p. 62.
10. ... « Tout est neuf en Canada pour la poésie, nature, climat, industrie, histoire; et ce vaste pays est si mal connu de l'Europe, les voyageurs ont tant calomnié ses habitants, même les belles Canadiennes, dont M. Bibaud se fait avec justice le champion. D'un autre côté, les *peines de l'amour,* le *pouvoir des yeux,* sont des sujets partout usés ou connus. Il existe encore des peuplades d'aborigènes, restes des tribus belliqueuses, aimantes et féroces, qui, conviées à la civilisation par des moines, et non par des agronomes et des William Penn, ont préféré la vie indépendante. Leurs énergiques harangues, leurs assemblées, leurs amours n'ont pas encore été traitées par la poésie. Combien d'épopées lui procurait le Canada! M. Bibaud ne s'y est essayé que dans une ode, *Les grands chefs,* et par un dithyrambe à la mémoire de Montcalm... » (Revue Encyclopédique de Paris, 1830).

Bibaud se rend pourtant compte qu'il y aurait lieu d'exploiter des thèmes typiquement canadiens, dans sa poésie, plutôt que de faire des satires. Ainsi prête-t-il ce propos à un de ses contradicteurs:

« Que si votre destin à rimer vous oblige
Choisissez des sujets où rien ne nous afflige:
Des bords du Saguenay peignez-nous la hauteur,
Et de son large lit, l'énorme profondeur;
Ou de Montmorency l'admirable cascade,
Ou du Cap Diamant l'étonnante esplanade.
Le sol du Canada, sa végétation,
Présente un vaste champ à la description. »   *(Contre l'Ignorance)*

Les satires

Mais il continue dans sa veine laborieuse et présente ainsi quatre satires: *Contre l'Avarice, Contre l'Envie, Contre la Paresse, Contre l'Ignorance.* Le titre en est révélateur. Moraliste retardataire, conservateur en politique comme en littérature, il est souvent aigre et ne relève que les défauts des hommes, ce qu'il y a de fâcheux dans la société. Il ambitionnait de « mettre ici les gens à la raison »; or, « il y faut frapper et d'estoc et de taille — être non bel esprit, mais sergent de bataille. » Il s'est peint tout entier dans cette strophe:

« Lecteur, depuis le jour, je travaille et je veille
Non pour de sons moelleux chatouiller ton oreille
Ou chanter en vers doux de douces voluptés
Mais pour dire en vers durs de dures vérités. »

Il prend plaisir à moraliser ainsi:

« Heureux qui dans ses vers sait, d'une voix tonnante
Effrayer le méchant, le glacer d'épouvante;
Qui, bien plus qu'avec goût, se fait lire avec fruit,
Et bien plus qu'il ne plaît, surprend, corrige, instruit;
Qui suivant les sentiers de la droite nature,
A mis sa conscience à l'abri de l'injure;
Qui méprisant, enfin, le courroux des pervers,
Ose dire aux humains leurs torts et leurs travers. »

(Contre l'Avarice)

PORTRAIT DE L'AVARE

Les satires recèlent, çà et là, quelque bon portrait, mais malheureusement le lecteur a l'impression du déjà lu, cela rappelle trop le siècle précédent:

« Voyez cet homme pâle, et maigre et décharné,
De tous nos bons bourgeois, c'est le plus fortuné:

123

> Il a de revenus quatre fois plus qu'un juge;
> Mais la triste avarice et le ronge et le gruge.
> Plus mal que son valet vous le voyez vêtu;
> A le voir vous diriez du dernier malotru,
> De quels mets croyez-vous que se couvre sa table?
> De gros lard, de lait pris et de sucre d'érable.
> Tous les mets délicats font tort à sa santé,
> Dit-il, « et trop longtemps manger, c'est volupté;
> Jamais surtout, jamais il ne convient de boire... »

(Contre l'Avarice)

Et la poésie se perd:

> « Est-ce par des bons mots qu'on corrige ces gens?
> Il leur faut du bâton ou du fouet sur les flancs. » (Ibid.)

Plus loin, il se plaindra de l'inculture de ses concitoyens, et il en accuse la paresse:

> « Oh! combien ce pays renferme d'ignorants
> Qu'on aurait pu compter au nombre des savants
> S'ils n'eussent un peu trop écouté la Paresse,
> Et s'ils se fussent moins plongés dans la mollesse!
> Combien, au lieu de lire, écrire ou travailler,
> Passent le temps à rire, ou jouer, ou bailler!..

(Contre la Paresse)

Autres poésies

Après les satires, comme Horace ou Boileau, Bibaud se lance dans les *Épîtres,* et dans quelques poèmes lyriques. Il y a peu d'intérêt:

> « Vous voulez donc tromper l'amant qui vous adore!
> Eh bien, déguisez-vous, faites de votre mieux:
> Grondez, courroucez-vous, ou faites pis encore;
> Il en croira toujours vos yeux »...

(Le pouvoir des yeux)

Et sa poésie patriotique manque de flamme:

> « Le Canada voit croître les lumières
> Fleurir les arts, s'amorcer les talents.
> Puisse-t-il voir la vertu de nos pères,
> Avec surcroît, transmise à nos enfants. »

(La Patrie - Magasin du Bas-Canada, fév. 1837)

Ainsi, « plus rimeur que poète », comme il le reconnaît lui-même, Bibaud ne présente qu'un intérêt historique. Son mérite le plus grand aura été sa bonne volonté et sa ténacité à publier de la poésie, dans son désir de faire progresser les lettres au Canada.

BIBLIOGRAPHIE

Bibaud, Michel, *Épîtres, Satires, Chansons, Épigrammes et autres pièces de vers,* Montréal, Ludger Duvernay, 1830.

Huston, James, *Le Répertoire national,* 4 vol., Montréal, Lovell et Gibson, 1848-1850; 2e éd., avec une préface du juge A.-Basile Routhier, Montréal, Valois et Cie, 1893.

Viger, Jacques, *Ma Saberdache* (contient notamment des poèmes et comédies de Quesnel, Mermet, Bibaud), collection de 44 cahiers manuscrits colligés par le premier maire de Montréal (1833-1836) dans les années 1830, et confiés aux archives du Séminaire de Québec.

Lareau, Edmond, *Histoire de la littérature canadienne,* Montréal, John Lovell, 1874.

Malchelosse, Gérard, *Michel Bibaud,* Montréal, 1945.

Marion, Séraphin, *Origines littéraires du Canada français,* Ed. de l'Université d'Ottawa, 1951.

Roy, Mgr Camille, *Nos origines littéraires,* Québec, l'Action Sociale, 1909 (contient notamment une analyse de *L'Anglomanie,* avec extraits, pp. 146-155).

Roy, Mgr Camille, *Histoire de la littérature canadienne,* Québec, l'Action Sociale, 1930.

Savoie, Claude, « Louis-Joseph Quesnel », dans *La Barre du jour,* Montréal, juillet-déc., 1965.

Chapitre XII

L'HISTOIRE AVANT FRANÇOIS-XAVIER GARNEAU
(VERS 1830)

par Michel TÉTU

Après la poésie, l'histoire naquit au Canada sous la plume d'amateurs, autour des années 1825. Depuis la publication par Charlevoix, à Paris, en 1744, d'une *Histoire de la Nouvelle-France* qui couvre la période très restreinte de la découverte jusqu'en 1725, il n'y avait pratiquement pas eu d'œuvre historique, si ce n'est sous la forme de récits épars.

En 1825, Michel Bibaud commence à faire paraître une *Histoire du Canada* dans *La Bibliothèque Canadienne;* et plusieurs auteurs, alors, s'intéressent comme lui à l'histoire.

Le Dr *Jacques Labrie,* qui fut quelque temps rédacteur en chef du *Courrier de Québec,* le journal rival du *Canadien,* prépara une *Histoire complète du Canada*. Elle ne fut cependant jamais publiée. Un incendie survenu en 1837, six ans après la mort de l'auteur, détruisit le manuscrit, et il n'en resta rien.

De son côté, JACQUES VIGER, collaborateur de Bibaud, antiquaire et rédacteur en chef du *Canadien* en 1808 et 1809, se mit à l'histoire après avoir publié un lexique de canadianismes intitulé *Néologie canadienne*. Il publia, sous le titre de *Mes tablettes de 1813,* le journal qu'il avait tenu pendant son service comme lieutenant de Voltigeurs sous le commandement de Salaberry, et, devenu maire de Montréal en 1833, il réunit des poèmes, des écrits de toutes sortes et des considérations personnelles abondantes dans une série impressionnante de quarante-quatre cahiers, auxquels il donna le nom général de *Ma Saberdache* [1]. Huston, l'auteur du *Répertoire Natio-*

---

1. Du mot suisse « saberdachef », désignant un sac long et plat que portaient les cavaliers et dans lequel ils mettaient tout ce qu'ils ramassaient dans leurs randonnées (en français: sabretache).

126

nal, y puisa pour faire son choix de poésies et de morceaux littéraires. Viger fut alors considéré comme un spécialiste en histoire canadienne, bien qu'il n'eût publié qu'un compte rendu du *Régime militaire de 1760-1764,* et deux études sur l'histoire de Montréal.

Joseph-François Perrault s'intéressa à l'histoire, lui, par nécessité. Le « père de l'éducation du peuple canadien », qui s'était donné pour tâche de répandre l'instruction dans des écoles gratuites, se trouva bientôt devant une difficulté considérable: l'absence de manuels scolaires. Il décida de remédier à cette lacune et il en composa lui-même plusieurs. Il se mit à écrire dans des domaines aussi différents que la médecine vétérinaire, l'anglais, l'horticulture, l'arithmétique... et l'histoire. En 1833 parurent ainsi les quatre premières parties d'un *Abrégé de l'histoire du Canada.* Une cinquième suivit en 1836. Destinés aux enfants, ces écrits n'ont rien de très original ni de très élevé. Le titre l'indique, et on ne saurait guère considérer ce travail d'instituteur comme une production littéraire.

L'Histoire du Canada que Michel Bibaud écrivit alors, pour répondre, dit-on, aux ultra-royalistes de William Smith, reste finalement la seule œuvre un peu digne d'intérêt au cours de cette période.

L'HISTOIRE DU CANADA, de Michel Bibaud

Publiée d'abord dans la *Bibliothèque Canadienne* en 1825, complétée et rééditée en trois tomes (1837, 1844, 1878), cette Histoire comporte deux parties: le régime français, et le régime anglais jusqu'en 1837.

Les deux parties se ressemblent pour leur inexactitude et leur partialité! L'auteur a beaucoup de difficulté à dominer son sujet et à présenter les faits d'une manière objective. Pour la première partie, les documents lui manquent et il n'a pas travaillé avec beaucoup de rigueur: aussi cette histoire du régime français fut-elle vite dépassée.

Quant à la domination anglaise, que l'auteur a vécue, elle est représentée sans le recul nécessaire à tout historien et avec le point de vue bien spécial d'un « bureaucrate »: c'est le vocable méprisant désignant alors les fonctionnaires plus ou moins sympathiques à l'administration anglaise. Néanmoins cette partie est plus intéressante: elle nous fait connaître les hommes et leurs préoccupations, leur état d'esprit, tels que les voit une partie de la population canadienne. C'est ainsi que les attaques du député Richardson contre la langue française sont relevées dans une note seulement, alors que l'auteur s'attarde complaisamment sur certaines exagérations de députés canadiens-français. La période est riche en événements politiques. Bibaud peut s'en donner à cœur joie. Il se montrera très sévère pour les « patriotes ». Il attaque ainsi la presse:

> « Au temps dont nous parlons, la presse radicale, ou soi-disant réformatrice, était devenue incivile, vexatoire, injurieuse; en un mot avait pris une teinte fort ressemblante à celle du sans-culottisme, résultat de l'amalgame du nivelisme américain avec le républicanisme européen de la plus basse école. » (Tome II, pp. 320-321).

Voici comment il résume les querelles politiques de 1827-1828 [2]:

> « Cette bouillante effervescence, cette tourmente avait compromis notre population, qui ne fut sauvée de l'état social ou politique qu'elle appréhendait, et dont elle était menacée, que par le résultat inattendu, la tournure imprévue donnée en Angleterre aux affaires du Canada, à la fin de juillet 1828. » (Tome II, p. 400).

Il critique sans cesse Papineau. À propos des « 92 Résolutions » visant à établir pour le Canada une sorte de « Déclaration des droits de l'homme », il écrit:

> « M. Bédard présente le commencement de cette série qui doit atteindre le nombre de 92, fruit incohérent, pour ne pas dire monstrueux, d'un travail où l'on peut reconnaître évidemment la manière de penser et d'écrire de M. Papineau. » (Tome III, pp. 198-199).

Et cette période, pour lui, n'est que « passions concentrées de l'orgueil, de l'amour-propre blessé, de la haine invétérée et de l'aveugle esprit de vengeance, ne trouvant pas assez d'espace pour se déborder, d'issues assez larges pour s'exhaler; l'effervescence cérébrale, enfin le déclin politique parvenu à son plus haut paroxisme. » (tome III, p. 210).

En fin de compte, cette *Histoire du Canada* eut peu d'influence, car peu de temps après la publication des premiers volumes, était publiée l'*Histoire du Canada* de François-Xavier Garneau, qui allait éclipser complètement la sienne. De celle-ci, on ne retiendra en définitive que quelques portraits, celui de Champlain par exemple:

> « C'était un homme de bien et de mérite: il avait des vues droites et était doué de beaucoup de pénétration. Ce qu'on admirait le plus

---

2. Lord Dalhousie avait été rappelé en Angleterre, à la suite d'un rapport assez favorable à la Chambre des députés.

en lui, c'était son activité, sa constance à suivre ses entreprises; sa fermeté et son courage dans les plus grands dangers; un zèle ardent et désintéressé pour le bien de l'État; un grand fond d'honneur, de probité et de religion. Au reproche que lui fait Lescarbot, d'avoir été trop crédule, Charlevoix répond que c'est le défaut des âmes droites, et que, dans l'impossibilité d'être sans défauts, il est beau de n'avoir que ceux qui seraient des vertus, si tous les hommes étaient ce qu'ils devraient être. » (tome II, p. 108).

BIBLIOGRAPHIE

Bibaud, Maximilien, *Dictionnaire historique des hommes illustres du Canada et de l'Amérique*, Montréal, 1857.

Bibaud, Maximilien, *Le Panthéon canadien*, Montréal, 1858.

Bibaud, Michel, *Histoire du Canada*, 3 vol., Montréal, Lovell & Gibson, 1837-1844-1878.

D'Arles, Henri, *Nos historiens*, Montréal, Bibl. de l'Action française, 1921.

Malchelosse, Gérard, *Michel Bibaud*, Montréal, 1945.

Roy, Mgr Camille, *Nos origines littéraires*, Québec, L'Action Sociale, 1909.

Roy, Mgr Camille, *Histoire de la littérature canadienne*, Québec, l'Action Sociale, 5e éd., 1930, du *Manuel* (1918), tiré du *Tableau* (1907).

Roy, Mgr Camille, *Historiens de chez nous*, Québec, l'Action Sociale, 1935.

Troisième partie

LE ROMANTISME LIBERAL

(1830-1860)

IIIe partie

LE ROMANTISME LIBÉRAL

Chapitre XIII

UNE AFFIRMATION DE SOI AU SOUFFLE DE LA LIBERTÉ ET DE L'AVENIR

(1830-1860)

par Michel TÉTU

Si la littérature est vraiment embryonnaire jusqu'en 1830, et si les événements politiques sont alors relativement mineurs, puisqu'il s'agit essentiellement de l'adaptation des Français au système anglais, la période de 1830 à 1860 marque, elle, une évolution considérable. En politique comme en littérature, nous assistons à l'affirmation du nationalisme canadien-français avec la révolution dirigée par Papineau, la publication de *L'Histoire du Canada* de François-Xavier Garneau, et la formation d'une littérature « canadienne ».

Cette période correspond aussi à la découverte du romantisme au Canada. L'influence des poètes français, le caractère sentimental de l'Américain du Nord et l'enthousiasme patriotique, modifient le traditionalisme classique des premiers écrivains. On a pu distinguer trois étapes dans cette courte période: un préromantisme canadien, un romantisme d'importation et un romantisme canadien. [1] Étant

---

1. *Cf.* David-M. Hayne, *Sur les traces du préromantisme canadien*, Archives des Lettres Canadiennes. No spécial de la Revue de l'Université d'Ottawa, 1961.

donné l'importance croissante de la production littéraire à ce moment, on peut en effet distinguer plusieurs courants ou idées directrices; mais il serait sans doute exagéré de vouloir trop délimiter chacune de ces étapes, et nous nous bornerons à suivre l'évolution générale du classicisme rétrograde de Michel Bibaud au romantisme libéral qui marque la naissance de la littérature proprement dite.

Influence du romantisme français

Alors que Victor Hugo affirme, en 1816: « Je veux être Chateaubriand ou rien », il est assez piquant de lire, en 1817, sous la plume de Bibaud: « Si je ne suis Boileau, je serai Chapelain ». Le décalage est grand! Et il va le rester encore un long moment. Toutefois, à partir de 1830, les romantiques atteignent le Canada et y élargissent peu à peu leur influence.

L'Abeille canadienne, dirigée par un ancien préfet de Bordeaux sous l'Empire, Henri Mézières, reprenait des articles de la Ruche d'Aquitaine et avait déjà fait connaître plusieurs poètes. Bibaud, dans ses divers périodiques, ouvre de temps en temps ses colonnes à la nouvelle poésie. On lit par exemple dans le Magasin du Bas Canada un poème intitulé: À M. de Lamartine d'A. de Beauchesne:

> Lorsque la poésie et déborde et s'élance
> D'un cœur qui, haletant, ne peut la contenir;
> Lorsqu'une âme s'annonce ayant soif d'avenir,
> Hommes des temps nouveaux qui remplissez la place,
> Ouvrez avec respect vos rangs pour qu'elle passe!
> Car elle a besoin d'air, de soleil, de printemps;
> Vieillard, écoutez-là, cette voix de vingt ans!
> Laissez-la butiner, la jeune abeille errante
> Qui va de fleurs en fleurs dans sa vie odorante:
> Dieu l'a voulu! Laissez murmurer le ruisseau,
> Laissez tourner la terre et gazouiller l'oiseau,
> Laissez passer l'éclair, laissez luire la flamme,
> Et l'inspiration s'envoler de notre âme.

Et l'auteur termine en invitant celui qu'il appelle « ô mon maître », « mon mélodieux maître », à devenir le prophète des temps modernes:

> « Remplis ta mission et va, comme Moïse,
> Te cacher dans la nue enflammée, au milieu
> Des foudres, des éclairs, seul à seul avec Dieu;
> Tandis qu'au pied du Mont, couché dans la poussière,
> Son vieux peuple, oublieux d'amour et de prière,

Écoutera du moins tes chants harmonieux
Qui descendront sur lui comme une voix des cieux. » ²

En 1831, François-Xavier Garneau s'embarque pour l'Europe. Le jeune Isidore Bédard y est déjà. Joseph Doutre y a passé plusieurs années, Crémazie les suivra, etc. Les voyages en France sont de plus en plus nombreux. Dans l'autre sens d'ailleurs, les ports s'ouvrent également. En 1837, les religieux français pourront de nouveau s'installer au Canada, et l'arrivée en 1855 de *La Capricieuse,* chargée des œuvres de Victor Hugo, marquera le rétablissement des communications régulières avec la France.

Peu à peu les grands romantiques deviennent les écrivains favoris. Crémazie décrit ainsi son enthousiasme à l'abbé Casgrain:

« Pour moi, tout en admirant les immortels chefs-d'œuvre du XVIIᵉ siècle, j'aime de toutes mes forces cette école romantique qui a fait éprouver à mon âme les jouissances les plus douces et les plus pures qu'elle ait jamais senties... Lamartine et Musset sont des hommes de mon temps. Leurs illusions, leurs rêves, leurs aspirations, leurs regrets trouvent un écho sonore dans mon âme, parce que moi, chétif, à une distance énorme de ces grands génies, j'ai caressé les mêmes illusions, je me suis bercé dans les mêmes rêves et j'ai ouvert mon cœur aux mêmes aspirations pour adoucir l'amertume des mêmes regrets. » ³

Comme le proclame Crémazie, le Canadien se reconnaît chez les romantiques français. On pourrait dire plus: il se découvre, et il découvre son pays qu'il n'avait pas toujours su, avant Chateaubriand, voir dans son originalité. Sur le bateau qui l'emmène en Angleterre, François-Xavier Garneau se prend ainsi à rêver:

« Quelle source de poésie que les courses et les découvertes de ses braves chasseurs qui, s'enfonçant dans les solitudes inconnues du Nouveau-Monde, bravaient les tribus barbares qui erraient dans les forêts et les savanes, sur les fleuves et les lacs de ce continent encore sans cité et sans civilisation. Un jour, sans doute, l'imagination des Français marchant sur les traces de Chateaubriand dans son beau poème d'Atala, s'emparera de ce nouveau champ, comme a déjà commencé à faire le romancier américain Cooper avec tant de succès. Ce champ nous appartient bien plus légitimement qu'à nos voisins. » ⁴

Non seulement les poètes, mais aussi les romanciers français ont leur importance, comme le montre la préface de *L'Influence d'un livre* de Philippe Aubert de Gaspé fils, ou celle des *Fiancés de 1812*

2. *Magasin du Bas-Canada,* tome II, no I, juillet 1832, page 28-30
3. Octave Crémazie, *Lettre à l'abbé Casgrain du 29 janvier 1867.*
4. F.-X. Garneau, *Voyage en Angleterre et en France* Québec, 1878, p. 32-33.

de Joseph Doutre, qui désigne Alexandre Dumas et Eugène Sue comme ses « auteurs de prédilection ».

Ainsi, peu à peu, malgré l'éloignement et les difficultés de communication, la poésie et le roman romantiques acquièrent une place importante, et commencent à diriger les idées. Le théâtre seul ne passe pas, et ce sera encore une tragédie cornélienne, en trois actes et en alexandrins, qu'écrira Antoine Gérin-Lajoie en 1837: *Le Jeune Latour,* relatant le dilemme d'un jeune homme qui hésite entre le respect dû à son père et la fidélité au roi de France.

La révolution patriotique

Ce n'est toutefois pas uniquement de l'extérieur qu'est venu le changement dans les conceptions littéraires. L'évolution historique du Bas-Canada y est pour beaucoup. Pour être romantique, il faut un tempérament sensible, une certaine agitation politique et un grand idéal. Le Canada français ne pouvait pas devenir romantique tant que le principal souci était de s'établir commodément sous l'égide d'un régime stable et serein.

La première poussée nécessaire au romantisme avait été la bataille de Châteauguay menée par le colonel de Salaberry en 1813. La victoire de trois cents Canadiens sur une puissante armée américaine avait réveillé l'esprit patriotique et exalté une certaine foi dans la race.

Papineau allait bientôt exploiter ce sentiment nationaliste. Et malgré les appels à la prudence que lançait Etienne Parent dans *Le Canadien,* la révolte éclatait en novembre 1837. On connaît l'histoire de cette « révolution » qui ne fut pas sans rappeler quelquefois la Révolution française. Ainsi l'organisation des « Fils de la Liberté » donna-t-elle la réplique aux cérémonies de 1789 au Champ de Mars, en réunissant des volontaires autour d'un mât de liberté, couronné d'un bonnet phrygien et portant l'inscription: « À Papineau, ses compatriotes reconnaissants ». La main sur le mât, les jeunes gens jurèrent fidélité à la patrie, faisant le serment de vaincre ou de mourir.

Après les émeutes, le calme revint, mais les esprits avaient été marqués par la rébellion, et l'attitude des jeunes devait en être modifiée. Ainsi Napoléon, qui n'avait été jusque-là qu'un objet de haine ou de mépris après sa défaite, se voit jugé différemment. Sans lui élever des statues, on admire sa fougue, son idéal et sa chevauchée victorieuse. Il est né dans le cœur des Canadiens français une

136   **VOIR ILLUSTRATIONS — 76-77-78**

petite flamme, toute prête à se développer dans le romantisme litté-raire, puisque aussi bien les armes ne sont pas favorables.

Aussi lorsque, dans son célèbre rapport, Lord Durham écrit, en 1839, des Canadiens français: « C'est un peuple sans histoire et sans littérature », tire-t-il la conclusion sur une époque qui s'achève. L'his-toire se vit et s'écrit alors, et la littérature émerge peu à peu, sous le signe de romantisme.

Le romantisme canadien et ses limites

Dans le voyage en Europe, le Canadien s'est cultivé, s'est ou-vert l'esprit, mais il a fait aussi la comparaison entre les pays visités et son pays. Ainsi la nature canadienne, qui n'avait été jusqu'alors que fort peu célébrée malgré les exhortations d'un ou deux bardes locaux, commence à l'être. On commence à la comprendre et à l'apprécier par rapport à celle des « vieux pays ». Après la con-quête anglaise, on avait été, volontairement ou non, enclin à une nostalgie improductive faite des souvenirs de XVIIe siècle français. Les quelques Canadiens qui vont en Europe, autour de 1830, ouvrent les yeux. F.-X. Garneau, le premier, est surpris de constater qu'il aime la nature canadienne lorsqu'il se trouve en présence de la terre française.

> « Ce qui me frappait en avançant, c'était la nudité des campagnes. Pas d'arbres, pas de haies comme en Angleterre, pas de clôtures, pas de maisons comme en Canada. Les champs sont divisés par des bornes de pierre, et la population est réunie en bourgs ou en villages. Cette nudité me paraissait d'une grande monotonie, accoutumé que j'étais à la nature accidentée et pittoresque de Québec et de ses environs. » [5]

Et la nature anglaise n'a pas davantage ses faveurs. Il parle ainsi de la chasse:

> « N'est-ce pas une cruauté que de lancer une meute nombreuse après quelques pauvres lièvres tombant de frayeur? Dans les forêts de l'Amé-rique, les bêtes fauves ont au moins cet air sauvage et indomptable qui justifie la prise des armes. Ils hurlent de colère, ils combattent avec fureur et menacent même en mourant. Mais la noblesse an-glaise n'a pas d'autre amusement pour conserver sa vigueur et son courage. La chasse du renard et du lapin est tout ce qui lui reste pour se conformer à la maxime des rudes chevaliers du Moyen-Âge. » [6]

---

5. F.-X. Garneau, *Ibid.*, p. 93.
6. *Ibid.*, p. 187-188.

Garneau s'identifie nettement comme Canadien; et ses contemporains le feront aussi, même lorsqu'ils imitent les romantiques français comme il l'ont fait des classiques. Ce qui donne une certaine originalité à la littérature naissante. M. Gérard Tougas l'a bien vu lorsqu'il écrit: « Le romantisme semble correspondre à quelque secrète exigence du tempérament canadien-français tel que le continent américain l'a façonné. Les poètes, les historiens et les romanciers canadiens du XIXᵉ siècle auront fait plus qu'imiter des modèles français: ils se seront trouvés en eux ». [7]

Il serait cependant peu réaliste de vouloir chercher des chefs-d'œuvre dès le début. Si le romantisme pouvait éclore assez naturellement au Canada français, certains éléments sociologiques devaient en restreindre la portée et le développement. Certaines formes de la fidélité à la langue française et à la foi catholique, le respect immodéré des principes classiques, furent les premiers obstacles.

Les préceptes de Boileau ont encore leur force, et la littérature, de l'avis de plusieurs, a essentiellement un but moralisateur. Ne lit-on pas, dans *Le Ménestrel* de 1844, ces considérations:

> « Les effets de la littérature sont d'insinuer dans le cœur des préceptes de morale dont la sévérité disparaît sous le prisme de la poésie... Quand la poésie emprunte à la philosophie le fond de doctrine qu'elle colore ensuite des fraîches nuances du style et des idées, l'étude en devient plus facile et plus agréable aux jeunes gens. » [8]

La vie des auteurs n'échappe pas non plus à la morale, et les désordres des romantiques français sont publiquement désavoués. Le rédacteur en chef de *La Ruche littéraire* fait ainsi son auto-critique en commençant la deuxième série de sa publication:

> « Formé à l'école romantique française qui, par malheur, suivant l'impulsion de mœurs dissolues, cherche à satisfaire et même à provoquer l'appétit public, au lieu de lutter contre ses instincts déraisonnables et anti-sociaux, il (le rédacteur en chef) commit de graves erreurs lors de son début au milieu de cette population éminemment sensée et morale. » [9]

Et même si le climat et la géographie nord-américaines invitent au romantisme, le négoce et les habitudes paisibles des habitants découragent souvent l'inspiration. L'auteur de *La Terre paternelle* et le préfacier de *Charles Guérin* expliquent l'un et l'autre la simplicité obligatoire de l'intrigue de ces romans:

---

7. Gérard Tougas, *Histoire de la littérature canadienne-française*, 1960.
8. *Le Ménestrel*, Québec, 20 juin 1844.
9. *La Ruche littéraire*, 1853, p. 414.

« Quelques-uns de nos lecteurs auraient peut-être désiré que nous eussions donné un dénouement tragique à notre histoire. Ils auraient aimé voir nos acteurs disparaître violemment de la scène, les uns après les autres, et notre récit se terminer dans le genre terrible, comme un grand nombre de romans du jour. Mais nous les prions de remarquer que nous écrivons dans un pays où les mœurs sont pures et simples, et que l'esquisse que nous avons essayé d'en faire, eût été invraisemblable et même souverainement ridicule, si elle se fût terminée par des meurtres, des empoisonnements et suicides. » [10]

« Ceux qui chercheront dans *Charles Guérin* un de ces drames terribles et pantelants, comme Eugène Sue et Frédéric Soulié en ont écrits, seront bien complètement désappointés. C'est simplement l'histoire d'une famille canadienne contemporaine que l'auteur s'est efforcé d'écrire... C'est à peine s'il y a une intrigue d'amour dans l'ouvrage: pour bien dire, le fond du roman semblera, à bien des gens, un prétexte pour quelques peintures de mœurs et quelques dissertations politiques ou philosophiques. De cela cependant il ne faudra peut-être pas autant blâmer l'auteur, que nos Canadiens qui tuent ou empoisonnent assez rarement leur femme, ou le mari de quelqu'autre femme, qui se suicident le moins qu'ils peuvent, et qui en général mènent, depuis deux ou trois générations, une vie assez paisible et dénuée d'aventures auprès de l'église de leur paroisse, au bord du grand fleuve ou de quelqu'un de ses nombreux et pittoresques tributaires. » [11]

La vie canadienne est encore trop dominée par une économie de subsistance et pénétrée d'esprit mercantile, pour favoriser un essor désintéressé de la littérature. C'est encore une société « d'épiciers », comme dit Crémazie, qui précise dans une lettre à l'abbé Casgrain: « J'appelle épicier tout homme qui n'a d'autre savoir que celui qui lui est nécessaire pour gagner sa vie, car pour lui la science est un outil, rien de plus... ». La langue est pauvre; Crémazie s'en rend particulièrement compte lorsqu'il s'agit d'écrire de la poésie, et il préférerait parfois, dit-il, écrire en huron ou en iroquois, « langue mâle et nerveuse ».

La littérature canadienne ne peut pas brûler les étapes. Et ainsi nous rendons-nous compte que les courants d'idées, les thèmes brassés, les livres qui se répandent de plus en plus, n'ont encore qu'une influence restreinte. Ils ne peuvent transformer d'un coup la civilisation canadienne, à la fois trop jeune pour se soucier des autres, et trop marquée par les traditions classiques et religieuses pour se laisser modeler par les idées nouvelles. Les publications restent faibles et si plusieurs auteurs témoignent d'un talent certain, aucun ne sera le génie attendu.

---

10. Patrice Lacombe, *La Terre paternelle*, 1846. Postface.
11. G.H. Chenier, dans *Charles Guérin*, 1853: Avis de l'éditeur.

Néanmoins, François-Xavier Garneau et Octave Crémazie s'imposent dans cette période, et avec eux c'est vraiment l'avènement d'une littérature canadienne et nationale. James Huston, faisant le bilan de l'activité littéraire en 1848, et intitulant son anthologie: *Le Répertoire national,* résume ainsi la situation dans sa préface:

> « La littérature canadienne s'affranchit lentement, il faut bien le dire, de tous ses langes de l'enfance. Elle laisse la voie de l'imitation pour s'individualiser, se nationaliser... Le lecteur se réjouira comme nous... de voir combien les écrivains mûris par l'âge et par l'étude, diffèrent en force, en vigueur, en originalité, des premiers écrivains canadiens; de les voir s'élever au-dessus des frivolités et des passions politiques, pour aller à la recherche de tout ce qui peut être vraiment utile au peuple, de tout ce qui peut consolider et faire briller notre nationalité. »

Le style de ce passage est encore enflé et grandiloquent: il est le reflet de cette époque, de ses espérances et de sa croyance en l'avenir. [12]

---

12. Sur l'époque, on pourra consulter notamment l'étude de Fernand Ouellet: « Nationalisme canadien-français et laïcisme au XIXᵉ siècle », dans *Recherches sociographiques,* IV, 1, janvier-avril, 1963, ainsi que son *Histoire économique et sociale du Québec, 1760-1850,* Montréal, Fides, 1967.

Chapitre XIV

FRANÇOIS-XAVIER GARNEAU (1809-1866): L'ÉVEIL DU ROMANTISME LIBÉRAL

par Arsène LAUZIÈRE

La littérature au XIXe siècle, on l'a vu, est née du nationalisme canadien, dont les maîtres incontestables s'appellent Louis-Joseph Papineau et François-Xavier Garneau. [1] Nationalisme, libéralisme et romantisme: trois fruits de la même Révolution. *L'Histoire du Canada* de Garneau est sans contredit l'œuvre littéraire la plus considérable du siècle. Dès sa parution, elle déchaîna au Canada un enthousiasme incomparable et suscita en France une vive admiration. C'était le nécessaire ouvrage de galvanisation, de justification et d'illustration, avec un peu du luxe de l'enluminure, dont avait besoin un peuple acharné à survivre dans une Amérique moderne démesurément anglo-saxonne par sa population et sa politique, par son économie et son style de vie.

L'œuvre de Garneau paraît vieillie aujourd'hui. Il en reste cependant quelques centaines de pages encore pleines d'intérêt, d'émotion et de clairvoyance, au souffle profondément humain. Historien national de son pays, après avoir été poète et auteur d'un *Voyage en Angleterre et en France,* nul autre écrivain ne mérite mieux le

---

1. François-Xavier Garneau, né à Québec en 1809. Ecole primaire à Québec. Saute-ruisseau, apprenti-notaire, puis notaire. 1828: voyage en Acadie, aux Etats-Unis et dans le Haut-Canada. 1831-33: Europe, Londres et Paris. Journaliste en 1833; fonde « L'Abeille canadienne ». Propagandiste des réformes de Papineau. Mariage, famille, soucis financiers. Publication de ses poèmes dans « Le Canadien ». 1841: fonde le journal « L'Institut ». 1843: greffier de la ville de Québec. Attaque d'épilepsie. 1845-48: publication de *l'Histoire du Canada.* 1851: président de l'Institut Canadien. 1857: deuxième édition de *l'Histoire du Canada.* 1854-55: *Voyage en Angleterre et en France* dans « Le Journal ». 1859: troisième édition de *l'Histoire du Canada.* 1866: meurt à Québec le 3 février, terrassé par l'épilepsie.

titre de père de la littérature canadienne. Dans chacune de ses œuvres, l'homme tout entier se retrouve avec l'envergure de son esprit, l'économie de ses thèmes, la respiration de son âme, voire ce mouvement de la plume qui, par l'art de la composition et du style, ressuscite la vie. Intelligent, franc, intègre, fier, studieux, mais grave, timide et taciturne, voilà les traits qui composent l'équilibre de son caractère. Il fera le tour d'horizon le plus complet en étendue et en profondeur, autant que faire se peut, de tout ce qui est canadien.

La vie et les idées de Garneau

Dans le grand livre inédit ou presque de la vie canadienne, cet autodidacte devenu notaire et voyageur poussera inlassablement l'examen des milieux politique, social, économique, religieux et intellectuel. Ce qu'il constate dans la sujétion des siens, c'est le mal de la domination étrangère, *l'étouffement de tout un peuple démuni,* sa difficile accession à la fonction publique, son dénuement économique, l'inquiétude perpétuelle qui est la sienne, sa pauvreté intellectuelle mais aussi sa volonté de survie et l'influence de son Église. Lorsque les courants successifs d'espoir et d'abattement — typiquement romantiques — secoueront son pays et l'accableront, il les enregistrera au plus vif de son âme. Cette sensibilité aiguë, qu'éperonne une imagination visiblement lyrique et épique, amènera irrésistiblement Garneau à l'épanchement poétique alors que couve en lui une vocation d'historien. Les voyages viendront informer son esprit tout en affinant son goût et son jugement. Ce qui l'enthousiasmera dès l'abord, c'est l'essor prodigieux du peuple américain. Selon lui, ce dynamisme ne s'explique que par le miracle de la liberté conquise et le courage de l'initiative personnelle. À Londres et à Paris, il se dit fier d'appartenir à ces deux nobles races anglaise et française qui ont élevé tant de monuments, conçu tant de chefs-d'œuvre impérissables, exalté au-dessus de tout la vie de l'esprit. En Europe, il fait plus ample connaissance avec le peuple. Il compte ses revendications, examine la charte de ses libertés et observe son évolution, du moyen âge à 1830. Chaque fois que le peuple souffre de tyrannie, il enregistre sa souffrance, s'indigne contre les puissants et, chemin faisant, s'injecte une dose de libéralisme. Dorénavant, il se fera l'apôtre des libertés de conscience, de plume et de parole.

Les poèmes de Garneau, les meilleurs de l'époque, ont été recueillis par Huston dans *Le Répertoire national:* une centaine de pages, une vingtaine de titres. Cette poésie, il faut l'avouer, n'a guère plus qu'un intérêt rétrospectif. Bien qu'il ait subi l'influence des

FRANÇOIS-XAVIER GARNEAU

premiers romantiques de son siècle, il ne débarrassera jamais tout à
fait son style et sa métrique de la langue pseudo-classique d'un âge
ailleurs révolu. Le romantisme collectif du poète tient au jumelage
du patriotisme et de la nature, ainsi qu'à deux autres thèmes dominants: la liberté et l'inquiétude. Tout le reste leur est subordonné
ou accessoire, comme dans les meilleures strophes du *Dernier Huron,*
qui ne manquent pas d'ampleur, de mouvement, d'images symboli-
ques évocatrices des soucis de son peuple. Ce qui est vrai de cette
poésie le demeure de l'ensemble de l'œuvre historique.

La vocation de l'historien

Peuple conquis! Peuple sans histoire! Cette injure dans la bouche
d'un étranger [2] a blessé la fierté du jeune nationaliste. Elle le dé-
terminera à s'engager: il se fera l'historien de son peuple. Il le ré-
habilitera. En Europe, il avait touché du doigt mille monuments de
l'histoire de l'Occident, scruté de nombreux documents et interrogé
des témoins. Il était rentré au pays n'ayant plus qu'une pensée, qu'une
préoccupation. la lutte nationale par la plume de l'historien. À partir de 1836, l'apprenti-Hérodote fait ses gammes, se forge un style,
une méthode, tout en se libérant d'un souffle lyrique incompatible
avec la grande histoire. Chez l'historien, comme autrefois chez le
poète, reviennent sans cesse trois ou quatre mots traduisant l'amour et
le souci qui animent son action: peuple, patrie, liberté et inquiétude.
Il dédaigne ou refuse le témoignage subjectif comme le merveilleux
et le fantasmagorique, et il tient à le rappeler dans son magistral
Discours préliminaire à l'Histoire du Canada. Dans ces mêmes pages,
il n'est guère lieu de chercher longuement la source de son inspiration et de ses influences. Ses modèles se nomment Michelet et Thierry, dans une moindre mesure Voltaire, Montesquieu, Thiers et Guizot.

À l'exemple du premier, authentique plébéien comme son disciple canadien, il entreprend le travail d'une documentation aussi
exhaustive que possible pour l'époque par l'étude des sources originales, puis d'une résurrection du passé par la puissance créatrice
de l'imagination. Plus près de Thierry par le tempérament, il place,
lui aussi, la gigantesque figure du peuple au centre de sa méthode.
Comme lui encore, il pratique la théorie de l'antagonisme des races,
qui fait de l'histoire un instrument de combat et de foi nationale.

---

2. Durham n'a jamais nié que le Canada ait eu son histoire; il ne lui a pas
trouvé, en 1838, d'expression écrite.

C'est à la suite de son modèle français et des historiens anglo-saxons qu'il conçoit l'équilibre possible des institutions politiques dans l'amalgame de l'autorité et de la liberté, de la tradition et du progrès. Enfin, ici et là, le souvenir du premier Lamennais plane dans l'expression de sa foi chrétienne, au sein des traverses que lui crée la critique, et durant les cruelles années d'épilepsie qui le mineront jusqu'à sa mort prématurée.

Personne n'ignore que Garneau a été en butte à une critique parfois pointilleuse. Il a eu des mots durs dans la première édition de son *Histoire* à l'endroit de Monseigneur de Laval, sur le système des fabriques et l'administration des biens affectés au culte. Sa défense des huguenots avait retenu l'attention, plus que ses éloges à l'adresse de ce même clergé pour son attachement au peuple et pour son dévouement à la cause de l'éducation. Nonobstant ces misères, on peut encore vanter à juste titre celui qui a fourni une source d'inspiration si riche à de très nombreux écrivains canadiens, tant est authentique l'originalité de sa méthode — compte tenu du temps et du lieu — la valeur de sa documentation, l'étendue de son érudition, son indépendance d'esprit, son souci de justice et de vérité, la largeur de ses vues, la hardiesse de ses jugements et le courage de sa plume. Quatre-vingts ans après l'impitoyable défaite des Plaines d'Abraham, son œuvre vint assumer et parachever la restauration de la dignité personnelle du Canadien français. Aucun écrivain ne l'oubliera.

L'HISTOIRE ET LE PEUPLE

L'invention de l'imprimerie et la découverte du Nouveau-Monde commencèrent à dissiper les nuages qui avaient couvert le moyen âge de si épaisses ténèbres. Mais Colomb livrant l'Amérique à l'Europe étonnée, et dévoilant tout à coup une si grande portion du domaine de l'inconnu, porta peut-être le coup le plus funeste à l'ignorance et à la superstition

La liberté aussi, quoique perdue dans la barbarie universelle, ne s'était pas tout à fait éteinte dans quelques montagnes isolées; elle contribua puissamment au mouvement des esprits. En effet l'on peut dire que c'est elle qui l'inspira d'abord, et qui le soutint ensuite avec une force toujours croissante.

Dès ce moment, le peuple apparaît dans l'histoire. Jusque-là il a été comme un fond pâle sur lequel se sont dessinées les ombres gigantesques et menaçantes de ses maîtres. Nous ne voyons agir que ces chefs absolus qui viennent à lui armés d'un diplôme divin; le reste des hommes, plèbe passive, masse inerte et souffrante, ne semble exister que pour obéir. Aussi les historiens courtisans s'occupent-ils fort peu du peuple pendant une longue suite de siècles. Mais à mesure qu'il rentre dans ses droits, l'histoire change quoique lentement; elle se modifie quoiqu'elle paraisse encore soumise à l'influence des préjugés qui s'évanouissent. Ce n'est que de nos jours que les annales des nations ont réfléchi tous les traits avec fidélité, et que chaque partie du vaste tableau a repris les proportions qui lui appartiennent. A-t-il perdu de son intérêt, de sa beauté? Spectacle sublime!

FRANÇOIS-XAVIER GARNEAU

Nous voyons maintenant penser et agir les peuples; nous voyons leurs besoins et leurs souffrances, leurs désirs et leurs joies; mers immenses, lorsqu'ils réunissent leurs millions de voix, agitent leurs millions de pensées; lorsqu'ils marquent leur amour ou leur haine, les peuples produisent un effet autrement durable que la tyrannie même si grandiose et si magnifique de l'Asie. Mais il fallait la révolution batave, celle de l'Angleterre, celle des colonies anglaises de l'Amérique, et surtout la révolution française, pour établir solidement le lion populaire sur son piédestal.

Cette époque si célèbre dans la science de l'histoire en Europe, est celle où l'on voit apparaître les premiers essais des historiens américains de quelque réputation. On ne doit donc pas s'étonner si l'Amérique, habitée par une seule classe d'hommes, le peuple, dans le sens que l'entendent les vieilles races privilégiées de l'ancien monde, la canaille comme disait Napoléon, adopte dans son entier les principes de l'école historique moderne qui regarde la nation comme la source de tout pouvoir.

(*Histoire du Canada*, Québec, 1859, t. 1er, 3e éd., pp. 12-13)

COLON ANGLAIS ET COLON FRANÇAIS

Si l'on compare à présent le colon français et le colon anglais du XVIIe siècle, ce rapprochement donne lieu à un nouveau contraste. Le colon anglais était principalement dominé par l'amour de la liberté et la passion du commerce et des richesses. Tous les sacrifices pour obtenir ces trois objets, vers lesquels ses pensées tendaient sans cesse, étaient peu de chose pour lui, car en dehors il ne voyait que ruine et abjection. Aussi, dès que les traitants de l'Acadie le croisèrent dans leurs courses sur les mers, ou que les Hollandais de la Nouvelle-York le gênèrent dans ses progrès sur terre, réunit-il ses efforts pour rompre tous ces obstacles et s'emparer de ces deux contrées à la fois. En Acadie, il n'y avait que quelques centaines de pêcheurs dispersés sur les bords de l'Océan; il fut conséquemment assez facile de conquérir une province couverte de forêts. La Nouvelle-Belgique, encore moins en état de se défendre, faute d'appui en Europe, passa sous le joug sans faire de résistance. Mais au bout de ces conquêtes, les Américains se trouvèrent face à face avec les Canadiens: les Canadiens, peuple de laboureurs, de chasseurs et de soldats les Canadiens, qui eussent triomphé, quoique plus pauvres, s'ils avaient été seulement la moitié aussi nombreux que leurs adversaires! Leur vie, à la fois insouciante et agitée, soumise et indépendante, était plus chevaleresque, plus poétique que la vie calculatrice de ces derniers. Catholiques ardents, ils n'avaient pas été jetés en Amérique par les persécutions religieuses; royalistes zélés, ils ne demandaient pas une liberté contre laquelle peut-être ils eussent combattu. C'étaient des chercheurs d'aventures, courant après une vie nouvelle, des vétérans, brunis par le soleil de la Hongrie, et qui avaient vu fuir le croissant devant eux sur le Raab et pris part aux victoires des Turenne et des Condé; c'étaient des soldats enfin qui avaient vu fléchir sous le génie de Luxembourg le lion britannique et l'aigle autrichien. La gloire militaire était leur idole, et, fiers de marcher sous les ordres de leurs seigneurs, ils les suivaient partout au risque de leur vie pour mériter leur estime et leur considération.

C'est ce qui faisait dire à un ancien militaire: « Je ne suis pas surpris si les Canadiens ont tant de valeur, puisque la plupart descendent d'officiers et de soldats qui sortaient des plus beaux régiments de France. »

(*Histoire du Canada,* Québec, 1859, t. 1er, 3e éd., pp. 287-298)

145

LE ROMANTISME LIBÉRAL (1830-1860)

PORTRAIT DE PAPINEAU

M. Papineau fut bientôt le premier orateur des deux chambres. Une stature élevée et imposante, une voix pleine et sonore, une éloquence véhémente et argumentative, lui donnaient une grande influence dans les assemblées publiques. Il conserva jusqu'à la fin de ses jours un patriotisme pur et la confiance de ses concitoyens, qui aimaient à entourer de leur respect ce vieillard, dont la tête droite couverte d'une longue chevelure blanche, conservait encore le caractère de l'énergie et de la force.

(*Histoire du Canada,* t. 3, 3e éd., p. 80)

CONCLUSION

Quoique peu riches et peu favorisés de leurs métropoles, les Canadiens ont montré qu'ils conservent quelque chose de l'illustre nation dont ils tirent leur origine. Depuis la conquête, sans se laisser distraire par les déclamations des philosophes ou des rhéteurs sur les droits de l'homme et les autres thèses qui amusent le peuple des grandes villes, ils ont fondé leur politique sur leur propre conservation, la seule base d'une politique recevable par un peuple. Ils n'étaient pas assez nombreux pour prétendre ouvrir une voie nouvelle aux sociétés, ou se mettre à la tête d'un mouvement quelconque à travers le monde. Ils se sont resserrés en eux-mêmes, ils ont rallié tous leurs enfants autour d'eux, et ont toujours craint de perdre un usage, une pensée, un préjugé de leurs pères, malgré les sarcasmes de leurs voisins. Le résultat c'est que jusqu'à ce jour, ils ont conservé leur religion, leur langue et un pied à terre à l'Angleterre dans l'Amérique du nord. Ce résultat, quoique funeste en apparence aux Etats-Unis, n'a pas eu les mauvaises suites qu'on devait en appréhender. Le drapeau anglais qui flotte sur la citadelle de Québec, a obligé la république d'être grave, de se conduire avec prudence et de ne s'élever que par degrés. La conséquence, disons-nous, c'est que la république des Etats-Unis est devenue grande et puissante.

Aujourd'hui les Canadiens forment un peuple de cultivateurs dans un climat rude et sévère. Ils n'ont pas, en cette qualité, les manières élégantes et fastueuses des populations méridionales; mais ils ont de la gravité, du caractère et de la persévérance. Ils l'ont fait voir depuis qu'ils sont en Amérique, et nous sommes convaincus que ceux qui liront leur histoire de bonne foi, avoueront qu'ils se sont montrés dignes des deux grandes nations aux destinées desquelles leur sort s'est trouvé ou se trouve encore lié.

(*Histoire du Canada,* t. 3, 3e éd., pp. 359-360)

BIBLIOGRAPHIE

OEUVRES DE F.-X. GARNEAU:

Voyages, Québec, Léger & Brousseau, 1881.

Histoire du Canada, 1ère éd., en 3 vols, Québec, 1845-1848, plusieurs fois revue et corrigée soit par l'auteur, soit par ses descendants. Les citations sont reproduites de la 3e édition, corrigée par l'auteur, Québec, 1859.

FRANÇOIS-XAVIER GARNEAU

ÉTUDES SUR F.-X. GARNEAU:

Biographies et portraits d'écrivains canadiens, Montréal, Beauchemin, 1913.

Chauveau, P.-J.-O., *François-Xavier Garneau, sa vie et ses œuvres,* Montréal ,Beauchemin et Valois, 1893, ouvrage formant le 1er tome de la 4e édition de l'*Histoire du Canada.*

Casgrain, Henri-Raymond, *De Gaspé et Garneau,* Montréal, Beauchemin, 1924.

D'Arles, Henri: *Nos historiens,* Montréal, Bibl. de l'Action française, 1921.

Robitaille, abbé Georges, *Études sur Garneau,* Montréal, Librairie d'Action canadienne-française, 1929.

Lanctot, Gustave, *Garneau, historien national,* Montréal, Fides, 1946.

Centenaire de l'Histoire du Canada de François-Xaxier Garneau, Montréal, Société historique de Montréal, 1945

Wyczynski, Paul, *François-Xavier Garneau. Aspects littéraires de son œuvre* (avec quatre collaborateurs), Ottawa, Ed. de l'Université d'Ottawa, 1966.

Lauzière, Arsène, *François-Xavier Garneau,* coll. Classiques canadiens, Montréal, Fides, 1965.

Chapitre XV

L'ÉLOQUENCE
(1830-1860)

par Arsène LAUZIÈRE et Pierre de GRANDPRÉ

En France et ailleurs, les historiens de la littérature ont fait une place assez belle à l'éloquence. De prestigieux orateurs y ont brillé par l'art de la forme écrite, qui confirme mieux que toute biographie l'excellence de leur verbe et en perpétue concrètement le souvenir. Bossuet, Bourdaloue, Fénelon, Mirabeau, Burke, Berryer, Montalembert, Lacordaire, O'Connell émeuvent et convainquent encore lorsqu'ils parlent à travers leurs écrits. Il n'en va pas ainsi pour le XIXᵉ siècle canadien, où il est manifestement plus facile de consacrer quelques pages, voire un chapitre, aux orateurs de langue française dans des ouvrages d'histoire générale. Car il y a un tel hiatus entre la littérature et ce qu'on a pu conserver de cette éloquence, que les textes seuls sont impuissants à recréer l'art fugitif de la tribune et de la chaire. De ce qui l'animait: voix, geste, parole, ton, émotion et silence, il ne reste rien. L'âme s'étant éteinte, le discours écrit ne révèle aucune belle science de la rhétorique. Cependant, une pléiade de grands talents oratoires, surtout politiques, avait conquis des foules, depuis Pierre Bédard jusqu'à Wilfrid Laurier. Des noms qui ont leur histoire et leur légende reviennent encore dans beaucoup de bouches: Papineau, LaFontaine, Chauveau, Cartier, Holmes, Chiniquy, Chapleau et Mercier. Faute d'un appareil d'enregistrement sonore, ils ne charment plus en dépit du sentiment d'exaltation patriotique, nationaliste ou religieux qui les avait animés, au sein des luttes ardentes et longues que la plupart avaient menées en vue de conquérir une charte de liberté démocratique à la mesure de la dignité humaine. Il leur a manqué trop souvent l'essentiel de leur art: savoir organiser et revêtir l'idée ou le sentiment d'une forme

      VOIR ILLUSTRATIONS — 83-84-85-86

qui durât au-delà de la mode du jour et des facilités d'une grandiloquence teintée du style journalistique et juridique de l'époque [1].

L'orateur canadien ne pouvait guère mieux faire ni mieux dire que le poète et le romancier, ses contemporains. Il avait dû s'accommoder du climat intellectuel de son temps, des modestes moyens puisés beaucoup plus au foyer de l'action patriotique et politique, comme avaient fait le journalisme de combat et l'histoire, que dans la réflexion et la culture.

Ni les sujets ni le feu sacré n'avaient manqué aux orateurs dans la lutte vitale pour la conquête des droits parlementaires modernes. L'invective et une certaine violence née de la fatigue, ne ménagèrent pas certains représentants de la Couronne qui n'avaient souci que de leurs comptoirs et de leurs privilèges, et à qui il arrivait de faire bon marché de l'*habeas corpus* et des libertés séculaires dont vivait l'Angleterre, sans toutefois les reconnaître à l'Irlande et au Canada français.

PAPINEAU
(1786-1871)

La voix d'un tribun prédestiné et qui n'eut pas de pair, se fit entendre de 1820 à 1837, années les plus troublées de l'histoire du Canada depuis la défaite française. Il incarna dans sa personne, au long de sa carrière politique, les aspirations, la volonté et le génie de tout son peuple, dont il devint le champion le plus éloquent, le plus écouté, le plus vénéré. Louis-Joseph Papineau avait le physique exceptionnel et fascinant de l'orateur-né. Un médaillon de Napoléon Bourassa, son gendre, a fixé ses traits: port de tête altier, beau visage mâle, masque cicéronien que coiffe une chevelure à la Chantecler, regard d'aigle, bouche mobile, lèvres désabusées, cou puissant et non moins puissante poitrine [2]. De stature imposante, d'allure et

---

1. A lire ou à relire seulement ce que nous ont légué ces anciens orateurs, le plus grand parmi eux — sûrement le plus modeste — par son métier de joindre l'esprit de réflexion à l'émotion contrôlée, ce n'est pas Papineau, mais Etienne Parent, dont certains articles de journaux eussent ajouté à sa gloire s'il les eût prononcés à la tribune avant de les faire imprimer.
2. Papineau, L.-J. Né à Montréal en 1786. Y étudie, ainsi qu'à Québec. Elu au Parlement en 1809. Président de la Chambre, de 1815 à 1838. Participe à la guerre de 1812. Exil aux Etats-Unis et en France: 1837-45. Retour au Canada en 1846; député en 1848. Retraite à Montebello. Mort en 1871.

de comportement aristocratiques, cette force de la nature possédait le don de dominer, mais aussi celui d'émouvoir et d'électriser. [3]

Figure de proue dès ses premières heures au parlement du pays en 1809, il guide les destinées politiques des siens. Son métier d'orateur ou de président de la Chambre du Bas-Canada s'appuie constamment sur sa science juridique, sa connaissance de l'histoire, sa foi aux libéralismes américain et européen, enfin sa vaste et profonde culture. Mais à mesure qu'il s'use au combat sans fin et sans fruit, qu'il s'engage dans les voies de la violence verbale, les rigueurs du pouvoir se multiplient et lui arrachent des cris de défi, sinon de désespoir. Dominateur, intransigeant, violent en présence de l'arbitraire, comme brûlé par son propre souffle incendiaire, il s'emporte même contre certains de ses amis plus modérés. L'insurrection de 1837, dont il n'eût pas voulue avant d'épuiser ses dernières cartouches dans l'arène parlementaire, le força à l'exil. De retour au Canada, quelque neuf ans plus tard, il se montra, plus que par le passé, radical, anticlérical, bien que sachant à l'occasion accorder son dû au clergé. Il devint un fidèle de l'Institut Canadien, où Voltaire et les Encyclopédistes connaissaient une gloire posthume en terre d'Amérique.

Verve, chaleur, éblouissement, beautés de l'improvisation: que reste-t-il de tout cet art, maintenant que les accents puissants et tumultueux de la voix-orchestre se sont tus? Électrisante à la tribune, sa prose est glacée aujourd'hui. L'examen de ses discours, dont les meilleurs n'ont peut-être pas été colligés, et de son *Histoire de l'insurrection du Canada* (1839) fait voir le décalage entre le rythme oral irrésistible de l'orateur et le rythme d'écriture d'un écrivain sans vocation particulière. Rythme heurté de mots faits pour exprimer quelques échappées d'une sensibilité vive, mais dont la force de conviction se dissout dans l'écriture. D'où certaines facilités de la violence et la rareté de l'ironie. Quant au style, il épouse assez bien les sauts d'une pensée inégale, qui se fait au chaud et au choc de l'action. De laborieuses périodes manquent de clarté et d'équilibre. L'idée s'amenuise sous le poids de mots grandiloquents, de tirades pompeuses et empanachées. Reste donc une prose appauvrie, parfois mal articulée quand ne la nuancent plus le verbe, le ton, le geste et le rythme personnel de la respiration.

---

3. Voyons-le à travers ce témoignage de Gérard Filteau *(Histoire des patriotes,* 3 vol., 1938): « Il s'animait en parlant, il se grisait de l'enthousiasme des foules. Sa parole avait de la chaleur, de la résonance, de l'ampleur. Il se mettait toujours à la portée de son auditoire, tout en cherchant à l'élever, afin d'être fidèle au rôle qu'il s'était assigné: celui de faire l'éducation politique du peuple. Il était intarissable de verve, il contait des anecdotes, citait des vers, invoquait l'histoire, l'exemple des grands hommes... Les foules l'applaudissaient, trépignaient, le suivaient, l'adoraient... »

L'ÉLOQUENCE

Après Papineau, il faudra attendre longtemps — jusqu'à Henri Bourassa — pour entendre et goûter un orateur aussi puissant, aussi racé, aussi français que lui.

LA CONSTITUTION DE 1791

« Sous le gouvernement français (gouvernement arbitraire et oppressif à l'intérieur et à l'extérieur), les intérêts de cette colonie ont été plus fréquemment négligés et mal administrés que ceux d'aucune autre partie des dépendances françaises. Dans mon opinion, le Canada semble ne pas avoir été considéré comme un pays qui, par la fertilité du sol, la salubrité du climat et le territoire étendu, pouvait être la paisible résidence d'une population considérable et heureuse, mais comme un poste militaire, en guerre continuelle, souffrant fréquemment de la famine, sans commerce, ou avec un commerce de monopole par des compagnies, la propriété publique et privée souvent mise au pillage, et la liberté personnelle chaque jour violée. Chaque année, on voit nos gens arrachés de leur maison et de leur famille pour aller répandre leur sang, et porter le meurtre et la ruine des rives des grands lacs, du Mississipi et de l'Ohio, à celles de la Nouvelle-Ecosse, de Terre-Neuve et de la baie d'Hudson.

« Telle était la position de nos pères; voyez le changement: George III, souverain respecté pour ses qualités morales et son attention à ses devoirs, son amour pour ses sujets, succède à Louis XV, prince justement méprisé pour ses débauches et son peu d'attention aux besoins du peuple, sa prodigalité insensée pour ses favoris et ses maîtresses. Depuis cette époque, le règne de la loi a succédé à celui de la violence, depuis ce jour, les trésors, la marine et les armées de la Grande-Bretagne ont été employés pour nous procurer une protection efficace contre tout danger extérieur; depuis ce jour ses meilleures lois sont devenues les nôtres, tandis que notre religion, notre propriété et les lois par lesquelles elles étaient régies nous ont été conservées; bientôt après, les privilèges de sa libre constitution nous ont été accordés, garants infaillibles de notre prospérité intérieure, si elle est observée. Maintenant la tolérance religieuse, le procès par jury, la plus sage des garanties qui ait jamais été établie pour la protection de l'innocence, la protection contre l'emprisonnement arbitraire, grâce au privilège de l'habeas corpus, la sécurité égale garantie par la loi à la personne, à l'honneur et aux biens des citoyens, le droit de n'obéir qu'aux lois faites par nous et adoptées par nos représentants, tous ces avantages sont devenus pour nous un droit de naissance, et seront, je l'espère, l'héritage durable de notre postérité. Pour les conserver, sachons agir comme des sujets anglais et des hommes indépendants...»

« Je me bornerai seulement à dire que le pays souffre de maux extrêmes et que la douleur et l'affliction sont descendues jusque dans les chaumières. Les plaintes et le mécontentement sont généraux. On se demande ce que signifie donc un gouvernement représentatif, si ses employés croient que leur commission leur donne le droit de tout faire et de tout oser. Persuadé de cet état de choses, témoin de ces sentiments de tous, je m'élèverai de toute ma force contre une administration qu'il serait immoral de ne pas dénoncer, qui est soutenue d'une branche de la législature qui a l'audace et l'effronterie de se dire la protectrice de la minorité. Les Anglais de la minorité sont de mauvais sujets, lorsqu'ils se distinguent de leurs co-sujets, pour revendiquer des privilèges pour eux seuls; et dès lors ils n'ont plus de droit à la protection des lois, à moins que le peuple de ce pays ne soit assez démoralisé pour se soumettre de bon cœur à la domination du petit nombre; ce que je ne crois pas. Mais on nous dit: « Soyons frères. » Soyons-le, mais vous voulez avoir le pouvoir, les places et les salaires, et encore vous vous plaignez plus que nous. C'est cette injustice que nous ne pouvons souffrir. Nous demandons des institutions politiques qui conviennent à l'état de société où nous vivons, et qui rendirent les ci-devant colonies anglaises beaucoup plus heureuses que nous ne le sommes; ces réformes changeraient et disposeraient au bien des hommes qui, dans le Conseil, se croient préposés pour faire le mal; où ils sont entrés par la flatterie, et où ils se soutiennent par l'oppression. »

DISCOURS DE SAINT-LAURENT (mai 1837)

Le morceau suivant donnera une juste idée des tirades par lesquelles, dans le feu de l'action, Papineau médusait et galvanisait les foules.

« Lorsque j'entrai dans la vie publique, en 1810, un mauvais gouverneur jetait les représentants en prison; depuis ce temps, les représentants ont chassé les mauvais gouverneurs. Autrefois, pour gouverner et mettre à l'abri des plaintes de l'assemblée les bas courtisans ses complices, le tyran Craig était obligé de se montrer, pour faire peur, comme bien plus méchant qu'il n'était. Il n'a pas réussi à faire peur. Le peuple s'est moqué de lui et des proclamations royales, des mandements et sermons déplacés, arrachés par surprise, et fulminés pour le frapper de terreur. Aujourd'hui pour gouverner, et mettre les bas courtisans ses complices à l'abri de la punition que leur a justement infligée l'assemblée, le gouverneur est obligé de se montrer larmoyant pour faire pitié, et de se donner pour bien meilleur qu'il n'est en réalité. Il s'est fait humble et caressant pour tromper. Le miel sur les lèvres, le fiel dans le cœur, il a fait plus de mal par ses artifices que ses prédécesseurs n'en ont fait par leurs violences; néanmoins le mal n'est pas consommé, et ses artifices sont usés; la publication de ses instructions qu'il avait mutilées et mésinterprétées; la publication des rapports, dans lesquels l'on admet que cette ruse lui était nécessaire pour qu'il pût débuter dans son administration avec quelque chance de succès, ont fait tomber le masque. Il peut acheter quelques traîtres, il ne peut plus tromper des patriotes. Et comme dans un pays honnête le nombre des lâches qui sont en vente et à l'encan ne peut pas être considérable, ils ne sont pas à craindre. »

Louis-Hippolyte LaFONTAINE
(1807-1864)

On connaît l'importance historique du rôle tenu par Louis-Hyppolyte Lafontaine, chef à la fois modéré et ardent des Canadiens français sous le gouvernement de l'Union, qui eut la souplesse, face à l'arbitraire, de faire contre mauvaise fortune bon cœur et de tirer le meilleur parti possible de la situation; aussi déploya-t-il toute sa dialectique de juriste, en 1849, pour neutraliser une pluie d'invectives de son principal collègue et adversaire à la Chambre, et pour discréditer, non sans rudesse, ce qu'il considérait chez Papineau comme une agressivité aux effets purement négatifs. Le passage suivant est tiré d'un discours contre Papineau.

« ... L'on a cité dernièrement, en lui donnant un sens qu'il ne comportait pas, le passage d'un discours que je prononçais à Kingston en 1842, et dans lequel je disais que l'Union avait été faite pour nous anéantir, nous, Canadiens français, mais que malheureusement pour ses auteurs, et heureusement pour nous, les moyens que l'on avait adoptés pour parvenir à ce résultat, n'étaient pas complets. En effet, il eût fallu, pour réussir, ou ne pas donner du tout aux Canadiens français de part dans la représentation, ou donner au Haut-Canada un nombre de représentants plus considérable que celui du Bas-Canada. Et c'est ce qui n'a pas été fait; et c'est ce nombre égal de représentants, pour chacune des deux sections de la province, qui nous protège aujourd'hui. Quoique placés en minorité comme Canadiens français, notre part à la représentation a encore été assez forte pour nous permettre, avec l'acte d'Union même, en faisant usage de cet instrument fabriqué pour causer notre perte, de lui faire produire un résultat tout opposé à celui qu'en attendait son auteur. Mais si vous et moi, M. l'orateur, n'avions pas accepté la part qui nous fut faite en 1842 dans l'administration des affaires du pays, où en seraient aujourd'hui nos compatriotes? où en serait notre langue que, contre la foi des traités, un gouverneur avait fait proscrire par une clause de l'acte d'Union? Cette langue, la langue de nos pères, serait-elle aujourd'hui réhabilitée, comme elle vient de l'être de la manière la plus solennelle, dans l'enceinte et dans les actes de cette législature? Si, en 1842, nous avions adopté le système d'opposition à outrance de l'honorable membre, aurions-nous été dans une position à solliciter, presser, comme nous l'avons fait, le retour au pays de nos compatriotes exilés? Si nous n'avions pas accepté une place dans l'administration en 1842, aurions-nous été dans une position à obtenir, pour l'honorable membre en particulier, la permission de rentrer dans sa patrie? permission pour l'obtention de laquelle je n'ai pas hésité, pour vaincre des refus réitérés de la part de Sir Charles Metcalfe, d'offrir ma démission à des emplois largement rémunérés que je possédais alors. Voilà cependant l'homme qui, obéissant à son ancienne habitude de déverser l'injure et l'outrage, ose, en présence de ces faits, m'accuser, ainsi que mes collègues, de vénalité, d'amour sordide des emplois, de servilité devant le pouvoir! A l'entendre, lui seul aime son pays! Lui seul a du dévouement à la patrie! Je ne lui demande pas de reconnaissance; je n'en demande à personne; mais puisqu'il se dit vertueux, je lui demande d'être juste, et rien de plus. Est-il capable de l'être?

Si j'avais adopté son sytème d'opposition à outrance, où serait l'honorable membre aujourd'hui? Il serait encore à Paris, fraternisant sans doute avec les républicains rouges, ou les républicains blancs, ou les républicains noirs, et approuvant tour à tour les constitutions qui se succèdent si rapidement en France. »

ABBÉ HOLMES

Converti d'origine anglo-américaine et protestante, venu au Canada à l'âge de quinze ans, l'abbé Jean Holmes (1799-1852) enseigna toute sa vie au Séminaire de Québec. En 1848 et 1849, il prêcha à la cathédrale de Québec, pour un auditoire qui se pressait des heures à l'avance au pied de la chaire, des sermons de carême sur la foi et la raison qui ont laissé un souvenir durable. Il y déploie le même style d'éloquence sacrée à la fois classique et fleurie dont Mgr Plessis avait fait retentir les voûtes de la même vieille cathédrale de la cité de Champlain, un demi-siècle plus tôt. Voici l'exorde de la première de ces conférences:

« Au moment où la civilisation européenne s'agite, se trouble, s'élance dans la terrible carrière des révolutions civiles; où tant de peuples atteints de ce *frémissement* dont parle le roi prophète, *Quare fremuerunt gentes*, s'efforcent de briser tous les liens du passé — s'irritant contre les obstacles — mêlant quelquefois aux cris d'une fiévreuse liberté des menaces contre cette religion seule capable de reconstruire leurs sociétés en ruines — ordonnant à Dieu, à son Christ de se taire, tandis que lui, assis au haut du ciel, se moque de leurs vains complots, *Qui habitat in Cœlis irridebit eos,* fait gronder autour d'eux la foudre, *Tunc loquetur ad eos in ira sua,* et les menace, lui, du silence de la mort; au moment où l'enfer, profitant de la confusion universelle, redouble ses attaques contre l'Église, le christianisme, toutes les vérités, tous les devoirs; au moment où, dans notre pays, dans notre Canada, l'un des plus anciens séjours de cette heureuse civilisation que donne et qu'entretient la foi, tous les esprits sages s'inquiètent et se demandent quelles seront pour nous et pour notre avenir les suites de tant de phénomènes lugubres — il m'a paru non seulement utile, opportun, mais nécessaire, d'essayer à ranimer votre foi, à l'éclairer, à vous rappeler ce qu'elle fut dans tous les temps, ce qu'elle a été, ce qu'elle est pour vous en particulier et pour votre commune patrie — sans vous cacher, Dieu m'en garde, l'abime qui s'ouvrirait devant vous si cette foi venait à s'éloigner de vous, pour aller faire le bonheur d'un peuple plus docile à ses inspirations. »

CHARLES CHINIQUY

Prédicateur populaire qui eut l'art d'entraîner et de convaincre ses auditoires dans la série de ses campagnes anti-alcooliques, l'abbé Charles Chiniquy (1809-1899), qui devait devenir « l'apostat Chiniquy », d'illustre mémoire, appartient plus, sans doute, à la « petite histoire » religieuse du Québec qu'à sa littérature. Cette figure quasi-légendaire vaut cependant d'être retenue ici. De préférence aux envolées de sa rhétorique, nous citerons, en rétablissant l'orthographe et la ponctuation, une lettre à Mgr Bourget, de 1841 environ, empreinte des rodomontades et de la curieuse éloquence plébéienne et démesurée qui ont fait son succès.

« À peine ai-je eu montré cette nouvelle arme tombée du ciel, à peine eus-je prononcé le mot de société de Tempérance dans ma paroisse Beauport, à peine eus-je appelé mon peuple au nom de Jésus abreuvé de fiel et de vinaigre à venir se ranger autour de moi, former cette société, ou plutôt cette armée destinée à combattre le démon de l'intempérance, que tout de suite cet ennemi, naguère si redoutable, de ce peuple, devint faible et tremblant. Plus la société de Tempérance a grandi, plus on a vu chanceler, reculer l'ennemi. Aujourd'hui qu'il y a mille quatre cents personnes dans cette paroisse qui ont courageusement arboré dans leurs maisons la croix de la Tempérance, on peut dire que le démon de l'ivrognerie est abattu, et qu'il ne se relèvera jamais. »

BIBLIOGRAPHIE

Dandurand, abbé Albert, *Nos orateurs*, Montréal, Ed. de l'A.C.F., 1939.

Ouellet, Fernand, *Louis-Joseph Papineau, un être divisé*, Ottawa, les Brochures de la Société historique du Canada, no 11, 1960. 24 p.
« Correspondance de Papineau », dans le *Rapport de l'Archiviste de la Province de Québec*, 1953-1955, 1955-1957 et 1957-1959.
Papineau, textes choisis, Québec, P.U.L., 1959.

Hommages à LaFontaine, comité du monument LaFontaine, Montréal, 1931.

Chauveau, P.-J.-O., *L'Abbé Jean Holmes et ses Conférences de Notre-Dame de Québec:* étude littéraire et biographique, Québec, Côté, 1876.

Holmes, abbé Jean, *Conférences de Notre-Dame de Québec*, Québec, Typographie de C. Darveau, 1875.

Chiniquy, Charles, *Mes combats*, Montréal, L'Aurore Publishing, 1846.

Trudel, Marcel, *Chiniquy*, Trois-Rivières, Ed. du Bien Public, 1955.

Chapitre XVI

LE JOURNALISME
(1830-1860)

par Michel TÉTU et Pierre de GRANDPRÉ

Le plus grand journaliste du *Canadien* est sans contredit Etienne Parent, qui prit la succession d'Auguste-Norbert Morin en 1822 et la garda jusqu'en 1825, année de la suspension du journal, — qu'il relança en 1831 et dirigea encore jusqu'en 1842.

ÉTIENNE PARENT (1802-1874)

Étienne Parent naquit à Beauport en 1802. Pendant ses études classiques aux séminaires de Nicolet et de Québec, il publia quelques articles, et à vingt ans il entra au *Canadien*. À la suspension du journal, il entreprit des études de droit et fut reçu au barreau en 1829. Traducteur à la Chambre, chroniqueur d'occasion, il fut poussé par ses amis de l'Assemblée Législative à ressusciter *Le Canadien:* ce qu'il fit en 1831, donnant au journal la devise-programme: « Nos Institutions, notre Langue et nos Lois. »

Jusqu'en 1837, sa plume alerte et précise défendit la cause des patriotes contre les attaques du parti anglais. Bien qu'il refusât de suivre Papineau, dont il craignait les excès, il fut fortement redouté des hommes au pouvoir. Aussi se vit-il arrêté pour complicité au mouvement insurrectionnel en 1837, et incarcéré à Québec. Il contracta en prison une surdité, qui l'obligea un peu plus tard à se démettre du mandat qu'il avait reçu des électeurs du Saguenay, et à céder la direction du *Canadien,* en 1842.

Devenu greffier du Conseil Exécutif, il donna plusieurs conférences publiques sur l'industrie, la politique, l'éducation et le développement intellectuel des Canadiens français. Sous-secrétaire de
la Province en 1847, puis sous-secrétaire d'État aux Communes en
1867, il se retira définitivement en 1872, et mourut à Ottawa le
22 décembre 1874.

Les combats de journaliste

Au début de sa carrière, Étienne Parent écrivit plusieurs articles
sur le thème, cher à ses contemporains, de la liberté d'expression et
de la liberté de presse. On peut déjà juger de la précision de sa pensée et de sa modération. Au lieu de protestations plus ou moins
désordonnées, comme il y en a tant alors, il essaie de faire comprendre au gouvernement les avantages qu'il retirerait de la liberté de
la presse.

> « Nous pensons que le gouvernement même est intéressé plus que qui
> que ce soit à ce que la liberté de la presse soit illimitée sous le rapport
> des opinions politiques, de celles mêmes qui mettent son existence en
> question; car, ou ses opinions rencontrent celles du peuple, ou elles ne
> les rencontrent pas: dans le premier cas, ce sera un avis au gouverne-
> ment d'être sur ses gardes ou de prendre des mesures pour se concilier
> les esprits; dans le second cas, ces opinions, ces sentiments sont désa-
> voués et le gouvernement en retirera une force, une confiance qu'il
> n'aurait pas eues sans cela. Bien plus, en laissant libre la carrière des
> opinions, un gouvernement empêche les mécontentements, à tort ou
> à raison, d'ourdir dans le secret des trames bien plus dangereuses, bien
> plus à redouter que la publication d'opinions plus ou moins contraires
> à l'ordre existant, qui comme nous l'avons remarqué, ont cet avantage
> pour le gouvernement qu'elles le mettent sur ses gardes, ou qu'elles
> l'avertissent que le temps est venu de changer de politique. » [1]

Cette modération intellectuelle n'empêche pas Étienne Parent
de s'emporter à l'occasion, lorsqu'il croit vraiment nécessaire de réagir vigoureusement. Il s'en prend ainsi au Conseil Législatif:

> « Actuellement, cet aréopage du Canada, composé de vieillards mal-
> faisants, est une nullité complète. » [2]

> « Ses méfaits ne se comptent plus. Par son seul rejet du bill des écoles
> élémentaires, quarante mille enfants environ vont être privés d'édu-
> cation. Le Conseil va continuer à peser sur le pays comme un cauche-
> mar sur un estomac malade, et pour prolonger son règne vandalique,
> il veut laisser le peuple dans l'ignorance. Il a raison: si la masse du
> peuple pouvait sentir ce qu'il y a de tyrannique, d'oppressif et même

---

1. Le Canadien, 27 février 1832.
2. *Ibid.*, 2 mars 1836.

de dégradant dans l'existence de ce corps, il y a longtemps que l'indignation publique aurait fait rendre aux vieillards malfaisants un compte terrible de leurs méfaits. » [3]

Ou bien il défend hardiment la langue française, après le vote de « l'Acte d'Union » en 1840:

« Si les partisans de l'Union dans le Bas-Canada n'étaient aveuglés par les plus grossiers préjugés, loin de vouloir proscrire la langue française, cette langue dont la connaissance est si avantageuse sous tous les rapports, ils chercheraient au contraire à en étendre et à en encourager l'étude; ils féliciteraient le Canada de posséder le double foyer des deux premières langues du monde moderne, qui sont devenues les premiers interprètes des sciences et des arts, et des droits de l'homme; ils verraient en outre les immenses avantages futurs que retirerait le Canada de deux langues parlées et usuelles, de deux langues qui peuvent tant faciliter nos rapports commerciaux et autres non seulement avec les deux plus grandes nations de l'Europe, mais, de plus, avec toutes les parties du monde.

... La langue française a pris de telles racines dans le Bas-Canada que rien au monde ne saurait l'en extirper. La proscription dont on veut la rendre l'objet, ne pourra guère, comme toutes les intolérances et les persécutions, avoir d'autre effet que d'y faire tenir le peuple avec plus d'opiniâtreté que jamais; d'un attachement naturel, on va faire une religion, un fanatisme. Le plus qui puisse arriver, c'est que les hommes intelligents, parmi la population française, les classes industrielles et professsionnelles, les têtes ardentes et ambitieuses s'attacheront à se rendre parfaitement familières avec la langue anglaise, et trouveront ainsi avec deux moyens d'avancement, deux instruments de prospérité et deux sources de jouissances, tandis que les hommes de l'autre race n'auront qu'un de ces moyens, qu'un de ces instruments, qu'une de ces sources. » [4]

Cet ardent défenseur de la langue française fait partie de l'élite des patriotes de la première heure. Mais après la présentation des « 92 résolutions » et après la déclaration de Saint-Ours qu'il trouve « étrange, absurde et inexécutable », Étienne Parent est dénoncé par les vrais patriotes comme un lâche et un hypocrite. « Il a trahi, écrivait *La Minerve*, et il continue à trahir les intérêts du pays. » Il proteste de sa fidélité à la patrie, et explique son opposition à la révolte:

« On ne renonce pas aux principes consacrés dans les 92 résolutions; mais on ne veut pas non plus jeter le pays dans les horreurs d'une lutte à mort avec l'Angleterre. Les Anglais n'ont-ils pas demandé la réforme pendant un demi-siècle, et ne l'ont-ils pas obtenue à la fin, à bien meilleur marché qu'en faisant une révolution? Attendons; le mal qui nous tourmente se manifeste aussi dans les colonies voisines; bientôt il aura atteint un degré de gravité qui les fera se réunir

3. *Ibid.*, 6 avril 1836.
4. *Ibid.*, 30 décembre 1840.

à nous; alors, nous insisterons sur les réformes demandées et nous les obtiendrons sans une goutte de sang. » [5]

À l'heure de la réconciliation, Étienne Parent voit ses idées triompher. Il applaudit aux gestes de bonne entente et de renouveau. Se retirant, en 1842, de la vie publique et du journalisme, il tente de poursuivre l'éducation du public entreprise dans *Le Canadien*, par une série de conférences qu'il donne à Québec et à Montréal. Il aura plus de loisir pour développer des thèmes généraux d'économie politique, ou préciser ses considérations sur la nécessité du relèvement intellectuel et social de ses compatriotes. Ainsi défend-il le commerce et l'industrie, trop souvent dédaignés des Canadiens français:

« Quelle puissance sociale conserverons-nous, acquerrons-nous, si nous continuons à user notre énergie dans des luttes ingrates, tandis que nous laissons à une autre origine la riche carrière de l'industrie? Nous avons bien nos hommes de peine, nos artisans mercenaires, mais où sont nos chefs d'industrie, nos ateliers, nos fabriques? Avons-nous dans le haut négoce la proportion que nous devrions avoir? et nos grandes exploitations agricoles, où sont-elles? Dans toutes ces branches, nous sommes exploités; partout nous laissons passer en d'autres mains les richesses de notre pays, et partout le principal élément de puissance sociale. » [6]

*
* *

Ainsi, dans la situation souvent embrouillée de la première moitié du XIXe siècle, et compte tenu des difficultés du journalisme dans cette période, Étienne Parent domine ses contemporains par sa justesse de vues, par sa pondération et sa compréhension de l'économie nationale. Ses conférences, comme ses articles, manifestent sa probité et son dévouement, son sens de la démocratie qui lui fit envisager sa carrière en fonction de l'éducation populaire. C'est ce qui lui valut, à la fin du siècle, une grande notoriété, dont témoigne Edmond Lareau dan sson *Histoire de la littérature canadienne* en 1874, qui le qualifie pompeusement de « Nestor de la presse canadienne. » [7]

NAPOLÉON AUBIN (1812-1890)

Napoléon Aubin, d'origine suisse romande (il est né dans les environs de Genève, en 1812) s'est établi et s'est marié à Québec vers

5. *Ibid.*, 7 juillet 1837.
6. Conférence donnée à l'Institut canadien de Montréal, le 22 janvier 1846, sur: *l'Industrie considérée comme moyen de conserver notre nationalité.*
7. Lareau, Edmond, *Histoire de la littérature canadienne*, Montréal, John Lovell, 1874, p. 455.

l'âge de vingt ans, après un séjour de quelques années en Louisiane. Il passa tout le reste de sa vie au Canada et mourut à Montréal en 1890. Son journal « Le Fantasque », qu'il fonda en 1837 avant de passer à la rédaction du « Castor », puis de « La Tribune », inaugura la tradition de ce journalisme spirituel et satirique où Napoléon Aubin fait figure d'ancêtre des Arthur Buies, des Hector Fabre et des Jules Fournier. Il fonda à Québec une compagnie de comédiens amateurs; son salon, nous apprend L. M. Darveau [1], fut le « rendez-vous de tout ce qu'il y avait de gens d'esprit et de gais convives dans la capitale du Bas-Canada ». Le même auteur, qui l'a connu, décrit Aubin comme sociable, généreux, voire prodigue; il le peint ainsi, vers 1873, à Montréal, où Aubin s'est installé après une retraite à Belœil qui lui avait permis de mûrir son pamphlet « Les veillées du père Bonsens »: « Petit vieillard encore leste et dispos, qui vous jette en passant un regard furtif et animé à travers les bésicles d'argent qu'il relève vivement à votre approche, la figure rayonnante d'idées ». L'article du « Fantasque » que nous citons est de 1840:

AUX LIBRES ET INDÉPENDANTS ÉLECTEURS
DE QUÉBEC

« ... D'abord, je vous demanderai très humblement pardon de vous avoir appelé *libres* et *indépendants*. C'est une petite phrase en manière de frime flatteuse pour emmieller un peu votre légère vanité; car si je pensais que vous fussiez *libres* et *indépendants* je vous assure bien que je ne vous offrirais point mes services et que je vous conseillerais au contraire de rester comme vous êtes, de peur d'être pis. Mais c'est parce que je sais fort bien que vous n'êtes pas plus libres qu'indépendants et que vous désirez le devenir, que je veux bien vous démontrer que je suis, mieux que tout autre, fait pour vous faire arriver à votre louable but.

« Je suis indépendant.

« Je crois n'avoir pas besoin de vous expliquer au long combien je réunis à un haut degré cette précieuse et rare qualité; je ne reconnais que l'aristocratie des talents et de la vertu; aussi je respecterai bien davantage le plus pauvre des cordonniers, quoi qu'il soit le plus mal chaussé, que son Excellence le potentat de tous les Canadas avec tout son luxe et tout *votre* argent.

« Je suis indépendant sous le rapport pécuniaire puisque je n'ai pas le sou vaillant sur la terre et que par conséquent je ne crains pas de le perdre; d'ailleurs je méprise hautement les biens éphémères de ce monde. Je me suffis à moi-même, je mange du pain blanc quand j'en ai; je le partage au besoin avec l'indigent. Quand je n'en ai pas je m'en passe; c'est ce que ne pourront peut-être pas dire maints propriétaires et gros marchands.

« Je suis indépendant; mais cette indépendance n'est cependant que le plus faible de mes titres à votre choix; j'en ai d'autres plus incontestables encore et que je ne crains point de vous étaler en détail.

---

1. *Nos hommes de lettres*, Montréal, Imprimerie Stevenson, 1873.

« Je ne suis pas officier public. Ainsi vous devez être bien certains que dans le parlement, je ferai tant de bruit, de mes pieds, de mes mains, de ma voix, de mes motions, de mes rapports, pour obtenir la réforme radicale des bureaux et de leurs abus, qu'on sera forcé pour se débarrasser de moi de me donner une belle et bonne place d'honneur et de profit que je remplirai au gré de mes désirs. Il est vrai que vous perdrez un précieux représentant; mais vous acquerrez un excellent officier public qui se souviendra toujours qu'il vous aura dû son avancement, et qui, s'il ne vous fait plus de bien, montrera le chemin de la fortune à tous ceux d'entre vous qui sauront le suivre.

« Je ne suis point docteur. Ainsi vous ne pourrez point penser que les discours virulents que je prononcerai n'auront pour but que de m'attirer la pratique et que je ne me serai mêlé de votre politique et des affaires de votre gouvernement que par un penchant invincible à tripoter de la drogue.

« Je ne suis point avocat. Ainsi vous pouvez être certains que les lois auxquelles je travaillerai seront un peu plus intelligibles que celles qu'on doit à ceux qui vivent de la brillante obscurité du droit. Autre singularité dans mes vues: je prétendrai qu'il faut que les lois soient faites plus encore pour ceux qui sont gouvernés que pour ceux qui gouvernent.

« Je ne suis point marchand. Je ne serai donc point instinctivement porté à trafiquer sur tout, comme le premier négociant du pays qui brocante sur les opinions, spécule sur les trahisons, met à l'encan sa loyauté. Non, dignes électeurs, je vendrai ma dernière culotte avant ma conscience.

« Je ne suis point juge-en-chef. Ceci vous prouve que j'ai dans le cœur un reste de justice. Je ne bouleverserai point les lois pour servir mes viles vengeances. Je n'abolirai point des districts florissants pour m'enrichir. Je ne recevrai pas une somme de plus ou moins de cent louis pour plaider une cause comme jurisconsulte dans le même temps que je condamnerai mes clients comme législateur. Je pourrai encore rougir d'une mauvaise action, enfin, je n'aurai rien qui puisse m'attirer le titre de chevalier...

« Vous savez ce que je ne suis pas. Voyons maintenant ce que je suis et ce que je sais. Une telle connaissance accroîtra nécessairement l'admiration que vous avez déjà pour moi.

« D'abord je suis le flâneur-en-chef du *Fantasque*. Cette simple désignation me dispensera, j'espère, de détailler tout ce que ce titre comporte. Je me bornerai donc à passer en revue les agréments superflus que je pourrai consacrer au service du pays.

« Je connais assez passablement la musique. Ce sera sans doute d'une grande utilité pour ramener fréquement, parmi les représentants, la bonne harmonie sans laquelle il n'est pas de gouvernement possible. Quand il s'agira de bien public, je crierai: *Presto;* mais lorsqu'il sera question des biens publics je vociférerai: *Moderato.*

« Je dessine fort joliment. Ceci me permettra de découvrir au premier coup d'œil les mauvais desseins de l'administration. Dans mes instants de loisir j'en ferai même au besoin d'agréables caricatures qui serviront à votre recréation. Ce sera la vraie manière de *représenter* votre gouvernement.

« J'ai d'assez profondes connaissances en astronomie, ce qui me permettra d'étudier la lune et tous ceux qui sont sous l'influence de cet astre. Cela me servira à trouver le moment propice pour déposer aux pieds de votre gouverneur les requêtes que vous lui pourriez addresser par mon entremise.

« J'ai fait une étude toute particulière de la chimie et je suis sur le point de découvrir la pierre philosophale. Il n'est pas besoin de vous faire concevoir l'utilité de cette découverte au moment où vous allez être obligés de payer tant d'innombrables écus, et où, sans moi, l'on ne vous laissera que les yeux pour pleurer.

75. L'historien François-Xavier Garneau.

160a

76. Louis-Joseph Papineau.

77. Manoir des Papineau à Montebello

The Gazette.

MONTREAL,
Tuesday Evening, May 29.

Every one of Her Majesty's loyal subjects in British America will rejoice to learn, that the troops under the immediate command of Lieutenant Colonel Wetherall, have succeeded in dislodging the leaders of the Lower Canadian rebels, and their deluded followers, from the first position they ventured to assume at the village of St. Charles, on the Richelieu River; the particulars of which will be found in another place. This may be denominated as not a less fortunate than triumphant blow which has been given to the hydra-headed monster, that has dared to exhibit itself in this land of peace and unquestionable liberty. But we must warn our readers, that the victory is still far from being complete. There are yet more traitors in the Province than those, who are most favourably disposed to think well of the inhabitants of French origin, would reck of; and, should the issue of events prove different from what they have done, this city and the neighbourhood would bear ample testimony to the truth of the assertion. We avow it, there is every reason to believe, that Montreal is full of clandestine arms; and that there are many treasonable and disaffected individuals prepared to wield them, the moment that a favourable opportunity presents itself. If the case were otherwise, why

---

The *Toronto Colonist*, of the 12th instant, contains a postscript, stating that at eight o'clock that morning, Samuel Lount and Peter Mathews had been executed for High Treason, in conformity to the sentence of the law passed against them. They walked with a firm step to the scaffold; and were assisted in their devotions by the Rev. Mr. Richardson. An immense concourse of spectators had assembled to witness the execution; but the greatest order was preserved during the whole of this melancholy scene.

Tuesday Evening, May 29.

Arrival of the Earl of Durham.

We have received private letters this morning from Quebec, from which we learn, that Her Majesty's ship *Hastings*, having His Excellency the Earl of Durham, family and suite on board, had arrived on Sunday, at one o'clock in the afternoon. It was reported that His Lordship was to disembark yesterday at two o'clock, and assume the Administration of the Government of the Province.

78. La rebellion de 1837, et texte tiré d'un journal du temps.

160c

79. La bataille de Saint-Eustache.

80. L'escamouche de Saint-Charles.

81. Louis-Hippolyte LaFontaine.

82. Maison LaFontaine à Boucherville

160e

83. Charles Chiniquy.

84. Joseph-Adolphe Chapleau.

85. P.-J.-Olivier Chauveau.

86. Georges-Etienne Cartier.

Vente à l'enchère du 1er Novembre.

87. Une vente à l'enchère, par Henri Julien.

160g

88. Etienne Parent.

89. Napoléon Aubin.

90. Un coin de la rue St-Jean à Québec.

91. La « Capricieuse » à Québec.

92. Incendie du Parlement, à Montréal, en 1849.

93. Octave Crémazie.

94. Le séminaire de Québec.

95. Philippe-Aubert de Gaspé et le manoir de Gaspé, à Saint-Jean Port-Joli.

96. Charles-E. Boucher
de Boucherville.

97. Faucher de Saint-Maurice.

98. L'abbé J.-B.-A. Ferland.

99. Antoine Gérin-Lajoie.

À défaut de la pierre philosophale je vous donnerai la pierre philosophique au moyen de laquelle on se casse le cou lorsqu'on n'a plus d'autre consolation.

« Je pourrais énumérer longuement encore maintes autres perfections dont je suis doué et au moyen desquelles j'avancerai vos intérêts; mais c'est par des actions plutôt que par des paroles que je vous témoignerai de mon dévouement.

« N'allez point me demander une profession de foi, ce serait une insulte à mon bon sens comme à mon bon cœur. Je veux être libre, comme vous désirez l'être vous-mêmes. À bon chat bon rat. Je vous dirai seulement que dans toutes les questions de liberté ... d'égalité ... de probité ... de morue ... de légalité ... de hareng ... d'éducation ... d'amélioration ... d'amnistie ... d'union ... de réserves du clergé ... de police ... d'encouragement ... de monopole ... d'embellissements ... de budget secret ... de chemins de fer ... de canaux ... de chevaux ... etc., je suivrai toujours la ligne qui me paraîtra ... selon mon opinion ... par l'effet ... d'autant plus que ... sans restriction du système et sous beaucoup de points de vue ... je ne sais trop ... au fait, oui, sinon le contraire, c'est-à-dire, n'importe quels seront les événements, voilà comme je penserai toujours invariablement et la profession de foi à laquelle je resterai sans cesse inébranlable et avec laquelle

J'ai bien l'honneur d'être, etc. »

BIBLIOGRAPHIE

Le Canadien, 7 mai 1831 — 21 octobre 1842.

Parent, Etienne, *Discours prononcés devant l'Institut Canadien de Montréal*, Montréal, Lovell et Gibson, 1850.

Chapais, Sir Thomas, *Cours d'histoire du Canada*, T. IV (1833-1841), Québec, Garneau, 1923.

Christie, R., *History of the Late Province of Lower Canada*, T. VI, Montréal, Worthington, 1866.

Gosselin, Paul-Eugène, *Etienne Parent et la question politique au Bas-Canada de 1836 à 1838*, 52 p. polycopiées, s.l.s.éd. (1938); *Étienne Parent*, Coll. Classiques Canadiens, Montréal, Fides, 1964.

Sulte, Benjamin, *Mélanges historiques*, publication posthume (par Gérard Malchelosse), Montréal, G. Ducharme, 1928.

Chapitre XVII

LA POÉSIE
(1830-1860)

par Michel TÉTU

Après la publication du recueil de Michel Bibaud, les manifestations poétiques se multiplient. La montée du romantisme favorise cette expansion, que permettent les journaux et périodiques plus nombreux.

Toutefois, pendant vingt années encore, la production n'a pas grande valeur, et les poètes, célèbres pour un jour, ne font que préparer la voie à Crémazie, qui à partir de 1850 s'imposera seul et donnera naissance à la véritable poésie canadienne.

LES PRÉCURSEURS DE CRÉMAZIE

De 1830 à 1850, la poésie est caractérisée par la montée progressive du patriotisme et le culte de l'héroïsme national. Né de la rebellion de 1837, éveillé par la prise de conscience canadienne, ce sentiment a crû sans peine dans la littérature, soutenu par l'exemple des romantiques français magnifiant Napoléon.

La veine religieuse n'est pas éteinte (*Dies irae* de Chauveau, *Cantique pour l'Épiphanie* de J.-G. Barthe, etc.), non plus que la poésie des bergeries traditionnelles empruntée aux classiques. On célèbre, chaque année, le Jour de l'an, le retour des saisons et les fêtes familiales, mais on chante davantage la nature canadienne, sa rigueur et ses beautés (*L'hiver* de F.-X. Garneau), ses sites pittoresques (*La baie de Québec* d'Auguste-Norbert Morin).

Avec François-Xavier Garneau, l'histoire et la patrie vont devenir les sources essentielles de l'inspiration.

162

Il serait fastidieux de considérer séparément chacun des auteurs de cette époque. Plusieurs atteignirent à une certaine renommée avec un seul poème, comme Georges-Étienne Cartier [1] par sa chanson *Ô Canada! mon pays! mes amours!;* d'autres avec une production plus considérable: Napoléon Aubin [2], F.-X. Garneau, Pierre J.-O. Chauveau [3], Joseph Lenoir [4], J.-G. Barthe [5], Isidore Bédard [6], etc. Mais ils se ressemblent beaucoup, et il suffit de noter les thèmes généraux que l'on retrouvera partout.

C'est d'abord l'influence des romantiques français que l'on vient de découvrir, et en particulier de Lamartine, dont l'imitation émerge peu à peu à travers les poèmes pseudo-classiques. L'héroïne des *Plaisirs de l'amour,* de J.-G. Barthe, s'appelle Elvire; Joseph Lenoir intitule un poème Graziella, citant Lamartine en exergue. Chez Napoléon Aubin, c'est l'attendrissement sur la patrie de son enfance qui est lamartinien:

« Je vivrais au vallon où Dieu m'a donné l'être,
Mon pays est si beau! que chercherais-je ailleurs?
Quel air serait plus pur, quel site plus champêtre?
Quelle terre embaumée étale plus de fleurs?

J'aime à voir l'horizon bordé de ces montagnes
Que gravissaient ma course et mes pas enfantins;
J'aime à rêver au sein de ces mêmes campagnes
Où les jeux du bas âge ont bercé mes destins. »

(*L'Amour de la Patrie*)

On s'attendrit aussi sur les Indiens et sur la race des Hurons en train de disparaître. Joseph Lenoir écrit le *Chant de mort d'un Hu-*

1. George-Etienne Cartier (1814-1873) fut secrétaire provincial, puis procureur général du Bas-Canada, chef de l'administration Macdonald-Cartier et l'un des Pères de la Confédération; il mourut en Angleterre en 1873.
2. Napoléon Aubin (1812-1890) vint au Canada en 1834. Il fonda *Le Fantasque,* en 1837, puis *Le Castor,* et *La Tribune,* organe de l'administration Macdonald-Dorion. Egalement auteur de *La Chimie agricole mise à la portée de tout le monde,* il fut considéré comme un des meilleurs journalistes de son temps, et il mourut à Montréal en 1890. *Cf.* pp. 158-161.
3. Pierre-Joseph-Olivier Chauveau (1820-1890), orateur, surintendant de l'Instruction publique pour le Bas-Canada, et auteur du roman *Charles Guérin.*
4. Joseph Lenoir-Rolland (1822-1861), avocat et journaliste, assistant rédacteur du *Journal de l'Instruction Publique.* Ses poèmes furent réunis en 1916, et publiés sous le titre de *Poèmes épars* (par Casimir Hébert).
5. Joseph-Guillaume Barthe (1816-1893), emprisonné, comme Aubin, en 1838, pour avoir publié dans le *Fantasque* un poème intitulé *Exilés politiques canadiens,* fonda *L'Aurore des Deux Canadas;* puis passa en France, où il publia, en 1855, *Le Canada reconquis par la France* et *Souvenirs d'un demi-siècle,* en 1885.
6. Isidore Bédard (1810-1833), fils de Pierre Bédard, fondateur du *Canadien,* partit à vingt ans pour la France et mourut à Paris. Il est connu pour sa chanson patriotique *Sol canadien, terre chérie.* — Il faut encore nommer ici A. Gérin-Lajoie — étudié ailleurs comme romancier et comme historien — pour sa célèbre complainte: *Un Canadien errant.*

ron, J.-G. Barthe, *Fragment iroquois,* et F.-X. Garneau, le poème qui est un de ses meilleurs, *Le dernier Huron,* dont certains vers transposent une inquiétude essentielle du futur historien:

« Triomphe, destinée! enfin ton heure arrive,
O peuple, tu ne seras plus!
Il n'errera bientôt de toi sur cette rive
Que des mânes inconnus. »

Mais c'est surtout l'amour de la patrie, l'histoire nationale et ses héros, que l'on met à l'honneur.

« Ce noble sang qui coule dans vos veines,
O Canadiens! ne le sentez-vous plus? »

N. Aubin (*Les Français aux canadiens*)

« Le canon gronde au loin, et les chiens du village,
Aux cris des insurgés mêlant leur voix sauvage,
Ont hurlé par trois fois...
Ils sont là nos guerriers, et d'orgueil et d'audace,
D'ardeur et de courroux brillent leurs nobles fronts;
Ils sont là, décidés à venger nos affronts.
Mais des chefs étrangers, que l'épouvante glace,
Ont disparu. — Comment? Pour combattre ils n'ont rien?
Point d'armes? plus de chefs? — Mais du sang canadien! »

P. Chauveau (*L'insurrection*)

« Ils passaient ces héros tout couverts de poussière,
Les yeux étincelants, la démarche guerrière
        Comme ils l'avaient dans les combats
Et les chevaux serrés en colonnes volantes,
Secouant dans les airs leurs narines brûlantes,
        Faisaient gronder l'air sous les pas... »

F.-X. Garneau (*Le rêve du soldat*)

En rappelant l'histoire, on ne peut oublier de chanter la France, qu'on évoque avec nostalgie:

« Quand la France héroïque inscrivait sur la pierre
Les exploits de ses fils devant la foule altière... »

F.-X. Garneau (*Le rêve du soldat*)

Et une image s'impose petit à petit avec le culte des héros, celle de Napoléon:

« Napoléon paraît dans la foule immortelle,
Dont la gloire vivra, grandissante, éternelle... »

F.-X. Garneau (*Le rêve du soldat*)

On chante encore la liberté:

« Pour son pays, un Canadien désire
La paix! la liberté. »
      N. Aubin *(Couplets en l'honneur de la Saint-Jean-Baptiste)*

Mais dans tout cela, on se rend compte qu'il y a peu de véritable poésie. Le romantisme, qui point, n'est pas assez fort pour balayer certains vestiges encombrants de la tradition classique, et surtout, sans doute, il manque encore à la littérature un véritable poète.

OCTAVE CRÉMAZIE (1827-1879)

Un nom, connu de tous, même des moins initiés à la littérature canadienne, est celui d'Octave Crémazie, le premier poète véritable. Par l'enthousiasme de ses couplets patriotiques, par l'insolite de son goût du macabre et par la tristesse de l'image d'exilé qu'il a laissée, Crémazie a toujours retenu l'attention.

Ses poésies ne sont pourtant que de minces chefs-d'œuvre dont l'auteur lui-même n'est pas satisfait, à en croire sa correspondance avec son ami l'abbé Casgrain. Peut-on dire, selon une formule banale, qu'il est le témoin d'une époque, et qu'il a marqué cette période d'avant 1860? Il la domine par sa personnalité; et elle se retrouve en lui, puisque ses contemporains lui décernent le titre de « poète national » après la publication du *Drapeau de Carillon*.

Sa vie

Né à Québec le 16 avril 1827, Octave Crémazie a fait ses études clasiques au séminaire de Québec. Il devient l'associé de ses deux frères Jacques et Joseph, libraires rue Saint-Jean, puis rue de la Fabrique à partir de 1847. Connaissant passablement bien les auteurs allemands, espagnols, italiens et anglais, ainsi que les classiques grecs et latins, il se passionnnait pour toute forme de littérature. « Il avait étudié jusqu'au sanscrit », affirme l'abbé Casgrain. La librairie devient alors le rendez-vous de l'élite québécoise; on y discutait beaucoup avec François-Xavier Garneau, Jean-Baptiste Ferland, Joseph-Charles Taché, le directeur gérant du *Courrier du Canada*, le consul de France Gauldrée-Boilleau, Gérin-Lajoie, Cauchon, et surtout les jeunes poètes, Fréchette, Alfred Garneau et d'autres.

C'est dans cette atmosphère qu'Octave Crémazie écrivit des poèmes de circonstance, publiés d'abord dans *L'Ami de la Religion et de la Patrie*, *L'Abeille*, et le *Journal de Québec* à partir de 1854.

Il avait participé à la fondation de l'Institut Canadien, en 1847; il en devint secrétaire, puis président. L'approvisionnement en nouveaux livres fut l'occasion de plusieurs voyages en France. Mais une mauvaise gestion de la librairie amena la faillite, en 1862; les acheteurs affluaient sans doute moins que les amis du poète.

Craignant la condamnation pour « faux », Crémazie s'enfuit à New York, d'où il gagna la France. Il y resta dix-sept années, sous le nom de Jules Fontaine, travaillant pour son ami et protecteur, le libraire Hector Bossange, qui avait épousé une Canadienne. Souffrant d'érysipèle, il mourut au Havre d'une inflammation intestinale le 16 janvier 1879.

Ses poèmes, tous écrits à Québec, avaient été pour une bonne part recueillis par l'abbé Casgrain dans une publication en deux volumes sur la *Littérature canadienne de 1850 à 1860*. Il devait en publier une édition plus complète en 1882.

L'inspiration patriotique

Les premiers poèmes de Crémazie furent écrits à propos de circonstances parfois fort banales. Ce sont des « étrennes »; quatre d'entre eux célèbrent le Jour de l'an (en 1849, 1850, 1852, 1853). Le poète chante d'ailleurs tous les événements importants de son époque: les guerres françaises en Orient et en Italie; la venue à Québec de « La Capricieuse » en 1855, pour marquer le rétablissement de relations régulières entre la France et le Canada; la réimpression de *L'Abeille*; la commémoration de l'arrivée au Canada en 1659 de Mgr de Montmorency-Laval; sans compter les poèmes à la mémoire de contemporains disparus, « M. de Fenouillet » par exemple.

Il va sans dire que la plupart de ces poèmes ont perdu aujourd'hui beaucoup d'intérêt. Pourtant dès ses poésies « orientales », la puissance de l'auteur commence à se faire jour. De *Guerre d'Orient* et *Sur les ruines de Sébastopol*, Crémazie dira qu'il les considère comme deux de ses bonnes pièces. On y sent fortement l'influence de Victor Hugo:

« Qui me rendra ma gloire et ma puissante armée
S'il est anéanti aux champs de la Crimée? »...[7]

---

7. *Cf.* Hugo: « Allah! qui me rendra ma formidable armée? » (La bataille perdue).

« Ainsi parla le Czar, et pensif, immobile,
Longtemps son cœur pleura la perte de sa ville »...

« La puissance du bras, c'est la force des hommes
La puissance du droit, c'est la force de Dieu. »

Les exploits guerriers permettent à Crémazie de magnifier l'héroïsme, qui lui est cher. Unies dans cette guerre, la France et l'Angleterre trouvent enfin une place côte à côte dans son cœur. Et les Canadiens imiteront les héros en cultivant leurs vertus traditionnelles au bord du Saint-Laurent, en se rappelant ce qu'ils ont pu faire à Châteauguay.

Avec les guerres d'Italie, croît son enthousiasme pour la France. Il a accueilli à bras ouverts, les yeux embués de larmes, les marins de la « Capricieuse » (*Le vieux soldat canadien*). La France retrouvée, qu'il saluait sur les ruines de Sébastopol (« Peuples, inclinez-vous, c'est la France qui passe »), devient l'objet d'une contemplation émerveillée:

« France, doux pays de nos pères
Comme ton nom est radieux! »

(Guerre d'Italie)

Crémazie répudie Voltaire, qu'on a cru trop longtemps:

« Voltaire alors riait de son rire d'enfer;
Et d'un feu destructeur semant partout la flamme
Menaçant à la fois et le trône et l'autel,
Il ébranlait le monde en son délire impie. »

(Le Drapeau de Carillon)

Il juge sévèrement Louis XV (« Le faible Bourbon qui régnait sur la France ») et Louis XVI, pour glorifier Napoléon dont l'image apparaît magnifique (*Un soldat de l'Empire*). Au contraire de Victor Hugo, il entend le retrouver en Napoléon III.

« Sont-ils donc revenus ces jours remplis de gloire
Ces jours où chaque lutte était une victoire,
Et chaque soldat un héros? »

(Guerre d'Italie)

Et c'est ainsi que son patriotisme renaît, animé d'une confuse espérance en la France, et nourri de glorieux souvenirs rattachés à la terre canadienne. Le chant de l'héroïsme rejoint l'amour de la patrie, comme l'attestent de nombreux exemples:

« Il est sous le soleil un sol unique au monde... »

(Le Canada)

167

« O Canada, plus beau qu'un rayon de l'aurore... »
(200e anniversaire de l'arrivée de Mgr de Montmorency)

« Il est sur le sol d'Amérique
Un doux pays aimé des cieux... »

(Fête nationale)

Cette veine patriotique trouve son expression la plus belle dans *Le Drapeau de Carillon,* qui valut à son auteur la renommée et le titre de « poète national ». « Un magnifique poème historique », écrivait alors un critique, M. Thibault, bien que Crémazie jugeât la pièce différemment: « À mon avis, c'est une pauvre affaire, comme valeur littéraire, que ce Drapeau qui a « volé sur toutes les lèvres », d'après mon bienveillant critique. Ce qui a fait la fortune de ce petit poème, c'est l'idée seule, car pour la forme, il ne vaut pas cher. » [8]

Crémazie se dépréciait un peu, car si l'on ne saurait faire de ce poème un chef-d'œuvre, il y a une certaine force dans l'expression. Le vocabulaire, souvent affadi pour avoir été trop répété, conserve ici de la vigueur.

LE DRAPEAU DE CARILLON

Un vieux soldat garde précieusement chez lui le drapeau blanc sous lequel il a vaillamment combattu. Il le déplie parfois devant des compatriotes qui se racontent les fiers exploits du passé, et tout ému, il rêve de la France en laquelle il espère encore. Il décide un jour de s'embarquer avec sa relique pour aller voir le roi et l'intéresser à ses sujets canadiens. Mais il ne peut franchir les portes de Versailles, où règnent les courtisans dans une atmosphère qui se dégrade de plus en plus. Le vieux soldat, se sentant trahi dans ce qu'il a de plus cher, rentre au pays, taisant à tous sa désillusion et faisant croire à un retour prochain des Français. Mais un beau jour d'hiver, il sort avec son drapeau...

Sur les champs refroidis jetant son manteau blanc,
Décembre était venu. Voyageur solitaire,
Un homme s'avançait d'un pas faible et tremblant
Aux bords du lac Champlain. Sur sa figure austère
Une immense douleur avait posé sa main.
Gravissant lentement la route qui s'incline
De Carillon bientôt il prenait le chemin,
Puis enfin s'arrêtait sur la haute colline.

Là, dans le sol glacé fixant un étendard,
Il déroulait au vent les couleurs de la France;
Planant sur l'horizon, son triste et long regard
Semblait trouver des lieux chéris de son enfance

---

8. Lettre à l'abbé Casgrain, 29 janvier 1867.

VOIR ILLUSTRATION — 50

Sombre et silencieux il pleura bien longtemps,
Comme on pleure au tombeau d'une mère adorée,
Puis, à l'écho sonore envoyant ses accents,
Sa voix jeta le cri de son âme éplorée:

« O Carillon, je te revois encore,
Non plus hélas! comme en ces jours bénis,
Où dans tes murs la trompette sonore
Pour te sauver nous avait réunis.
Je viens à toi, quand mon âme succombe
Et sent déjà son courage faiblir.
Oui, près de toi, venant chercher ma tombe,
Pour mon drapeau je viens ici mourir.

« Mes compagnons, d'une vaine espérance
Berçant encor leurs cœurs toujours français,
Les yeux tournés du côté de la France,
Diront souvent: reviendront-ils jamais?
L'illusion consolera leur vie;
Moi, sans espoir, quand mes jours vont finir,
Et sans entendre une parole amie,
Pour mon drapeau je viens ici mourir.

« Cet étendard qu'au grand jour des batailles,
Noble Montcalm, tu plaças dans ma main,
Cet étendard qu'aux portes de Versailles,
Naguère, hélas! je déployais en vain,
Je le remets aux champs où de ta gloire
Vivra toujours l'immortel souvenir,
Et, dans ma tombe emportant ta mémoire,
Pour mon drapeau je viens ici mourir.

Qu'ils sont heureux ceux qui dans la mêlée
Près de Lévis moururent en soldats!
En expirant, leur âme consolée
Voyait la gloire adoucir leur trépas.
Vous qui dormez dans votre froide bière;
Vous que j'implore à mon dernier soupir,
Réveillez-vous! Apportant ma bannière,
Sur vos tombeaux, je viens ici mourir."

A quelques jours de là, passant sur la colline,
A l'heure où le soleil à l'horizon s'incline,
Des paysans trouvaient un cadavre glacé,
Couvert d'un drapeau blanc. Dans sa dernière étreinte
Il pressait sur son cœur cette relique sainte,
Qui nous redit encor la gloire du passé. [9]

9. Ce poème fut considéré par les Anglais comme « dangereux et révolutionnaire ». A l'occasion d'une représentation dramatique, on avait prévu une
récitation du *Drapeau de Carillon*, accompagné par une fanfare militaire.
Mais un certain officier en retraite, le capitaine Kirk, souleva les ultra-
royalistes dans la *Quebec Military Gazette*, considérant comme un crime de
lèse-majesté le fait qu'une musique anglaise accompagnât un tel hymne. On
dut retirer du programme *Le Drapeau de Carillon*, à la demande de ce
militaire.

Malgré son penchant pour l'héroïsme et la poésie guerrière, Crémazie écrivit aussi quelques poésies légères, telles *L'Alouette, Le printemps, Mille-Îles, La fiancée du marin, légende canadienne* ou *Le Chant des Voyageurs.* Quelques strophes sont d'une belle venue :

> « Si j'étais la douce hirondelle
> Qui vole en chantant dans les airs
> Quand viendrait engourdir mon aile
> Le vent glacé de nos hivers »...

(Les Mille-Iles)

Et l'on sent parfois l'influence de Musset, très cher à Crémazie. Il admirait ses *Nuits,* mais il fut peut-être aussi sensible à son badinage, si l'on en juge par ce couplet:

> « C'est encore par un soir d'automne.
> La lune pâle qui rayonne
> Aux champs déserts
> Dessine, comme une arabesque
> La silhouette gigantesque
> Des sapins verts. »

(La fiancée du marin)

Une poésie des tombeaux

L'influence du romantisme s'exerce toutefois plus en profondeur chez Crémazie. Il chante le progrès (« Ô dix-neuvième siècle, époque des merveilles », *Castelfidardo*), et élargit sa poésie à des domaines interdits par la tradition classique, désormais ouverts à la littérature par la révolution romantique. Il utilise ainsi toutes les ressources de la nature, même l'horrible ou le macabre. Il est mélancolique et triste par tempérament, d'une tristesse profonde qui va jusqu'à l'angoisse de la mort.

Crémazie se demande ce que devient le mort dans son tombeau. On voit cette préoccupation à l'intérieur même des poèmes d'héroïsme patriotique:

> « Et puis on entendit, le soir, sur chaque rive,
> Se mêler au doux bruit de l'onde fugitive
> Un long chant de bonheur qui sortait des tombeaux. »

(Le vieux soldat canadien)

> « Un hurra solennel s'élève d'un tombeau,
> Réveillé par l'écho de la salve guerrière.
> C'est le soldat français qui du fond de sa bière
> Salue aussi son vieux drapeau. »

(Un soldat de l'Empire)

Mais à l'occasion de la Fête des Morts, en 1836, il écrit un grand poème. Celui-ci passe assez inaperçu à l'époque; « et pourtant c'est bien ce que j'ai fait de moins mal », dira plus tard son auteur.

LES MORTS

Le poème se compose de trois parties: une série de dix strophes faisant alterner l'alexandrin avec l'hexamètre et décrivant la sérénité apparente des morts puis, dans six strophes composées uniquement d'hexamètres, les morts sortent de leurs tombeaux et errent sur la terre. Alors, pendant quatorze strophes en alexandrins qui constituent l'essentiel du poème, l'auteur fait comprendre ce que cherchent les morts: la prière des vivants.

« C'est le jour où les morts, abandonnant leurs tombes,
Comme on voit s'envoler de joyeuses colombes,
S'échappent un instant de leurs froides prisons;
En nous apparaissant, ils n'ont rien qui repousse;
Leur aspect est rêveur et leur figure est douce,
Et leur œil fixe et creux n'a pas de trahisons.

« Quand ils viennent ainsi, quand leur regard contemple
La foule qui pour eux implore dans le temple
La clémence du ciel, un éclair de bonheur,
Pareil au pur rayon qui brille sur l'opale
Vient errer un instant sur leur front calme et pâle
Et dans leur cœur glacé verse un peu de chaleur.

« Tous les élus du ciel, toutes les âmes saintes,
Qui portent leur fardeau sans murmure et sans plaintes,
Et marchent tout le jour sous le regard de Dieu,
Dorment toute la nuit sous la garde des anges,
Sans que leur œil troublé de visions étranges
Aperçoive en rêvant des abîmes de feu,

« Tous ceux dont le cœur pur n'écoute sur la terre
Que les échos du ciel, qui rendent moins amère
La douloureuse voie où l'homme doit marcher,
Et, des biens d'ici-bas reconnaissant le vide,
Déroulent leur vertu comme un tapis splendide,
Et marchent sur le mal sans jamais le toucher

« Quand les hôtes plaintifs de la cité dolente,
Qu'en un rêve sublime entrevit le vieux Dante,
Paraissent parmi nous en ce jour solennel,
Ce n'est que pour ceux-là. Seuls ils peuvent entendre
Les secrets de la tombe. Eux seuls savent comprendre
Ces pâles mendiants qui demandent le ciel »...

L'idée n'est pas extrêmement originale, mais le style frappe dans sa vision réaliste:

> « Hélas! tous ces objets de vos jeunes tendresses
> Dans leur étroit cercueil n'ont plus d'autres caresses
> Que les baisers du ver qui dévore leurs os ».

Ce thème impressionnant va donner naissance à la fameuse *Promenade des trois morts,* poème inachevé [10] dans lequel nous entendons le dialogue insolite d'un cadavre et d'un ver; celui-ci, se taillant « un manteau royal » dans le suaire, proclame triomphalement face au mort:

> « Ta bière est mon empire et ton corps est mon trône;
> Je suis ton maître et ton tourment.
> Des fibres de ton cœur je fais une couronne,
> Plus brillante qu'un diamant. »

Ou encore:

> « Ces beaux rêves du cœur qui, là-haut sur la terre,
> Ont tant d'attraits et de beauté,
> Quand on est près de moi se brisent comme verre
> Au choc de la réalité. »

On ne peut douter de la réaction de ses contemporains: ils ne comprirent pas très bien et furent choqués — au moins quelques-uns d'entre eux — par le réalisme d'une telle scène. Crémazie s'en est expliqué, dans une lettre à l'abbé Casgrain qui le montre excellent critique littéraire:

> « L'école romantique ne préfère pas le laid au beau, mais elle accepte la nature telle qu'elle est; elle croit qu'elle peut bien contempler, quelquefois chanter ce que Dieu a bien pris la peine de créer. Si je puis m'exprimer ainsi, elle a démocratisé la poésie et lui a permis de ne plus célébrer seulement l'amour, les jeux, les ris, le ruisseau murmurant, mais encore d'accorder sa lyre pour chanter ce qu'on est convenu d'appeler le *laid,* qui n'est souvent qu'une autre forme du beau dans l'harmonie universelle de la création. Je ne dis pas, comme Victor Hugo, que le *beau, c'est le laid,* mais je crois qu'il n'y a que le mal qui soit laid d'une manière absolue. La prairie émaillée de fleurs est belle, mais le rocher frappé par la foudre, pour être beau d'une autre manière, l'est-il moins?..

---

10. En France, Crémazie se vit poussé à plusieurs reprises par l'abbé Casgrain à terminer son poème. Il le lui promit, mais n'y parvint pas. Crémazie composait en effet de mémoire, et n'écrivait pratiquement que la version définitive; ce qui fait qu'après plusieurs années d'exil, il avait oublié une partie des vers conçus à Québec, et ne put jamais mener à bien son poème.

Pour ma part, je crois qu'il est plus sain pour l'intelligence de se lancer ainsi à la recherche de l'inconnu, à travers ces fantaisies, horribles si vous le voulez, mais qui ont cependant un côté grandiose, que d'énerver son âme de ces éternelles répétitions de sentiments et d'idées à l'eau de rose qui ont traîné dans la chaire de tous les professeurs de rhétorique. »

(Lettre à l'abbé Casgrain, 29 janvier 1867)

Crémazie, alors, s'inspira-t-il des productions contemporaines du romantisme macabre de 1860? La *Comédie de la mort* de Théophile Gauthier vient avant lui, mais il est sûr que l'idée et l'exécution du poème des *Trois Morts* appartiennent en propre à Crémazie. Atteint dans sa vie professionnelle par les difficultés qui devaient amener sa perte, l'auteur est très profondément triste. Il envisage sa mort prochaine, seul, et il développe le thème du poème *Les Morts* en y ajoutant une idée importante: les morts souffrent-ils dans leurs tombeaux? « Je me demandais si, comme le soldat qui sent toujours des douleurs dans sa jambe emportée par un boulet sur le champ de bataille, l'âme dans le séjour mystérieux de l'expiation, n'était pas atteinte par les frémissements douloureux que doit causer à la chair cette décomposition du tombeau, juste punition des crimes commis par le corps avec le consentement de l'âme ».

PROMENADE DES TROIS MORTS

Trois morts sortent de leurs tombeaux, un vieux père, un mari, et un fils (peut-être l'auteur). Le père pense à son enfant, le mari à sa femme, et le fils à sa mère; et le premier raconte le dialogue qu'il a entendu un jour, venant d'un tombeau, d'un mort qu'on venait d'enterrer et du ver qui commençait à le dévorer. Le sujet est tout à fait macabre et réaliste. Crémazie en a tiré de beaux accents, loin de toute vulgarité, et dont l'émotion est communicative.

LE VER

« Avec ton premier crime, homme! je pris naissance,
    « Je suis presque aussi vieux que toi;
« Tu m'appelais remords, [11] ou bien la conscience,
    « Et maintenant, je suis le Roi!

« Homme! quand tu vivais je n'étais qu'une idée
    « Sommeillant au fond de ton cœur;
« Cette idée aujourd'hui, par la mort fécondée,
    « A pris un corps dans ta douleur.

11. Voir Baudelaire: « *Et le ver rongera ta peau comme un remords* » (*Remords posthume*).

173

« Dans ce concert étrange où les chants de la vie
    « Te semblaient des cris de bonheur,
« Tu n'entendais jamais de ma voix affaiblie
    « Vibrer le reproche vengeur.

« Ces cris de passion, d'amour ou de vengeance,
    « Sont étouffés sous ton linceul:
« Ma voix s'élève ici dans toute sa puissance,
    « Car aujourd'hui je parle seul.

« L'amour, ce mot sonore aussi trompeur qu'un songe
    « La gloire, ce beau rêve d'or,
« L'amitié des humains, cet impudent mensonge,
    « La fortune, ce vain trésor;

« Toutes ces voix d'en haut où ta pauvre existence
    « Cherchait une fausse clarté,
« Oui, ces voix garderont pour toujours le silence
    « Devant ma fauve majesté.

« Aux rêves qui chantaient dans ton âme ravie
    « Dis donc un éternel adieu;
« Car la mort a donné ces deux parts de ta vie,
    « Ton corps au Ver, ton âme à Dieu.

« Et ton corps, je le prends; aujourd'hui c'est ma fête,
    « Le jour de la rétribution ...
« Je le reçois enfin ce prix de ma conquête,
    « J'en viens prendre possession! »

LE MORT

« Soumis comme un esclave à ta toute-puissance,
« Pourquoi me frappes-tu, quand seul et sans défense
    « Je ne suis plus bon qu'à souffrir?
« Quel mal t'ai-je donc fait, pour que toujours ta haine,
« Me torture le cœur? ... Ah, pour briser ma chaîne
    « Je ne peux plus même mourir!

LE VER

« Que t'avait fait l'oiseau, cette lyre qui chante
    « Un hymne doux et solennel?
« Que t'avait fait la fleur, la fleur frêle et charmante
    « Reflétant les splendeurs du ciel?

« Pourtant tu la brisais dans ta course insensée,
    « Comme un enfant brise un jouet,
« Et tu foulais aux pieds la pauvre délaissée,
    « Sans lui donner même un regret.

« Courbé par le malheur, isolé, sans défense,
  « Quand tu marchais silencieux
« Et cherchais en pleurant, pour calmer ta souffrance,
  « Un rayon d'espoir dans les cieux,

« Que faisaient tes amis, tes amis de la terre,
  « Qu'autrefois nourrissait ta main?
« De leurs traits acérés augmentant ta misère,
  « Ils te frappaient de leur dédain!

« En torturant ton corps, moi le Ver, moi le Maître,
  « Ton corps qui fut mon ennemi,
« En rendant au néant cette part de ton être,
  « O mort, je suis bien ton ami!

« Car cette mort du mort, de cette chair flétrie
  « Que ton âme vient de quitter,
« C'est le dernier rayon du soleil de la vie,
  « Puisque souffrir c'est exister. »

Mais ici du vieux mort la voix faible, indécise,
Se tut; puis on le vit, frissonnant sous la brise,
Rajuster son linceul déchiré par le vent;
Sur sa main décharnée il appuya sa tête
Comme pour reposer sa pensée inquiète;
Puis il reprit bientôt son récit émouvant.

— « Ils parlèrent encor les deux causeurs funèbres
« Ils parlèrent longtemps, et l'écho des ténèbres
« Aux tombeaux apportait les notes de leur chant.
« Mais bientôt cependant un solennel silence
« Remplaça ce duo d'angoisse et de vengeance,
« Puis le cri seul du Ver s'éleva triomphant. »

Dans ce poème, comme dans *Les morts,* Crémazie donne la mesure de son originalité et de son talent. L'émotion noble et profonde, que retient une certaine pudeur de bon goût, s'exprime sur un thème réaliste, dans un vers suffisamment dépouillé pour donner toute sa valeur à une tristesse dont le poète a su tirer de beaux accents.

Crémazie mémorialiste

Après 1862, Crémazie n'écrit plus de poèmes. Il ne cesse cependant pas toute activité littéraire, puisqu'il entretint avec ses frères, et surtout avec l'abbé Casgrain, une correspondance fort bien écrite et qui ne manque pas d'intérêt pour la connaissance approfondie de sa personnalité.

Pendant les années 1870-1871, Crémazie, immobilisé dans Paris et ne pouvant communiquer facilement à cause du blocus allemand, tient un journal, relatant quotidiennement l'évolution de la guerre et ses observations sur la vie des Parisiens affamés. Ce *Journal du Siège de Paris* offre un intérêt historique incontestable, et, comme sa correspondance, il est extrêmement révélateur des qualités de compréhension et de générosité de Crémazie, Canadien exilé, mais familier depuis près de dix ans des Parisiens devenus pour lui de nouveaux compatriotes. Lucide en face d'événements qui ont laissé beaucoup de gens dans la stupeur, il s'accommode du siège avec un certain humour, malgré l'austérité forcée, rendue très pénible par la rigueur du froid.

EXTRAITS DU JOURNAL DU SIÈGE DE PARIS

J'arrive de la place du Château-d'Eau, qui est couverte de monde. A part quelques femmes effarées, l'attitude du peuple est calme. On s'est battu toute la journée, sans succès le matin, victorieusement le soir; voilà ce que je puis démêler dans les récits contradictoires de quelques soldats qui arrivent des fortifications. Pas de détails officiels, beaucoup de cancans. Les coups de canon qui continuent à retentir du côté de Saint-Denis ont pour but de chasser les Prussiens des bois voisins où ils veulent s'établir. Le ton de certains journaux religieux me semble bien étrange. Je comprends que les républicains éreintent le régime qui vient de tomber. Pendant dix-huit ans, ils ont été criblés d'amendes et de mois de prison, ils prennent leur revanche, c'est tout naturel. Mais que *Le Monde, L'Univers, L'Union* viennent nous parler de la tyrannie de Napoléon III, des charmes de la liberté, j'avoue que je n'y comprends rien. Comme dans *Le Barbier de Séville*, je me demande: Qui diable trompe-t-on ici?

(19 septembre 1870)

Nous mangeons du cheval deux ou trois fois par semaine. Comme goût ce n'est pas mauvais. Seulement j'ignore pourquoi mon estomac le digère assez difficilement. Hier, on nous a servi de l'âne. Rôtie, cette viande a le goût du porc frais. Elle est lourde. On assure que dans les faubourgs on mange du rat. Les gourmets prétendent que le jambon de rat est une merveille comme chair délicate. Je ne tiens pas à déguster Maître Raton. Pourtant il ne faut jurer de rien. Si le siège se prolonge, nous serons peut-être très heureux d'avoir quelques côtelettes de rat à nous mettre sous la dent. Qui sait si dans deux mois une épaule de rat ne sera pas cotée à la Bourse comme une action de chemin de fer. Je ne parle pas du chat. Sous les Mérovingiens, les traiteurs de la barrière servaient déjà à leurs clients des matous sous le nom de lapin.

(20 octobre 1870)

BIBLIOGRAPHIE

OEUVRES:

Oeuvres complètes de Crémazie, publiées par l'abbé H.R. Casgrain, Montréal, Beauchemin et Valois, 1882.

ÉTUDES:

Bisson, Laurence, *Le Romantisme littéraire au Canada français*, Paris, Droz, 1932.

Casgrain, abbé Henri-Raymond, *Octave Crémazie*, Montréal, Beauchemin, 1926.

Crouzet, Jeanne-Paul, *Poésie au Canada*, Paris, Didier-Privat, 1946.

Dassonville, Michel, *Crémazie*, Montréal, Fides, Coll. « Classiques canadiens », 1956.

Halden, Charles ab der, *Études de littérature canadienne-française*, Paris, de Rudeval, 1904.

Lebel, Maurice, *D'Octave Crémazie à Alain Grandbois*, Québec, L'Action, 1963.

Marcotte, Gilles, *Une littérature qui se fait*, Montréal, HMH, 1962.

Marion, Séraphin, *Les Lettres canadiennes d'autrefois*, Hull, L'Éclair, 1946; *Origines littéraires du Canada français*, Hull, L'Éclair, 1951.

Jeanne-LeBer, Sœur, s.g.c., « L'amitié littéraire de Crémazie et de Casgrain », dans *Archives des Lettres canadiennes*, tome I, *Mouvement littéraire de Québc*, Ottawa, Ed. de l'Université d'Ottawa, 1961

Chapitre XVIII

LES DÉBUTS DU ROMAN
(1830-1860)

par Arsène LAUZIÈRE

Une dizaine de romans furent publiés au Québec avant 1860, la plupart signés par de jeunes auteurs dont le courage dépasse de beaucoup le talent littéraire. [1] Il serait fastidieux d'en relever les caractéristiques et les intrigues. On examinera plus tard, avec l'ensemble du roman au XIXe siècle, leur air de famille comme leurs genres, les thèmes et les influences qui les ont nourris. On ne trouvera encore ici que de brèves informations, proportionnées à la minceur de la matière en ce milieu du siècle dernier.

Le plus ancien de tous nos romans semble être *L'Influence d'un livre ou Le Chercheur de trésors,* de Philippe Aubert de Gaspé, le fils, mort prématurément, de l'auteur bien connu des *Anciens Canadiens.* Ce petit ouvrage, qui date de 1837, est au premier chef un récit d'aventures fantastiques et horribles, alors qu'il se voulait le premier roman de mœurs canadien.

En 1844, Joseph Doutre, fouetté par la lecture de Dumas et de Sue, décrit d'incroyables aventures de brigands dans *Les Fiancés de 1812.*

---

1. En voici la chronologie, ainsi que l'âge des auteurs au moment de la parution de leurs ouvrages:
   1837: Aubert de Gaspé, P., 23 ans, *L'Influence d'un livre;*
   1841: Trobriand, R., 25 ans, *Le Rebelle;*
   1844: Doutre, J., 19 ans, *Les Fiancés de 1812;* L'Ecuyer, E., 18 ans (selon Huston), *La Fille du brigand;*
   1846: Lacombe, P., 39 ans, *La Terre paternelle;* Chauveau, P.-J.-O., 22 ans, *Charles Guérin;*
   1849: Boucherville, G.B. de, 35 ans, *Une de perdue, deux de trouvées;*
   1854, 1858, 1859 respectivement: Chevalier, H.-E., *La Huronne, L'Héroïne de Châteauguay, Le Pirate du Saint-Laurent.*

La même année, Eugène L'Ecuyer fit paraître *La Fille du brigand*, tout aussi fantaisiste quant à la peinture des mœurs et dont les brigandages rappellent la veine picaresque de quelque sous-*Gil Blas*.

Dès 1849, Georges Boucher de Boucherville publia, avec plus de bonheur, la première partie de *Une de perdue, deux de trouvées*, livre d'aventures diverses et étoffées.

Paraissent enfin les deux véritables premiers romans de mœurs terriens, ceux de Patrice Lacombe et de Pierre-J.-O. Chauveau: le premier raconte, dans *La Terre paternelle* (1846), l'actualité régionale (de Gros-Sault) à travers les malaises et les infortunes d'une famille de cultivateurs; le second, avec *Charles Guérin* (1846), donne à nos lettres un roman déjà assez adroit, où l'on souffre de la mainmise anglaise ou étrangère, et où l'on fait état de la méfiance des habitants à l'égard du pragmatisme industriel, comme du manque de débouchés au sein des carrières libérales déjà encombrées.

Ces vieux romans n'intéressent guère le lecteur d'aujourd'hui: légendaires, fantastiques, ils ont un caractère plus sociologique et documentaire que littéraire.

Plus importantes que les morceaux de roman noir ou les aventures rocambolesques d'inspiration européenne, plus révélatrices que les tableaux de genre du milieu, demeurent leurs *préfaces*. [2] La plupart sentent la poudre des manifestes romantiques français. Mais malgré leurs intentions et leurs prétentions littéraires, le romanesque, qu'on veut accorder au goût du jour, n'a rien d'incendiaire ni de neuf. Il déçoit, faute de n'avoir fourni ni une connaissance ni une analyse quelque peu étendue et profonde de l'homme et de son monde, faute aussi d'une technique de narration moderne. Les romanciers emploient constamment le passé narratif et la troisième personne. Cette omniprésence du narrateur semble paralyser l'expression de la pensée personnelle et de la sensibilité dans un art qui nous apparaît aujourd'hui en grande partie fondé sur le « je » ou le « moi ». De modestes ouvriers, qui ne se piquent de rien outre mesure, se contentent de divertir, d'émerveiller et d'édifier tout en servant la propagande patriotique. Celle-ci n'a évidemment pas l'âpreté, ni non plus le tranchant, du combat journalistique ou politique dont les échos remplissaient les « feuilles volantes » du temps.

---

2. Voir Lauzière, *Primevères du roman canadien-français, Culture*, 1958 (Surtout vol. XIX, pp. 233-256); et *Ante*, p. 139.

LE ROMANTISME LIBÉRAL (1830-1860)

«LA TERRE PATERNELLE» (Patrice Lacombe)

Un cultivateur s'est « donné » à son fils et tous deux, tombés dans la misère, sont devenus charroyeurs d'eau.

« Tous deux étaient vêtus de la même manière: un gilet et pantalon d'étoffe du pays sales et usés, des chaussures de peau de bœuf dont les hausses enveloppant le bas des pantalons étaient serrées par une corde autour des jambes, pour les garantir du froid et de la neige: leur tête était couverte d'un bonnet de laine bleu du pays. Les vapeurs qui s'exhalaient par leur respiration s'étaient congelées sur leurs barbes, leurs favoris et leurs cheveux, qui étaient couverts de frimas et de petits glaçons. La voiture était tirée par un cheval dont les flancs amaigris attestaient à la fois la cherté du fourrage et l'indigence du propriétaire. La tonne, au-devant de laquelle pendaient deux seaux de bois cerclés en fer, était, ainsi que leurs vêtements, enduite d'une épaisse couche de glace. »

« CHARLES GUÉRIN » (P.-J.-O. Chauveau)

On trouve dans ce roman de pittoresques descriptions non seulement de la campagne, mais aussi de Québec à cette époque, avec sa population composite d'immigrants, d'« habitants » de passage, de coureurs de bois, de sauvages et de citadins.

« Québec, qui de fait est peut-être une des villes les plus mal bâties de l'Amérique, qui n'a pas un seul édifice complet et régulier, qui n'a pas un seul monument où les règles de l'architecture n'aient été plus ou moins maltraitées, Québec produit cependant, même en plein jour, une illusion étrange sur le spectateur qui l'aperçoit du fleuve. La disposition, et mieux, si nous pouvons ainsi nous exprimer, les artifices du terrain font que l'objet le plus insignifiant prend une attitude pleine d'importance, si bien que l'on croit avoir devant soi une ville monumentale telle que Rome, Naples ou Constantinople. »

Le Saint-Laurent, de chez les Guérin

« ... La maison de madame Guérin était ombragée par les branches touffues d'un orme séculaire et gigantesque; elle était sur une sorte de terrasse à hauteur d'homme, formée en partie par un de ces fournils ou caves à patates, que l'on voit devant presque toutes les habitations de nos campagnes. Sur une verte pelouse, qui couronnait la petite maçonnerie du fournil, les deux écoliers étaient nonchalamment étendus.

Devant eux coulait le Saint-Laurent, large autant que la vue pouvait porter. Sur l'horizon se dessinaient bien lointaines les formes indécises des montagnes bleuâtres du nord; une petite île verdoyante reposait l'œil au tiers de la distance, et semblait souvent, lorsque les vagues s'agitaient, osciller elle-même, prête à disparaître dans le fleuve. La vaste nappe d'eau présentait trois ou quatre aspects différents. La marée montait dans la petite anse au fond de laquelle étaient les deux maisons que nous venons de décrire; la brise s'élevait avec la marée, et l'eau plus épaisse prenait une teinte brune. A droite, on découvrait une grande étendue d'un azur tranquille; à gauche, éclairée par un soleil d'automne, l'eau paraissait comme une large plaque d'argent incrustée d'or; une marque d'écume

180

blanche séparait cette partie de l'autre; c'était l'endroit où une petite rivière traversant un lit de cailloux se jetait dans le fleuve. Les deux côtés du paysage étaient formés par les deux pointes de l'anse, qui servaient de cadre au fleuve. Celle qui s'étendait à droite, beaucoup plus longue que l'autre, mais basse et à fleur d'eau, était recouverte d'une riche végétation, et portait à son extrémité un groupe de maisonnettes blanches, et une petite église au toit couleur de sanguine, dont le clocher, couvert de fer étamé, étincelait au soleil. Devant la maison de M. Wagnaër, un chemin étroit se détachait de la grande route, courait le long de la grève jusqu'à l'église. Au-dessus de cette pointe, tant elle était basse, on voyait encore le fleuve dont le chenal, qui paraissait rentrer dans les terres, fermait l'horizon et se confondait presque avec le ciel.

L'autre pointe à gauche n'était guère autre chose qu'une batture de joncs, parsemée de gros cailloux rougeâtres, et dont la pente faisait une sorte de plan incliné, très commode pour les petites embarcations. Au détour de cette pointe, était la petite rivière dont nous venons de parler, on la nommait la Rivière aux Écrevisses, et elle passait sur les terres de madame Guérin. Au-delà se développait une chaîne variée de côteaux, d'anses, de promontoires, de forêts, de villages, qui formait la demi-courbe d'un ovale avec le Saint-Laurent. C'était tantôt des pâturages et des champs, divisés méthodiquement en de longues lisières jaunes, rousses ou vertes; tantôt de beaux bosquets d'érables au feuillage diapré par l'automne, aux teintes violettes, rouge-feu, orangées; ici de hautes et noires pinières, là de petits sapins échelonnés sur la côte. Le grand chemin (ou chemin du roi, comme on l'appelle) toujours bordé de blanches habitations, courait à travers tous les sites, gravissant les coteaux, descendant les pentes abruptes, longeant les pointes, et suivant toutes les sinuosités de la grève. Des villages groupés sur le bord de l'eau, d'autres villages portés au flanc des montagnes éloignées, et paraissant superposés dans toute l'étendue des terres que l'on nomme les concessions; des églises dont les unes faisaient percer leurs clochers élancés à travers le feuillage et les toits de quelque gros bourg, tandis que les autres s'élevaient isolées sur le rivage, ou sur quelque coteau lointain; des anses, les unes sauvages, inabordables, formées de rochers à pic, les autres servant d'embouchures à des rivières, et recouvertes de goëlettes, de bateaux, de cajeux, et de larges pièces de bois, indiquant l'existence d'une certaine activité commerciale; tel était le détail du vaste tableau qui, en remontant le fleuve, s'étendait jusqu'à l'horizon, décroissant et fuyant toujours jusqu'à ce qu'il parût rejoindre l'autre rive, à laquelle deux ou trois petites îles bleuâtres semblaient le rattacher; de sorte que, si d'un côté le Saint-Laurent faisait l'effet d'une vaste mer, de l'autre il avait plutôt l'apparence d'un lac ou d'un golfe profond. »

GENRES ROMANESQUES MINEURS

Contes et légendes

Quelque peu antérieurs au roman, ou parallèlement à celui-ci, se développèrent les légendes et les contes canadiens. Les uns et les autres existaient depuis toujours, semble-t-il, dans la tradition orale de la société française du pays. L'aïeul de la famille savait tirer, du trésoir folklorique, maints récits qu'il racontait à la tombée du jour. Faucher de Saint-Maurice intitulera l'un de ses recueils *À la brunante*. Un jour, vers 1835, la légende populaire engendra la légende historique (écrite) et le conte naquit de sa contrepartie orale, à la fois de nulle part et de partout. Plus courts que les romans issus du même lit, ils reçurent un meilleur accueil dans les journaux du siècle, peu nombreux. Un bon nombre se trouvent heureusement conservés dans *Le Répertoire national,* de Huston. On croit que c'est Georges Boucher de Boucherville qui publia, en 1835, dans *L'Ami du Peuple,* la première légende, *Louise Chawinikisique,* et le premier conte, *La Tour de Trafalgar.* Toujours la même année, Napoléon Aubin fit paraître trois contes dans *La Minerve* [3]. La vogue ne cessera de grandir au cours du siècle, faisant une plus grande place au réalisme dès 1845, à côté d'un romantisme puisé dans *Atala* et les *Natchez.*

Dès le premier conte, on reconnaît la matière, les sources et les influences de ces petits genres dont l'évolution ressemble beaucoup à celle du roman. On y constate aussi et davantage un besoin de défoulement ou d'évasion face à la claustration de la maison bien close, en milieu canadien. La légende, bien délimitée la plupart du temps dans son fond historique, fait sienne la matière des anecdotes qui eurent cours principalement sous l'Ancien Régime, alors que les auteurs de contes empruntent la leur à des sources folkloriques locales et contemporaines.

Si les origines sont quelque peu différentes, les thèmes comme l'atmosphère se confondent. On inaugure au pays une tradition thématique vieille d'un demi-siècle ailleurs: celle du merveilleux ou du fantastique, celle du macabre plus précisément, mise à la mode par la littérature dite gothique de la fin du dix-huitième siècle. Reviennent constamment deux thèmes ou sujets principaux: la mort, subite ou violente, puis la vengeance de l'Au-delà par l'apparition du fantôme victime, accusateur ou justicier. À bien y regarder, ce macabre est romantique par sa veine mélancolique. Le thème de la mort exista certes avant Crémazie. Contes et légendes resserrent dans leur brièveté syncopée le temps, l'espace et l'action qu'il faut pour exprimer la vanité de l'instant ou l'équivoque de la durée. D'où la mort que l'on exploite presque naturellement, le cadre tourmenté, l'intrigue qui se veut simple et qui l'est bien en effet quand elle ne fournit que l'occasion de situer la mort soudaine, que suit comme une revanche l'apparition du revenant. Cependant, ce mariage du populaire et du gothique n'est pas toujours heureux. Le charme et les naïvetés de la légende populaire s'estompent sous les maladresses

---

3. Voir l'article de Hayne, D.-M., dans *Archives des Lettres canadiennes,* tome III, (U. d'Ottawa), Ed. Fides, 1964, pp. 37-67: « Les origines du roman canadien-français. »

d'un style romantico-réaliste que viennent alourdir de plus en plus des considérations moralisantes ou édifiantes.

Les conteurs, qui avaient compris qu'il valait mieux ne pas « lutter avec les grands maîtres de l'Europe » en cherchant à les suivre dans la voie des grandes fictions du roman [4], mais remonter aux premiers temps de leur histoire pour raconter la vie des sauvages et des premiers colons dans l'immense cadre de la nature canadienne, ne compensèrent pas la perte de la fraîcheur du folklore par l'étude adroite et concise du caractère des personnages. Ils négligèrent trop souvent l'art de condenser en quelques traits essentiels la silhouette du héros ou de l'héroïne. Où trouver cette originalité, voire cette excentricité — pensons à Edgar Allan Poe qui écrivait à la même époque — dans une action et un vocabulaire dont les répétitions ou les degrés de l'intensité dramatique, tout en obéissant aux lois profondes du genre, mettent au jour des motivations qui correspondent au degré d'introversion ou d'obsession des personnages?

BIBLIOGRAPHIE

Hayne, David-M., « Les origines du roman canadien-français », dans *Archives des Lettres canadiennes*, tome III, *Le Roman canadien-français*, Montréal, Fides, 1963, pp. 37-67; « Sur les traces du préromantisme canadien », dans *Archives des Lettres canadiennes*, tome I (Mouvement littéraire de 1860), Publication du Centre de recherche de Littérature canadienne-française de l'Université d'Ottawa, Éditions de l'Université d'Ottawa, 1961.

Lauzière, Émile, « Primevères du roman canadien-français », dans *Culture*, 18 (1957), pp. 225-244; et 19 (1958), pp. 233-256.

Jones, F.M., *Le Roman canadien-français; son origine, son développement*, Montpellier, Manufacture de la Charité, 1931.

Marion, Séraphin, *Les Lettres canadiennes d'autrefois*, tome IV, Ottawa, Éditions de l'Université d'Ottawa, 1944.

St. G. Craig, B.M., *Le Développement du conte dans la littérature canadienne-française*, thèse de maîtrise, Queen's University, 1939.

Montreuil, Denise, *Bibliographie du roman canadien-français, des débuts à 1925*, École des Bibliothécaires de l'Université Laval, Québec, 1949, 30 p.

---

4. Ollivier, L.-A., « Essai sur la littérature du Canada », dans *Le Répertoire national*, 1848, tome 3, p. 246-252.

Chapitre XIX

PREMIÈRES TENTATIVES AU THÉÂTRE
(1830-1860)

par Georges-Henri d'AUTEUIL, s.j.

Pendant longtemps nos ancêtres ont trop vécu les dures réalités, presque quotidiennes, de la tragédie et du drame pour avoir l'inclination d'en écrire en faveur des générations futures.

Rien d'étonnant, dès lors, que Lord Durham, au milieu du siècle dernier, ait proféré ce jugement peu flatteur: « Bien qu'elle descende d'une nation qui a le plus aimé et qui a le mieux cultivé l'art dramatique et vivant dans un continent où presque chaque ville, grande ou petite, possède un théâtre anglais, la population française du Bas-Canada, séparée de tout un peuple qui parle sa langue, est incapable de maintenir une scène nationale ».[1]

Après le Traité de Paris qui cède définitivement la Nouvelle-France à l'Angleterre, les représentants de l'administration française et une bonne partie de la noblesse retournent en Europe. Ceux qui optent définitivement pour le Canada, éparpillés sur un vaste territoire, abattus et ruinés, essaient péniblement de survivre: atmosphère peu propice à la culture des arts. Le « primo vivere » prend le pas sur tout, en attendant les proches luttes politiques et l'alerte de l'Indépendance des États du Sud, suivie de la folle guerre de 1812.

À cette époque difficile, seul le nom d'un Français fraîchement débarqué au Canada émerge comme musicien et poète. Entre deux services religieux à l'église de la Paroisse des Sulpiciens dont il est organiste, Joseph QUESNEL, plus habile à parler en vers qu'en prose, paraît-il, compose des pièces de théâtre du genre comédie-vaudeville comme *Colas et Colinette,* ou des peintures de mœurs comme *L'Anglo-*

---

1. *Ecrits du Canada français,* n⁰ 18, p. 295.

manie (déjà) *ou Le Dîner à l'anglaise* qui prétend dénoncer l'éternel snobisme de l'imitation des puissants et des riches. [2]

On doit même à Quesnel un *Traité de l'Art dramatique,* où il fait penser un peu à l'Art poétique de Boileau quand il conseille ainsi les acteurs:

> « Pure et chaste en ses goûts, de l'aimable Thalie
> Gardez-vous de jamais blesser la modestie;
> C'est en vain dans leurs jeux que d'indiscrets acteurs
> Se flattent d'amuser en corrompant les mœurs;
> Si d'un trop libre auteur vous choisissez l'ouvrage,
> Des endroits malsonnants il faut rayer la page;
> Mais pour mieux faire encore, et si vous m'en croyez,
> Faites choix des auteurs décents et châtiés. »

Pendant toute la première moitié du XIXe siècle on ne peut souligner que les modestes efforts d'un clerc de notaire, Pierre PETICLAIR, considéré comme le premier auteur dramatique canadien-français. Des trois comédies connues de Peticlair, *La Donation,* pièce en deux actes parue en 1848, traite d'un sujet qui sera étrangement à la mode chez nos auteurs par la suite: les machinations d'escrocs tentant d'accaparer les biens de quelque jobard, naïf ou infatué, au détriment de ses enfants.

Fait assez remarquable, c'est à un collégien du séminaire de Nicolet que revient l'honneur d'avoir composé le premier drame historique canadien. En effet, en 1844, très peu de temps donc après les événements de la Rébellion de 1837, Antoine GÉRIN-LAJOIE faisait représenter sur la scène de son collège *Le Jeune Latour,* tragédie en vers, en trois actes, racontant un fier épisode de la lutte de l'Acadie contre les Anglais.

Par la suite, à l'instar du jeune collégien courageux, on mit souvent les thèmes patriotiques à l'honneur chez nos auteurs dramatiques d'occasion. Nous avons eu ainsi, faisant alterner des morceaux de farces populaires plutôt médiocres, des saynètes folkloriques et des scènes édifiantes, plusieurs *Montcalm, Bigot, Riel,* des épisodes de 1837 et autres, qui indiquent les préoccupations de l'époque, plutôt batailleuses et revendicatives, fort éloignées des hautes régions de l'art pur. Cela explique du reste la caducité d'un tel théâtre, trop localisé dans le temps et l'espace pour accéder à l'universel. C'est proprement ce qu'on appelle aujourd'hui du théâtre engagé.

---

2. Sur Quesnel et sur ces deux pièces, voir le chapitre de M. Michel Tétu, *La poésie, de 1760 à 1830* (pp. 115 et 116).

En ce sens, même nos querelles religieuses ont trouvé quelquefois écho dans la production dramatique. On peut penser en particulier à l'œuvre parue un peu plus tard dans le siècle d'un abbé caché sous le pseudonyme de l'Illuminé; le titre en est prometteur: *La Comédie infernale, ou Conspiration libérale aux Enfers.* Satire virulente contre les Messieurs de Saint-Sulpice en conflit avec Mgr Bourget, évêque de Montréal, au sujet de la division des paroisses; on comprend qu'elle n'ait jamais été jouée.

BIBLIOGRAPHIE

Béraud, Jean, *350 ans de théâtre au Canada français,* Montréal, Cercle du Livre de de France, 1958.

Bellerive, Georges, *Nos auteurs dramtiques, anciens et contemporains, répertoire analytique,* Québec, Garneau; Montréal, Beauchemin, 1933.

Ouellet, Thérèse, *Bibliographie du théâtre canadien-français avant 1900,* thèse de doctorat en bibliothéconomie, Université Laval, Québec, 1949.

Chapitre XX

LE TOURNANT DES ANNÉES 1850-1860

par Pierre SAVARD

Durant la décennie 1850-1860, le Canada français subit des transformations profondes qui amènent le triomphe des forces conservatrices.

Dans les années qui avaient suivi 1830 en Europe, il y avait eu une génération canadienne qui avait vibré au souffle de 1830; de même y a-t-il, à la suite des révolutions avortées de 1848 et de la poussée réactionnaire qui s'ensuit en France, particulièrement avec l'accession de Napoléon III, une génération canadienne de 1850. La politique conservatrice et catholique du Second Empire dans sa phase autoritaire, trouve chez nous des sympathies non équivoques. L'opinion canadienne-française reste fidèle à Napoléon III jusqu'au moment où celui-ci abandonne les États pontificaux.

Un durcissement de l'opinion conservatrice

Sur le plan politique, l'Union des Canadas aboutit peu à peu à l'élimination des éléments radicaux canadiens-français. Dans les années 1850, Papineau fait figure d'opposant isolé à la Chambre et sa querelle avec Nelson, « le héros de Saint-Denis », a diminué son prestige aux yeux de la population. Les hommes politiques du jour sont LaFontaine, au réformisme prudent, et Cartier, avant tout intéressé à stimuler la prospérité économique.

L'action vigoureuse et soutenue de Mgr Bourget dans le domaine religieux et social donne des fruits. Les nombreuses communautés françaises qu'il a fait venir travaillent avec succès et forment toute une jeunesse dans un catholicisme de stricte orthodoxie. Les jésuites

VOIR ILLUSTRATION — 92   187 se distinguent aux côtés de leur évêque dans toutes les luttes pour les principes conservateurs. La proclamation à Rome du dogme de l'Immaculée-Conception en 1854, puis, dix ans plus tard, l'encyclique *Quanta Cura* suivie du *Syllabus errorum*, ne peuvent que consolider la position de ceux qu'on qualifie d'ultramontains. En 1852, les évêques confient au Séminaire de Québec la fondation de l'Université Laval, première institution d'enseignement supérieur. Les membres des professions libérales élevés dans les collèges classiques tenus par des clercs, ne seront plus désormais laissés au hasard des cléricatures ou abandonnés à l'Université McGill, protestante et anglophone.

L'évolution du goût littéraire

Le goût littéraire évolue lui aussi. L'embryonnaire roman de mœurs fera place peu à peu au roman historique ou au roman à thèse. Lorsque, en 1859, le Français Henri-Emile Chevalier publie *La Vie d'un faux dévot* dans lequel il peint un Tartuffe canadien, l'ouvrage provoque une petite tempête. Un certain De Bellefeuille le dénonce vertement et, avec lui, les romans français immoraux. Des cabinets de lecture sous l'influence du clergé se répandent: le plus célèbre est celui des sulpiciens de Notre-Dame de Montréal. Les libraires se mettent au pas. À la fin de 1857, J.-B. Rolland, de Montréal, invite un prêtre à expurger son magasin: quinze cents volumes suspects sont mis de côté et jetés au feu.

Cependant, le libéralisme et le radicalisme ne désarment pas. Les années 1850 constituent les belles années de l'Institut canadien de Montréal, fondé en 1844. En 1857, l'Institut compte sept cents membres et regroupe l'élite professionnelle de la métropole. Des cercles du même genre existent dans la province. Des membres éminents de l'Institut défendent le principe des nationalités, allant jusqu'à soutenir la cause de l'unité italienne contre Pie IX. Joseph-Guillaume Barthe rend visite, en France, à Béranger, se recueille à l'ermitage de Jean-Jacques et, dans son *Canada reconquis par la France* qu'il publie à Paris en 1855, il presse l'ancienne mère-patrie « d'ouvrir ses écluses d'émancipation intellectuelle aux populations du Nouveau-Monde ». Joseph Doutre, un des piliers de l'Institut, apparaît comme un esprit représentatif du radicalisme de l'époque. Collaborateur actif de *L'Avenir*, cet avocat s'affiche libre-penseur absolu. Ses réquisitoires contre les jésuites, l'Église et le pape lors du procès Guibord, le classent au premier rang des anticléricaux. Il appuie à fond les initiatives de l'Institut canadien, dont il pose au champion contre Mgr Bourget. La partie toutefois est inégale. L'évêque porte les premiers coups en 1858, et il obtient finalement une condamnation romaine qui entraîne la dispersion des groupements. En 1862, Arthur Buies, frais débarqué de France, fait figure de trouble-fête avec ses tirades anticléricales. L'abbé Casgrain et « l'école patriotique de Québec » peuvent venir: le terrain est prêt pour accueillir une littérature patriotique et religieuse.

BIBLIOGRAPHIE

Viatte, Auguste, *Histoire littéraire de l'Amérique française, des origines à 1950*, Presses Universitaires Laval, 1954. Le chapitre II.

Quatrième partie

UN POST-ROMANTISME CIVIQUE

(1860-1900)

IVᵉ partie

UN POST-ROMANTISME CIVIQUE
(1860-1900)

Chapitre XXI

LE REPLI TRADITIONALISTE
(1860-1900)

par Pierre SAVARD

VIE INTELLECTUELLE ET SOCIÉTÉ

La période qui s'étend de 1860 à la fin du XIXᵉ siècle n'offre pas les contrastes politiques, sociaux et religieux des années 1837-38 ou de celles du début de l'Union. Les forces de cohésion semblent triompher. Un optimisme débordant envahit les dirigeants et inspire des politiques de grandeur. Toutefois, le Canada et le Québec connaissent des dissensions profondes et spectaculaires qui, si elles ne réussissent pas à ébranler les structures, n'en constituent pas moins à la fois les séquelles des grands déchirements de l'époque précédente et les prodromes des divisions que connaîtra le XXᵉ siècle.

Le processus d'une stabilisation croissante

Ce qui frappe l'observateur de la vie politique canadienne et surtout de l'évolution constitutionnelle, c'est la stabilité des institutions. En 1860, les Canadiens vivent sous le régime de l'Union. Sept ans plus tard, pour des raisons de politique intérieure et extérieure à la fois, le régime est modifié, et la Confédération des colonies an-

193

glaises de l'Amérique du Nord se réalise sous l'œil indifférent de la métropole. La Confédération ne s'est pas réalisée sans peine, mais bien vite ses adversaires rentrent dans le rang. Et jusqu'à la fin du siècle, il ne se trouvera que des voix isolées et jouissant d'une faible audience, un Jules-Paul Tardivel par exemple à partir de 1895, pour remettre en question l'utilité de la Confédération. Laurier peut s'écrier, dans un discours à Paris en 1897, en parlant de ses compatriotes francophones:

> « Nous sommes aujourd'hui près de deux millions, nous avons conservé notre langue, nos institutions, notre religion. Vivant côte à côte avec une population britannique, nous formons une nation. Tous les droits qu'ils ont, nous les avons, ce qu'ils sont, nous le sommes. Tous ensemble, nous sommes la nation canadienne. La force de notre race a été de ne pas faire de politique de race. »

Si un Papineau garde un prestige considérable, le grand héros de cette période est LaFontaine, qui par son habileté « détourn (a) l'énergie nationale des foyers d'agitation dangereuse, pour la concentrer sur l'œuvre féconde de l'accroissement de la richesse publique. » (De Celles)

Un signe de stabilité nous est encore fourni par le succès fort limité de l'annexionnisme. Les partisans de l'annexion aux États-Unis, solution préconisée par les Rouges au temps de l'Union, ont connu une certaine audience avant 1867. Sous la Confédération, les libéraux se bornent à prôner l'union commerciale pour sauver le pays en temps de dépression économique, mais ils reculent nettement devant la perspective de l'annexion. Ce qui n'empêche pas leurs adversaires de les accuser d'annexionnisme couvert.

Vocation en Amérique, optimisme

La puissante poussée démographique dans le Bas-Canada, devenu le Québec en 1867, la prospérité économique des années de l'Union et des débuts de la Confédération engendrent chez les Canadiens français un optimisme qui contraste nettement avec l'inquiétude de la génération de 1840. Évoquant certaines prédictions sombres des hommes de 1840, Routhier écrit en 1870: « L'Union des deux Canadas qui devait être son tombeau, n'a été qu'une arène glorieuse où l'enfant est devenu un homme! » Les Sulte et les Buies s'extasient volontiers devant la vitalité et les succès de leur groupe ethnique, qu'on croyait condamné à dépérir. Et Chapais reprendra, au début du XXᵉ siècle, dans une apostrophe à l'auteur de l'*Histoire du Canada:* « Tu t'es trompé, Garneau! Grand patriote, tu t'es trompé! Ton inquiète sollicitude pour l'avenir de notre race t'inspirait des prévisions trop sombres... Et ce n'est pas sur un tombeau que notre nom français est inscrit, mais sur des arcs de triomphe, sur des monuments glorieux dédiés à nos grands hommes, sur les frontons de nos universités et de nos palais civiques, législatifs et judiciaires. » La forte natalité est encouragée comme un signe de la Providence qui veut un Canada français puissant parce que nombreux. Les ultramontains comme Mgr Laflèche et la juge Routhier exaltent la mission providentielle des Canadiens français, appelés à témoigner du catholicisme dans l'Amérique du Nord tout entière. À l'aube du XXᵉ siècle, Mgr Pâquet reprendra ces idées dans son discours sur la « Vocation de la race française en Amérique ». Distinguant les peuples apôtres des peuples industriels et des peuples voués à la glèbe, il rappelle que si tous les peuples sont appelés à la vraie religion, tous n'ont pas reçu une mission religieuse. Arthur Buies voit pour sa part les Canadiens français comme des missionnaires de la culture, des « représentants du génie latin et celte » dans une Amérique dominée par le positivisme américain aux tendances matérialistes. L'émigration aux États-Unis, d'abord combattue, finit par apparaître à plusieurs de nos chefs religieux et politiques comme faisant aussi partie d'un dessein providentiel. Les relations restent étroites entre Canadiens français du Québec et de la Nouvelle-Angleterre. Les chefs politiques et les grands orateurs comme Mercier, Charles Thibault, le sénateur Trudel, s'y retrouvent chez eux. Mgr Laflèche va jusqu'à rêver que cette partie des États-Unis pourrait un jour s'annexer d'elle-même au Québec. Les gouvernements qui se succèdent à Québec, pour leur part, se tiennent pour responsables du sort de la collectivité canadienne-française en Amérique du Nord et prodiguent leurs encouragements aux Canadiens de l'Ouest et des États-Unis.

Prosélytisme hors-frontières

L'État provincial, malgré la modicité de ses revenus (un dollar et demi par habitant, par an, au début de la Confédération), et en dépit de la crise économique qui sévit de 1873 à 1896, ne lésine pas sur les moyens. Dans une province qui a des besoins pressants dans le domaine de la colonisation. des services sociaux et de l'éducation, on élève force monuments et statues et on délègue des représentants aux moindres congrès. La politique de grandeur atteint un point culminant avec Honoré Mercier, resté célèbre par ses appels à l'union canadienne-française (« Cessons nos luttes fratricides »), sa politique hardie pour l'époque dans le domaine de l'éducation et son règlement de l'épineuse question des biens des jésuites. Mercier entreprend des tournées triomphales en Europe et aux États-Unis, il reçoit de hautes décorations françaises et pontificales. Jamais jusque là le nom du Québec n'avait été aussi connu à l'étranger.

D'ailleurs, les relations officielles entre la France et le Canada français ont été précédées de bien des contacts. Le livre français, qui n'a jamais cessé d'apporter le message spirituel de l'ancienne mère-patrie, arrive plus facilement et en plus grande quantité. Les imprimeurs canadiens, ne se sentant pas liés par les conventions internationales, reproduisent quantité d'ouvrages de piété et d'enseignement. Les journaux donnent en pâture les feuilletons parisiens dont ils se contentent de modifier les titres trop connus, ou mal cotés. Et l'élite canadienne voyage. L'abbé Casgrain passe plus de vingt fois en Europe, Routhier y fait plusieurs longs séjours, Tardivel va s'y instruire, et Beaugrand s'y distraire. L'Europe ne suffit pas à Faucher de Saint-Maurice, qui va cueillir des lauriers militaires au Mexique. Dans les années 1880, les pèlerinages commencent à drainer vers Lourdes, Rome et la Terre-Sainte les dévots canadiens.

Les élites nouvelles

Les structures sociales ne comptent pas pour peu dans cette stabilisation du Québec. Le premier tiers du siècle a vu l'émergence et la poussée vigoureuse de l'élite des professionnels canadiens-français. Plusieurs se sont affichés radicaux en politique, allant souvent jusqu'au républicanisme et même à l'annexionnisme, et on y comptait des anticléricaux, voire des agnostiques ou des déistes. Après 1850, cette classe est installée aux postes de commande politiques et la collectivité québécoise a fait, dans l'ensemble, la paix avec l'Église. Elle accepte aussi le régime monarchique libéral et recule devant l'annexion. Son rôle de guide, avec le clergé, ne peut plus être contesté. La considération dont on l'entoure lui suffit, à défaut de prospérité matérielle. Les députés et les ministres se recrutent essentiellement dans ce groupe, formé de notaires, d'avocats et de médecins. Dans chaque paroisse importante, on retrouve la même petite élite. Le reste de la population, essentiellement les paysans (ou cultivateurs, comme ils s'appellent eux-mêmes), accepte volontiers cet état de choses. Souvent, d'ailleurs, curé ou notaire sont issus de familles du lieu ou des environs, ce qui atténue les oppositions possibles. On trouve aussi dans les villages des artisans (forgerons, par exemple), souvent de souche paysanne. Les plus défavorisés sont les colons, aux

196

frontières du Québec habité (au Lac Saint-Jean ou dans le comté de Mégantic), privés de routes et souvent à la merci des politiciens.

Le moule classique

Dans cette stabilisation de la société, il faut faire une place à part au rôle des collèges classiques. En 1860, on compte dans la province de Québec quinze collèges classiques, du Séminaire de Québec qui dispense un enseignement suivi depuis 1765 jusqu'au dernier-né, le Séminaire des Trois-Rivières. Ces établissements forment l'élite de la société, c'est-à-dire essentiellement les membres des professions libérales. Hector Fabre rappelle dans une chronique: « De ma classe sont sortis des avocats surtout, des prêtres, des marchands, des médecins, un aubergiste, un bottier (...) ». Leur influence est décuplée du fait que les Facultés, quand il y en a, sont encore dans un état embryonnaire. L'enseignement qui est donné reste surtout littéraire, même si les collèges font une place aux sciences, encore envisagées sous leur aspect de curiosités, comme au XVIIIᵉ siècle. Après 1880, les collèges, obéissant à Rome, se mettent fidèlement au thomisme en philosophie. En littérature, on enseigne les auteurs en fonction des canons classiques. On attache beaucoup d'importance à l'art du bien dire, essentiel aux futurs prédicateurs, plaideurs ou députés. Joseph-Edmond Roy, dans ses *Souvenirs d'une classe au Séminaire de Québec,* a bien décrit la vie protégée et insouciante des collégiens. Les chefs religieux et politiques restent en contact étroit avec leurs anciens professeurs et leurs camarades de collège. Mercier compte des amis sûrs et dévoués chez les jésuites. Messire Tétreau, du Séminaire de Saint-Hyacinthe, conseille nombre d'hommes politiques. Les anniversaires ou fêtes de collèges constituent des cérémonies grandioses. Par leur formation axée sur les valeurs de classicisme et d'ordre, par les liens sociaux qu'ils créent parmi l'élite canadienne-française tant laïque que religieuse, les collèges classiques contribuent puissamment à donner au Québec son caractère d'homogénéité et d'union.

L'union du trône et de l'autel

L'unanimité idéologique triomphe bruyamment dans les écrits conservateurs d'un Thomas Chapais, qui écrit en 1892: « Oui, un Canadien français qui n'est pas catholique est une anomalie, un Canadien français qui ne l'est plus après l'avoir été, est un phénomène monstrueux ». Quand la ville de Québec reçoit triomphalement, en

1886, le premier cardinal canadien, Chapais souligne avec satisfaction que le Canada « donne en ce moment au monde l'exemple d'un pays où l'Église et la patrie célèbrent avec le même élan et le même enthousiasme un mémorable événement religieux ». Routhier exprime bien le sentiment général quand il déclare: « Nous croyons que la religion est le fondement de toute patrie, que le catholicisme est spécialement la sauvegarde de la nationalité canadienne-française et que, par suite, cette nationalité et la religion catholique doivent rester inséparablement unis ». Croyance qui reçoit une expression non équivoque dans l'hymne national *Ô Canada* composé par le même Routhier, à la demande de la Société Saint-Jean-Baptiste de Québec, pour les fêtes du 24 juin 1880:

« Car ton bras sait porter l'épée
Il sait porter la croix!
. . .

Et ta valeur de foi trempée
Protégera nos foyers et nos droits.
. . .

Amour sacré du trône et de l'autel
Remplis nos cœurs de ton souffle immortel!
. . .

Sachons être un peuple de frères
Sous le joug de la foi,
Et répétons, comme nos pères,
Le cri vainqueur: « Pour le Christ et le roi! »

Même des chefs politiques prévenus contre les excès du cléricalisme, comme Mercier ou Laurier, ou des politiciens qui ont eu à se plaindre de certaines ingérences cléricales, un Langelier ou un David, ne remettent pas en question l'axiome selon lequel nationalité canadienne-française et catholicisme sont étroitement liés.

Consolidation de l'unanimité

Cette évolution vers une idéologie conservatrice et unanime ne s'est pas faite en un jour. Mais déjà, au moment de la Confédération, l'archevêque de Québec notait avec satisfaction:

« Il est peu de pays qui aient marché aussi rapidement et sûrement dans la voie du véritable progrès, et nous n'en connaissons aucun où la religion jouisse d'une aussi grande liberté et exerce une plus large part d'influence. Tout cela est dû, après la protection du ciel, à la politique éclairée des hommes d'État qui, depuis un quart de siècle surtout, président aux destinées du pays. »

198   VOIR ILLUSTRATION — 108

Les coups de boutoir de quelques anticléricaux et le libéralisme religieux qu'on attribue à certains hommes politiques n'y feront rien. Les échecs successifs de la poignée bruyante des radicaux durant cette période, leur audience limitée, attestent que l'unanimité est bien installée au pays du Québec. Les libéraux en politique, héritiers des radicaux « rouges » des années 1840, doivent mettre bien de l'eau dans leur vin. Laurier, qui arrive au pouvoir à Ottawa en 1896, et Marchand à Québec l'année suivante, se révèlent en général aussi respectueux de l'unanimité que leurs prédécesseurs les plus conservateurs. L'évolution de la France vers un anticléricalisme de plus en plus agressif, évolution exagérée à dessein au Canada français, n'a pas contribué pour peu à accentuer le traditionalisme au Québec. Les Canadiens français catholiques ont aussi, depuis longtemps, trouvé des justifications dans les condamnations sévères lancées contre les erreurs modernes dans l'encyclique *Quanta Cura* et dans le *Syllabus* de 1864, documents qui exercent une influence durable chez nous.

Tensions internes: libéraux et ultramontains

On aurait tort toutefois d'imaginer comme une époque sans heurt ces quatre dernières décennies du XIXe siècle, alors que le Canada français façonne de façon décisive son visage traditionnel. Des déchirements pénibles divisent sur tous les plans les Canadiens (luttes scolaires, affaire Riel) et les Québécois entre eux. La crise économique qui sévit durant le dernier quart du siècle aggrave les tensions.

Les catholiques du Québec s'entendent plutôt mal que bien. Le Québec, comme l'Europe catholique, connaît au XIXe siècle la profonde et irréductible rivalité des libéraux et des ultramontains. Les premiers cherchent un *modus vivendi* avec le monde moderne, quitte à modifier des attitudes traditionnelles de l'Église pour la faire accepter. Les autres, au contraire, refusent toute concession à un monde qu'ils jugent foncièrement hostile au catholicisme. Le titre d'ultramontains qu'on leur décerne avec une nuance de mépris (on dit aussi ultra-montés), ils le reçoivent comme un éloge. Chapais explique, en 1889, que « le titre d'*ultramontain* ayant toujours été employé pour signifier l'attachement et le dévouement le plus absolu aux doctrines romaines et au Saint-Siège, il doit être pour tout catholique un titre d'honneur aujourd'hui plus que jamais. » Le *Syllabus* de 1864, condamnant les « erreurs modernes », constitue une arme de choix dans l'arsenal ultramontain. En revanche, l'accession au trône pontifical, en 1878, de Léon XIII, qui ne renouvelle aucune des condamnations nommément dirigées contre les catholiques libéraux, réconforte ces derniers. Le clergé et l'épiscopat québécois se divisent vite sur la question. Dans les années 1870 et 1880, Mgr Taschereau, de Québec, est le porte-parole de l'aile libérale. Son principal adversaire est Mgr Bourget, relayé par Mgr Laflèche. Les laïcs entrent en lice, les uns par intérêt politique, d'autres mus par l'idéal de servir l'Église, à l'exemple de Louis Veuillot en France. Jules-Paul Tardivel apparaît comme le type le plus achevé du laïc ultramontain. Le sénateur François-Xavier-Anselme Trudel en reste le représentant le plus éminent. Des hommes politiques, tel Israël Tarte, oscillent d'un pôle à l'autre. Le juge Routhier, ultramontain farouche dans *Les Causeries du Dimanche* (1871), évolue, comme bien de ses contemporains, vers un libéralisme modéré.

Devant eux, à la gauche de l'aile libérale, ne subsiste plus qu'une poignée de radicaux tapageurs et sans réelle efficacité. Après la disparition de l'*Avenir*, célèbre dans les années 1850, *Le Pays* a pris la relève. C'est dans ce journal qu'Arthur Buies publie en 1862 une apologie de Garibaldi qui scandalise ses compatriotes dont plusieurs ont participé à l'équipée des zouaves. Ensuite, le flambeau passe à *La Patrie,* dirigée par Honoré Beaugrand. Dans les années 1890, quelques radicaux groupés autour de *Canada-Revue, La Liberté* et *L'Écho des Deux-Montagnes,* sont à leur tour, après une lutte inégale, décimés par des condamnations épiscopales. Ces manifestations d'anticléricalisme ne servent, en dernière analyse, qu'à accréditer la thèse des ultramontains voulant que le Canada français soit sérieusement menacé par les forces de la révolution et de l'impiété.

BIBLIOGRAPHIE

Rumilly, Robert, *Histoire de la province de Québec,* Montréal, 1940 et ss. Les 9 premiers volumes traitent de la période allant de 1867 à 1900.

Wade, Mason, *Les Canadiens français, de 1760 à nos jours* (Montréal, 1963), Tome I (1760-1914).

Savard, Pierre, *Jules-Paul Tardivel, la France et les États-Unis* (1851-1905), Québec, 1967.

Viatte, Auguste, *Histoire littéraire de l'Amérique française, des origines à 1950,* Québec et Paris, 1954. Le chapitre III

Ouellet, Fernand, «L'étude du XIXe siècle canadien-français » et « Commentaire » de Michel Brunet (avec une bibliographie de 4 pages), pp. 27-42, dans *Situation de la recherche sur le Canada français* (dir. F. Dumont et Y. Martin), Québec, Presses de l'Université Laval, 1962.

Chapitre XXII

LA POÉSIE
(1860-1900)

par Michel TÉTU

L'ABBÉ CASGRAIN (1831-1904)
ET L'ÉCOLE PATRIOTIQUE DE QUÉBEC

On a l'habitude de grouper des poètes comme Crémazie, Fréchette, Le May, sous l'étiquette générale de l'École Littéraire et Patriotique de Québec, et de faire remonter celle-ci soit à la publication de la première *Légende* de l'abbé Casgrain, en janvier 1860, soit au premier numéro des *Soirées canadiennes,* qui date de février 1861.

En fait, « école » est un terme impropre, que l'on a utilisé en voulant établir un parallèle avec l'École Littéraire de Montréal, plus tardive (1900). Il n'existe pas vraiment d'école littéraire, mais seulement un groupe de personnes cultivées, qui aiment leur pays, et qui aiment la littérature. Elles échangeront des opinions et s'encourageront mutuellement à écrire en fondant la revue *Les Soirées canadiennes.*

HENRI-RAYMOND CASGRAIN
(1831-1904)

Le promoteur et chef de file du groupe est le jeune abbé Henri-Raymond Casgrain, ancien vicaire à Beauport, qui vient d'être nommé à la cathédrale de Québec. Peut-être a-t-il eu le temps, dans sa paroisse, de rêver sur l'histoire du Canada et sur ces petites anecdotes qui font le plaisir des veillées. Il publie dans *Le Courrier du Canada* une première légende: *Le Tableau de la Rivière Ouelle,* très vivement appréciée, qui sera suivie de deux autres: *Les Pionniers canadiens* et *La Jongleuse*. Il avait été fort impressionné par les écrits de François-Xavier Garneau, et les poèmes de Crémazie l'avaient fait vibrer tout entier. Il prit la plume à son tour et, dans son dynamisme, il regroupa toute une pléiade de littérateurs: Joseph-Charles Taché, rédacteur du *Courrier du Canada,* l'abbé Ferland, qui enseignait l'histoire à l'Université Laval, Antoine Gérin-Lajoie, bibliothécaire au Parlement, le docteur La Rue, Octave Crémazie, chez qui on se retrouvait régulièrement, ainsi que plusieurs jeunes talents: Pamphile Le May, Alfred Garneau, Louis Fréchette ...

L'abbé Casgrain explique, dans un article sur le *Mouvement littéraire au Canada* (janvier 1866), que l'influence de F.-X. Garneau et de Crémazie est à la source de cette foi littéraire et patriotique:

« Nous n'oublierons jamais l'impression profonde que produisit, sur nos jeunes imaginations d'étudiants, l'apparition de l'*Histoire du Canada* de M. Garneau. Ce livre était une révélation pour nous. Cette clarté lumineuse qui se levait tout à coup sur un sol vierge et nous en découvrait les richesses et la puissante végétation, les monuments et les souvenirs, nous ravissait d'étonnement autant que d'admiration...

« Sur cette grandiose réalité, les brillantes strophes de M. Crémazie, alors dans tout l'éclat de son talent, jetaient par intervalle leur manteau de gloire. Il nous rappelait, en vers splendides, les hauts faits d'armes de nos aïeux...

« Chacun de nous alors soupirait après le jour où il pourrait mêler sa voix à celle du chantre canadien, et rêvait, avec toute l'ardeur juvénile, quelque long poème destiné, pour le moins, à l'immortalité. »

Ce patriotisme, cette soif d'écrire pour chanter les exploits de son pays, étaient exaltés par la lecture des romantiques français qui, pour être déjà un peu dépassés en France en 1860, n'en paraissaient pas moins assez nouveaux à Québec. On lisait beaucoup et on discutait plus encore à propos de ces maîtres. Et l'on rêvait d'une littérature canadienne!

Après le succès réservé à la première légende de l'abbé Casgrain, on décida de mettre sur pied une revue qui servirait de stimulant aux jeunes écrivains et permettrait de « soustraire nos belles légendes à un oubli dont elles sont plus que jamais menacées, de perpétuer aussi les souvenirs conservés dans la mémoire de nos vieux narrateurs et de vulgariser la connaissance de certains épisodes peu connus de l'histoire de notre pays » (Prospectus). Chaque numéro débutera d'ailleurs par le rappel de la phrase de Charles Nodier: « Hâtons-

202

nous de raconter les délicieuses histoires du peuple avant qu'il les ait oubliées ».

Les meilleurs écrivains y collaborèrent et le nombre des abonnements fut considérable pour l'époque. *Les Soirées canadiennes,* débutant avec 336 abonnés à Québec et 840 en tout, firent un petit bénéfice qui provoqua une querelle avec l'imprimeur. On ne put s'entendre. Si bien que Taché, qui était favorable au point de vue de l'éditeur, continua la publication des *Soirées canadiennes* avec quelques fidèles et des nouveaux venus, tandis que le gros de la troupe suivait le docteur La Rue chez un autre éditeur, pour y publier *Le Foyer canadien.* En 1863, il y avait donc deux revues littéraires à Québec. C'était manifestement trop! Et bien que le nombre des abonnés du *Foyer canadien* ait atteint deux mille, l'intérêt diminua et les deux revues périclitèrent par manque d'articles. *Les Soirées canadiennes* disparurent en 1865, et le *Foyer canadien* à la fin de l'année suivante. Il est vrai qu'à cette date venait de se fonder à Montréal *La Revue canadienne,* qui allait prendre la relève.

À ce moment-là, Crémazie s'est réfugié en France, Fréchette s'est aussi « exilé » volontairement aux États-Unis. La petite troupe est démembrée, mais l'élan initial a été donné. Les publications vont se succéder, et la littérature canadienne, par l'histoire, par le roman et par la poésie, peut maintenant affirmer son existence.

Quant à l'abbé Casgrain, il contracta une ophtalmie en travaillant à son histoire de *Mère Marie de l'Incarnation,* publiée en 1864, et il dut se retirer quelque temps dans son village natal. Profitant de la solitude, il écrivit les neuf poèmes qu'il devait réunir dans le volume des *Miettes,* dédié à son ami Gérin-Lajoie.

Inspiré par le monde de son enfance, il chante la maison paternelle et les souvenirs que réveillent les objets familiers de sa jeunesse. Il y ajoute des évocations historiques, la première messe au Canada, l'arrivée de Jacques-Cartier, les magnifiques aventures des Canadiens coureurs de bois.

Cette poésie n'a jamais retenu l'attention, et Casgrain ne se pique pas d'être grand poète. Il se sent plus à l'aise dans le style conformiste de ses *Légendes,* dont on retiendra quelques bons tableaux de la vie canadienne, comme celui des « brayeuses » de lin. Les histoires sont attrayantes et ses vies de colons, où survient ici et là quelque méchant indien, retiennent l'intérêt.

L'auteur, toutefois, n'a pas un talent très vif de conteur. Il sait piquer la curiosité, sans doute; mais son style raboteux et peu soigné finit par lasser. Dès qu'il y a quelque recherche, on sent poindre le poncif, et cela est plus ennuyeux encore pour le lecteur moderne.

Aussi le plus grand mérite de l'abbé Casgrain est-il la part qu'il a prise dans l'élaboration d'une littérature nationale. [1] Il est à déplorer que ses idées littéraires, qui se voulaient le *credo* de cette littérature nationale, aient été déformées par un messianisme impénitent. Le *Mouvement littéraire au Canada*, l'important article cité plus haut, livre un tableau de la situation à Québec et manifeste la confiance de son auteur. Il faut toutefois déplorer l'aspect convenu de la vision de la littérature qu'entretient l'abbé Casgrain, vision qui va malheureusement marquer la prose et la poésie canadiennes pendant de longues années:

> « Mais elle (la littérature canadienne) sera essentiellement croyante et religieuse. Telle est sa forme caractéristique, son expression; sinon elle ne vivra pas, et se tuera elle-même. C'est sa seule condition d'être... Heureusement que, jusqu'à ce jour, notre littérature a compris sa mission, qui est de favoriser les saines doctrines, de faire aimer le bien, admirer le beau et connaître le vrai, de moraliser le peuple en ouvrant son âme à tous les nobles sentiments, en murmurant à son oreille, avec les noms chers à nos souvenirs, les actions qui les ont rendus dignes de vivre, en couronnant leurs vertus de son auréole, en montrant du doigt les sentiers qui mènent à l'immortalité. Voilà pourquoi nous avons foi dans l'avenir. »

En 1875, l'abbé Casgrain émit l'idée d'éditions populaires pour vulgariser les œuvres des écrivains canadiens, dans le but d'éduquer le peuple. Le ministre de l'Instruction publique le pria alors de préparer une liste des meilleurs ouvrages pour les distribuer dans les écoles. En quelque dix ans, le nombre des livres imprimés par les soins

---

1. « Je soutiens aussi que cet écrivain est *charmant*, a écrit Adolphe-Basile Routhier. Mais, comme disait De Maistre, j'entends que ce mot soit une critique. Tout jeune qu'il soit de pensée et de style, M. l'abbé Casgrain se laisse volontiers appeler le père de la littérature canadienne, et Placide Lépine (pseudonyme de Casgrain et de Marmette, son secrétaire) qui probablement écrivait sous sa dictée, l'a proclamé pompeusement. Plusieurs fois, il a fait comprendre lui-même que ce titre lui appartenait. Aussi lui est-il arrivé de parler de notre littérature comme un père de sa fille, et lorsque M. de Gaspé lui fit lecture des *Anciens canadiens*, c'est *au nom des lettres canadiennes* qu'il lui sauta au cou et lui cria: merci! Quel père n'en eût pas fait autant à la vue du riche héritage qu'un bienfaiteur inattendu apportait à sa fille!
A la première ligne de l'étude critique qu'il a publiée sur M. Chauveau, M. l'abbé Casgrain déclare que l'avenir de la littérature canadienne est assuré depuis 1860. Je me suis demandé pourquoi cette date plutôt qu'une autre, et je me suis aperçu que cette année-là (1860) avait vu paraître ses *Légendes*. » (Auguste Laperrière, *Les Guêpes canadiennes*, Ottawa, 1881).

de l'abbé Casgrain avait dépassé les 175,000. Ce fut là une contri-
bution importante au progrès de la culture littéraire au Québec.

C'est en somme pour cette inlassable activité, plus que par ses
propres écrits, que l'abbé Casgrain s'est assuré une place dans la
littérature canadienne. [2]

OEUVRES:

Abbé H.-R. Casgrain, *Oeuvres complètes*, 6 vol., Montréal, Beauchemin, 1896.

ÉTUDES:

Mouvement littéraire de Québec, 1860, articles de David Hayne, Arsène Lauzière, Sœur Jeanne Leber, Réjean Robidoux... Archives des lettres Canadiennes, Université d'Ottawa, 1961.

Lebel, Maurice, *D'Octave Crémazie à Alain Grandbois*, Québec, L'Action, 1963.

Laperrière, Auguste, *Les Guêpes canadiennes*, 2 vol., Ottawa, Bureau, 1881.

Roy, Mgr Camille, *Essais sur la littérature canadienne*, Québec, l'Action Sociale,
1907.

Roy, Mgr Camille, *À l'ombre des érables*, Québec, l'Action Sociale, 1924.

LOUIS FRÉCHETTE
(1839-1908)

Peu de temps après l'insurrection des Patriotes naissait, à la
Pointe-Lévis, Louis-Honoré Fréchette, le 16 novembre 1839. Après des
études classiques quelque peu mouvementées, il entreprit des études
de droit à l'Université Laval, et commença en même temps une carrière dans le journalisme, pour lequel il aura toujours un penchant.
C'est à cette époque qu'on le voit fréquenter la librairie des frères
Crémazie.

Ses études de droit terminées, il s'installe à Lévis et y fonde
coup sur coup deux journaux, qui malheureusement ont la vie brève.

Une carrière mouvementée

Pourquoi décide-t-il alors de partir pour les États-Unis? Est-ce
parce que *Mes loisirs*, petite brochure de poèmes publiée en 1863,

---

2. En ce qui concerne les écrits historiques de l'abbé Casgrain, se reporter au
chapitre sur l'histoire, de 1860 à 1900, pp. 301-303.

VOIR ILLUSTRATION — 121

205

n'avait eu que peu de succès? Est-ce déception politique? Ou simplement pour s'enrichir, comme l'insinue malicieusement l'abbé Casgrain? ... Quoi qu'il en soit, nous le retrouvons, amer, à Chicago, en octobre 1866; il s'y estime en exil. Repris par le démon du journalisme, il fonde *L'Observateur*, qui connaît le sort des journaux précédents, puis l'*Amérique*; et il compose les poèmes satiriques de *La Voix d'un exilé*.

En 1871, revenu au Canada et flatté d'y constater sa popularité littéraire, il s'y réinstalle et décide de se lancer dans la politique, cependant qu'il publie un drame historique en quatre actes, *Félix Poutré*. Après deux échecs, il est élu, en 1874, député de Lévis au parlement fédéral. Il se marie et publie *Pêle-mêle* (1877), *Les Fleurs boréales* et *Les Oiseaux de neige* (1879).

Après les représentations de deux de ses drames: *Le Retour de l'exilé* et *Papineau*, Louis Fréchette part pour la France, où il rend visite à Victor Hugo et reçoit un prix de l'Académie française (août 1880). Premier écrivain canadien à être ainsi honoré, il publie à Paris *La Légende d'un peuple* (1887), et consacre sa vie à l'activité littéraire; il publie quelques poésies: *Feuilles volantes*, des contes: *Originaux et détraqués* (1892), des essais, des articles, des *Mémoires intimes*, etc.

Sa gloire littéraire est assurée. Il publie à Toronto; il est nommé président général de la Société Royale du Canada; il fait élever un monument à la mémoire de Crémazie. Il mourut subitement en 1908, alors qu'il préparait l'édition définitive de son œuvre, dont ne parurent que les trois premiers volumes.

Un disciple de Crémazie et des romantiques

L'œuvre littéraire de Fréchette est assez variée, mais c'est la poésie qui en constitue la partie la plus importante, poésie lyrique et poésie satirique, poésie épique surtout avec *La Légende d'un peuple*.

Il est indéniable qu'Octave Crémazie exerça sur lui une très grande influence au temps où, jeune étudiant en droit, il découvrait, dans la librairie de la rue de la Fabrique, les principaux écrivains romantiques. Fréchette respecte profondément son maître, et c'est avec émotion qu'il parle du « drapeau glorieux que chanta Crémazie ».

Mais derrière Crémazie, c'était évidemment Musset, Lamartine, Chateaubriand et Hugo qui attiraient Louis Fréchette dans les mirages du romantisme français. Depuis dix ans que « La Capricieuse » avait gagné Québec et que les relations culturelles s'étaient resserrées entre les deux pays, Fréchette brûlait de ressembler à ces écrivains célèbres.

C'est un peu la fantaisie de Musset que l'on retrouve dans son premier recueil, *Mes loisirs*, publié en 1863, alors qu'il menait une vie de bohême, proche de celle qu'avait dépeinte en France Henri Murger. Malgré son inspiration typiquement canadienne, *Le chant de la Huronne* est empreint d'un charme fait, à la manière de Musset, d'un style facile et varié, d'une simplicité et d'une fantaisie désarmantes.

> « Glisse, mon canot, glisse
> Sur le fleuve d'azur!
> Qu'un Manitou propice
> À la fille des bois donne un ciel toujours pur! »

Ce n'est que le refrain d'une chanson légère, mais ce rythme se retrouve tout au long de *Mes loisirs*, dans *Minuit* par exemple:

> « La pâle nuit d'automne
> De ténèbres couronne
> Le front gris du manoir;
> Morne et silencieuse,
> L'ombre s'assied, rêveuse,
> Sous le vieux sapin noir... »

Et plus tard encore, avec une légère tristesse voilée d'un sourire à peine ironique, le poète promène ainsi, dans la nuit d'été, le regret d'un amour peut-être difficile à avouer:

> « Vous étiez là, Louise, et vous savez sans doute
> Ce que mon cœur rêva tout le long de la route »
> *Fleurs boréales*, Nuit d'été

C'est aussi une tendre simplicité, l'innocence d'un cœur facile à émouvoir qui lui dictent ces vers, conclusion d'un poème dédié à Théodore de Banville:

> « Mais moi de cette nuit je garde quelque chose
> Car j'emporte en mon cœur un souvenir de plus. »
> *Fleurs boréales*, Un soir à bord

L'un des bons poèmes de Fréchette dans cette veine est celui qui, intitulé précisément « Souvenir », commence par ces strophes:

> Je passais... Dans les charmilles,
> L'œil au guet,
> Un duo de jeunes filles
> Gazouillait.

Blonde et rêveuse était l'une,
        Je crus voir
De l'autre la tresse brune
        Et l'œil noir.

Deux anges, quelle voix douce
        Ils avaient!
Les pervenches, dans la mousse,
        En rêvaient.

L'amour de la nature

Toutefois, comme tout bon romantique, Fréchette se doit de traiter les grands sujets, et c'est par là qu'il va s'imposer.

C'est dans la célébration des forces de la nature qu'il puise l'essentiel de son inspiration. Il découvre le Mississipi à travers la lunette de Jolliet, s'élance dans les grands espaces, s'appuie aux arbres plusieurs fois centenaires, tel le frêne des Ursulines, et magnifie l'eau sous toutes ses formes: les lacs (Beauport), les rapides, les chutes (Niagara, Montmorency), le Saint-Laurent depuis son embouchure jusqu'au cap Tourmente, en passant par le Saguenay, sans oublier ses îles: autant de périls auxquels n'échappera point la flotte de Walker.

Fréchette n'est jamais très profond. Mais il a la notion de l'espace américain. Il sait s'enthousiasmer dans la découverte. Et l'ampleur de son verbe coloré aboutit à des descriptions majestueuses, solennelles sans trop de pompe, et pleines de cette grandeur prophétique, un peu effrayante bien que non tout à fait étrangère à notre sensibilité, du Livre de la Genèse

LA DÉCOUVERTE DU MISSISSIPI [1]

Le poème débute par une belle image, malgré la présence de quelques poncifs de l'époque. On notera l'harmonie existant entre la majesté nonchalante du fleuve inexploré, et le rythme des alexandrins, nuancés à la fin de chaque strophe par un octosyllabe. Le vocabulaire est surtout abstrait, les épithètes nombreuses ne sont pas d'une couleur locale très précise, mais la musique du vers, jointe à l'impression visuelle globale, donne au poème une grande puissance d'évocation.

Après les six premières strophes, le poète introduira l'image de Jolliet « debout comme un prophète », cependant que les réminiscences de Chateaubriand l'entraînent à moraliser et à conclure par cette affirmation romantique: « J'ai foi dans tes destins nouveaux ».

« Le grand fleuve dormait, couché dans la savane.
Dans les lointains brumeux passaient en caravane
De farouches troupeaux d'élans et de bisons.
Drapé dans les rayons de l'aube matinale,
Le désert déployait sa splendeur virginale
Sur d'insondables horizons.

---

1. Ce poème, qui plaisait à son auteur, fut repris et inséré avec de très légères retouches, sous le nom de *Jolliet*, dans *La Légende d'un peuple*.

Juin brillait. Sur les eaux, dans l'herbe des pelouses,
Sur les sommets, au fond des profondeurs jalouses,
L'Été fécond chantait ses sauvages amours.
Du Sud à l'Aquilon, du Couchant à l'Aurore,
Toute l'immensité semblait garder encore
      La majesté des premiers jours.

Travail mystérieux! les rochers aux fronts chauves,
Les pampas, les bayous, les bois, les antres fauves,
Tout semblait tressaillir sous un souffle effréné;
On sentait palpiter les solitudes mornes,
Comme au jour où vibra, dans l'espace sans bornes,
      L'hymne du monde nouveau-né.

L'Inconnu trônait là dans sa grandeur première.
Splendide, et tacheté d'ombres et de lumière,
Comme un reptile immense au soleil engourdi,
Le vieux Meschacébé, vierge encor de servage,
Déployait ses anneaux de rivage en rivage
      Jusques aux golfes du Midi.

Écharpe de Titan sur le globe enroulée,
Le grand fleuve épanchait sa nappe immaculée
Des régions de l'Ourse aux plages d'Orion,
Baignant la steppe aride et les bosquets d'orange,
Et mariant ainsi, dans un hymen étrange,
      L'Équateur au Septentrion.

Fier de sa liberté, fier de ses flots sans nombre,
Fier du grand pin touffu qui lui verse son ombre,
Le Roi-des-Eaux n'avait encore, en aucun lieu
Où l'avait promené sa course vagabonde,
Déposé le tribut de sa vague profonde,
      Que devant le soleil et Dieu!... »

              (Les Fleurs boréales)

LE CAP ÉTERNITÉ

Le Cap Éternité est un des sonnets réunis sous le titre de « Paysages » et qui célèbrent la nature canadienne. Il se dégage, là encore, une impression de force et de majesté presque inhumaines, cependant qu'à la fin des images plus légères ramènent une note d'humanité attendrie.

« C'est un bloc écrasant dont la crête surplombe
Au-dessus des flots noirs, et dont le front puissant
Domine le brouillard, et défie en passant
L'aile de la tempête ou le choc de la trombe.

Enorme pan de roc, colosse menaçant
Dont le flanc narguerait le boulet et la bombe,
Qui monte d'un seul jet dans la nue, et retombe
Dans le gouffre insondable où sa base descend!

209

Quel caprice a dressé cette sombre muraille?
Caprice! qui le sait? Hardi celui qui raille
Ces aveugles efforts de la fécondité!

Cette masse nourrit mille plantes vivaces;
L'hirondelle des monts niche dans ses crevasses;
Et ce monstre farouche a sa paternité.

(Les Oiseaux de neige)

Sur les traces de Victor Hugo

Au cours de ses voyages en Europe, Fréchette se familiarisa avec la nature française, inspiratrice de Lamartine et de Hugo, et il devait la chanter également, en particulier les bords de la Creuse. Il est encore frappé par tout ce qui est puissant, en particulier par la force de ces multiples châteaux, la plupart en ruines, qui jalonnent les routes d'autrefois. Voici Crozant, « immense au clair de lune ».

CROZANT

L'accumulation de noms et de participes évoque bien ici la lourdeur, la majesté et la puissance qui ont fait impression sur le poète, peu habitué qu'il était à cette sorte d'architecture.

« Seuils effondrés, arceaux béants, porches pleins d'ombres,
Arcs-boutants délabrés émergeant des décombres,
Blocs disjoints envahis par la ronce et le houx,
Longs couloirs éventrés, heurtés par les hiboux,
Pans épais perforés de spirales funèbres,
Souterrains où l'on voit des yeux dans les ténèbres,
Parapets chancelants qui semblent s'accrocher
Aux arbres rabougris qui pendent du rocher,
Puissants remparts flanqués de bastions énormes,
Lourds amoncellements, écroulements difformes,
Tout, dans ce fier débris, farouche majesté
Où l'implacable main des âges a sculpté
Le tragique blason des vieux siècles gothiques,
Prenait à nos regards des formes fantastiques.
Cela semblait, sous l'astre aux rayons tremblotants,
Comme un spectre arrêté sur les confins du temps!

(Feuilles volantes)

Fréchette est sensible aux beautés de la nature. Il calque son état d'âme sur les variations saisonnières, à l'instar des maîtres du romantisme. Il lui arrive aussi de noter un contraste entre la dureté de la nature et la valeur d'un sentiment humain. Il a souffert de l'incompréhension de ses compatriotes, en politique comme en poésie (son ancien émule William Chapman le baptisa durement, en 1894, « Victor Hugo le petit », en le traitant de « versificateur sans virtuosité »). Aussi reste-t-il sensible à la délicatesse, malgré son attrait pour le sublime:

> « Mais, o pics géants que le ciel décore,
> Monts qui défiez le regard humain,
> À tout votre éclat, je préfère encore
> La douce amitié qui me tend la main »
>
> (*Oiseaux de neige,* Impromptu)

Il se montre pourtant extrêmement dur, à son tour, dans ses écrits satiriques, où l'esprit de la vengeance éclate. Récemment gagné à la cause des libéraux, il a, de son exil américain, fustigé les conservateurs sans aucune retenue:

> « Je les ai vus, ces gueux — honte à l'espèce humaine! —
> L'œil plein d'hypocrisie et le cœur plein de haine,
> Le parjure à la bouche et le verre à la main,
> Érigeant l'infamie et le vol en science,
> Pour vendre leur pays, troquer leur conscience,
> Contre un ignoble parchemin. »
>
> (*La Voix d'un exilé,* Adieux)

ou encore:

> « Traîtres, c'est encore moi! Faible, seul et sans glaive,
> Mais, sombre avant-coureur du grand jour qui se lève,
> Je viens pour commencer l'œuvre du lendemain!
> Vengeur, j'ai sous mes yeux un immortel exemple:
> J'ai vu l'Homme de Paix sur les dalles du Temple,
>   Terrible et le fouet à la main.
>
> À moi ce fouet sacré, ce fouet de la vengeance!
> Arrière, scélérats! arrière, ignoble engeance!
> Brigands de bas étage et fourbes de haut rang!
> Point de grâce pour vous; fuiriez-vous jusqu'au pôle,
> Je vous appliquerai le fer rouge à l'épaule,
>   Et je vous mordrai jusqu'au sang! »
>
> (*La Voix d'un exilé,* Consummatum est)

La légende d'un peuple

La situation de Fréchette en exil invectivant ses compatriotes ressemble fort à celle de Victor Hugo sur son île de Jersey. Après *La Voix d'un exilé,* cette mince brochure de dix-huit pages où des vers de pamphlétaire ont parfois des accents d'épopée, Fréchette se rapproche encore de Victor Hugo en écrivant *La Légende d'un peuple,* réplique canadienne de *La Légende des siècles.*

211

S'inspirant de l'histoire de F.-X. Garneau, adoptant le ton qu'avait mis à l'honneur Crémazie dans ses poèmes patriotiques — mais en y ajoutant de la couleur — Fréchette entreprit sa grande épopée, qui fit beaucoup pour sa gloire. L'œuvre, dédicacée « à la France », débute par un prologue, l'*Amérique* (« Toi, la reine et l'orgueuil du monde occidental! — Toi qui, comme Vénus, montas du sein de l'onde — Et du poids de ta conque équilibras le monde! »), et comprend trois livres: le premier relate les exploits de la colonisation française dans les luttes incessantes contre les Indiens; le deuxième raconte la lutte contre les Anglais, spécialement pendant les années 1758-1760; enfin les derniers poèmes ont trait au régime qui découla de la défaite, de 1763 jusqu'en 1880, longue période pendant laquelle Fréchette ne ménage pas « les doux représentants du doux régime anglais. » Le recueil se ferme sur un épilogue, *France,* dont les derniers vers débordent d'enthousiasme:

> « On entendait là-bas de leur voix mâle et forte
> Nos enfants relevant le drapeau des grands jours
> Crier au monde entier:
> La France vit toujours. »

Ce n'est plus ici le poète lyrique qui faisait rimer « lune » avec « brune », c'est un homme dont la grande volonté est de faire aimer l'histoire canadienne. Son exaltation passe dans les points d'exclamation, la multitude des vocatifs, des répétitions qui finissent par convaincre le lecteur le plus récalcitrant. Et si ce dernier sourit de la naïveté des premiers vers, très connus: « O notre Histoire! — écrin de perles ignorées! — Je baise avec amour tes pages vénérées », il sera touché par une telle ardeur et un tel amour. (L'édition originale comporte vingt pages de notes explicatives, citant le plus souvent F.-X. Garneau).

Ce respect des héros qui ont fait l'histoire canadienne était déjà sensible, dans *Les Fleurs boréales,* sur la tombe de Cadieux ou dans le bateau emmenant Jolliet au Mississipi. Les titres de la *Légende d'un peuple* sont significatifs, qu'ils s'agisse de Papineau, de Chénier, de Cavelier de la Salle, de Daulac des Ormeaux, ou encore des lieux célèbres: la baie d'Hudson, Châteauguay, Saint-Denis...

Son enthousiasme est parfois puéril qui lui fait crier: « Vive la France »; mais il se rachète par la vivacité de certains portraits. Fréchette est un visuel qui sait donner à l'image une grande force d'évocation. C'est Colborne qui s'avance, « l'invective à la bouche et la torche à la main »; ou Chénier, à Saint-Eustache:

« Un officier anglais le somme de se rendre.
Le héros souriant lui répond: viens me prendre!
Et l'étend raide mort d'un coup de pistolet. »

Ce même grossissement et ces formules lapidaires qui font indubitablement penser à Victor Hugo, se retrouvent dans les tableaux d'ensemble et les récits de bataille. Dollard des Ormeaux (Fréchette écrit Daulac) et sa poignée de soldats résistent ainsi désespérément à la horde de Peaux-Rouges qui les assaillent :

« Ce fut en un instant une horrible mêlée.
Les Peaux-Rouges, chargeant en bande échevelée,
Avec des gestes fous et des cris furibonds,
Se ruaient sur le fort, et par d'horribles bonds,
Malgré les sabres nus et les arquebusades,
Recommençaient sans fin l'assaut des palissades.

Ils n'avaient presque plus l'aspect d'êtres humains,
On leur fendait le crâne; on leur hachait les mains;
On leur jetait aux yeux des cendres enflammées;
Quand même! reformant leurs masses entamées,
Ces tigres enragés s'élançaient en hurlant;
Et toujours, et partout, la balle et l'arme blanche
Refoulaient dans le sang la terrible avalanche.

Et cela, sous les bois, dans la nuit, au milieu
Du désert frissonnant sous le regard de Dieu!
C'était un cauchemar à donner l'épouvante.

On se battit ainsi jusqu'à la nuit suivante;
Puis on recommença.
                    Cela dura dix jours. »

Le réalisme que l'on peut noter dans le tableau de cette mêlée se retrouve lorsque Phipps attaque Québec, ou lorsque « L'Atalante », seule, résiste à l'avalanche de mitraille de trois gros vaisseaux anglais. Fréchette, attaqué sur ce point, se défendra en renvoyant ses détracteurs à Baudelaire.

De toute façon, ce réalisme n'est chez lui qu'un élément à partir duquel son imagination se déploie pour trouver des images frappantes. Ainsi, il laisse flotter son imagination à propos du drapeau français farouchement conservé par Cadot, de nombreuses années après la « vente » du Canada par Louis XV:

« Le Fort n'est plus debout. Pourtant, parmi les ruines,
Le voyageur prétend qu'à travers les bruines
Et les brouillards d'hiver, on voit encor souvent
Le vieux drapeau français qui flotte dans le vent. »

Son imagination a d'autres effets. Elle transforme en sarcasmes ses petites explosions de haine, dont nous avons déjà eu l'exemple avec la *Voix d'un exilé*. Étant donné son patriotisme, les Anglais en font souvent les frais:

> « Ces gens-là, voyez-vous, cela ne meurt jamais,
> Et si, ce dont je doute, ils ont une âme à rendre,
> Le bon Dieu n'a pas l'air bien pressé de la prendre. »

C'est peut-être par humour qu'après avoir intitulé un poème « Le Drapeau anglais », il le fait suivre aussitôt de « Nos trois couleurs ». Mais c'est certainement sans le moindre humour qu'il parle des « pieds plats et front étroit »; et c'est avec une profonde tristesse qu'il reproche à Louis XV ses faiblesses, en particulier « sa gueuse de Pompadour »

Sa haine lui inspire alors de nombreuses formules à l'emporte-pièce, et le ton monte lorsqu'il en arrive à Voltaire. Il l'accuse personnellement, et lui réserve, avant l'épilogue, son dernier poème intitulé *Sous la statue de Voltaire*. Le ton a bien changé depuis un demi-siècle, alors que le voltairianisme était bien porté au Canada français:

> « Ceci, c'est donc Voltaire!
>   Oui je le reconnais là
> Ce « sourire hideux » que Musset flagella.
> Ce bronze grandit l'homme et lui donne du torse;
> Donc te voilà, Voltaire! eh bien, lève un instant
> La membrane qui bat sur cet œil clignotant;
> Dresse la tête, et puis laisse tomber le tome
> Que tu tiens à la main. Bien, maintenant, grand homme,
> De ta bouche détends un peu les plis amers,
> Et regarde là-bas, au bout des vastes mers!...
> Et dis-moi maintenant de ta voix satanique...
> Dis-moi, de cette voix, tant de fois sacrilège,
> Ce que valaient pourtant quelques arpents de neige!...

Pour être virulente, l'algarade ne manque pas d'allure!

La grandiloquence est cependant trop ardente à certains moments, et le lecteur moderne sourit lorsqu'il voit, dans un transport lyrique, « s'embrasser aujourd'hui la France et l'Amérique. » [2]

Fréchette abuse de l'imparfait et du point d'exclamation. Sur les quarante-neuf poèmes de la *Légende d'un peuple*, quarante-trois se

---

2. Il est intéressant de noter que Fréchette, pour qui « la liberté » est beaucoup plus qu'un mot, a été l'un des premiers écrivains canadiens à apprécier les États-Unis, alors que la plupart de ses contemporains en étaient restés à la guerre canado-américaine et à la bataille de Châteauguay.

terminent par un point d'exclamation; on en compte parfois trois par vers. Il répète trop souvent les mêmes qualificatifs imprécis et suggestifs (tels que: fauve), et il abuse aussi de ce tour romantique qui consiste à isoler un alexandrin ou un hémistiche pour lui donner plus de force et cacher sa banalité. « Bravo! Bravo! Bravo! », crie la foule lorsque Sainte-Hélène part à la nage à la recherche du drapeau anglais, dans une formule vraiment dénuée d'originalité.

Parfois aussi le rythme devient monotone, lorsque retombe le souffle épique des grandes batailles. Le mot juste ne vient pas toujours, et l'évocation traîne alors en longueur. C'est à ce moment que Fréchette est un « tout petit Victor Hugo ».

Et pourtant se trouvent dans la *Légende d'un peuple* quelques-unes des plus belles pages de la poésie épique au Canada.

À LA BAIE D'HUDSON

Dans ce poème, nous retrouvons réunis tous les thèmes chers à Fréchette: la nature canadienne sauvage et dure, le patriotisme et l'amour des héros, la rancune envers l'Angleterre et le mépris de Louis XV. Le style est aussi caractéristique, avec sa force et son énergie, sa grandiloquence et la conclusion acerbe.

« C'est l'hiver, l'âpre hiver, et la tempête embouche
Des grands vents boréaux la trompette farouche,
Dans la rafale, au loin, la neige à flots pressés
Roule sur le désert ses tourbillons glacés,
Tandis que la tourmente ébranle en ses colères
Les vieux chênes rugueux et les pins séculaires.
L'horrible giboulée aveugle; le froid mord;
La nuit s'approche aussi — la sombre nuit du Nord —
Apportant son surcroît de mornes épouvantes.

Et pourtant, à travers les spirales mouvantes
Que l'ouragan soulève en bonds désordonnés,
Luttant contre le choc des blizzards déchaînés,
Des voyageurs, là-bas, affrontent la bourrasque.
L'ombre les enveloppe et le brouillard les masque.
Qui sont-ils? Où vont-ils? Quels Titans orgueilleux
Peuvent narguer ainsi tant d'éléments fougueux?
Ce sont de fiers enfants de la Nouvelle-France.
Sans songer aux périls, sans compter la souffrance,
Ils vont, traçant toujours leur immortel sillon,
Au pôle, s'il le faut, planter leur pavillon!

Au mépris des traités, la hautaine Angleterre,
Contre la France armant sa haine héréditaire,
Sur les côtes d'Hudson — dangers toujours croissants —
Avait braqué vers nous ses canons menaçants.

215

Il fallait étouffer les oursons au repaire;
Et d'Iberville, un fort que rien ne désespère,
Avec cent compagnons armés jusques aux dents,
Malgré la saison fauve et ses froids corrodants,
À travers des milliers d'obstacles fantastiques,
Avait pris le chemin des régions arctiques...
Pour reprendre à l'Anglais ces postes importants,
Il fallait prévenir les secours du printemps.

Et c'est ce groupe fier, avec son chef en tête,
Qu'on voit marcher ainsi le front dans la tempête.

Plus tard, quand les héros rentrèrent au foyer,
Ils avaient arraché trois forts à l'Angleterre,
Conquis toute une zone, et sur mer et sur terre
Humilié vingt fois nos rivaux confondus...

Ce sont ces hommes-là qu'un monarque a vendus! »

Autres œuvres

Outre sa poésie, Fréchette est l'auteur de plusieurs contes, dont *Le Noël au Canada,* et *Contes canadiens.* Dans *Originaux et détraqués,* il présente une série de douze « types québécois ». L'auteur est gai et savoureux, bien que l'exagération se retrouve dans les contes et ne soit pas à porter au bénéfice de l'auteur.

Quant à ses pièces de théâtre, Fréchette les fit représenter plusieurs fois et plut à son auditoire (*Tête à l'envers, Félix Poutré, Retour de l'exilé, Papineau, Véronica*). Mais nous ne pouvons plus guère nous amuser à ce théâtre manqué, auquel un cadre historique ne suffit pas à donner de la consistance. [3]

Les *Mémoires intimes,* publiés en 1900, sont sans doute plus intéressants, qui ont, comme le dit le préfacier de la nouvelle édition de 1961, « le charme, naïf et savant à la fois, d'un carton d'estampes ». On y voit défiler le petit monde du Québec avec ses personnalités, de Jos Montferrand à Chiniquy; et comme l'humour n'en est pas absent, le lecteur y trouve un certain plaisir, même si le témoignage historique est un peu déformé lorsqu'il s'agit, par exemple, de la popularité de Papineau.

---

[3]. Voir sur Fréchette dramaturge, le chapitre, par Georges-Henri d'Auteuil, **sur** le théâtre, pp. 261-262; et sur Fréchette conteur, celui d'Arsène Lauzière sur le roman, pp. 256-260

BIBLIOGRAPHIE

OEUVRES DE LOUIS FRÉCHETTE:

Mes loisirs, Poésies, Québec, Brousseau, 1863.
La Voix d'un exilé, s.l.n.d. (1868).
Félix Poutré, Drame historique en 4 actes, Montréal (1871).
Lettres à Basile, Québec, l'Événement, 1872.
Pêle-mêle, Fantaisie et souvenirs poétiques, Montréal, Lovell, 1877.
Les Fleurs boréales, Les Oiseaux de neige, poésies canadiennes, Darveau, 1879.
Papineau, drame historique canadien en 4 actes et 9 tableaux, Montréal, Chapleau et Lavigne, 1880.
Le Retour de l'exilé, drame en 5 actes et 8 tableaux, Montréal, Chapleau et Lavigne, 1880.
La Légende d'un peuple, poésies canadiennes, Paris, La librairie illustrée (1887).
Feuilles volantes, Poésies canadiennes, Québec, Darveau, 1890.
Originaux et détraqués, Douze types québécois, Montréal, Patenaude, 1892.
À propos d'éducation, Lettres à M. l'abbé Baillargé, Montréal, Desaulniers, 1893.
Christmas in French Canada, traduit sous le titre *La Noël au Canada*, Toronto, Morang, 1900.
Mémoires intimes, dans *Le Monde Illustré* (Montréal, 1900), vol. XVII, nos 842 à 856 et 858. Édition annotée par M. M. Klinck, Montréal, Fides, 1961.

Les Oeuvres complètes de Fréchette, publiées en 1908 (Montréal, Beauchemin) ne comprennent que trois volumes: 1) *La Légende d'un peuple*, 2) *Feuilles volantes* et *Oiseaux de neige*, 3) *Épaves poétiques* et *Véronica*.

ÉTUDES:

Bisson, Laurence, *Le Romantisme littéraire au Canada français*, Paris, Droz, 1932.
Chapman, William, *Deux copains*, Québec, Léger, Brousseau, 1894.
Chapman, William, *Le Lauréat*, Québec, Léger, Brousseau, 1894.
Crouzet, Jeanne-Paul, *Poésie au Canada*, Paris, Didier-Privat, 1946.
Darveau, L.-M., *Nos hommes de lettres*, Montréal, Stevenson, 1893.
D'Arles, Henri, *Louis Fréchette*, Toronto, Ryerson, 1923.
Dassonville, Michel, *Fréchette*, Montréal, Fides, coll. « Classiques canadiens », 1959.
Dugas, Marcel, *Louis Fréchette, un romantique canadien*, Montréal, Beauchemin, 1936.
Éthier-Blais, Jean, « Trompette sonore », dans *Signets II*, C.L.F., Montréal, 1967.
Halden, Charles ab der, *Études sur la littérature canadienne-française*, Paris, de Rudeval, 1904.
Klinck, George, *Louis Fréchette, prosateur. Une réestimation de son œuvre*, Lévis, Le Quotidien, 1955.
Rinfret, Fernand, *Études sur la littérature canadienne-française*, 1ère série, les Poètes; II, *Louis Fréchette*, Saint-Jérôme, Prévost, 1906.
Roy, Mgr Camille, *Louis Fréchette, le poète lyrique*, Mémoires de la Société Royale du Canada, IIIe série, Ottawa, 1910, pp. 125-156.
Roy, Mgr Camille, *Nouveaux essais de littérature canadienne*, Québec, L'Action Sociale, 1914.
Roy, Mgr Camille, *Poètes de chez nous*, Montréal, Beauchemin, 1934.
Serre, Lucien, *Louis Fréchette*, Montréal, les Frères des Écoles chrétiennes, 1928.

WILLIAM CHAPMAN
(1850-1917)

Rival et émule de Fréchette, William Chapman eut son heure de gloire. Édité à Paris, il vit ses *Aspirations* couronnées par l'Académie française. Mais il ne parvint pas cependant à surpasser son aîné, ni même à se maintenir à son niveau.

Né à Saint-François de Beauce le 14 décembre 1850, il entra comme Fréchette à l'Université Laval pour étudier le droit après avoir fait ses études classiques au Collège de Lévis. Comme lui encore, il délaissa le barreau pour le journalisme. Il devint tour à tour rédacteur à *La Patrie* puis à *La Minerve*, avant d'entrer dans l'administration provinciale. En 1891, il est nommé secrétaire du cabinet du Procureur général, mais destitué pour avoir participé ouvertement aux luttes politiques.

Il s'installe alors à Ottawa et y ouvre une librairie en 1898. En 1903, il devient traducteur au Sénat. Il avait publié *Les Québécoises* en 1876, *Les Feuilles d'érable* en 1890. Il décide, en 1904, de faire éditer ses *Aspirations* à Paris; elles y sont primées. Chapman fait alors publier à Paris ses autres recueils de poèmes, très médiocres d'ailleurs, bien qu'ils aient également reçu des récompenses: *Les Rayons du Nord* (1909), les *Fleurs de givre* (1912). Il mourut pendant la guerre, en 1917.

La poésie de Chapman s'explique d'abord par celle de Fréchette. Romantique et patriote comme lui, il chante les héros de l'histoire et la nature canadienne, les sites célèbres de l'Île d'Orléans, du lac Saint-Jean, du Saguenay, des chutes Niagara ...

Comme Fréchette, il est grandiloquent et solennel. Le premier poème de *Feuilles d'érable* est intitulé « France » et il débute ainsi:

« L'humanité gémit sous des jougs centenaires
La France tout à coup fait gronder ses tonnerres,
Et, volcan qui vomit une lave d'airain,
Elle secoue au vent les tours de la Bastille...
Et l'astre de juillet à l'horizon scintille,
La sainte liberté rouvre son vol serein. »

Mais Chapman ne sait pas soutenir le ton de l'épopée. Ses images frôlent le ridicule:

« La France! c'est le cœur qui fait vivre l'Europe,
La tête où tout projet vaste se développe,
Le bras où l'opprimé cherche à se cramponner,
Le torse qui résiste aux chocs des avalanches... »

VOIR ILLUSTRATION — 125

On se demande quelle valeur les Académiciens ont pu trouver au poème liminaire d'*Aspirations*, dont le titre « À mes deux mères » est déjà tout un programme, et dont le contenu est plus banal encore comme on peut en juger par ces vers:

> « Nous n'avons, Canadiens, désespéré jamais...
> Tes fils t'aiment, toujours, ô ma mère! ô ma mère! »

C'est peut-être la jalousie envers Fréchette, aggravée de la conscience de ses propres faiblesses dans une poésie de même inspiration, qui lui fait entreprendre une vive polémique et publier *Le Lauréat* et *Deux copains,* dans lesquels il ne se fait pas faute d'attaquer *La Légende d'un peuple:* « Plagiat aussi grossier qu'audacieux », et de descendre de son piédestal le héraut de Jolliet, « qui serait en France à la queue des imitateurs de l'époque ». Pourtant, ne l'avait-il pas loué dans un poème de 1883?

> « Oh! sois partout aimé, chantre à la voix sonore
> Dont notre enthousiasme avec raison s'honore... » [1]

Il ne lui conseillait alors que de laisser la politique, pour ne pas dépenser son énergie à de basses besognes, peu dignes de la Muse:

> « Ouvre ton vol serein sur les hauteurs sereines,
> Et fais toujours vibrer tes cordes souveraines
> Pour la France et la liberté ».
>
> *(À Louis Fréchette)*

Le grand reproche que l'on peut faire à Chapman est d'avoir épousé les genres et les sujets de Fréchette — eux-mêmes repris de Victor Hugo — sans avoir les mêmes talents de visionnaire. Comme Fréchette, il se lance à la conquête de la Nouvelle-France, et sur le ton épique célèbre les héros traditionnels: *Les Invincibles,* dont il fait un long poème de vingt-quatre pages; ou la liberté: *La Statue de la Liberté éclairant le monde.* Comme Victor Hugo, il se repose de la grandeur par l'attendrissement, et pousse ses compatriotes à la charité. Mais il ne peut dominer son sujet et il tombe dans la platitude.

> « Réveillez-vous! Donnez aux pauvres votre obole!
> Accourez au secours de tant d'infortunés!
> Donnez à l'orpheline, à l'infirme au front blême,
> À la veuve, au vieillard, à l'homme méchant même...
> À tous les malheureux, donnez!
>
> *(Donnez)*

––––––––––
1. *Cf.* l'hommage de 1909: « Sur la tombe de Fréchette » (*Rayons du Nord*).

Un autre exemple montrera mieux encore ce manque d'imagination créatrice, cette pauvreté de l'évocation. S'adressant à Chopin, il ne trouve rien de mieux, pour lui témoigner son admiration, que cette apostrophe:

> « Poitrinaire à la fois viril et défaillant,
> Tu fus un être unique, et le cœur d'un vaillant
> Battait robustement sous ta frêle enveloppe. »

L'on ne s'attend pas, malgré tout, à la conclusion:

> « O virtuose étrange! O sublime phtisique! »

Heureusement, Chapman semble se douter que sa nature romantique n'est pas assez puissante pour continuer dans cette voie.

> « L'or de ma poésie est encor dans la gangue;
> Je n'ai pu ciseler le métal vierge et pur. »
> *(À mes deux mères)*

La découverte des Parnassiens (il adressera trois sonnets à Sully-Prudhomme, François Coppée et Leconte de Lisle) va l'amener à réduire ses ambitions pour s'appliquer à une poésie plus simple, plus objective et plus fine.

Bien qu'il n'excelle pas dans cet art parnassien — il demeure trop romantique pour cela — on sent l'heureuse transition qui s'opère en lui dans des poèmes tels que *L'Aurore boréale*, qui sont assez bien réussis.

Ses meilleurs poèmes seront ceux où, devenu plus familier, il décrira les multiples aspects de la vie quotidienne au Canada: *L'orage, Le bûcheron, Le laboureur*, etc., ou ceux à travers lesquels on sent encore un certain souffle grandiose mais tempéré par le goût du « fini », une volonté d'éviter la fougue désordonnée qu'il reprochait à Fréchette.

LE LABOUREUR

Le thème est romantique: c'est le chant du travail humain, et on se souvient du « geste auguste du semeur » de Victor Hugo. Mais il y a un effort de description objective d'où se dégage la valeur sacrée du travail.

Derrière deux grands bœufs ou deux lourds percherons,
L'homme marche courbé dans le pré solitaire,
Ses poignets musculeux rivés aux mancherons
De la charrue ouvrant le ventre de la terre.

Au pied d'un coteau vert noyé dans les rayons,
Les yeux toujours fixés sur la glèbe si chère,
Grisé du lourd parfum qu'exhale la jachère,
Avec calme et lenteur il trace ses sillons.

Et, rêveur, quelquefois il ébauche un sourire;
Son oreille déjà croit entendre bruire
Une mer d'épis d'or sous un soleil de feu;

Il s'imagine voir le blé gonfler sa grange;
Il songe que ses pas sont comptés par un ange,
Et que le laboureur collabore avec Dieu.

NOTRE LANGUE

Apologie de la langue française, l'intérêt de ce poème est dans le ton de l'auteur. C'est une sorte de litanie, mais les éléments sont variés et assez simples, ce qui permet d'éviter la pompe démagogique, trop courante en pareil cas.

Notre langue naquit aux lèvres des Gaulois.
Ses mots sont caressants, ses règles sont sévères,
Et, faite pour chanter les gloires d'autrefois,
Elle a puisé son souffle aux refrains des trouvères.

Elle a le charme exquis du timbre des Latins,
Le séduisant brio du parler des Hellènes,
Le chaud rayonnement des émaux florentins,
Le diaphane et frais poli des porcelaines.

Elle a les sons moelleux du luth éolien,
Le doux babil du vent dans les blés et les seigles,
La clarté de l'azur, l'éclair olympien,
Les soupirs du ramier, l'envergure des aigles.

Elle chante partout pour louer Jéhova,
Et, dissipant la nuit où l'erreur se dérobe,
Elle est la messagère immortelle qui va
Porter de la lumière aux limites du globe.

La première, elle dit le nom de l'Éternel,
Sous les bois canadiens noyés dans le mystère.
La première, elle fit monter vers notre ciel
Les hymnes de l'amour, l'élan de la prière.

La première, elle fit tout à coup frissonner
Du grand Meschacébé la forêt infinie,
Et l'arbre du rivage a paru s'incliner
En entendant vibrer cette langue bénie.

Langue de feu, qui luit comme un divin flambeau,
Elle éclaire les arts et guide la science;
Elle jette, en servant le vrai, le bien, le beau,
À l'horizon du siècle une lueur immense.

BIBLIOGRAPHIE

OEUVRES:

William Chapman, *Les Québécoises,* Québec, Darveau, 1876.
    Les Feuilles d'érable, Montréal, Gebhardt-Berthiaume, 1890.
    Le Lauréat, Québec, Léger-Brousseau, 1894.
    Deux copains, Québec, Léger-Brousseau, 1894.
    Les Aspirations, Paris, Imprimeries Réunies, 1904.
    Les Rayons du Nord, Paris, La revue des poètes, s.d. (1909)
    Les Fleurs de givre, Paris, La revue des poètes, 1912.

ÉTUDES:

Bisson, Laurence, *Le Romantisme littéraire au Canada français,* Paris, Droz, 1932.
Halden, Charles ab der, *Nouvelles études de littérature canadienne-française,* Paris, de Rudeval, 1907.
Potvin, Damase, « Le centenaire de Chapman », *Revue de l'Université Laval,* sept. 1950.
Sauvalle, Marc, *Le Lauréat manqué, Montréal,* s.éd., 1894.

PAMPHILE LE MAY

(1837-1918)

Beaucoup plus délicate que celle de Fréchette et de Chapman est la poésie de Pamphile Le May, l'auteur des *Gouttelettes.*

Né à Lotbinière le 5 janvier 1837, alors que résonnaient les échos tragiques de Saint-Denis et de Saint-Eustache, le jeune Pamphile Le May se dirigeait vers le sacerdoce, mais sa mauvaise santé l'en détourna. Il vint s'asseoir sur les bancs de la faculté de droit de l'Université Laval, où il rencontra Fréchette et partagea avec lui l'horreur du Code et l'amour de la poésie.

Nommé traducteur à l'Assemblée Législative, il en devient le bibliothécaire grâce à la protection de P.-J.-O. Chauveau, qui appréciait ses talents littéraires. Il gardera ce poste vingt-cinq ans pendant lesquels, paisible fonctionnaire, il a tout le loisir de cultiver les Muses. Il a commencé par la traduction des œuvres de Longfellow. Puis il publie *Les Vengeances,* sorte de roman de près de huit mille vers. Il écrit quelques petits romans sans succès, et se lance à nouveau dans la poésie avec *Une gerbe* (1879), *Les Fables canadiennes* (1881), les *Petits poèmes* (1883). Il réédite *Les Vengeances* sous le titre de *Tonkourou,* publie quelques comédies terriblement mélodramatiques, comme *Rouge et Bleu* (1791), et un recueil de contes, les *Contes vrais* (1889). Après un assez long silence poétique, il publie enfin son meilleur recueil, *Les Gouttelettes,* en 1904.

Pamphile Le May passera les dernières années de sa vie à Saint-Jean Deschaillons, dans une région dont il chanta souvent la beauté; il y mourra en 1918, non sans avoir consacré la fin de ses jours à polir quelques anciens poèmes offerts au public sous les titres: *Les épis* (1914) et *Reflets d'antan* (1916).

Malgré la diversité des œuvres de Le May, il en est peu qui résistent à un rapide examen. De ses écrits en prose, seuls les *Contes vrais* peuvent encore se lire avec un certain intérêt, car l'auteur est agréable et se montre assez personnel dans ces récits de la vie québécoise, où l'on voit de bonnes gens croire ferme aux apparitions et aux fantômes.

Son goût du mélodrame le poussait vers le théâtre. Mais ses petites intrigues cousues de fil blanc ne nous amusent plus, qui n'ont de dénouement qu'une reconnaissance subite (*Sous les bois*), ou dont les personnages sont si fades qu'ils ne se différencient que par la couleur de leurs opinions politiques (*Rouge et Bleu*).

En poésie même, il a fallu un certain temps à Le May pour parvenir à une œuvre de valeur, et ses premières tentatives, méritoires, n'en sont pas moins décevantes. Que penser de ses *Fables* par exemple, à propos desquelles Mgr Camille Roy, généralement indulgent, de surcroît ami de l'auteur, écrit qu' « on voit bien que les bêtes n'ont plus rien à dire depuis que La Fontaine les fit parler. » (*À l'ombre des érables*).

Après ses *Essais poétiques* il avait pourtant gagné deux fois le concours de poésie de l'Université Laval, en 1867 avec *La découverte du Canada* et en 1869 avec un *Hymne national*. Mais, même primés, les mètres variés et les points d'exclamation romantiques ne cachent pas la pauvreté de l'inspiration et du vocabulaire. « L'amour du sol natal » rime avec « drapeau national », et « foi » avec « roi ». Les seuls moments de véritable poésie sont ceux où le poète se tourne vers la nature du pays, qu'il aime passionnément.

> « Que le papillon
> Dans le chaud rayon
> Du jour qui le noie
> Se berce et tournoie
> Comme une fleur au vent!
> Qu'une chanson plus douce
> Monte du nid de mousse
> Sur le rameau mouvant. »

C'est la direction que va prendre dorénavant sa poésie. Son amour de la vie campagnarde et des mœurs canadiennes le pousse à écrire l'histoire de ce jeune chef indien, Tonkourou. Divisée en deux grandes époques (la Vengeance indienne, la Vengeance chrétienne), comptant chacune une trentaine de chants, elle surabonde en péripéties romanesques. La poésie n'est pas toujours le guide fidèle de ce long roman en vers (« Reposez-vous un peu, car le repos soulage »), mais certains vers ne manquent pas de rythme (« Dans l'onde, loin, bien loin, plongeait une pagaie »). Et dans la description des travaux de la campagne, dont certains sont maintenant à peu près disparus, comme le « brayage » (préparation du lin), l'auteur réussit quelques bons tableaux.

> « Déjà le dévidoir tournait un peu moins vite;
> La laine s'attachait aux doigts de la petite;
> L'eau chantait sur le poêle, et sur le bahut bleu
> On voyait trembloter un long ruban de feu,
> Comme un rayon de jour sur le frisson de l'onde. »

Dans les recueils suivants: *Une gerbe* et *Petits poèmes,* se dessinent peu à peu les qualités poétiques de l'auteur. Son goût du travail bien fait le portera à reprendre d'anciens poèmes pour les corriger; il n'est pas rare d'en voir certains repris trois ou même quatre fois. Et c'est toujours l'amour de la campagne qui y domine.

> « Enfin, j'ai secoué la poussière des villes
> J'habite les champs parfumés...
> L'ennui me consumait dans tes vieilles murailles,
> O fière cité de Champlain!
>
> Je ne suis pas, vois-tu, l'enfant de tes entrailles,
> Et ton cœur me semble d'airain.
> Je suis né dans les champs; je suis fils de la brise
> Qui passe en caressant les fleurs. »
> *(Le retour aux champs)*

> « J'étais depuis longtemps las du bruit de la ville
> Et je voulus revoir mon village tranquille. »
> *(Libera)*

Cette campagne éveille des accents lamartiniens:

> « Solitaires sentiers, bosquets pleins de mystère,
> Fontaines qui courez sous les fraîches fougères
> Vous souvient-il encore de moi?
> *(Réminiscences)*

Et le thème de la fuite du temps revient comme un leitmotiv, tout au long de ces poèmes.

> « Et pour l'homme qui touche au seuil de la vieillesse,
> Il n'est plus jamais de printemps. »
> *(Réminiscences)*

100. La bergerie, par Horatio Walker.

101. Le laboureur, par Horatio Walker.

102. Les canards sauvages, par Horatio Walker.

103. Arthur Buies.

104. Thomas Chapais.

105. Jules-Paul Tardivel.

106. Benjamin Sulte.

107. Hector Fabre.

108. L.-O. David.

109. Félix-Gabriel Marchand.

110. J.-Edmond Roy.

111. Mgr Antoine Racine.

112. F.-X.-Anselme Trudel.

113. Mgr François Richer-Laflèche.

114. A.-Basile Routhier.

115. Louis Riel.

116. Un billet pour les premiers trains.

117. Honoré Mercier.

118. Le premier train à bois.

119. Les responsables de la Confédération, Charlottetown, 1864.

224g

120. L'abbé Casgrain, historien.

121. Louis Fréchette.   122. Pamphile Lemay.

123. Le Saguenay.

224j

124. Scène indienne.

125. William Chapman.

126. Alfred Garneau.

127. Nérée Beauchemin.

128. Joseph Marmette.

129. Les chutes Montmorency, près de Québec.

130. Paisible ferme sur les bords du Saint-Laurent.

131. Le vieux village de Saint-Joachim du Cap Tourmente.

132. Vue de Québec, vers 1875.

133. Scènes québécoises.

« Adieu, bel an qui fuis pour ne plus revenir,
Qui fuis comme un torrent que rien ne peut tenir!
Adieu, toi qui n'es plus déjà qu'un souvenir! »

(Ternaires)

« Où sont mes rêves d'or? Où sont mes espérances?
Et ces jours de soleil qui s'élevaient si beaux ».

(Où sont mes rêves)

C'est peut-être ce qui explique chez Le May ce profond respect de la tradition, en particulier de la tradition religieuse. Avec Nérée Beauchemin, il est un de ceux qui ont ressenti avec le plus d'acuité et de sérénité à la fois, la valeur du sentiment religieux. Son expression en est simple, assez faible parfois, mais parfois aussi très vraie et très délicate. Sa tendance à moraliser, que concrétisait déjà son recueil de *Fables,* se manifeste un peu trop souvent néanmoins, en particulier lorsqu'il s'indigne de l'inégalité sociale et célèbre la charité. *Le Bien pour le mal,* nouvelle version de *La Vengeance chrétienne,* témoigne davantage des vertus religieuses de l'auteur que de ses dons proprement littéraires!

Les poèmes *Papineau, 1837, Saint-Denis* ou *Saint-Eustache,* pourraient nous faire croire que Le May ne dédaigna pas l'envolée épique ou la reconstitution historique. Il n'échappe pas à la tendance générale, mais il se contente le plus souvent du mode lyrique pour chanter sa patrie. C'est l'amour de la terre qui le lui dicte.

« Je t'aime, ô ma jeune patrie
Quand le printemps t'orne de fleurs. »

(Pour te chanter)

C'est sa manière à lui de célébrer le Canada:

« Sur la forêt lointaine
L'aube soulève à peine
Sa paupière aux cils d'or
Et l'alouette vive
Sur le tuf de la rive
Ne danse pas encore. »

(La fenaison)

Tout cela n'est cependant encore qu'un prélude à l'œuvre maîtresse de l'auteur, *Les Gouttelettes.* Et c'est sans doute par un grand effort de volonté que Pamphile Le May est parvenu à dépasser la poésie de ses débuts. Il resta longtemps silencieux après les *Petits poèmes* de 1883. Mais peut-être sous l'influence diffuse de la nouvelle École littéraire de Montréal, il se décida à publier dans la métropole ce nouveau recueil, qui marque un progrès et même une maîtrise indiscutable de son art.

L'inspiration religieuse s'est renouvelée dans ses sonnets, puisqu'il va maintenant chercher ses sujets dans la Bible *(La Mer morte, Booz)*. Il continuera dans cette voie, quoique d'une manière moins heureuse, avec les poèmes des *Epis* groupés sous le titre « Au champ de la foi » *(Agar et Ismaël, Bethléem, etc.)*.

Mais c'est certainement dans les sonnets rustiques qu'il excelle. N'oublions pas que, malgré sa vie apparemment exempte de troubles, il est de santé précaire et a connu la souffrance. On comprend alors mieux l'indulgence de son regard, la délicatesse de ses sentiments, son amour des choses naturelles et simples.

Le May avait trouvé dans le sonnet une forme nouvelle pour lui, qui exigeait plus de rigueur dans le choix des termes, la précision du sentiment. Les affinités ne manquent pas avec Hérédia, bien qu'il avoue ne l'avoir jamais lu. Comme lui, il s'applique à faire valoir chaque objet, à décanter chaque idée jusqu'à la fin magistrale du poème.

À UN VIEIL ARBRE

Après une évocation purement descriptive, le poète généralise, puis il revient à l'arbre de manière plus personnelle et plus intime, et s'applique enfin à lui-même ces quelques remarques. Le dernier tercet, riche d'émotion, est le rappel, sur une image printanière, du thème — plus vieux encore que ce vieil arbre — de la fuite du temps.

Tu réveilles en moi des souvenirs confus.
Je t'ai vu, n'est-ce pas? moins triste et moins modeste.
Ta tête sous l'orage avait un noble geste,
Et l'amour se cachait dans tes rameaux touffus.

D'autres, autour de toi, comme de riches fûts,
Poussaient leurs troncs noueux vers la voûte céleste,
Ils sont tombés, et rien de leur beauté ne reste;
Et toi-même, aujourd'hui, sait-on ce que tu fus?

Ô vieil arbre tremblant dans ton écorce grise!
Sens-tu couler encore une sève qui grise?
Les oiseaux chantent-ils sur tes rameaux gercés?

Moi, je suis un vieil arbre oublié dans la plaine,
Et, pour tromper l'ennui dont ma pauvre âme est pleine,
J'aime à me souvenir des nids que j'ai bercés.

Le recueil des sonnets se termine par *Ultima verba,* sorte d'adieu du poète. Le titre en est romantique, ainsi que la plupart des idées, mais le ton, beaucoup plus calme et serein, se nuance d'un léger symbolisme.

ULTIMA VERBA

La tristesse conventionnelle d'un adieu à la vie est ici atténuée par la confiance naturelle du poète, et sa solide assurance paysanne. Introduit par une image rustique rapidement esquissée, le thème est soutenu par le ton et le rythme du poème tout entier.

Mon rêve a ployé l'aile. En l'ombre qui s'étend,
Il est comme un oiseau que le lacet captive.
Malgré des jours nombreux, ma fin semble hâtive;
Je dis l'adieu suprême à tout ce qui m'entend.

Je suis content de vivre et je mourrai content.
La mort n'est-elle pas une peine fictive?
J'ai mieux aimé chanter que jeter l'invective.
J'ai souffert, je pardonne, et le pardon m'attend.

Que le souffle d'hiver emporte, avec la feuille,
Mes chants et mes sanglots d'un jour! Je me recueille
Et je ferme mon cœur aux voix qui l'ont ravi.

Ai-je accompli le bien que toute vie impose?
Je ne sais. Mais l'espoir en mon âme repose,
Car je sais les bontés du Dieu que j'ai servi.

BIBLIOGRAPHIE

OEUVRES PRINCIPALES:

Le May, Pamphile, *Essais poétiques,* Québec, Desbarats, 1865.
　　　Les Vengeances, Québec, Darveau, 1875.
　　　Une gerbe, Québec, Darveau, 1879.
　　　Fables canadiennes, Québec, Darveau, 1882.
　　　Petits poèmes, Québec, Darveau, 1883.
　　　Contes vrais, Québec, Le Soleil, 1899.
　　　Les Gouttelettes, Montréal, Beauchemin, 1904.
　　　Les Épis, Montréal, Guay, 1914.
　　　Reflets d'antan, Montréal, Granger, 1916.

ÉTUDES:

Arles, Henri d', *Eaux-fortes et tailles-douces,* Québec, 1913.
Bisson, Laurence, *Le Romantisme littéraire au Canada français,* Paris, Droz, 1932.
Paul-Crouzet, Jeanne, *Poésie au Canada,* Paris, Didier-Privat, 1946.

Légaré, Romain, o.f.m., « Évolution littéraire de Pamphile Le May », *Archives des Lettres canadiennes*, Université d'Ottawa, avril-juin, 1961.

Roy, Mgr Camille, *Essais sur la littérature canadienne*, Québec, Action Sociale, 1924.

Roy, Mgr Camille, *À l'ombre des érables*, Québec, Action Sociale, 1907.

ALFRED GARNEAU
(1836-1904)

Le plus fin peut-être des poètes de cette époque, le plus effacé aussi, est Alfred Garneau, dont l'œuvre est peu considérable puisque le recueil de ses poésies, édité par Hector Garneau, son fils, ne compte guère plus d'une quarantaine de pièces.

Fils aîné de François-Xavier Garneau, [1] il eut une vie assez peu originale, voisine de celle que connurent la plupart des poètes cités plus haut. Élève du petit séminaire de Québec, puis étudiant en droit, il devint avocat, mais laissa le barreau à cause de sa très grande timidité, et fut nommé traducteur officiel au Sénat. Il publia, en 1862, une quatrième édition, revue et corrigée, de l'*Histoire du Canada* de son père. Très jeune, il avait composé de petits poèmes dont l'un fut publié à Québec alors qu'il n'avait que quatorze ans; il continua à produire ainsi tout au long de sa vie, sans jamais se prendre pour un grand poète. Ces poésies, éparses, furent recueillies par son fils en 1906. Il mourut à Québec en 1904.

Alfred Garneau est un poète subtil et attachant. Il n'a pas le tempérament de lutteur de Fréchette, ni le réalisme angoissé de Crémazie; il est empreint d'une souriante tristesse qui lui fait voir toutes choses sans déplaisir, et la mort sans crainte. Il flotte dans la vie en attendant la mort, au milieu d'un monde qu'il voit de couleur pastel et qu'il miniaturise dans ses poèmes.

Il a subi l'influence de Lamartine, celle de Musset, celle de Hugo; on pense surtout aux petites pièces familières de Victor Hugo, dans l'*Art d'être grand-père* par exemple. Alfred Garneau n'est pas dépourvu d'un certain sensualisme, très léger, qui va tout de même colorer son horizon. Et son chant, qui n'est souvent qu'un murmure ou un bruissement léger, se répand, unissant tout et dominant tous

---

1. Dans le dictionnaire biographique des *Ecrivains canadiens*, Montréal, HMH, 1964, Guy Sylvestre a écrit: « Garneau fut le fondateur de la plus grande famille littéraire du Canada français. Son fils Alfred fut un poète de qualité et il compte parmi ses descendants Saint-Denys Garneau, Simone Routier, Anne Hébert et Sylvain Garneau ».

VOIR ILLUSTRATION — 126

les événements. De sa fièvre même alors qu'il a la variole, il fait un agréable petit poème qu'il dédie à l'abbé Casgrain *(Folles terreurs)*.

Alfred Garneau est un rêveur:

« Le rêveur comme moi sous la forêt profonde,
Marche seul dans la foule et l'ouvrant de la main
Que cherche-t-il dans l'ombre éparse en son chemin?
Est-ce un rêve inconnu, fleur solitaire et blonde?
(Deux croquis)

Il a le sens de ses faiblesses. C'est un timide, une « petite nature »:

« Ah! chanter, chanter... Dieu, que n'ai-je
L'ivresse du cygne un moment;
Il chante, et tout son corps de neige
Résonne sur l'eau doucement...

Amis, je suis cette hirondelle
Qui s'est attachée à vos toits;
Voyez, je voltige, j'ai l'aile;
Mais, hélas, je n'ai pas la voix. »
(À mes amis)

Il aimerait sans doute pouvoir chanter plus largement, mais il sait son registre modeste:

« Prends ces vers en retour de ta fraîche missive:
Ce sont petites fleurs qu'en secret je cultive,
Et qui n'ont, je le sais, ni parfum, ni couleurs;
Mais novembre jamais fut-il propice aux fleurs? »
(Premières pages de la vie)

« Quel ravissant tableau ce beau soir verrait naître,
Si d'un Watteau j'avais et les couleurs et l'art. »
(Tableautin)

Cette poésie en demi-teintes est justement tout son attrait. La légère harmonie, à laquelle il est très sensible, lui fait écrire des vers charmants:

« Je n'aime que les pleurs de l'aurore embrasée,
Tout oiseau, toute fleur, et le céleste azur. »
(Octobre)

« La maison touche au bois. Je respire à ma porte
Un air ayant gardé le goût des feuilles mortes.
Or, telle est sa fraîcheur, que j'ai senti souvent,
Quand là-haut le ciel flambe en un long jour sans vent
Et que quelque nuée au loin lourdement tonne,
Voltiger sur ma chair comme un frisson d'automne. »
(Le Bois)

229

Et les refrains de ses chansons sont amusants et de bon goût:

« L'aube sourit, l'aube, la fée aux roses:
    Petites fleurs, petites fleurs
    A peine écloses,
    Séchez vos pleurs »

(Folie)

Même s'ils ne prêtent aucunement à conséquence:

« Les branches
Sont blanches
De fleurs
En pleurs.
J'ai l'âme
En flamme,
C'est jour
D'amour ».

(Folle gageure)

On comprend ainsi qu'Alfred Garneau ne se soit pas fait de son vivant une réputation de grand poète.

« La gloire est une fleur qui ne croît point à l'ombre:
Elle aime les hauts lieux, colonnes, piédestaux,
Et quelquefois, dit-on, le sommet des tombeaux.
Il faut pour la cueillir, s'élever dès l'aurore,
Aux yeux du monde, au bruit de sa clameur sonore... »

(Premières pages de la vie)

Pourtant il atteint un des sommets de la poésie canadienne du XIXe siècle, et l'impressionnisme nuancé où se déguise son romantisme est loin d'être sans mérite.

GLAS MATINAL

Après une nuit sans sommeil et peut-être douloureuse, le poète s'assoupit avec les premières lueurs du jour, qui dissipent les images de la mort. Cependant, la mort ne disparaît pas complètement. Au contraire, elle est là, mais souriante et presque ensoleillée.

Mon insomnie a vu naître les clartés grises.
Le vent contre ma vitre, où cette aurore luit,
Souffle les flèches d'eau d'un orage qui fuit.
Un glas encor sanglote aux lointaines églises...

La nuit s'est envolée, et le vent, et le bruit.
L'astre commence à poindre, et ce sont des surprises
De rayons; les moineaux alignés sur les frises,
Descendent dans la rue où flotte un peu de nuit ...

Ils se sont tus, les glas qui jetaient tout à l'heure
Le grand pleur de l'airain jusque sur ma demeure.
O soleil, maintenant tu ris au trépassé!

Soudain, ma pensée entre aux dormants cimetières,
Et j'ai la vision, douce à mon cœur lassé,
De leurs gîtes fleuris aux croix hospitalières.

La mort a ainsi un visage reposant chez Alfred Garneau. Elle n'est pas repoussante ni écrasante. Chez Crémazie, le mort est, au sens propre, un « enterré ». Chez Alfred Garneau, le cimetière est presque un champ gai. Il y plane une certaine tristesse, mais attendrie par le rêve, loin de toute horreur réaliste. On pense un peu aux vers de Verlaine: « Lointaine, et calme, et grave, elle a — l'inflexion des voix chères qui se sont tues. »

DEVANT LA GRILLE DU CIMETIÈRE

C'est un paysage parnassien et impressionniste sur un thème romantique, une toile de Millet ou de Sisley sur une esquisse de Greuze. La musicalité du vocabulaire et le rythme de la phrase sont remarquables, ainsi que l'impression paisible qui se dégage d'un tableau pourtant sombre.

La tristesse des lieux sourit, l'heure est exquise.
Le couchant s'est chargé des dernières couleurs,
Et devant les tombeaux, que l'ombre idéalise,
Un grand souffle mourant soulève encor les fleurs.

Salut, vallon sacré, notre terre promise! ...
Les chemins sous les ifs, que peuplent les pâleurs
Des marbres, sont muets; dans le fond, une église
Dresse son dôme sombre au milieu des rougeurs.

La lumière au-dessus plane longtemps, vermeille ...
Sa bêche sur l'épaule, entre les arbres noirs
Le fossoyeur repasse, il voit la croix qui veille.

Et de loin, comme il fait sans doute tous les soirs,
Cet homme la salue avec un geste immense ...
Un chant très doux d'oiseaux vole dans le silence.

BIBLIOGRAPHIE

OEUVRE:

Garneau, Alfred, *Poésies,* publiées par son fils Hector Garneau, Montréal, Beauchemin, 1905.

CRITIQUES:

Marcotte, Gilles, *Une littérature qui se fait*, Montréal, HMH, 1962.
Roy, Mgr Camille, *Essais sur la littérature canadienne*, Québec, Action Sociale, 1907.

NÉRÉE BEAUCHEMIN
(1850-1931)

Bien qu'il ait vécu jusqu'en 1931, Nérée Beauchemin est un homme du XIXᵉ siècle, et son œuvre poétique a échappé à toute influence symboliste.

Né à Yamachiche en 1850, il quitta sa ville natale pour venir étudier à Québec, où il fit sa médecine. Muni de son parchemin, il s'en retourna aussitôt chez lui pour y exercer la profession de médecin, qu'il pratiqua pendant cinquante ans tout en faisant de la littérature. Il publia deux volumes de poèmes à trente années d'intervalle, *Les Floraisons matutinales* en 1897, et *Patrie intime* en 1928. L'Université Laval lui décerna, cette même année, un doctorat honorifique. Trois-Rivières célébra dignement ses quatre-vingts ans. Et il mourut paisiblement, en 1931.

Nullement mêlé à l'activité littéraire de Québec ou de Montréal, lisant très peu selon le témoignage de son ami Mgr Tessier, il ne subit, en fait, aucune influence précise, et écrivit la poésie tranquille que son tempérament lui inspirait.

Parce qu'il évitait les défauts de ses contemporains, la grandiloquence et la superbe de Fréchette par exemple, on le crut plus artiste; et parce qu'il s'appliquait à dépeindre les petites scènes champêtres et les plus humbles besognes, on trouva son art mieux ciselé. En fait, quand on considère aujourd'hui ses deux recueils, il ne reste pas grand chose de ce que l'on a apprécié, et les mérites du poète semblent assez minces.

Nérée Beauchemin a sans aucun doute refusé le ton épique de ses devanciers et n'a voulu chanter que simplement. Mais il est patriote tout de même, et ses accents manquent alors de chaleur; sa poésie, pour être familière, n'en est pas moins assez banale:

> « Je te revois, ô paroisse natale,
> Patrie intime où mon cœur est resté;
> Avant d'entrer dans la nuit glaciale,
> Je viens frapper à ton seuil enchanté. »

> *(Floraisons matutinales*, Le dernier gîte)

Lorsqu'il s'essaie à quelque reconstitution historique, son vers manque d'ampleur, et ne nous convainc pas.

« Un contre trois! Parbleu, qu'importe!
Le Pélican n'eut jamais peur.
Il vole, et le nordet l'emporte
Dans un large souffle vainqueur.
Le pavillon de la victoire,
C'est celui des marins français;
Son profond sillage de gloire
Sur nos rives brille à jamais ...

Dans une trombe de fumée
Que des éclairs intermittents
Font paraître tout enflammée,
S'entre-choquent les combattants.
Longtemps, dans la nuit qui les couvre,
Flambent les sabords furieux.
Enfin, le noir nuage s'ouvre:
D'Iberville est victorieux. »

(Floraisons matutinales, D'Iberville)

Son premier poème, écrit à vingt-trois ans et intitulé *Rayons d'octobre*, est assez révélateur en ce qui concerne ses dons poétiques. Beauchemin a voulu célébrer le changement de saison et les derniers beaux jours. Il présente ainsi le sujet dans la première strophe:

« Octobre glorieux sourit à la nature
On dirait que l'été ranime les buissons,
Un vent frais, que l'odeur des bois fanés sature,
Sur l'herbe t sur les eaux fait courir un frisson. »

Ensuite, pour développer le thème et mener son poème à bonne fin, il manque d'inspiration; il doit faire appel aux ressources d'un vocabulaire recherché. On voit alors se succéder les « rameaux diaprés », le « le ciel vernal », le « toit festonné de houblons », les « éteules roux », la « seille d'où ruisselle une onde de cristal », « les chevaux à l'araire attelés », « l'homme qui pousse le coutre », etc.

Heureusement, par la suite, le poète devient plus simple. C'est ce qui lui permet d'obtenir quelques belles strophes. L'histoire de la cloche de Louisbourg l'amène à écrire ce qui fut considéré un moment comme « la perle de l'anthologie canadienne » (Albert Sorel).

LA CLOCHE DE LOUISBOURG

La cloche de Louisbourg, apportée de France, avait sonné les heures glorieuses de l'Acadie. Transportée à Halifax, elle fut rachetée par les Montréalais, qui la remirent au musée du château Ramezay.

Cette vieille cloche d'église
Qu'une gloire en larmes encor
Blasonne, brode et fleurdelise,
Rutile à nos yeux comme l'or.

On lit le nom de la marraine,
En traits fleuronnés sur l'airain,
Un nom de sainte, un nom de reine,
Et puis le prénom du parrain.

C'est une pieuse relique:
On peut la baiser à genoux;
Elle est française et catholique
Comme les cloches de chez nous.

Jadis, ses pures sonneries
Ont mené les processions,
Les cortèges, les théories
Des premières communions.

Elle fut bénite. Elle est ointe.
Souvent, dans l'antique beffroi,
Aux Fêtes-Dieu, sa voix s'est jointe
Au canon des vaisseaux du Roy.

Les boulets l'ont égratignée,
Mais ces balafres et ces chocs
L'ont à jamais damasquinée
Comme l'acier des vieux estocs.

Oh! c'était le cœur de la France
Qui battait à grands coups, alors,
Dans la triomphale cadence
Du grave bronze aux longs accords.

O cloche! C'est l'écho sonore
Des sombres âges glorieux,
Qui soupire et sanglote encore
Dans ton silence harmonieux.

Bien des fois, pendant la nuitée,
Par les grands coups de vent d'avril,
Elle a signalé la jetée
Aux pauvres pêcheurs en péril.

A présent, le soir, sur les vagues,
Quelque marin qui rôde là
Croit ouïr des carillons vagues
Tinter l'Ave maris stella.

En nos cœurs, tes branles magiques
Dolents et rêveurs, font vibrer
Des souvenances nostalgiques,
Douces à nous faire pleurer.

Les vers sont assez agréables, bien que soit faible le rythme poétique. On remarquera que plusieurs strophes ne sont que des phrases
très simples coupées en quatre morceaux. « Jadis, ses pures sonneries /
ont mené les processions, / les cortèges, les théories / des premières
communions », etc.

Dans *Patrie intime,* les poèmes sont meilleurs, en particulier les petites chansons, inspirées par le folklore. On a dit, avec une certaine méchanceté, que la seule influence littéraire qu'ait subie Beauchemin était celle de sa grand'mère, qui chantait pour l'endormir de vieilles chansons paysannes. Il est vrai que les tendres airs sans apprêt ont le mieux réussi au poète, témoin ce quatrain:

« Je l'ai tout à fait désapprise
La berceuse au rythme flottant
Qu'effeuille, par les soirs de brise
La branche d'alisier chantant. »

Ou encore cette strophe allègre d'*Avril boréal:*

« Est-ce l'avril? Sur la colline
Rossignole une voix câline
De l'aube au soir.
Est-ce le chant de la linotte
Est-ce une flûte? Est-ce la note
Du merle noir? »

On peut signaler dans cette veine le poème sur l'« aïeule maternelle » qui,

« Par un temps de demoiselle
Prit la mer à Saint-Malo ».

René Bazin appréciait ce genre de poèmes, qui écrivait à Beauchemin: « Je trouve vos vers si frais, d'un mouvement si français, d'une note si française, que je veux exprimer mes meilleurs compliments à l'auteur. »

En oubliant la religiosité un peu simplette du clocher paroissial ou des vieilles maisons, on retiendra quelques poèmes bien venus, en particulier *Ô prêtre, ami de toujours, Le crépuscule rustique,* d'une facture parnassienne très colorée, ou *Les roses d'automne,* plus connu.

LES ROSES D'AUTOMNE

« Aux branches que l'air rouille et que le gel mordore,
Comme par un prodige inouï du soleil,
Avec plus de langueur et plus de charme encore,
Les roses du parterre ouvrent leur cœur vermeil.

Dans sa corbeille d'or, août cueillit les dernières:
Les pétales de pourpre ont jonché le gazon.
Mais voici que, soudain, les touffes printanières
Embaument les matins de l'arrière-saison.

UN POST-ROMANTISME CIVIQUE (1860-1900)

Les bosquets sont ravis, le ciel même s'étonne
De voir, sur le rosier qui ne veut pas mourir,
Malgré le vent, la pluie et le givre d'automne,
Les boutons, tout gonflés d'un sang rouge, fleurir.

En ses fleurs que le soir mélancolique étale,
C'est l'âme des printemps fanés qui, pour un jour,
Remonte, et de corolle en corolle s'exhale,
Comme soupirs de rêve et sourires d'amour.

Tardives floraisons du jardin qui décline,
Vous avez la douceur exquise et le parfum
Des anciens souvenirs, si doux, malgré l'épine
De l'illusion morte et du bonheur défunt. »

BIBLIOGRAPHIE

OEUVRES:

Beauchemin, Nérée, *Les Floraisons matutinales*, Trois-Rivières, V. Ayotte, 1897.
Patrie intime, Trois-Rivières, s. éd., 1928.
Choix de poèmes de Nérée Beauchemin, Préface de Clément Marchand, Trois-Rivières, Ed. du Bien Public, 1950.

CRITIQUES:

Bessette, Gérard, *Les Images en poésie canadienne-française*, Montréal, Beauchemin, 1960.
Paul-Crouzet, Jeanne, *Poésie au Canada*, Paris, Didier-Privat, 1946.
Helden, Charles ab der, *Études de littérature canadienne-française*, Paris, de Rudeval, 1904.
Marchand, Clément, *Nérée Beauchemin*, Montréal, Fides, coll. Classiques canadiens, 1957.
Poulin, Gonzalve, o.f.m., *Nérée Beauchemin*, Trois-Rivières, Ed. du Bien Public, 1934.

CONCLUSION

Si l'on fait le bilan de la poésie de cette seconde moitié du XIXe siècle, de 1860 à 1900, on peut arriver à plusieurs conclusions contradictoires. On constate d'abord que le genre s'est bien porté, avec les nombreux écrits de Fréchette, Le May, Chapman, Beauchemin et Garneau, sans compter ceux de poètes mineurs comme Adolphe

Poisson [1], Eudore Evanturel [2], Louis-Joseph Fiset [3], Magloire Dérome [4]...

Mais d'autre part, on se rend compte que la poésie n'a pas beaucoup évolué. Romantique et patriotique, elle s'est teintée d'une certaine influence parnassienne, mais reste assez rétrograde dans ses conceptions utilitaires et son rôle messianique.

Le principal mérite des écrivains de cette période est d'avoir contribué, par leur conviction et leur travail, à la naissance d'une véritable littérature canadienne. Ce qui fait qu'à l'heure actuelle, mises à part quelques pages d'une réelle valeur, il nous faut encore estimer l'ensemble de cette production bien plus pour son intérêt historique et sociologique que pour sa valeur intrinsèquement poétique.

1. Adolphe Poisson (1849-1922), avocat et receveur d'enregistrement du comté d'Arthabaska, publia plusieurs recueils: *Chants canadiens,* Québec, Delisle, 1880; *Heures perdues,* Québec, A. Côté, 1894; *Sous les pins,* Montréal, Beauchemin, 1902; *Chants du soir,* Arthabaska, Imprimerie de l'Union, 1917.

2. Eudore Evanturel (1854-1919), publia ses *Premières poésies* (Québec, A. Côté, 1878), mais se tut ensuite, écrasé, dit-on, par les critiques de Joseph Marmette qui avait préfacé son recueil. On lui doit de vives trouvailles, comme ces vers sur la mort de l'hiver:
    « C'est au Printemps à lui survivre.
    Il revient en grand appareil,
    Non pas en casquette de givre,
    Mais en cravate de soleil. »

3. Louis-Joseph Fiset (1827-1898) collabora principalement à *La Ruche littéraire,* aux *Soirées canadiennes,* au *Foyer canadien,* et au *Journal de l'éducation.*

4. Magloire Dérome (1821-1880), rédacteur des *Mélanges religieux* et du *Canadien*; il collabora aussi au *Foyer Canadien* et à la *Revue canadienne.*

Chapitre XXIII

LE ROMAN
(1860-1900)

par Arsène LAUZIÈRE

Vue d'ensemble

La tradition orale, mère de la légende, du conte, de la chanson et de la poésie au cours du siècle, allait fournir une matière substantielle aux romans canadiens les plus anciens, avant même le terroir, l'histoire nationale et les mœurs « choisies » d'un petit peuple obstiné à survivre en terre d'Amérique. Voilà à peu près tout le contenu de ce genre littéraire tard-venu. Quant à sa forme, les écrivains la pétrissent en imitant leurs modèles classiques de collège plutôt que de faire des emprunts caractéristiques à l'école romantique de 1830, au réalisme ou au naturalisme. On peut supposer que, sans des circonstances historiques défavorables, telles que la défaite de 1760, la décapitation de l'élite d'alors, la domination étrangère étouffante, puis la désaffection à l'endroit d'une France révolutionnaire, un véhicule idéal — l'idiome commun — aurait normalement permis, avec le commerce des idées, la création d'affinités littéraires étroites au point de continuer en Amérique l'art français du vieux continent.

Le romantisme qui aurait triomphé, comme on l'a prétendu, dans la mode, les mœurs et la littérature sur les rives du Saint-Laurent [1], s'il n'est pas tout à fait mythique dans le roman canadien, ne s'inscrit pas dans le sillage profond de ce mouvement qui a marqué

---

1. Dandurand, A., *Le Roman canadien-français*, Montréal, 1937, pp. 18-19; voir aussi, de Laurence Bisson, *Le Romantisme littéraire au Canada français*, Paris, Droz., 1932.

si durablement l'âme et l'esprit français au siècle du libéralisme. On sentait moins qu'en France le besoin d'une esthétique nouvelle en accord avec une société nouvelle. Coupé de ses sources vives, hésitant entre le beau classique et le sublime romantique, le romancier préféra au goût étranger et à ses coloris affectifs, au risque prométhéen que condamnait sans appel la critique d'un Casgrain, d'un Routhier et d'un Tardivel, le goût serein d'autrefois. Il puisa dans le sol, de préférence dans les traditions ancestrales et dans l'histoire, les raisons qui pouvaient galvaniser son énergie et justifier son effort. Foin de la fantaisie: le roman, comme le journal de combat et l'éloquence politique, comme toute autre forme de littérature, est au service d'une cause plus patriotique et sociale que littéraire, d'un préjugé paysan fidèle au passé de la caste. Quand sonnera inévitablement l'heure d'un certain réalisme dans cette société agraire fermée la plupart du temps aux idées modernes, les anciens romanciers canadiens mélangeront — sans grande originalité dans les attitudes et dans les techniques — divers procédés romantiques et réalistes, au gré des thèmes qu'ils développeront et des influences qu'ils rechercheront timidement. On n'est pas surpris que se reflète l'image des choses mais que jamais n'en surgisse la lumière, dès lors que les écrivains, tenus en laisse par une critique inflexible, se contentent d'inventer des anecdotes, de brosser sans profondeur des tableaux de mœurs et d'accommoder avec quelque bonheur des données historiques ou de vagues aventures.

Les genres

Romans d'aventures, romans de mœurs, romans historiques: voilà divisée en trois catégories toute la littérature d'imagination du dix-neuvième siècle, avant et après une seule exception, *Angéline de Montbrun* [2]. Ce qui est remarquable, c'est que tous ces ouvrages, dans lesquels se mêlent souvent des aventures propres au Nouveau-Monde, des esquisses de mœurs rurales et des récits de prouesses guerrières, possèdent un air de famille. À la vérité, de 1837 à 1899, du premier roman canadien, *L'Influence d'un livre*, à *Claude Paysan*, le dernier du siècle, nos romanciers n'ont écrit que les nombreux chapitres, assez semblables, d'un livre unique: un long roman national

---

2. Conan, Laure, 1884. Le roman avait d'abord paru en 1881 dans *La Revue Canadienne*.

ou patriotique, celui de la fidélité[3]. Car presque tous avaient retenu et suivi le conseil d'un des leurs, Patrice Lacombe:

> « Laissons aux vieux pays (sic) que la civilisation a gâtés leurs romans ensanglantés; peignons l'enfant du sol tel qu'il est, religieux, honnête, paisible de mœurs et de caractère... »[4]

La critique leur rendra un témoignage sans équivoque. Nos romanciers, dit-elle,

> « ... appartiennent tous à la même école ... Leur manière est la même, ou à fort peu d'exceptions près ... (Ils) se complaisent dans les beautés de détails, loin du tracas et des incidents tragiques ... développant des passions douces (de préférence) aux passions violentes ... Le bonheur domestique et champêtre est pour eux la plus haute expression du bonheur sur la terre. »[5]

Ce paisible enfant du sol qui apparaît dans le roman avec sa terre, ses traditions et son folklore, sans mystère dans ses joies, ses deuils ou ses labeurs, sans caractère buriné en profondeur, se plaît cependant à exalter les hauts faits de sa gloire militaire, dont les échos se sont encore fait entendre, en 1837, à Saint-Eustache et Saint-Denis, pour la dernière fois au dix-neuvième siècle.

Les romans qui appartiennent à ces trois catégories et qui au fond se ressemblent, évoquent, dans des pages nombreuses, la séculaire inquiétude collective d'un peuple en train de s'enraciner, rarement celle de l'individu en face de son destin personnel. On y retrouve abondamment les particularités religieuses, familiales, sociales et économiques des Canadiens. On y perçoit même, ici et là, comme en filigrane, surtout au sein d'un fantastique haut en couleur, des accents mélancoliques, une sourde plainte d'emmuré résigné à son lot.

Les thèmes

Quelques lectures permettent d'identifier sans peine les thèmes de prédilection qui vont et viennent dans cet unique roman national de la fidélité. Trois d'entre eux, étroitement unis, embrassent l'essentiel des préoccupations du peuple canadien-français d'alors: la nature, la famille et la religion.

La nature, c'est d'abord, dans son aspect champêtre, les géorgiques du sol colonisé, la terre paternelle, le cadre dans lequel vivent le cultivateur et sa famille; c'est ensuite, dans son aspect sauvage,

---

3. Tuchmaïer, Henri-S., *Evolution de la technique du roman canadien-français*, thèse de doctorat, Université Laval, 1958.
4. Lacombe, Patrice, *La Terre paternelle*, Montréal, 1871, p. 78.
5. Lareau, Edmond, *Histoire de la littérature canadienne*, Montréal, 1874.

le lieu de l'évasion, de l'aventure mille fois recommencée par les nomades de tout habit et acabit: soldats, trappeurs, coureurs de bois, forestiers, découvreurs et Peaux-rouges.

Mais l'amour du sol n'aurait aucune raison d'être sans la famille. C'est elle qui le défriche, le cultive, l'habite, l'exploite, le défend, qui y vit et y meurt. Tous les romans évoquent à qui mieux mieux ses us et coutumes, ses luttes et ses problèmes. Ils racontent plus qu'ils n'analysent ces derniers, par exemple ceux des familles nombreuses: la donation et l'exode. Thèmes interdépendants, terre et famille s'expliquent et se complètent l'un par l'autre. Dans leurs pages apologétiques, les romanciers essayent de justifier cette façon de vivre, parfois sciemment opposée au pragmatisme américain.

Il est rare que la nature et la famille ne soient pas intimement liées à la religion. Plus complexe mais moins développé que les deux autres, ce thème n'en est pas moins généralement présent dans le roman. Il y apparaît comme un idéal d'harmonie entre les deux ordres de vie bien acceptés dans le Canada français d'hier: le temporel et le spirituel. Foi sans déclamation, dont on saisit mieux que toute autre chose les « fiat » de la résignation, chez ce peuple avare de paroles comme Nordiques en devenir. Faute d'un dialogue entre le Bien et le Mal, on ne peut vraiment pas parler de roman catholique ou religieux. Le péché et la grâce n'y revêtent aucune armature romanesque, sauf chez Laure Conan.

Assez singulier dans le roman de ce siècle est le motif de l'interpénétration constante, du fréquent chevauchement de ces trois thèmes dominants. Quand cela se produit, on entonne presque toujours le chant sacré du patriotisme. Celui-ci constitue assurément une manière de sur-thème qui parachève, pour ainsi dire, tout l'édifice romanesque canadien. C'est l'invitation pressante à agir et à se perpétuer dans le sens unique d'une réalité historique inéluctable, fondée sur ces trois cariatides: nature, famille et religion.

Sous-jacent à ce thème capital, global, du patriotisme, et aux trois autres, mais à la manière de leitmotive auxiliaires, deux thèmes enfin, les plus naturellement romantiques et originaux dans le contexte indigène, sollicitent la sensibilité et l'imagination des romanciers: le pittoresque et le merveilleux.

Le premier est lié à l'emprise sur un monde pratiquement inconnu à l'Europe. L'en distinguent ses caractéristiques américaines, dont l'immensité du pays, la faune et la flore, le rythme des saisons. Combien sont démesurés ses cours d'eau et combien ses forêts sont plus vastes, plus sauvages: rapides, chutes, neiges, glaces, débâcles, le tout à l'échelle du gigantesque sinon de l'incommensurable. Et que dire du pittoresque des habitants des lieux, anciens et nouveaux, peaux-rouges et visages-pâles!

Quant au fantastique, il se trouve aussi dans la nature, au sein de la famille et jusque dans les choses para-religieuses. Atavique, ce merveilleux prend pied dans l'histoire et la légende; il exprime, dans le roman, le besoin de fantaisie d'un peuple, celui aussi d'échapper au drame des cloisons trop étanches, au trouble des instincts et des facultés émotives. Les romanciers en ont fait leurs « morceaux choisis » les mieux réussis.

La lacune la plus évidente dans la trame du long roman de la fidélité, c'est l'absence ou le trop pauvre relief du plus puissant levier de l'action personnelle, l'amour-passion, fond ordinaire, séculaire et mondial de toute thématique romanesque. Si l'on peut suivre le fil d'une mince intrigue sentimentale dans quelques romans [6], de rares pages décrivent l'amour ou l'analysent. Aucune vraie croissance ou évolution de la passion; à cet « enfant du sol... religieux, honnête, paisible... » suffisait le rêve d'un amour pastoral, domestique, ou une réalité cornélienne, à l'occasion. D'un amour authentique, rien avant, rien après *Angéline de Montbrun*.

Les influences

Dans tous ces romans du siècle dernier, dans les genres, dans la matière et les thèmes, quelles sont les filiations littéraires? Quelle part d'inspiration française y trouve-t-on? Quels sont la nature, le jeu, le cheminement et la profondeur des influences? Nos romanciers ne les ont-ils pas plus cherchées qu'ils ne s'y sont soumis?

Ces colons français, hommes d'Ancien Régime venus de provinces diverses mais nés dans la même foi, qui ont fait souche en terre neuve et étrangère, ne ressemblent plus tellement, au milieu du XIXe siècle, à mesure qu'ils se canadianisent, à leurs frères d'hier, hommes nouveaux, nés dans le doute et modelés par l'esprit des temps modernes. Rien ou presque rien chez les premiers du caprice ou du rêve qui alimenta les seconds dans leur aventure métaphysique et leur inquiétude, au lendemain de la table rase que firent la Révolution française et le cataclysme de Waterloo. Certes, les lectures de nos romanciers sont surtout françaises, et parfois contemporaines. Mais

---

6. *Charles Guérin, Les Anciens Canadiens, Jacques et Marie, À l'œuvre et à l'épreuve.*

aucun n'a senti le besoin d'un romantisme à la manière de 1830, ou du réalisme qui allait lui succéder. Même après la chute de Napoléon, le sort de la France, en tant que nation, n'a jamais été en péril. Seules avaient changé ou avaient été mises en accusation des valeurs et des institutions. Tout autre, et plus angoissant, était le besoin fondamental d'une petite collectivité qui devait se forger de toutes pièces d'infaillibles moyens de survie. Rien de surprenant dès lors que, faute de correspondances vitales, les productions romantiques et en particulier les tentatives romanesques se soient soldées au Québec par un bilan négatif.

Des noms prestigieux, en majorité français (Hugo, Lamartine, Chateaubriand, Balzac, Sue), parfois étrangers (Byron, Cooper, Scott) réapparaissent souvent dans les textes. L'appareil linguistique est indéniablement français, à le saisir dans les noms, les titres d'œuvres littéraires, les préfaces, les épigraphes nombreuses, certains procédés stylistiques romantico-réalistes, presque tout le vocabulaire lui-même. Et cependant, où trouver l'essentiel du romantisme et du réalisme, au-delà d'une certaine imitation? Peu de romanciers sont secoués par des lames de fond authentiquement françaises ou étrangères. Affleurent, par exemple, au ras de l'écriture, des « solitudes », des « mélancolies », des antithèses décoratives, des mots « démocratisés » que nuance à peine une palette ingrate en « couleur locale », farcie d'épithètes ternes, sans soleil comme sans désespoir, de faibles comparaisons qui s'appuient sur la conjonction analogique « comme ». D'aucuns ont cédé au plaisir de l'érudition. Bref, les mots ont valeur de signes, ce qui est classique, plus que valeur d'images, ce qui serait romantique. Quant au réalisme, nos romanciers n'y puisent guère de moyens si ce n'est dans le Balzac de la première manière, chez Eugène Sue et les auteurs de feuilletons. Dans tout cela, mince se révèle l'idiomatique spirituelle française, c'est-à-dire cette façon « raciale » de sentir romantiquement la mélancolie, l'inquiétude, la révolte et le désespoir, le goût du risque dans des domaines inconnus ou interdits. Faute de quoi, pourtant, l'enquête intime du « moi » n'a presque aucune dimension.

Que conclure? Qu'il a vraisemblablement suffi d'un cruel coup de barre dans l'histoire de quelque 60,000 déracinés blancs, installés dans un pays au climat et aux espaces américains, pour créer dans sa littérature des vibrations préromantiques à la Jean-Jacques, et des accents romantiques mineurs entremêlés de soucis réalistes; mais que l'inspiration canadienne, difficile à définir, plus immédiate et plus nécessaire, s'accordait mieux aux besoins de l'heure dans le roman. Le terroir dans lequel se sont enracinées les traditions ancestrales qui sont les premières sources des sagas et, dès la seconde moitié du siècle, l'*Histoire du Canada* de François-Xavier Garneau, constituent les influences les plus profondes et les plus durables, agrémentées d'éclairages français dans la forme. Pour s'exprimer selon la connaissance qu'il a de soi et de son milieu, le romancier fera volontiers confiance à l'enseignement des écrivains classiques, qui ont structuré sa langue et façonné son esprit, sans trop se douter qu'« on peut écrire une langue selon les règles de la grammaire et n'avoir pas du tout le sentiment des variétés, des différents sens, en un mot du génie (évolutif) de cette langue... » [7] Faute de pouvoir se renouveler, le roman de la fin du siècle sombrera dans la sclérose de récits conservateurs, mi-réalistes, mi-idéalistes. Le seul espoir de ce siècle, *Angéline de Montbrun*, n'aura de lendemains que plus de cinquante ans plus tard.

LES ROMANCIERS ET LEURS ŒUVRES

Pendant toute la première moitié du dix-neuvième siècle, il a manqué aux romanciers du Québec une source d'inspiration précieuse que l'on trouvait en France et ailleurs: l'histoire. Le jeune Joseph Doutre a exprimé ce grief avec amertume [8]. Un an plus tard, en 1845, et jusqu'en 1848, Garneau publie son *Histoire du Canada*. Cette œuvre, monumentale pour l'époque, comble les désirs et les espoirs de tout un peuple. Ce sont ses lettres de noblesse, ses pièces irrécusables d'identification, qui pansent des plaies encore vives à la suite de l'insurrection de 1837, qui secouent de longues léthargies, mettant fin aux velléités sans lendemain et au défaitisme général. Le roman historique et, dans son sillage, toutes les variétés du roman ne pouvaient plus tarder à naître.

Le roman, vers 1860, saisira volontiers l'occasion, comme la poésie, de rendre populaires les meilleures pages de l'histoire du pays. Mais la forme ne sait pas encore habiller de moyens réellement littéraires un fonds indigène si riche et si personnel. Le romancier ne s'exalte pas pour les seuls motifs patriotiques que lui propose Garneau; le regard résolument tourné vers le passé pour construire l'avenir, il trouve chez l'historien la justification des manières nationales de vivre et de penser, de tout ce qui a pu paraître une politique insolite, voire insolente, sur un continent d'ores et déjà définitivement voué au pragmatisme américain.

---

7. Arthur Buies à sa sœur, Victoria, 29 avril 1858, *Papiers Buies*.
8. Préface, *Les Fiancés de 1812*, p. 19.

C'est donc maintenant au roman historique à prendre le pas sur le roman d'aventures qui avait prévalu de 1830 à 1860, mais il saura s'enrichir de descriptions de mœurs.

ANTOINE GÉRIN-LAJOIE (1824-1882)

En 1862 paraît un ouvrage plein d'observations à caractère sociologique, *Jean Rivard, le défricheur canadien*. Son auteur, Antoine Gérin-Lajoie, le fera suivre d'un second deux ans plus tard: *Jean Rivard, économiste*.[9] Au préalable, le romancier s'était fait connaître, encore étudiant, par sa tragédie *Le Jeune Latour*, et par son poème *Un Canadien errant*, que chante toujours tout un peuple.

Gérin-Lajoie, citadin déçu et malheureux de son état, est convaincu qu'il faut organiser la survie et la prospérité collectives des siens en recourant aux forces vives et inépuisables de la nation. Or, c'est la terre qui les contient et qui les résume. La possession du sol assurera leur sauvegarde: religion, langue, culture, coutumes. *Jean Rivard* développe une thèse patriotique et expose les raisons pour lesquelles le Canadien ne doit pas quitter la terre défrichée et colonisée par lui. Le héros du livre, qui a tout pour plaire, devient ennuyeux lorsqu'il consigne ses observations sur l'économie et les bienfaits du travail des champs. Il est heureux que, par-ci par-là, un peu de fantaisie habite son âme sensible et artiste. Les descriptions captent alors l'odeur des bois et quelques parfums nostalgiques.

Au delà des lieux communs qui, pendant quatre-vingts ans, se retrouveront jusqu'à satiété sous la plume de la plupart des romanciers, faibles variations d'une longue mélopée consacrée à la philosophie de la vie et du salut terriens, ce sont les lettres de Gustave Charmenil à son ami Rivard qui retiennent le plus l'attention du lecteur d'aujourd'hui. Plus effacé, Charmenil est le plus vrai des deux. Son âme inquiète souffre de malaises réels, accumulés peut-être même avant la défaite de 1760. Le style épistolaire, parce que

---

9. Antoine Gérin-Lajoie, né en 1824 à Yamachiche. Etudes classiques au collège de Nicolet. Compose à dix-huit ans *Le Jeune Latour, tragédie,* puis *Un Canadien errant,* poème sur les exilés de 1837. Etudie le droit à Montréal. Cherche fortune en vain aux Etats-Unis. Journaliste politique à *La Minerve.* Echec en politique comme au barreau: trop timide. Bibliothécaire du parlement. Un des habitués du cénacle de la rue de la Fabrique (Crémazie). Fondateur des *Soirées canadiennes* et du *Foyer canadien,* dans lesquelles il publia ses romans. Mort à Ottawa en 1882. — *Consulter:* Louvigny de Montigny, *Antoine Gérin-Lajoie,* Toronto, Ryerson Press, 1926.

plus naturel et spontané, les rend plus sensibles. C'est la première fois qu'un dédoublement de la personnalité, thème cher à Musset, apparaît dans un ouvrage canadien. Cette présence antithétique est une transposition à peine voilée des maux dont souffraient, à l'époque, Gérin-Lajoie et toute une jeunesse. Il apparaît dans ces pages une veine assez généreuse d'exaltation, de lyrisme et de pessimisme. Voilà un véritable état d'âme romantique. Mais l'exemple de Jean Rivard montre qu'il faut étouffer la voix de ses traumatismes — réels ou chimériques — sous le poids de la volonté, et qu'il faut défricher: la grandeur et l'avenir du Canada dépendent de sa colonisation. Les hommes d'ici doivent affronter deux obstacles: la neige et la forêt, qui sont à la mesure de leurs muscles et de leur courage, et se cramponner à leur idéal de vie agreste.

LETTRE DE GUSTAVE CHARMENIL À JEAN RIVARD

« Mon cher ami,

« Toujours gai, toujours badin, même au milieu des plus rudes épreuves, tu es bien l'être le plus heureux que je connaisse. Il est vrai que le travail, un travail quelconque, est une des principales conditions du bonheur; et lorsque à cela se joint l'espérance d'améliorer, d'embellir chaque jour sa position, le contentement intérieur doit être à peu près complet. Je te trouve heureux, mon cher Jean, d'avoir du travail: n'en a pas qui veut. J'en cherche en vain depuis plusieurs mois, afin d'obtenir les moyens de terminer ma cléricature. J'ai frappé à toutes les portes. J'ai parcouru les bureaux de tous les avocats marquants, ne demandant rien de plus en échange de mes services que ma nourriture et le logement; partout on m'a répondu que le nombre des clercs était déjà plus que suffisant. J'ai visité les bureaux des cours de justice et ceux de l'enregistrement: même réponse. Hier j'ai parcouru tous les établissements d'imprimerie, m'offrant comme correcteur d'épreuves, mais sans obtenir plus de succès.

«... Mais ne va pas croire, mon cher ami, que je suis le seul à me plaindre. Une grande partie des jeunes gens instruits, ou qui se prétendent instruits, sont dans le même cas que moi, et ne vivent, suivant l'expression populaire, qu'en « tirant le diable par la queue ». Qu'un mince emploi de copiste se présente dans un bureau public, pas moins de trois ou quatre cents personnes le solliciteront avec instance. Vers la fin de l'hiver on rencontre une nuée de jeunes commis marchands cherchant des situations dans les maisons de commerce; un bon nombre sont nouvellement arrivés de la campagne, et courent après la toison d'or; plusieurs d'entre eux en seront quittes pour leurs frais de voyage; parmi les autres, combien végéteront? Combien passeront six, huit, dix ans derrière un comptoir avant de pouvoir ouvrir boutique à leur propre compte? Puis parmi ceux qui prendront à leur compte, combien résisteront pendant seulement trois ou quatre ans? Presque tous tomberont victimes d'une concurrence ruineuse ou de l'inexpérience, et seront condamnés à une vie misérable. Ah! si tu savais, mon cher, que de soucis, de misère, se cachent quelquefois sous un paletot à la mode! Va, sois sûr d'une chose: il y a dans la classe agricole, avec toute sa frugalité, sa simplicité, ses privations apparentes, mille fois plus de bonheur et je pourrais dire de véritable aisance, que chez la grande majorité des habitants de nos cités, avec leur faste emprunté et leur vie de mensonge.

« Quand je vois un cultivateur vendre sa terre à la campagne pour venir s'établir en ville, en qualité d'épicier, de cabaretier, de charretier, je ne puis m'empêcher de gémir de douleur. Voilà donc encore, me dis-je, un homme voué au malheur! Et il est rare qu'en effet cet homme ne soit pas complètement ruiné après trois ou quatre années d'exercice de sa nouvelle industrie.

« Et ses enfants, que deviennent-ils? Dieu le sait.

« Plus j'y songe, mon cher ami, plus j'admire le bon sens dont tu as fait preuve dans le choix de ton état. Et quand je compare ta vie laborieuse, utile, courageuse, à celle d'un si grand nombre de nos jeunes muscadins qui ne semblent venus au monde que pour se peigner, se parfumer, se toiletter, se dandiner dans les rues ... oh! je me sens heureux et fier d'avoir un ami tel que toi. »

PHILIPPE AUBERT DE GASPÉ (1786-1871)

Le roman le plus célèbre de l'époque, sinon du siècle, *Les Anciens Canadiens,* parut en 1863, alors que son auteur, Philippe Aubert de Gaspé, avait 76 ans. [1] Pas plus que Gérin-Lajoie, il ne se piqua d'écrire un roman selon les lois du genre. Dans son « bout de préface », il en indique le ton et le fond. Quoiqu'il admire Scott et Shakespeare tout en demeurant fidèle à l'héritage de Racine, il n'imite personne: son ouvrage, dit-il, sera tout canadien par le style. Il est malaisé à un septuagénaire de « changer sa vieille redingote pour un paletot à la mode (du) jour ». Tout en s'amusant, son ambition se ramène à « consigner quelques épisodes du bon vieux temps, quelques souvenirs de jeunesse... (et) les mœurs des anciens Canadiens. » Mais, ce faisant, il fonde vraiment le roman historique dans la perspective et sous l'influence de l'œuvre de Garneau.

LA SAVEUR DU PASSÉ

Alors que l'auteur de *Jean Rivard* s'était contenté de tirer de son roman la leçon d'une vocation à la terre, cherchant ainsi à freiner l'émigration massive des familles canadiennes vers l'industrie américaine et le sud, Aubert de Gaspé raconte les pages glorieuses et sombres de la défaite française. Cependant, il consacre ses meilleurs chapitres à des tableaux de mœurs, à des légendes et à des scènes

---

1. Aubert de Gaspé, Philippe, né à Saint-Jean-Port-Joli en 1786, d'une ancienne famille de noblesse canadienne. Etudes classiques, puis de droit à Québec. Reçu au barreau de Québec, où il fut shérif. Généreux, dépensant en grand seigneur, il fut emprisonné de 1838 à 1841, pour insolvabilité. Vécut paisiblement ses trente dernières années au manoir de Saint-Jean-Port-Joli. Parurent en 1863 *Les Anciens Canadiens* et, en 1866, *Mémoires.* Père de l'auteur de *L'Influence d'un livre.* Mourut octogénaire en 1871. — *Consulter:* Pierre-Georges Roy: *A travers les Anciens Canadiens de Ph. Aubert de Gaspé* et *A travers les Mémoires,* 2 vol., Montréal, G. Ducharme, 1943.

inédites, comme la description de la « débâcle » des glaces sur le Saint-Laurent.

Quant à son intrigue sentimentale, elle apparaît de nos jours sans grand relief avec son naïf dénouement: le refus cornélien de l'héroïne d'épouser Locheill, l'inconsolable et sympathique étranger.

Oeuvre de réhabilitation comme celle de Garneau, mais à sa façon, *Les Anciens Canadiens,* précieuse relation de la vie canadienne de presque un siècle, est aussi un ouvrage semi-autobiographique. Sous le masque de M. Egmont, l'écrivain y raconte les « extravagances », les « angoisses poignantes » et autres vicissitudes de sa vie, sans parade indiscrète toutefois. Car Aubert de Gaspé est un aristocrate non seulement de naissance, mais d'esprit, d'âme, de cœur.

En 1866, toujours jeune, Gaspé publiera ses *Mémoires.* Cet ouvrage, un classique canadien encore ignoré, conserve le charme et l'intérêt des mille souvenirs d'un passé révolu. Le conteur — un des premiers et non des moindres — prend la place du romancier. Primesautier, il parle plus qu'il n'écrit ces *Mémoires.* On y retrouve le ton, l'agrément et l'art de la bonne conservation du XVIIIe siècle.

UN SOUPER CHEZ UN SEIGNEUR CANADIEN

« Le couvert était mis dans une chambre basse, **mais spacieuse, dont les meu**bles, sans annoncer le luxe, ne laissaient rien à désirer de ce que les Anglais appellent confort. Un épais tapis de laine à carreaux, de manufacture canadienne, couvrait, aux trois quarts, le plancher de cette salle à manger. Les tentures en laine, aux couleurs vives, dont elle était tapissée, ainsi que les dossiers du canapé, des bergères et des chaises en acajou, aux pieds de quadrupèdes semblables à nos meubles maintenant à la mode, étaient ornés d'oiseaux gigantesques, qui auraient fait le désespoir de l'imprudent ornithologiste qui aurait entrepris de les classer.

Un immense buffet, touchant presque au plafond, étalait, sur chacune des barres transversales dont il était amplement muni, un service en vaisselle bleue de Marseille, semblant, par son épaisseur, jeter un défi à la maladresse des domestiques qui en auraient laissé tomber quelques pièces.

... Le menu du repas était composé d'un excellent potage (la soupe était alors de rigueur, tant pour le dîner que pour le souper), d'un pâté froid, appelé pâté de Pâques, servi, à cause de son immense volume, sur une planche recouverte d'une serviette ou petite nappe blanche, suivant ses proportions. Ce pâté, qu'aurait envié Brillat-Savarin, était composé d'une dinde, de deux poulets, de deux perdrix, de deux pigeons, du râble et des cuisses de deux lièvres: le tout recouvert de bardes de lard gras. Le godiveau de viandes hachées, sur lequel reposaient, sur un lit épais et mollet, ces richesses gastronomiques, et qui en couvrait aussi la partie supérieure, était le produit de deux jambons de cet animal que le juif méprise, mais que le chrétien traite avec plus d'égards. De gros oignons, introduits çà et là, et de fines épices, complétaient le tout. Mais un point très important en était la cuisson, d'ailleurs assez difficile; car si le géant crevait, il perdait alors cinquante pour cent de son acabit. Pour prévenir un événement aussi déplorable, la croûte du dessous, qui recouvrait encore de trois pouces les flancs du monstre culinaire, n'avait pas moins d'un pouce d'épaisseur. Cette croûte même, imprégnée du jus de toutes ces viandes, était une partie délicieuse de ce mets unique.

Des poulets et des perdrix rôtis, recouverts de doubles bardes de lard, des pieds de cochon à la Sainte-Menehould, un civet bien différent de celui dont un hôtelier espagnol régala jadis l'infortuné Gil Blas, furent les autres mets que l'hospitalité du seigneur de Beaumont put offrir à ses amis. »

LES SORCIERS DE L'ÎLE D'ORLÉANS

(Récit fait par le fils de l' « habitant » José)

« Arrivé sur les hauteurs de Saint-Michel, que nous avons passées tantôt, l'endormitoire le prit. Après tout, que se dit mon défunt père, un homme n'est pas un chien! faisons un somme; ma guevalle et moi nous nous en trouverons mieux. Si donc, qu'il dételle sa guevalle, lui attache les deux pattes de devant avec ses cordeaux, et lui dit: Tiens, mignonne, voilà de la bonne herbe, tu entends couler le ruisseau: bonsoir.

Comme mon défunt père allait se fourrer sous son cabrouette pour se mettre à l'abri de la rosée, il lui prit fantaisie de s'informer de l'heure. Il regarde donc les trois Rois au sud, le Chariot au nord, et il en conclut qu'il était minuit. C'est l'heure, qu'il se dit, que tout honnête homme doit être couché.

Il lui sembla cependant tout à coup que l'île d'Orléans était tout en feu. Il saute un fossé, s'accote sur une clôture, ouvre de grands yeux, regarde, regarde... Il vit à la fin que des flammes dansaient le long de la grève, comme si tous les fi-follets du Canada, les damnés, s'y fussent donné rendez-vous pour tenir leur sabbat. A force de regarder, ses yeux, qui étaient pas mal troublés, s'éclaircirent, et il vit un drôle de spectacle: c'était comme des manières d'hommes, une curieuse engeance tout de même. Ça avait bin une tête grosse comme un demi-minot, affublée d'un bonnet pointu d'une aune de long, puis des bras, des jambes, des pieds et des mains armés de griffes, mais point de corps pour la peine d'en parler. Ils avaient, sous votre respect, mes messieurs, le califourchon fendu jusqu'aux oreilles. Ça n'avait presque pas de chair: c'était quasiment tout en os, comme des esquelettes. Tous ces jolis gars avaient la lèvre supérieure fendue en bec de lièvre, d'où sortait une dent de rhinoféroce d'un bon pied de long comme on en voit, monsieur Arché, dans votre beau livre d'images de l'histoire surnaturelle. Le nez ne vaut guère la peine qu'on en parle: c'était, ni plus ni moins, qu'un long groin de cochon, sous votre respect, qu'ils faisaient jouer à demande, tantôt à droite, tantôt à gauche de leur grande dent: c'était, je suppose, pour l'affiler. J'allais oublier une grande queue, deux fois longue comme celle d'une vache, qui leur pendait dans le dos, et qui leur servait, je pense, à chasser les moustiques. »

(*Les Anciens Canadiens*)

TROIS ARTISANS DU ROMAN HISTORIQUE

BOUCHER DE BOUCHERVILLE (1814-1894)

Parmi d'autres romanciers qui ont connu une certaine célébrité au cours de la seconde moitié du siècle, trois n'ont pas totalement sombré dans l'oubli: Georges Boucher de Boucherville, Napoléon Bourassa et Joseph Marmette.

Le premier fit paraître en 1864 la seconde et dernière partie de *Une de perdue, deux de trouvées,* treize ans après la première partie [1]. Le héros, Pierre de Saint-Luc, a mis fin aux péripéties palpitantes de Cuba et de la Louisiane. Il rentre au Canada, où il vivra des aventures émouvantes dont les protagonistes se trouvent mêlés à des événements de l'histoire.

Un art simple et habile du récit, des dialogues à la Dumas et des descriptions quelque peu balzaciennes soutiennent une intrigue complexe mais qui se déroule sans hésitation ni accroc.

NAPOLÉON BOURASSA (1827-1916)

Quelques mois plus tard, Napoléon Bourassa évoquera la déportation des Acadiens, dans *La Revue canadienne.* Le roman de ce pénible épisode historique, *Jacques et Marie,* exalte la « geste » acadienne qui commença en 1755, au cours de la Guerre de Sept Ans. Mais c'est aussi la dramatique histoire de deux amoureux séparés par le « grand dérangement » et qui ne se retrouveront qu'après de longues épreuves. [2] Peintre sensible aux couleurs parfois saisissantes, doué d'une imagination fertile qui n'évite pas toujours le mélodrame, Bourassa s'est contenté de narrer avec tendresse et vérité, mais sans pousser l'analyse, un sujet en apparence des plus féconds et qui eût pu se prêter à quelque grande fresque historique.

JOSEPH MARMETTE (1844-1895)

Joseph Marmette, le romancier le plus prolifique de son époque, composa des ouvrages de cape et d'épée où se déploie le roma-

---

1. Il en a été fait état au chapitre du roman de 1830 à 1860, pp. 178-183.
2. Bourassa, N., *Jacques et Marie,* 1865.

VOIR ILLUSTRATIONS — 128-141

nesque le plus échevelé. Il s'était donné pour tâche de dramatiser les actions nobles et glorieuses « que tout Canadien devrait connaître »[3]. Il se documentait le plus sérieusement du monde, car il se voulait fidèle à l'histoire de son pays que lui avait découverte son beau-père, F.-X. Garneau. Néanmoins, il résista mal à son penchant pour les épisodes extravagants, voire les gasconnades. Comme Dumas, son maître, il est possédé d'un mouvement endiablé. Sa phrase prend le pas de charge au moindre prétexte. De même que Bas-de-Cuir, qu'il admire, il bat la prairie et la forêt, dévore les espaces, y dépiste l'ennemi, tombe dessus à bras raccourcis et stigmatise, à l'occasion, Bigot et les traîtres qui, selon lui, ont perdu la Nouvelle-France par leur incurie.

LAURE CONAN (1845-1924)

Lorsque parut *Angéline de Montbrun* en 1884, on attendait toujours l'œuvre qui pût se comparer aux *Anciens Canadiens* ou la dépasser. Sans contredit, le roman le plus littéraire du siècle appartient à Laure Conan[4]. Ce pseudonyme cachait la véritable identité de la première romancière du Québec, Félicité Angers, personnage mystérieux et quasi-légendaire déjà de son vivant.

Dénuée de charmes, vouée définitivement au célibat moins par goût que par suite d'un amour malheureux, presque toute sa vie se déroula, animée du culte discret de l'amitié, dans l'isolement, la paix et le pittoresque de son village de La Malbaie.

Analyse, classicisme, vérité

Dès son premier livre, *Un amour vrai*, apparaît le talent de l'écrivain. Il est personnel, d'un style naturel, riche d'une connaissance profonde de la littérature. Avant Laure Conan, le pays avait vu dé-

---

3. Marmette, J., *Charles et Eva*, 1866; *François de Bienville*, 1870; *L'Intendant Bigot*, 1872; *Le Chevalier de Mornac*, 1873; *La Fiancée du rebelle*, 1875; *Le Tomahawk et l'épée*, 1877. — Consulter: Le Moine, Roger, *J. Marmette, sa vie, son œuvre*, Québec, P.U.L., 1968.

4. Angers, Félicité, née en 1845, à La Malbaie, y vécut la majeure partie de sa vie. Etudes primaires chez les Ursulines de Québec. Elle publia, sous le pseudonyme de Laure Conan, des romans et des monographies historiques: *Un amour vrai* (1879), *Angéline de Montbrun* (dès 1881-1882, en revue), *A l'œuvre et à l'épreuve* (1891), *L'Oublié* (1900), *Elizabeth Seton* (1903), *Silhouettes canadiennes* (1917), *L'Obscure souffrance* (1919), *La Sève immortelle* (1925); aussi, *Si les Canadiennes le voulaient* (1886). — *Consulter:* Micheline Dumont: *Laure Conan*, Montréal, Fides, 1961.

filer, dans son long roman national peu prestigieux, des hommes et des femmes de même cousinage. Tous, sauf exception, étaient directement issus de l'événement, plus ou moins dépeints dans le pittoresque du costume, du geste ou de la nature. Il leur manquait le relief de la psychologie, une attention pénétrante à leur destin individuel. Aucun n'avait pu ou su communiquer, soit à lui-même, soit aux autres, la profondeur et la vérité ondoyante d'une personnalité; il n'y avait pas eu de roman d'analyse. *Angéline de Montbrun* rompt avec ce trop long silence. Seule la vie intérieure comptera aux yeux de son auteur. À travers son héroïne, Laure Conan livre pour la première fois cette part de mystère qui s'enracine à l'âme. En effet, c'est de la romancière même qu'Angéline tire ses émois, sa souffrance, sa longue lutte et sa soumission devant le destin. La mélancolie, les regrets, parfois le dépit d'une vie sans joie imprègnent de nombreuses pages du roman. Finalement, une résignation qui fut difficile à obtenir et une foi toujours sans faille, mais éprouvée, l'emportent sur les cris du cœur et les faiblesses de la chair.

C'est dans l'histoire surtout que Laure Conan trouve des leçons de vie et de psychologie, c'est par elle qu'elle entend approfondir la connaissance des valeurs humaines. Elle ne cessera d'aimer, d'admirer le passé humain de son pays et de l'exalter dans ses romans historiques. Elle proposera au lecteur le souvenir de Lambert Closse et de Charles Garnier, vrais héros oubliés, qui lui ressemblent par leur fervent amour du pays, la profondeur de leur foi religieuse, leur lucidité empreinte de modestie, leur résignation patiente à l'obscure et inévitable souffrance. C'est ainsi que *À l'œuvre et à l'épreuve* (1891) et *L'Oublié* (1900) proclament la vanité du bonheur, impossible sur terre puisque ne s'y trouve aucun refuge contre certaines douleurs morales.

Angéline de MONTBRUN

7 mai

FEUILLES DÉTACHÉES

« Il me tardait d'être à Valriant; mais que l'arrivée m'a été cruelle! que ces huit jours m'ont été terribles! Les souvenirs délicieux autant que les poignants me déchirent le cœur. J'ai comme un saignement en dedans, suffoquant, sans issue. Et personne à qui dire les paroles qui soulagent.

M'entendez-vous, mon père, quand je vous parle? Savez-vous que votre pauvre fille revient chez vous se cacher, souffrir et mourir? Dans vos bras, il me semble que j'oublierais mon malheur.

Chère maison que fut la sienne! où tout me le rappelle, où mon cœur le revoit partout. Mais jamais plus il ne reviendra dans sa demeure. Mon Dieu, pardonnez-moi. Il faudrait réagir contre le besoin terrible de me plonger, de m'abîmer dans ma tristesse. Cet isolement que j'ai voulu, que je veux encore, comment le supporter?

Sans doute, lorsqu'on souffre, rien n'est pénible comme le contact des indifférents. Mais Maurice, comment vivre sans le voir, sans l'entendre jamais, jamais! ... O l'accablante pensée! ... C'est la nuit, c'est le froid, c'est la mort.

Ici où j'ai vécu d'une vie idéale si intense, si confiante, il faut donc m'habituer à la plus terrible des solitudes, à la solitude du cœur.

Et pourtant, qu'il m'a aimé! Il avait des mots vivants, souverains, que j'entends encore, que j'entendrai toujours.

Dans le bateau, à mesure que je m'éloignais de lui, que les flots se faisaient plus nombreux entre nous, les souvenirs me revenaient plus vifs. Je le revoyais comme je l'avais vu dans notre voyage funèbre. Oh! qu'il l'a amèrement pleuré, qu'il a bien partagé ma douleur. Maintenant que j'ai rompu avec lui, je pense beaucoup à ce qui m'attache pour toujours. Tant d'efforts sur lui-même, tant de soins, une pitié si inexprimablement tendre!

C'est donc vrai, j'ai vu l'amour s'éteindre dans son cœur. Mon Dieu, qu'il est horrible de se savoir repoussante, de n'avoir plus rien à attendre de la vie.

Je pense parfois à cette jeune fille livrée au cancer dont parle de Maistre. Elle disait: « Je ne suis pas aussi malheureuse que vous le croyez: Dieu me fait la grâce de ne penser qu'à lui. »

Ces admirables sentiments ne sont pas pour moi. Mais, mon Dieu, vous êtes tout-puissant, gardez-moi du désespoir, ce crime des âmes lâches. O Seigneur! que vous m'avez rudement traitée! que je me sens faible! que je me sens triste! Parfois, je crains pour ma raison. Je dors si peu, et d'ailleurs il faudrait le sommeil de la terre pour me faire oublier.

La nuit après mon arrivée, quand je crus tout le monde endormi, je me levai. Je pris ma lampe, et bien doucement je descendis à son cabinet. Là, je mis la lumière devant son portrait et je l'appelai.

J'étais étrangement surexcitée. J'étouffais de pleurs, je suffoquais de souvenirs, et, dans une sorte d'égarement, dans une folie de regrets, je parlais à ce cher portrait comme à mon père lui-même.

Je fermai les portes et les volets, j'allumai les lustres à côté de la cheminée. Alors son portrait se trouva en pleine lumière — ce portrait que j'aime tant, non pour le mérite de la peinture, dont je ne puis juger, mais pour l'adorable ressemblance. C'est ainsi que j'ai passé la première nuit de mon retour. Les yeux fixés sur son si beau visage, je pensais à son incomparable tendresse, je me rappelais ses soins si éclairés, si dévoués, si tendres.

Ah, si je pouvais l'oublier, comme je mépriserais mon cœur! Mais béni soit Dieu! La mort qui m'a pris mon bonheur, m'a laissé tout mon amour. »

3 juillet

« Je ne devrais pas lire les Méditations. Cette voix molle et tendre a trop d'écho dans mon cœur. Je m'enivre de ces dangereuses tristesses, de ces passionnés regrets. Insensée! J'implore la paix et je cherche le trouble. Je suis comme un blessé qui sentirait un âpre plaisir à envenimer ses plaies, à en voir couler le sang.

Où me conduira cette douloureuse effervescence? J'essaie faiblement de me reprendre à l'aspect charmant de la campagne, mais

« Le soleil des vivants n'échauffe plus les morts. »

7 juillet

« La consolation, c'est d'accepter la volonté de Dieu, c'est de songer à la joie du revoir, c'est de savoir que je l'ai aimé autant que je pouvais aimer.

Dans quelle délicieuse union nous vivions ensemble! Rien ne me coûtait pour lui plaire; mais je savais que les froissements involontaires sont inévitables, et pour en effacer toute trace, rarement je le quittais, le soir, sans lui demander pardon. Chère et douce habitude qui me ramena vers lui, la veille de sa mort. Quand je pense à cette journée du 19! Quelles heureuses folles nous étions, Mina et moi! Jamais jour si douloureux eut-il une veille si gaie? Combien j'ai béni Dieu, ensuite, d'avoir suivi l'inspiration qui me portait vers mon père. Ce dernier entretien restera l'une des forces de ma vie.

Je le trouvai qui lisait tranquillement. Nox dormait à ses pieds devant la cheminée, où le feu allait s'éteindre. Je me souviens qu'à la porte, je m'arrêtai un instant pour jouir de l'aspect charmant de la salle. Il aimait passionnément la verdure et les fleurs et j'en mettais partout. Par la fenêtre ouverte, à travers le feuillage, j'apercevais la mer tranquille, le ciel radieux. Sans lever les yeux de son livre, mon père me demanda ce qu'il y avait. Je m'approchai, et m'agenouillant, comme je le faisais souvent devant lui, je lui dis que je ne pourrais m'endormir sans la certitude qu'aucune ombre de froideur ne s'était glissée entre nous, sans lui demander pardon, si j'avais eu le malheur de lui déplaire en quelque chose.

Je vois encore son air moitié amusé, moitié attendri. Il m'embrassa sur les cheveux, en m'appelant sa chère folle, et me fit asseoir pour causer. Il était dans ses heures d'enjouement, et alors sa parole, ondoyante et légère, avait un singulier charme. Je n'ai connu personne dont la gaieté se prît si vite.

Mais ce soir-là quelque chose de solennel m'oppressait. Je me sentais émue sans savoir pourquoi. Tout ce que je lui devais me revenait à l'esprit. Il me semblait que je n'avais jamais apprécié son admirable tendresse. J'éprouvais un immense besoin de le remercier, de le chérir. Minuit sonna. Jamais glas ne m'avait paru si lugubre, ne m'avait fait une si funèbre impression. Une crainte vague et terrible entra en moi. Cette chambre si jolie, si riante me fit soudain l'effet d'un tombeau.

Je me levai pour cacher mon trouble et m'approchai de la fenêtre. La mer s'était retirée au large, mais le faible bruit des flots m'arrivait par intervalles. J'essayais résolument de raffermir mon cœur, car je ne voulais pas attrister mon père. Lui commença dans l'appartement un de ces va-et-vient qui étaient dans ses habitudes. La fille du Tintoret se trouvait en pleine lumière. En passant, son regard tomba sur ce tableau qu'il aimait, et une ombre douloureuse couvrit son visage. Après quelques tours, il s'arrêta devant et resta sombre et rêveur, à le considérer. Je l'observais sans oser suivre sa pensée. Nos yeux se rencontrèrent et ses larmes jaillirent. Il me tendit les bras et sanglota: « Ô mon bien suprême! ô ma Tintorella! »

Je fondis en larmes. Cette soudaine et extraordinaire émotion, répondant à ma secrète angoisse, m'épouvantait, et je m'écriai: « Mon Dieu! que va-t-il donc arriver? »

Il se remit à l'instant, et essaya de me rassurer, mais je sentais les violents battements de son cœur, pendant qu'il répétait de sa voix la plus calme: « Ce n'est rien, ce n'est rien, c'est la sympathie pour le pauvre Jacques Robusti. »

Et comme je pleurais toujours et frissonnais entre ses bras, il me porta sur la causeuse au coin du feu; puis il alla fermer la fenêtre, et mit ensuite quelques morceaux de bois sur les tisons.

La flamme s'éleva bientôt vive et brillante. Alors revenant à moi, il me demanda pourquoi j'étais si bouleversée. Je lui avouai mes terreurs.

« Bah! dit-il légèrement, des nerfs. » Et comme j'insistais, en disant que lui aussi avait senti l'approche du malheur, il me dit:

— J'ai eu un moment d'émotion, mais tu le sais, Mina assure que j'ai une nature d'artiste.

Il badinait, me raisonnait, me câlinait, et comme je restais toute troublée, il m'attira à lui et me demanda gravement:

« Mon enfant, si moi, ton père, j'avais l'entière disposition de ton avenir, serais-tu bien terrifiée? »

Alors, partant de là, il m'entretint avec une adorable tendresse de la folie, de l'absurdité de la défiance envers Dieu.

Sa foi entrait en moi comme une vigueur. La vague, l'horrible crainte disparut. Jamais, non jamais je ne m'étais sentie si profondément aimée. Pourtant je comprenais — et avec quelle lumineuse clarté — que rien dans les tendresses humaines ne peut faire soupçonner ce qu'est l'amour de Dieu pour ses créatures.

Ô mon Dieu, votre grâce me préparait au plus terrible des sacrifices. C'est ma faute, ma très grande faute, si l'éclatante lumière qui se levait dans mon âme n'a pas été croissant jusqu'à ce jour.

Chose singulière! le parfum de l'héliotrope me reporte toujours à cette heure sacrée — la dernière de mon bonheur.

... Ce soir-là il en portait une fleur à sa boutonnière, et ce parfum est resté pour jamais mêlé aux souvenirs de cette soirée, la dernière qu'il ait passée sur la terre. »

LES CONTEURS

L'abbé *Henri-Raymond Casgrain,* volontaire initiateur d'une littérature nationale propre à susciter l'enthousiasme patriotique, a fait beaucoup de remue-ménage dans l'histoire des lettres du siècle dernier. Ses *Légendes* ne sont pourtant guère lues aujourd'hui, si ce n'est, peut-être, *La Jongleuse.* Ses rares lecteurs modernes lui préfèrent, à bon droit, le sévère Joseph-Charles Taché, le conteur que fut à l'occasion Louis Fréchette, ou l'imaginatif voyageur-soldat Faucher de Saint-Maurice. D'aucuns goûtent encore la gaieté parfois espiègle d'un Pamphile Le May dans ses *Contes vrais,* dont le fantastique délibérément démesuré ne se pique de rien, si l'on peut dire.

Joseph-Charles Taché publia d'abord *Trois légendes de mon pays.* Il fait preuve dans la meilleure des trois, *L'Îlet au massacre,* d'une connaissance peu commune de la vie de la forêt. Mais c'est son second recueil, *Forestiers et voyageurs,* publié en 1863, qui demeure le mieux connu.

Un personnage central, le père Michel, prototype du vieux forestier, raconte ses souvenirs à l'âge de la retraite. Ils sont pleins de la vie des voyageurs des pays d'en-haut et des mœurs des hommes des chantiers. Ces récits, qui constituent un précieux document folklorique, sont légèrement romancés, mais on y retrouve la simple et authentique grandeur de l'homme des bois, rude mais humain. Si le style manque de souplesse ou de nuance, il est vigoureux et musclé comme les bras du forestier. L'écriture saillit sans complaisance, nette comme le coup de hache.

Âme sensible, gentilhomme à panache, *Faucher de Saint-Maurice*, s'il est chevaleresque, n'a pas eu le temps ou l'occasion de mieux aiguiser sa plume que son épée. Il est meilleur chroniqueur que conteur, sans toutefois égaler Arthur Buies. Cependant ses récits, bien que manquant parfois de naturel, révèlent un goût vif des voyages et des aventures, une imagination ardente enrichie de souvenirs militaires. Il fit rééditer *À la brunante* (1874) sous le titre moins heureux de *À la veillée* (1879). On lui doit aussi les récits d'exploits et de naufrages de *Joies et tristesses de la mer* (1888).

Quant à *Fréchette*, poète et dramaturge, il a composé, pour se distraire avec ses amis, trois livres de contes, dont *Originaux et détraqués* (1892) sont les plus célèbres en dépit des négligences de style. Tout compte fait, c'est là peut-être le meilleur de toute son œuvre, avec les deux ou trois poèmes qu'on trouve dans toutes les anthologies.

JOSEPH-CHARLES TACHÉ

LE FEU DE LA BAIE (Forestiers et voyageurs)

« Je demeurai trois ans à La Baie: l'été je faisais la pêche à la morue, et l'hiver, j'allais à la chasse avec les sauvages de Cascapédiac et de Restigouche.

Je n'ai pas besoin de vous dire ce que c'est que cette vie-là; mais je vais vous raconter une aventure qui m'a bien surpris quand elle m'est arrivée: aujourd'hui je n'en ferais presque pas de cas.

Nous revenions une nuit du Banc-de-Miscou, après une absence de deux jours; nous étions trois dans une grande barge. Nous courions dans le moment ouest-sud-ouest, par une grande brise de vent d'ouest, en pinçant les vents pour prendre Paspébiac au retour de notre bordée; lorsque nous aperçûmes, sous le vent, une clarté qui n'avait pas l'air de la lumière ordinaire d'un bâtiment.

Cette clarté n'était pas très loin de nous, elle s'avançait même de notre côté, comme pour passer à notre arrière gouvernant nord, et elle grandissait toujours. Il nous parut bientôt que c'était un navire en feu et nous distinguions même la mâture à la lueur des flammes; puis le navire s'arrêta, n'offrant plus l'aspect que d'un vaste brasier.

C'est tout de même un navire qui brûle, nous dîmes-nous, entre nous autres, en mettant notre barge tout à fait dans le vent pour mieux examiner. C'est drôle qu'ils aient continué de marcher pendant que l'incendie commençait à se déclarer; mais enfin c'est clair qu'il y a là un malheur. Il faut y aller. Qui sait si ces gens-là n'ont pas besoin de nous, leurs chaloupes sont peut-être mauvaises, trop petites pour tout le monde, peut-être?

Nous changeâmes donc de route et, arrivant grande écoute, nous nous dirigeâmes vers le navire en feu qui pouvait être comme à une lieue de nous.

— Entends-tu comme des cris en peine, me dit un de mes camarades, après quelques minutes de marche.

— Non, lui répondis-je; mais j'ai un curieux bourdonnement dans les oreilles.

— M'est avis, dit au bout de quelque temps mon second compagnon qui était au guet à l'avant de la barge, m'est avis que le navire en feu s'éloigne de nous à mesure que nous avançons.

Nous allions tout de même, cependant. J'étais à la barre; je tenais toujours la même course, malgré que nous ayons parcouru plus d'espace que n'en comportait l'éloignement d'abord supposé du navire en feu.

Il y avait environ une heure que nous avions changé de route, et le navire paraissait aussi loin de nous qu'au premier moment. — Bordons, criai-je à mes camarades, c'est comme rien, il y a du sorcier là-dedans. Et mettant toute la barre à lofer j'envoyai auprès du vent.

Au même instant, le feu, que nous regardions constamment, se dispersa en mille flammèches de toutes les couleurs et disparut.

Je ne pense pas qu'il se soit dit ensuite un seul mot dans la barge avant d'arriver au banc de Paspébiac.

Il me semblait qu'une haleine brûlante me soufflait dans la figure, et je crois vraiment que j'ai senti une odeur de soufre.

Enfin, vous me direz ce que vous voudrez, mais cela n'est pas naturel!

Arrivés à terre, et tous les jours suivants, rien de plus pressé que de raconter notre aventure. La chose n'était pas tout à fait si nouvelle, pour les gens de l'endroit, que pour moi et mes associés de ligne, qui n'étions pas nés dans la place.

« C'est le Feu de la Baie, nous dit un vieillard acadien; mais il y avait longtemps qu'on ne l'avait vu, il était presque oublié: on n'en parlait plus de ce côté-ci de la Baie. Les gens de l'autre côté, surtout à Caraquette, en parlent toujours, parce que c'est par là surtout qu'il se montrait, même pendant l'hiver au milieu des glaces.

« Ce feu a commencé à paraître pas longtemps après le dérangement de nos gens par les Anglais, ajouta le vieillard. Je pense que c'est quelque étincelle de l'incendie de nos maisons qui a allumé ce feu-là. Soyez sûrs qu'il y en a, dans ces flammes, qui sont tourmentés pour de gros péchés. Ah! le bon Dieu est juste, et on ne se moque pas de sa justice comme ça! »

On pensera ce qu'on voudra de cette affaire; mais moi je suis de l'avis du vieux cayen; il y a du goddam là-dedans!

Les Anglais ont fait le diable dans l'Acadie et sur les côtes de la Baie; ils ont tué, pillé, brûlé, et le diable leur rend ce qu'ils lui ont prêté. Le bâtiment qui brûle du feu de la Baie, car c'est un navire, j'ai distingué sa mâture à la lueur des flammes, est un des bâtiments des Anglais dont Charlot s'est emparé et qu'il grille à la régalade.

Puis ce n'est pas la seule chose qu'on voit dans cet endroit, de ce genre-là. Croyez-vous que c'est la mer toute seule, par exemple, qui a monté la coque du naufrage anglais bien au-dessus des plus hautes marées, au Cap-Désespoir? Et ces cris, ces lamentations que plusieurs ont entendues, par le travers du Banc-Vert et du Banc-des-Orphelins! Non, tout cela n'est pas naturel, le vieux avait raison; c'est un grand châtiment qui se poursuit dans ces parages! Enfin vous en croirez ce que vous voudrez, ce n'est pas un article de foi; mais pour le feu de la Baie, je l'ai vu comme je vous vois, et je m'en crois.»

LOUIS FRÉCHETTE

ONEILLE (Originaux et détraqués)

« L'original s'appelait Jean-Baptiste Oneille.

Il cumulait les fonctions de bedeau de la cathédrale avec celles de barbier de l'évêché.

... Doué d'une vivacité d'esprit extraordinaire, et d'une originalité de caractère qu'accentuait encore la plus drôlatique figure qui se puisse imaginer, il fit les délices de plusieurs générations québecquoises, tant dans le clergé que dans le monde des laïques. Partout où il se montrait, il était irrésistible.

Demandez à ceux qui l'ont connu, si Oneille a jamais été pris sans vert.

Ce Gaulois était en outre doublé d'un philosophe. Nul n'a pris la vie plus allègrement que lui; nul plus que lui n'a envisagé l'existence par son côté plaisant, dans la double acception du mot.

... En 1784, on le trouve marié à une excellente femme du nom de Thérèse Aide-Créquy, et habitant une maison située à l'extrémité supérieure de la petite rue Saint-François, aujourd'hui rue Ferland, ainsi nommée d'après l'éminent historien.

La noce — ce qui ne surprendra personne — n'avait été qu'une longue suite de drôleries.

Impossible, naturellement, de tout raconter.

À la lecture du contrat, le notaire lui-même dut renoncer à soutenir la réputation de gravité traditionnelle dans sa profession.

Ce fut un éclat de rire d'un bout à l'autre.

— Comment! objectait Oneille du ton le plus sérieux du monde; comment, vous dites «dans le cas où il y aurait des enfants!» Ce doute me fait injure. Il y aura des enfants, monsieur le notaire. Mettez qu'il y en aura!

Après avoir signé, il passa la plume à sa future avec un gros soupir; et quand celle-ci eut à son tour apposé sa griffe, il s'écria d'un accent désespéré:

— Me voilà donc condamné à m'ennuyer toute ma vie!

— Comment cela, mon ami? s'écria la jeune mariée toute surprise.

— Dame, écoute: l'Evangile dit que les époux ne forment plus qu'un. Or, quand on n'est qu'un, on est tout seul; et quand je suis tout seul, moi, je m'ennuie!

... Il était d'une laideur épique.

Non pas, il est vrai, de cette laideur repoussante qui unit la bassesse de l'expression à la hideur des traits; mais de cette laideur comique, burlesque, qui attire les regards et provoque l'hilarité.

Il avait de petits yeux gris, bridés, louchant ou biglant à volonté, et si bien maîtrisés que souvent l'un des deux riait à vous faire éclater, pendant que l'autre pleurait à chaudes larmes.

Ses yeux, du reste, n'étaient pas seuls à posséder cette étrange faculté de rire et pleurer simultanément; il en était de même pour son visage tout entier.

Quand il le voulait, d'un côté, c'était Héraclite, et de l'autre, Démocrite et vice versa.

Au milieu de cette bizarre combinaison, s'épatait un nez retroussé comme le pavillon d'un cor de chasse, au-dessus d'une lèvre supérieure qui semblait s'allonger avec effort pour maintenir une position normale.

Ajoutons une perruque rouge queue de vache, hirsute, mal peignée, qui ne sut jamais tenir en place; et l'on aura une légère idée des attraits physionomiques de notre héros, au moins sur ses vieux jours.

... Les fermiers, qui à cette époque venaient vendre leurs denrées sur la place de la cathédrale, étaient surtout l'objet de ses mystifications.

Dieu sait quelles incommensurables couleuvres son aplomb sans pareil fit avaler à leur naïveté!

... M'indiqueriez-vous où je pourrais acheter du son? lui demande un paysan à l'air niais, qui avait une poche à la main.

Du son? fait Oneille avec empressement; vous ne pouviez pas mieux tomber, j'en vends.

— Vous en vendez?

— Vous l'avez dit.

— Du bon?

— J'en ai de plusieurs qualités; venez voir.

Et les voilà, l'un devant l'autre, à grimper les escaliers en spirale du clocher à lanternes de la vieille cathédrale.

— Diable! geint le campagnard tout essoufflé, vous le mettez ben haut, vot'son!

— Je le tiens à l'air, ça l'empêche de moisir.

Et le pauvre naïf montait toujours en grommelant:

— Aller remiser du son à c'te hauteur-là! Ces gens de la ville ont des idées.

Enfin, l'on atteint la cage du carillon.

— Ouf!... fait le paysan à bout d'haleine.

— Tenez, mon ami, dit Oneille, en faisant tinter le battant d'une des cloches. Voici du son de différents prix, choisissez. J'en vends à tous les baptêmes et à tous les enterrements.

L'histoire ne nous dit pas lequel des deux dégringola plus vite les escaliers. du blagué ou du blagueur. »

BIBLIOGRAPHIE

ŒUVRES:

Aubert de Gaspé, Philippe, fils, *L'Influence d'un livre,* Québec, Cowan, 1837.

Aubert de Gaspé, Philippe, père, *Les Anciens Canadiens,* Québec, Desbarats et Derbishire, 1863.

Boucherville, P.-G. Boucher de, *La Tour de Trafalgar,* publié dans « L'Ami du peuple », 1835. Voir Huston, J., *Le Répertoire national,* Montréal, volume I, pp. 306-319. *Louise Chawinikisique,* légende, parut dans « L'Ami du peuple » également en 1835.
Une de perdue, deux de trouvées, dans la « Revue canadienne », 1864-1865.

UN POST-ROMANTISME CIVIQUE (1860-1900)

Bourassa, Napoléon, *Jacques et Marie*, Montréal, E. Senécal, 1866.

Casgrain, l'abbé Henri-R., *Oeuvres complètes*, Montréal, C.-O. Beauchemin et fils, 1896.

Chauveau, Pierre J.-O., *Charles Guérin*, Montréal, Lovell, 1853.

Conan, Laure (pseudonyme de Félicité Angers), *Angéline de Montbrun*, Québec, Brousseau, 1884.
  À l'œuvre et à l'épreuve, Québec, Darveau, 1891.
  L'Oublié, Montréal, Beauchemin, 1900.

Doutre, Joseph, *Les Fiancés de 1812*, Montréal, Louis Perrault, 1844.

Fréchette, Louis, *Originaux et détraqués*, Patenaude, 1892; Montréal, Beauchemin, 1943, rééd.

Gérin-Lajoie, Antoine, *Jean Rivard*, Montréal, Rolland, 1877.

Lacombe, Patrice, *La Terre paternelle*, Québec, 1846; Montréal, Beauchemin, 1912, rééd.

Marmette, Joseph, *Charles et Éva*, dans la « Revue canadienne », 1866.
  François de Bienville, Québec, Brousseau, 1870.
  L'Intendant Bigot, Montréal, G. Desbarats, 1872.

Taché, Joseph-Charles, *Trois légendes de mon pays*, dans *Les Soirées canadiennes*, 1861; Québec, Côté, 1876.
  Forestiers et voyageurs, dans *Les Soirées canadiennes*, 1863; Montréal, Cadieux et Derome, 1884; Montréal, Fides, 1946, rééd.

ÉTUDES:

Le Roman canadien-français, Montréal, Fides, 1964, « Archives des lettres canadiennes », tome III (Centre de recherches de littérature canadienne-française de l'Université d'Ottawa), pp. 11-122.

Dandurand, abbé Albert, *Le Roman canadien-français*, Montréal, A. Lévesque, 1939.

Lareau, E., *Histoire de la littérature canadienne*, Montréal, John Lovell, 1874.

Taylor, M.E.B., *Le Roman historique canadien-français, des origines à 1914*, thèse de maîtrise, présentée à l'Université McGill, 1942.

Tuchmaïer, Henri, *Évolution de la technique du roman canadien-français*, thèse de doctorat présentée à l'Université Laval, 1958.

Roy, Pierre-Georges, *À travers Les Anciens Canadiens de Philippe Aubert de Gaspé*, Montréal, G. Ducharme, 1943.

Bellesort, André, « Souvenirs d'un seigneur canadien », dans *La Revue des Deux Mondes*, août 1915.

Tassie, J.S., « Philippe Aubert de Gaspé », dans *Our Living Tradition*, Toronto, University of Toronto Press, 1959, pp. 55-72.

Montigny, Louvigny de, *Antoine Gérin-Lajoie*, Toronto, Ryerson Press, 1925.

Perrault, A., « À propos de roman social: A. Gérin-Lajoie et le Fils de l'Esprit », dans *Mémoires de la S.R.C.*, III, 38 (1944), sec. I, pp. 155-169.

Bender, P., « Sur Joseph Marmette », dans *Literary Sheaves*, or *La Littérature au Canada français*, Montréal, Dawson, 1881.

Stanislas, Fr., *Joseph Marmette, le Cooper canadien*, thèse de maîtrise, Université de Montréal, 1944.

Dumont, Micheline, *Laure Conan*, coll. Classiques canadiens, Montréal, Fides, 1961.

Jean-de-L'Immaculée, s.g.c., Sr, *Angéline de Montbrun, étude littéraire et psychologique*, thèse de maîtrise, Université d'Ottawa, 1962.

Marcotte, Gilles, (Sur L. Conan, Gaspé et autres), « Brève histoire du roman canadien-français », dans *Une littérature qui se fait*, Montréal, H.M.H., 1962, pp. 11-19.

Chapitre XXIV

LE THÉÂTRE
(1860-1900)

par Georges-Henri d'AUTEUIL, s.j.

Le théâtre est un art difficile. Dans toutes les littératures, le genre dramatique s'inscrit tardivement, après l'épopée, le lyrisme, la chronique historique. Son apparition prouve l'accès d'une nation à la maturité dans le domaine de l'expression littéraire.

Le théâtre en effet suppose une connaissance approfondie des passions humaines, une réelle capacité de les analyser avec précision et subtilité et la puissance de les évoquer de façon vivante, bien vraisemblablement, dans une action qui progresse avec logique. Ne possède pas qui veut cet ensemble de qualités, auxquelles il faut ajouter la science du dialogue, la maîtrise d'une langue parlée forte, nerveuse, concise.

Aussi voyons-nous les grandes œuvres de théâtre — celles qui durent plus que le marbre et l'airain — éclore et s'épanouir aux moments privilégiés d'une nation, quand la grandeur politique et sociale favorise un très haut développement culturel. Ces conjonctures favorables n'ont jamais encore existé au Canada français.

Après les pénibles efforts du défrichement du pays et sa défense, puis la lutte de tous les instants contre une insidieuse assimilation, l'action politique et la chicane — héritage de nos ancêtres normands — absorbèrent indûment les meilleures énergies de la petite élite intellectuelle du Québec. Aussi, parmi les œuvres oratoires ou de polémique, suivies bientôt d'études historiques et de poèmes patriotiques, le théâtre chez nous faisait facilement figure de parent pauvre, d'amusement assez vain, ou, au mieux, d'occupation marginale et sans importance.

C'est d'ailleurs précisément l'opinion d'un personnage du drame historique de Louis Fréchette, *Papineau*, qui affirme: « Tant que notre beau pays subira le régime énervant qu'on lui impose, ni les arts ni les lettres n'y pourront briller sérieusement, soyez-en sûr. Ce sont là des fleurs qui ne s'épanouissent qu'au grand soleil de la liberté! »

FÉLIX-GABRIEL MARCHAND (1832-1900)

Nous savons que la politique a été dévoreuse d'énergie et de talents chez nous. Aussi convient-il d'indiquer l'heureuse exception d'un ministre, même d'un premier ministre du Québec, F.-Gabriel Marchand, qui fut poète et auteur dramatique. Ses *Mélanges poétiques et littéraires* rassemblent une bonne part de ses comédies et vaudeviles, genre récemment mis à la mode en France par Labiche.

Avec ses cinq actes en vers, *Les Faux Brillants* est la pièce la plus élaborée et la plus importante de F.-G. Marchand. Dans une langue alerte et avec un remarquable sens du dialogue, on raconte encore ici l'histoire d'un naïf, infatué de grandeurs, que de louches aventuriers menacent de soulager de ses biens. Les caractères joliment dessinés ont de la consistance; l'intérêt, ménagé avec habileté, se maintient pendant toute la durée de l'action. Sans doute on sent la forte influence des vaudevillistes de l'époque s'ajoutant à celle de Molière, mais l'auteur manifeste un talent réel d'écrivain. Aussi peut-on souscrire au jugement, bienveillant mais fondé, d'un ami, A.-D. DeCelles, selon qui les pièces de Marchand « dénotent une entente remarquable, un sens étendu de l'art théâtral et une optique exacte des exigences de la scène ». [1]

Qualités trop rarement rencontrées chez nos écrivains de cette époque, parce qu' « ils n'ont rien eu pour les guider, explique Léopold Houlé, leur faire connaître l'esthétique de la scène, le style oral qui convient, ce qu'est la composition au théâtre ». [2]

Cette pénurie de moyens de se cultiver, de contacts enrichissants, d'apprentissage du métier, fait comprendre l'indigence littéraire de nos auteurs et leur impuissance à exprimer, selon le mot de Louis Fréchette, leur « âme en proie aux hantises d'une poésie dont elle

---

1. F.-G. Marchand, *Mélanges poétiques et littéraires.* Préface de A.-D. DeCelles, page X.
2. Léopold Houlé, *L'Histoire du théâtre au Canada*, p. 111.

ignorait le langage, les règles et les procédés et qu'elle essayait de traduire sans modèles, sans traditions et presque sans maîtres. »[3]

LOUIS FRÉCHETTE (1839-1908)

L'auteur de *La Légende d'un peuple*, désigné longtemps comm¹ notre barde national, n'eut pas lui-même à subir cette pénible situa tion. Louis Fréchette a lu ses classiques, admiré et imité les roman tiques français, très en vogue de son temps, surtout Victor Hugo, son maître par excellence, à qui il a emprunté la richesse verbale et sou vent l'emphase du ton. Plutôt poète lyrique, Fréchette a voulu un peu tâter du théâtre, même s'il « n'a pas le don du théâtre », selon Fernand Rinfret; celui-ci convient toutefois que « ces pièces n'en sont pas moins les produits les plus achevés, ou à peu près, du talent dramatique canadien ». [4] Rinfret signait ces propos en 1906, dans l' « Avenir du Nord ».

En fait, si l'on excepte *Le Retour de l'exilé*, qui fut le plagiat le plus retentissant de notre littérature théâtrale, pourtant assez coutumière de cette détestable habitude, Fréchette n'a composé que deux pièces, qui portent sur les patriotes de 1837: *Félix Poutré* et *Papineau.* et un grand drame en vers *Veronica*.

Maintenant bien oubliée, *Félix Poutré* a été la pièce la plus célèbre et la plus jouée de Fréchette. Poutré, personnage central de ce drame historique, a réellement vécu et a participé à la rébellion de 1837. Son rôle semble avoir été des plus équivoques. Espion pour les Patriotes, ou traître? On ne l'a jamais su exactement. En tout état de cause, incarcéré, il feint la folie injurieuse et réussit ainsi à se faire libéré. Voilà l'histoire saugrenue que reconstitue la pièce de Fréchette.

Papineau décrit davantage les événements mêmes de la rébellion mais le grand tribun, à part quelques déclarations ronflantes scandées de hourras énergiques, y joue un rôle bien mince. L'action est beaucoup plus centrée sur une idylle amoureuse entre Rose Laurier, patriote, et un jeune Anglais, son ami d'enfance, intrigue qui se dénoue heureusement, comme il se doit.

Veronica est tout autre chose. Basée sur une vieille chronique florentine du XVIIe siècle, la pièce dépeint l'atroce vengeance d'une femme jalouse, Veronica Cybo, trompée par son mari. La composi-

---

3. Louis Fréchette, *Poésies choisies*, troisième série, « Epreuves poétiques », « Veronica », préface, p. 8.
4. Fernand Rinfret, *Littérature canadienne - Poètes - Louis Fréchette*, p. 98.

tion de ce sombre drame est logique; l'action progresse adroitement, d'un acte à l'autre, jusqu'à un dénouement presque insoutenable d'horreur tragique. Du théâtre qui ébranle plus les nerfs qu'il n'émeut vraiment le cœur. La pièce dut surprendre le public du Théâtre des nouveautés, à Montréal, habitué à des mœurs moins âpres, en ce début de siècle communément appelé « la belle époque »!

Somme toute, l'œuvre dramatique de Fréchette reste médiocre et, surtout dans *Veronica*, manifeste l'influence néfaste des pires défauts du romantisme français en décadence.

BIBLIOGRAPHIE

Béraud, Jean, *350 ans de théâtre au Canada français*, Montréal, Cercle du Livre de France, 1958.

Houlé, Léopold, *Histoire du théâtre au Canada*, Montréal, Fides, 1945.

Wyczynski, Paul, « Dans les coulisses du théâtre de Fréchette », dans *Archives des Lettres canadiennes*, I, pp. 230-258, Éditions de l'Université d'Ottawa, 1961.

Halden, Charles ab der, « F.-G. Marchand », dans *Études de littérature canadienne-française*, Paris, de Rudeval, 1904.

Bellerive, Georges, *Nos auteurs dramatiques, anciens et contemporains, répertoire analytique*, Québec, Garneau; Montréal, Beauchemin, 1933.

Ouellet, Thérèse, *Bibliographie du théâtre canadien-français avant 1900*, Université Laval, Québec, 1949.

Chapitre XXV

LITTÉRATURE ET SOCIÉTÉ, VERS 1880

par Pierre SAVARD

La littérature des dernières décennies du XIXe siècle est l'œuvre d'un petit nombre d'auteurs et elle s'adresse à une élite. Pour comprendre la production de cette période, il faut s'arrêter un moment sur la condition de l'écrivain et la nature de son public.

L'écrivain et son public

L'écrivain de cette période — à l'exception d'Arthur Buies — ne vit jamais exclusivement de son métier. Longtemps encore après cette époque, on dira chez nous: « Que fait cet homme? Il ne fait rien: il écrit. » Rappelons aussi que les premiers prix littéraires n'apparaîtront qu'en 1919 (Prix d'Action intellectuelle) et en 1922 (Prix David). Durant tout le XIXe siècle, la scène littéraire est occupée par des professionnels, avocats et notaires surtout, qui jouissent de loisirs ou s'en ménagent par goût, prêtres, professeurs de collèges ou curés auxquels l'enseignement et le ministère laissent parfois des moments libres. Le juge Routhier, piqué par la passion d'écrire, confesse:

> « Je n'écris pas sans plaisir ces *Causeries du Dimanche* que mes occupations me forcent souvent d'interrompre. La profession d'avocat, qui n'est guère qu'un métier, ne m'a jamais charmé que médiocrement, et j'ai toujours eu à lutter contre la tentation d'écrire. L'art d'écrire me séduit et m'entraîne, et s'il pouvait suffire aux nécessités de la vie sans devenir lui-même un pénible métier, je me laisserais captiver. »

Buies, pour sa part, déplore que l'écrivain jouisse de si peu de considération au Québec. Ernest Gagnon (1834-1915) représente bien le type de l'auteur de l'époque. Musicien devenu à 42 ans secrétaire du Ministère des Travaux publics, il consacre ses loisirs à des recherches d'histoire. Ses *Chansons populaires du Canada*, publiées en 1865, connaissent un vif succès, attesté par les multiples rééditions. Son salon de la rue Hébert, à Québec, comme la librairie de Crémazie vingt ans auparavant, devient le lieu de rencontre des littérateurs du temps: Thomas Chapais, Jules-Paul Tardivel, l'abbé Bruchési, le juge Routhier comptent parmi les habitués des « vendredis » d'Ernest Gagnon. À la fin du siècle, la demeure bourgeoise de Fréchette, à Montréal, remplit un office analogue: les amis de la littérature s'y retrouvent autour du « poète national ».

Tant par ses auteurs que par son public, cette littérature reste le lot d'une élite. On aurait tort, malgré les thèmes qu'elle traite et l'allure qu'elle se donne, d'y voir une littérature populaire. L'« habitant » et l'ouvrier québécois de la fin du XIXᵉ siècle, quand ils lisent, se nourrissent surtout des feuilletons rocambolesques que les journaux distillent quotidiennement. Dans les années 1880 apparaissent les « dime novels » (romans à dix sous), lancés d'abord aux État-Unis et qui véhiculent une littérature fabriquée pour satisfaire le goût du sang et de la violence. À la veillée, dans les campagnes, on lit aussi beaucoup les annales ou les revues pieuses, avec leurs récits exotiques ou merveilleux. Bien rares sont les auteurs qui écrivent carrément pour le peuple. L'oblat colonisateur Zacharie Lacasse représente un type peu répandu. Il lit ses manuscrits aux colons et refait les passages qu'ils n'ont pas bien compris. Son style direct et souvent brutal, ironique mais sans finesse, lui assure un succès prodigieux pour l'époque: il vend trente mille exemplaires de sa première *Mine à l'usage des cultivateurs*, brochure qui fait l'éloge de la vie rurale et de la colonisation.

Ville et campagne

La littérature proprement dite est surtout écrite par des citadins et pour des citadins. Les chroniqueurs célèbrent Québec à l'envi. Fabre a des pages qui comptent parmi ses meilleures sur la ville de Champlain, le faubourg Saint-Roch, les mœurs des habitués de la « Plateforme » (Terrase Dufferin). Le même auteur peint aussi avec amour la rue Notre-Dame, à Montréal, et ses flâneurs. Les romans historiques décrivent avec complaisance Québec et Montréal sous l'Ancien Régime. La rivalité des deux villes devient un thème obligé. Le montréalais L.-O. David soupire:

« Québec est la ville des grands souvenirs, des ruines glorieuses, des sites grandioses, des hommes de lettres et des jolies femmes. Elle est saturée de gloire, entourée de respect et d'amour, honorée comme une relique, traitée comme une enfant gâtée. Elle a tout ce qu'il faut pour être heureuse, et cependant elle ne l'est pas. C'est une preuve frappante qu'il n'y a pas de bonheur parfait sur la terre. Elle est un peu comme les jolies femmes qui, accoutumées aux hommages, sont d'autant plus exigeantes qu'elles sont plus vieilles.

Elle trouve qu'on n'en fait jamais assez pour elle.

Plus âgée que sa sœur Montréal, mais moins grande et moins riche, elle la regarde d'un œil un peu jaloux et se demande tous les jours si on ne la néglige pas au profit de sa jeune mais grande sœur.

Ainsi Athènes, autrefois, épiait les mouvements de Sparte.

Voici ce qui trouble en ce moment le bonheur de la bonne et charmante vieille cité: il paraît que la plupart des juges d'appel sont de Montréal. C'est vrai; mais elle pense trop à ce qui lui manque et pas assez à ce qu'elle possède. Elle oublie trop facilement les avantages et les privilèges dont elle jouit. Y a-t-il eu depuis des années dans le pays une ville plus choyée? »

Les autres villes de moyenne importance comme Saint-Hyacinthe, Rimouski, Chicoutimi, Sherbrooke, Sorel, Trois-Rivières, ont leurs journaux et leur vie littéraire locale, souvent centrée sur le collège classique de la région.

La campagne et la vie à la campagne sont célébrées par ces écrivains, mais de façon le plus souvent abstraite et bien livresque. Un Buies qui chante la nature québécoise avec des accents authentiques, reste une exception. Quand on célèbre la vie du campagnard, c'est plus pour des raisons moralisatrices que pour des motifs d'esthétique ou de sympathie. Charles Thibault, un des orateurs les plus célèbres de son temps — et les plus écoutés — illustre le genre:

« À la campagne tout est riant, tout est verdoyant, tout est gracieux; le soleil a plus de rayons, les astres plus de beauté, la nature plus de sourires, et au milieu même des orages, quand partout ailleurs l'horizon est sombre, quand le ciel est couvert d'épais nuages, il reste toujours quelque part au-dessus de la campagne une petite échancrure par où le soleil perce, comme d'une fenêtre du paradis.

Et où est la liberté, messieurs, si ce n'est chez l'agriculteur? Où est le contentement? où le vrai bonheur? où la morale est-elle plus douce? la religion plus suave? le respect plus profond? l'amitié plus sincère? la charité plus compatissante, si ce n'est dans nos campagnes canadiennes et dans nos familles d'habitants?

Regardez nos villes, messieurs, avec leurs princières demeures, leurs monuments grandioses, leurs immenses édifices, leurs larges avenues, leurs bruits, leurs discordes, leur agitation, leurs misères, leurs richesses, leur commerce, leurs incertitudes, leur agiotage, leurs catastrophes financières, leur fièvre de spéculation, leurs jeux de bourse, croyez-vous que le bonheur les habite? que la sécurité y règne? que la police nous y met à l'abri de tout danger?

Détrompez-vous; derrière les rideaux de soie coulent plus de larmes en un jour que vous n'en compteriez dans toute une année! Les sourires de l'homme d'affaires cachent parfois son anxiété; le miel sur les lèvres d'un citadin cèle trop souvent l'amertume de son cœur.

C'est là, au centre des grandes cités, qu'habitent les sombres désespoirs, les cuisants remords, les troubles, les agitations, les insomnies que l'homme des champs ne connaît pas encore, heureusement, en ce pays. Le suicide, cette faiblesse maladive des cœurs lâches et des cerveaux détraqués, est le produit de l'excitation fébrile des villes. »

Et l'orateur d'achever ce tableau « désespérant » par une longue citation empruntée à l'abbé Delille, dans le goût agreste de la fin du XVIIIᵉ siècle. Au fond, les prouesses oratoires de Thibault et de ses pareils restent sans grand écho: la campagne canadienne déverse irrévocablement son trop-plein de bras dans les villes du Québec et surtout dans celles de la Nouvelle-Angleterre.

L'ici et l'ailleurs

Les horizons illimités de bien des auteurs n'aident pas non plus à l'éclosion d'une littérature enracinée. Nous avons évoqué plus haut le goût des voyages, à cette époque. Les pérégrinations nous valent toute une littérature, mais des plus inégale. Trop souvent les auteurs ne font que démarquer les guides ou débitent des banalités cent fois entendues. Ou encore, ce qui est plus grave, ils se sentent obligés, comme le juge Routhier dans la campagne romaine, de rivaliser avec les grands écrivains qui les ont précédés en ces lieux. Leur prose en devient dans certains cas toute imprégnée des réalités exotiques. Dans une page sur les dangers de la civilisation moderne, la comparaison suivante vient naturellement sous la plume de Routhier:

« Jetez un regard sur cette montagne dont les flancs renferment un volcan qui sommeille. La végétation la plus luxuriante la couvre de ses richesses (...) Le peuple américain a cet aspect de volcan endormi. »

On trouve bien certains auteurs qui s'inspirent d'un canadianisme de bon aloi, un Aubert de Gaspé et un Joseph-Charles Taché par exemple. Mais dans l'ensemble, les écrivains québécois ont encore à découvrir les réalités du terroir. Fabre avoue:

« Il y a un double plaisir, après avoir contemplé un des grands spectacles que présente la belle nature canadienne, à lire quelques-unes de ces admirables descriptions qui se trouvent dans les meilleures pages des grands romanciers modernes et qui font mieux sentir encore les splendeurs qu'on a sous les yeux. Ce qui manque dans la plupart de nos ouvrages nationaux en prose, c'est précisément le sentiment vif et profond de la nature. Les écrivains européens déversent bien plus d'admiration sur leurs plus maigres coteaux arrosés de quelque filet d'eau, que nous n'en accordons aux aspects les plus grandioses des campagnes de notre pays. »

Une réaction s'amorce dans les poésies de Pamphile Le May, et Arthur Buies décrit la nature québécoise plus en artiste qu'en géographe. Si on a pu lui reprocher de ne pas toujours employer le mot juste (il parle par exemple de « lézards » dans la région du Saguenay), c'est précisément un signe que l'écrivain découvrait véritablement une nature qui n'avait pas eu sa place dans la littérature avant lui. L'abbé Camille Roy explique, à la fin du siècle, ce déracinement de nos écrivains par le fait que l'enseignement des collèges, trop calqué sur celui de la France, ne fait pas une assez large place aux réalités canadiennes.

Les écrivains de cette époque s'engagent volontiers sur le plan social. Buies devient l'apôtre de la colonisation, convaincu que les malheurs de la nation viennent du manque de terres à cultiver. Tardivel concentre ses efforts sur la lutte anti-maçonnique, la maçonnerie étant à ses yeux la source de tous les maux. Routhier reste toujours, avec des moyens différents, un apologiste du catholicisme. Les auteurs des romans historiques ou à thèse cherchent à « faire une bonne action » plus qu'à écrire un bon livre. Fabre et son sourire amusé de vieux garçon dilettante excite l'ire de bien des contemporains, qui ne peuvent comprendre son attitude.

La politique protectionniste du gouvernement canadien favorise, dans la décennie de 1880, une première « révolution industrielle » québécoise. La main-d'œuvre à bon marché y attire en particulier les entrepreneurs. Des problèmes sociaux relatifs à la condition des ouvriers se posent de façon de plus en plus aiguë. Problèmes assez considérables pour attirer l'attention du gouvernement fédéral qui institue, en 1886, une Commission royale d'enquête sur les problèmes du travail. Le rapport de la Commission, remis en février 1889, révèle le sort pénible des ouvriers. Toutefois ces problèmes sociaux trouvent peu de place dans la littérature de l'époque. L'on y voit la charité privée suffire amplement à tout. Napoléon Legendre décrit la scène poignante d'un encan où un pauvre hère est dépouillé au nom de la loi. Et le morceau s'achève par un rappel de la justice divine, qui dans l'au-delà remettra chacun à sa place. Les revendications ouvrières s'expriment dans des journaux éphémères, à diffusion fort réduite.

Grands traits de la littérature vers la fin du siècle

Envisagée dans son ensemble, la période qui va de 1860 à 1900 reste une période de maturation et de tâtonnements. Inaugurée avec éclat par les auteurs des années 60, qu'on a appelés un peu abusivement l'École de Québec, elle ne tient pas les promesses de ses premières œuvres, et elle s'essouffle vite.

On peut adresser de graves reproches aux auteurs de l'époque sur le plan de la forme. Les historiens de la littérature ne manquent pas de le rappeler: ce n'est qu'aux approches de 1900, avec l'École de Montréal, que se révèle une préoccupation nette de la perfection formelle. Routhier, dans un tableau de la littérature qu'il brosse vers 1880, concède que si notre littérature « possède le fond », il reste à « lui donner la forme ». En 1892, Buies rappelle aux auteurs la loi du travail:

> « Fussiez-vous d'incomparables génies, il vous manque encore l'étude, la connaissance, la pratique assidue, les leçons, la direction. On naît écrivain sans doute, de même qu'on naît artiste ou poète, mais personne ne naît avec l'intuition des règles de l'art et du style. »

Le même homme de lettres observe qu'encore à cette époque, la plupart des écrivains et journalistes écrivent « abominablement », mis à part une infime minorité d'auteurs qui se sont imposés une sévère discipline du style.

Ces années voient un effort considérable et toujours renouvelé pour préserver et pour épurer la langue française. La cohabitation avec les anglophones, les relations nombreuses dans le commerce et l'industrie, la vie mondaine des villes, les mœurs parlementaires anglo-saxonnes, tous ces facteurs contribuent à répandre l'anglicisme.

De plus, bien des archaïsmes de mauvais aloi ou de faux canadianismes se sont infiltrés dans la langue. Déjà, en 1865, Buies publie de vigoureux articles dans *Le Pays* où il dénonce les « barbarismes canadiens ». Oscar Dunn et Jules-Paul Tardivel continuent ce travail. À l'aube du XXe siècle, la relève sera prise par des travailleurs plus scientifiques, mais le redressement est déjà commencé. Le jour n'est plus où on voyait un surintendant de l'Instruction publique parler, à l'Assemblée Législative, d'« originer un programme ». Mais ce travail reste trop négatif. La méfiance à l'égard de la France contemporaine empêche les auteurs de se ressourcer; elle fige leur goût. Quant à l'étude des grands modèles contemporains, les écrivains semblent en rester au conseil que Fabre leur adressait en 1866:

« Ce serait imprimer à notre littérature un mouvement factice que de la pousser brusquement dans les voies où la littérature française n'est entrée qu'après avoir parcouru tant d'étapes diverses; que de chercher à l'initier tout à coup au scepticisme humain le plus aiguisé, au dilettantisme littéraire le plus raffiné. Elle se trouverait en désaccord complet, en mésintelligence perpétuelle avec notre société, dont elle doit être l'image fidèle, la représentation exacte; si elle veut intéresser, elle doit avoir des lecteurs. »

Et ces lignes sont de celui qu'on a appelé le plus « français » de nos auteurs! Buies a beau crier que le XIXᵉ siècle compte « peutêtre plus de maîtres » que les autres et que « jamais la langue française (...) n'est arrivée à une telle perfection dans les détails et à une expression aussi parfaite des plus délicates et des plus difficiles nuances », Buies prêche dans le désert, et les auteurs s'en tiennent à la syntaxe terne et boiteuse, au vocabulaire restreint et imprécis qui sont leur héritage. Le manque d'exigence du public aggrave cet état de choses. Des œuvres médiocres comme *Au Foyer de mon presbytère* (1881) de l'abbé Apollinaire Gingras obtiennent les plus copieux éloges.

C'est dire que la critique ne contribue pas toujours à hausser le niveau de la production. Certes, la critique ne manque pas. Les journaux se couvrent de commentaires à la parution du moindre opuscule. Les appréciations sont passionnées, vigoureuses et souvent brutales. Commentant les vers de Fréchette à l'occasion d'une visite de Sarah Bernhardt, Tardivel s'écrie:

«On dit que le prix Monthyon (de l'Académie française), qui est accordé aux commençants à titre d'encouragement et pour les engager à mieux faire, produit toujours sur ceux qui le reçoivent un effet funeste: ils se gonflent d'orgueil, se croient de grands hommes, et terminent invariablement leur carrière dans l'insignifiance la plus complète. Certes, ce n'est pas M. Fréchette qui fera exception à la règle. »

Cette critique, volontiers dogmatique, reste le plus souvent au niveau des attaques personnelles. Les jalousies d'auteurs et la partisanerie politique commandent trop de jugements. La période suivante verra, heureusement, avec l'abbé Camille Roy, une saine réaction contre cette critique stérilisante.

Certaines conceptions religieuses, si elles inspirent les meilleures pages de l'époque, contribuent pour une grande part à compromettre l'essor de la littérature. L'idéologie ultramontaine, qui domine plus aisément dans les collèges et dans le monde littéraire que dans les cercles politiques, exige impérieusement que la littérature se mette au service de l'Église. À la suite des zouaves qui ont défendu le pape par l'épée et la carabine, l'écrivain continue de défendre l'idée catholique par la plume. Écrire devient un bon combat. Dans cette perspective, pas de quartier pour les artistes purs ou les dilettantes. Routhier et Tardivel accablent de leurs foudres les Fabre et les David, aux convictions trop peu arrêtées. Les ultramontains, et avec eux les professeurs de collège, jugent sévèrement les grands auteurs du XIXe siècle français, qu'ils connaissent d'ailleurs souvent mal après 1860. Chapais accepte tout au plus le Hugo royaliste; il est vrai qu'il met Veuillot au-dessus de tout. Les ultramontains se méfient même du XVIIe siècle. Ils rappellent que Bossuet fut gallican (c'est-à-dire hostile aux ultramontains d'alors, qui voulaient un plus grand rattachement au Saint-Siège), et que Pascal ne ménagea pas les jésuites dans les *Provinciales*.

En plus de ces entraves, la production littéraire manque de continuité. Fréchette mis à part, on ne trouve pas d'écrivain au souffle soutenu et aux œuvres fortes. La prolifération de discours, de poésies éparses, de chroniques, apparaît symptomatique de cet état de choses. On peut toutefois souligner que les années 60 et 70 connaissent une poussée remarquable, qui continue le mouvement amorcé par Garneau et Crémazie. Entre 1860 et 1869, il se fonde onze revues littéraires; la plupart ne connaissant qu'une existence éphémère. La grande période de production du second demi-siècle se situe entre 1876 et 1880. On a étendu au mouvement de toutes ces années le nom d'« École de Québec ». Si les auteurs engagés dans ce mouvement vivent en effet surtout à Québec, s'y retrouvent et ont une conception assez commune de la littérature, cela ne suffit pas à justifier l'appellation d'école. Nous avons vu le rôle considérable joué par l'abbé Casgrain dans la mise en branle de ces efforts. Il a voulu donner « une saine impulsion » à notre littérature et, en exploitant le fonds des légendes et de l'histoire canadiennes, élever un barrage contre la littérature française moderne, avec le résultat, notamment, que l'on vit disparaître de façon symptomatique le roman de mœurs contemporaines, remplacé par le roman historique et le roman à thèse. Après 1880, la production piétine, les nouveaux noms se font rares, les anciens ne se renouvellent que peu, ou pas du tout.

Cependant, les années 1880 voient l'aube de la littérature féminine. Joséphine Marchand, fille de Félix-Gabriel Marchand (la future Mme Dandurand), fait paraître des articles remarqués dans *Le Franco-Canadien* de Saint-Jean d'Iberville, à partir de 1885, tandis que son amie, Robertine Barry (Françoise), publie des chroniques dans *La Patrie* à partir de 1891. Laure Conan avait ouvert la voie, en 1879, avec son premier roman, suivi de *Angéline de Mont-brun* en 1884, de *À l'Oeuvre et à l'épreuve* en 1891. Cette littérature offre un visage paisible et ces auteurs, loin des audaces du féminisme, célèbrent l'image traditionnelle de la Canadienne française.

Le goût de l'emphase dans les divers arts

L'art de la seconde moitié du XIXᵉ siècle s'est mérité à juste titre les jugements sévères des historiens. Jusqu'au milieu du siècle, la grande tradition des architectes, des sculpteurs, des peintres et orfèvres, héritée du régime français, s'est continuée. Cet art s'alimentait au folklore et au terroir. La vallée du Richelieu et l'île d'Orléans ont gardé, de cette époque, des témoignages remarquables. Après 1850, le Québec connaît la « tyrannie » artistique des peintres italiens et munichois. Ils apportent chez nous un art populaire et catholique où les intentions apologétiques et la dévotion facile priment l'esthétique. Mgr Benjamin Pâquet, recteur de Laval, au désespoir des peintres canadiens Hamel et Plamondon, passe d'innombrables commandes à son peintre attitré Vicenzo Pasqualoni (1819-1880), et bien des curés de l'époque l'imitent. Des artistes québécois, tel un Napoléon Bourassa qui décore la chapelle de Lourdes, à Montréal, et l'église de Rivière-du-Loup, sont formés à la manière italienne.

Un critique a diagnostiqué le caractère factice de l'art de ce temps. Parce que le Québec doit « subir des comparaisons, lutter avec d'autres nations », il cherche ce qui « coûte moins cher » et « est plus vite fait ». À l'à-peu-près dans les lettres correspond le trompe-l'œil en art. Et l'auteur d'illustrer son jugement sévère :

> « Regardez nos temples modernes: hormis de rares exceptions, ils portent des clochers et des ornements en tôle; leurs intérieurs de plâtre blanc et cru remplacent les bois sculptés, leur colonnes ont emprunté les couleurs du marbre veiné, et leurs autels sont en imitation de carrare. » (Mgr Maurault).

Louis-Philippe Hébert, sculpteur brillant et prolifique, traduit dans son art la véritable dévotion de l'époque pour le passé et ses grands hommes. C'est à Rome, alors qu'il y séjourne avec les zouaves, que le jeune Canadien a découvert sa vocation d'artiste. Après des études à l'atelier de Bourassa à Montréal, puis à Paris, il révèle son talent dans la statue de Salaberry à Chambly, et devient le sculpteur attitré des gouvernements provincial et fédéral. C'est lui qui sculpte plusieurs des monuments qui ornent les niches du Palais Législatif de Québec (Frontenac, Elgin, Montcalm, Lévis). On lui confie aussi le groupe des Indiens devant le même édifice. À Lévis, il est l'auteur de Mgr Déziel; à Montréal, il laisse un Maisonneuve et un Bourget célèbres.

Cette recherche d'une grandeur quelque peu artificielle, ce goût de l'emphase se retrouvent à la fois dans la politique, dans la littérature et dans l'art: ils constituent sans doute le trait dominant des quarante dernières années du XIXᵉ siècle.

Le rôle de l'éloquence et de l'histoire

Si l'on essaie de dégager un commun dénominateur des écrits, durant la période qui s'étend de 1860 à la fin du siècle — et la remarque vaut aussi en bonne partie pour l'époque postérieure — on est frappé par la place considérable qu'y occupent la rhétorique et l'histoire.

L'art oratoire joue alors au Québec un rôle qu'on ne saurait exagérer. Le prestige et la puissance réelle des chefs politiques et religieux sont étroitement liés à leurs qualités d'orateur. Le peuple lit peu, ou ne lit pas du tout; ce qu'il sait des grands problèmes politiques et religieux, il le tire surtout des sermons du curé à l'église et des discours de son candidat dans les campagnes électorales. Les occasions de parler ne manquent pas. Les fêtes religieuses ou patriotiques déplacent des foules énormes, par exemple le congrès des Canadiens français à Québec en 1880, ou encore les *conventions* périodiques des Franco-Américains. Les inaugurations de monuments et les fêtes aux visiteurs de marque fournissent de fréquents prétextes aux prouesses oratoires: la cérémonie qui a marqué la pose de la pierre angulaire du monuments aux Braves, en 1855, inaugure une tradition brillante et durable en ce domaine. Les anciens élèves des collèges classiques se réunissent avec éclat, et les discours occupent en pareilles circonstances une place de choix. Au prétoire, quelques procès font époque, dont le plus célèbre reste le procès Guibord où s'illustrent les partisans du « rougisme » et leurs adversaires ultramontains. Sur les *hustings* surtout et dans les parlements de Québec et d'Ottawa, l'éloquence jaillit à flots continus, flots qui charrient toutefois bien des scories. Dans les grandes églises, comme la basilique de Québec ou Notre-Dame de Montréal, des émules de Lacordaire soulèvent l'admiration et stimulent l'ardeur religieuse. La facilité de parole reste l'une des qualités que le peuple prise le plus chez ses curés.

La formation de l'orateur apparaît comme l'une des fonctions essentielles du collège classique. Les maîtres s'appliquent avec persévérance à corriger les mauvaises habitudes de prononciation et d'articulation répandues chez les campagnards, qui constituent la plus grande partie de leurs élèves. On apporte aussi beaucoup de soin à ce travail dans les écoles de droit et de théologie. Mgr T.-E. Hamel, du Séminaire de Québec, ancien élève de François Delsarte à Paris, répand les enseignements de son maître pendant un quart de siècle et publie enfin son *Cours d'éloquence parlée*, en 1906. Ses leçons et celles de ceux qui œuvrent dans le même champ sont suivies avec le plus vif intérêt. Les disciples ne manquent pas: un observateur bien informé note, au début du XXe siècle, que si « parmi nous, ceux qui écrivent sont trop rares, ceux qui parlent en public sont légion. »

Cet envahissement de l'éloquence, dont nous étudierons plus loin les grandes manifestations particulières, touche en réalité tous les genres et donne à la littérature du temps sa coloration propre. Les discours abondent dans les romans dont certaines formes, très pratiquées, romans à thèse ou romans historiques, s'y prêtent d'ailleurs particulièrement. Dans *Pour la patrie,* Tardivel n'hésite pas à reproduire un extrait presque textuel d'un discours de Laurier. Dans les romans historiques, des Indiens à l'éloquence naturelle répondent fièrement à des Français tout aussi bien doués. Quand Jules d'Haberville se retrouve face à son ennemi Archibald sur les Plaines d'Abraham (*Les Anciens Canadiens*), il lui tient un genre de petit discours. La poésie, avec Fréchette et Chapman qui rivalisent dans la rhétorique, n'échappe pas à la règle. Même les récits de voyages s'agrémentent, de temps en temps, d'apostrophes oratoires: le juge Routhier, en Italie, crache son mépris à la face de Julien l'Apostat, tandis que Tardivel vitupère Garibaldi.

Si la plupart des écrits de l'époque adoptent le ton oratoire et même déclamatoire, ils possèdent un autre trait commun: l'histoire y est presque toujours présente. La parution de l'*Histoire* de Garneau, monument littéraire remarquable pour une littérature encore dans les langes, a beaucoup contribué à faire de l'histoire un genre privilégié au Québec et Garneau, s'il compte peu d'émules, voit se multiplier ses continuateurs. D'ailleurs l'*Histoire* de Garneau a répondu à un besoin. En ce milieu du XIXe siècle, c'est par l'étude de l'histoire qu'on justifie l'existence d'une nation et qu'on prépare l'avenir. Sulte, qui combat sans trêve pour la cause de l'histoire, déclare: « Nous sommes une grande famille, nous les Canadiens français. Nous avons un passé honorable et même héroïque à rappeler. Ce qui nous concerne a même double valeur pour chacun de nous. » Pour Buies, cette histoire ne le cède à aucune autre, pas même à celles d'Athènes et de Rome. Un auteur de monographies, bien caractéristique de l'époque, Ernest Gagnon, précise ce qui pour longtemps fut le credo des historiens et de leurs lecteurs:

> « Au point de vue intellectuel et moral, ce qui n'est plus peut être encore quelque chose; et c'est souvent en étudiant le passé que l'on trouve la règle de l'avenir.
>
> « Le passé, c'est l'explication de nos mœurs familiales et publiques, c'est le fondement de nos espérances nationales, c'est ce qui nous retiendrait dans le sentier du patriotisme et du devoir si nous étions tentés de mêler nos destinées à celles des peuples venus de tous les coins du monde et dénués d'homogénéité qui habitent la république voisine.
>
> « La nation franco-canadienne est de trop noble lignée pour consentir à oublier son histoire, à jeter au feu ses livres de raison, à renoncer au rôle distinct qui lui a été assigné par la Providence sur cette terre d'Amérique. Quelles que soient les éventualités qui nous attendent, gardons le plus longtemps possible les traits caractéristiques des familles canadiennes du dix-septième et du dix-huitième siècles; restons fidèles à notre génie particulier, n'acceptons que le progrès de bon aloi et montrons-nous jaloux de donner à tous l'exemple de la loyauté, du respect, de la franchise et de l'honneur. »

Pour les hommes de ce temps, l'histoire est encore une « maîtresse de vie », au sens souvent étroitement moralisateur. L'histoire du Canada fournit alors des exemples introuvables de pureté raciale, d'intégrité morale, d'héroïsme chevaleresque. Et les méchants — car il s'en trouve — sont régulièrement punis. Le vice d'ailleurs ne peut conduire qu'à la déchéance individuelle ou collective, à preuve la France de Louis XV. La conception providentialiste commence à se faire jour après 1860: c'est la Providence qui a permis à la France de jeter les bases religieuses de la colonie à une époque d'intense floraison spirituelle. C'est aussi la Providence qui a soustrait la colonie française à la métropole, à la veille de la Révolution. *Le Fort et le Château Saint-Louis* d'Ernest Gagnon anime une procession de grands personnages canadiens, gouverneurs, seigneurs, soldats, missionnaires, fondateurs religieux, qui entretiennent la fierté et la nostalgie du passé. Le régime français est revalorisé par un réflexe de défense devant l'envahissement anglophone, par une prise de conscience de plus en plus nette de la spécificité canadienne-française et au moyen de relations avec la France contemporaine. D'autre part, le souvenir de 1837 demeure vivace particulièrement chez les libéraux.

Comme l'éloquence, l'histoire envahit les autres genres. Continuant dans la voie ouverte par Crémazie, Fréchette célèbre avec enthousiasme les héros du Canada français. Sa *Légende d'un Peuple,* dont l'on a vu qu'elle n'est pas inattaquable sur le plan formel et qu'elle rappelle trop les ambitions hugoliennes, n'en reste pas moins une construction qui témoigne puissamment de la conscience historique aiguë des hommes de cette époque. L'histoire qui séduit les poètes, c'est l'histoire héroïque, dramatique, dirigée par quelque fatalité tragique. Le 9 mai 1760, sur les murs de Québec, soldats français et anglais guettent la première voile qui annoncera le sort de la colonie. C'est une voile britannique qui apparaît. Fréchette, dans un poème sur l'événement, soupire — et avec lui toutes les générations de lecteurs déçus par l'abandon français, confiants cependant d'avoir enfin échappé aux périls:

> « Le sort avait parlé, notre astre s'éclipsait...
> L'exil cruel, sans fin, d'un peuple commençait. »

Les romanciers ne sont pas en reste. On l'a dit, Bourassa, Marmette, Boucherville, Laure Conan se documentent consciencieusement et pratiquent un genre qui les apparente plus aux romanciers du XVIIIe siècle ou du début du XIXe siècle qu'à ceux de leur époque. L'action, dans leurs œuvres, se situe aux moments cruciaux de notre histoire. Mais l'absence, dans ces romans, de la terre canadienne concrète, certaine incapacité à créer des personnages bien humains, leur enlève de la valeur. D'ailleurs le cadre imposé aux romanciers reste étroit: ils ont à choisir entre le roman à thèse, « roman philosophique et religieux », et le roman historique. L'objet de ce dernier est ainsi clairement défini par un critique qui pratiquera lui-même le genre: « La mission du roman historique est particulièrement de montrer le rôle de la Providence dans l'Histoire, de mieux graver dans la mémoire des événements humains, et d'enseigner aux peuples le chemin de la grandeur et de la vertu. » (Routhier). Les romanciers historiques sont moins lus pour l'intérêt humain ou esthétique de leur œuvre que parce que les contemporains retrouvent chez eux leurs héros préférés. Cette demande puissante force un auteur comme Laure Conan, plutôt douée pour l'analyse et la vie intérieure, à produire des romans dans le style de Chateaubriand.

C'est sans conteste dans l'art oratoire que l'histoire connaît ses succès les plus populaires et qu'elle élargit son audience. Seuls les lettrés ont le loisir de se plonger dans les tomes copieux des Faillon, des Ferland ou des Joseph-Edmond Roy. Mais des foules innombrables entendent répéter cette histoire simplifiée, réduite à un petit nombre de thèmes essentiels, qui constitue souvent la pièce de résistance des discours des Chauveau, des Routhier et des Laflèche. L'abandon par la France et la désertion des élites au moment de la

Conquête, le rôle du clergé, seul espoir du peuple canadien-français, constituent des thèmes de choix.

Cette prépondérance de l'éloquence et de l'histoire constitue du reste, en Occident, un phénomène propre à cette époque. L'historien est devenu, au milieu du XIXe siècle, l'oracle dont on attend les dits avec ferveur, et dans les pays qui luttent pour leur émancipation nationale — Serbie, Italie, Irlande, Pologne — le passé est scruté avec nostalgie et passion. L'éloquence, pour sa part, n'a pas fini de jeter ses feux avec la montée de la bourgeoisie libérale, qui entraîne la multiplication des chambres d'assemblée et des élections.

Au Québec, il était naturel que l'éloquence et l'histoire prissent une telle place. L'art pour l'art, dans la poésie et le roman en particulier, eussent exigé une éducation littéraire que favorisaient peu les conditions de l'époque. En revanche, le sentiment de certaines urgences patriotiques et religieuses appelait les justifications historiques. Et leur expression par l'éloquence tient au fait que c'était là la seule façon d'atteindre les masses. L'enflure du style et l'obsession du passé révèlent aussi, pour une part, une société qui rêve de grandeur et ne peut s'empêcher de soupirer après les gloires d'autrefois, à ses yeux plus spirituelles et plus grandioses que celles du présent.

BIBLIOGRAPHIE

ÉTUDES:

Hare, John, « *Introduction à la sociologie de la littérature canadienne-française au XIXe siècle* », dans *Culture*, 42, no 2 (mars-avril), 1963.

Falardeau, Jean-Charles, « *Thèmes sociaux et idéologies dans quelques romans sociaux canadiens-français* », dans *France et Canada français du XVIe au XIXe siècle, Colloque de Québec, 10-12 octobre 1963*, Québec, 1966. Étude reprise dans *Notre société et son roman*, Montréal, HMH, 1967.

Chapitre XXVI

L'ÉLOQUENCE
(1860-1900)

par Pierre SAVARD

Pour apprécier les orateurs du temps, on peut tenir compte d'un certain nombre de types d'éloquence en suivant la division traditionnelle: éloquence politique, religieuse et académique.

LES ORATEURS POLITIQUES

L'éloquence politique est la plus pratiquée. L'orateur politique doit entraîner les volontés, emporter la décision: il doit joindre à la logique la fougue communicative. À la Chambre d'assemblée, l'orateur sera plus posé et son discours se laissera rarement aller à l'inspiration. Les qualités du *debater* lui seront précieuses. Sur le *husting*, dans les assemblées publiques parfois violemment hostiles, souvent enthousiastes, l'orateur devient populaire, cédant parfois à la recherche des effets faciles. De grands orateurs politiques ont laissé une réputation durable: Chapleau, Mercier et Laurier reviennent dans tous les manuels. D'autres noms mériteraient d'être sauvés de l'oubli. Charles Laberge (1827-1894), patriote libéral qui fut l'idole de son temps et dont Mercier se réclamait volontiers. Charles Thibault, farouche tribun ultramontain, orateur puissant du parti conservateur, qui fait la vie dure à Laurier dans bien des occasions. Israël Tarte, mieux connu comme politicien et journaliste, à l'éloquence tantôt fougueuse, tantôt insinuante, auteur de la phrase promise à tant de célébrité: « Les élections ne se font pas avec des prières ».

279

ADOLPHE CHAPLEAU (1840-1898)

Carrière brillante et heureuse que celle d'Adolphe Chapleau. Député du comté de Terrebonne à l'Assemblée législative, ministre, puis premier ministre provincial, ministre à Ottawa, il fut à la fin de ses jours lieutenant-gouverneur de la Province de Québec. Chapleau s'était aussi bâti une réputation de grand criminaliste. En 1874, c'est lui qui défendait avec brio, sinon avec succès, Lépine et les Métis de l'Ouest accusés de haute trahison. Chapleau possédait un talent oratoire extraordinaire. Sa faculté d'improvisation étonnait. Il fascinait ses auditeurs qui oubliaient la rhétorique parfois vide du politicien. Laurent-Olivier David, témoin de sa vie, nous le décrit « avec sa figure pâle, sa physionomie expressive, ses longs cheveux flottants, sa voix d'or, ses manières captivantes et son élocution pleine de feu... »

« LAISSEZ PARLER LA GRANDE VOIX DU PEUPLE »

En 1878, le lieutenant-gouverneur Letellier de Saint-Just pose un geste rare dans l'histoire constitutionnelle du Québec: il oblige le ministère conservateur à se démettre en alléguant sa mauvaise administration. Chapleau, nouveau chef du parti conservateur, entreprend une vigoureuse campagne en faveur des libertés parlementaires, à ses yeux violées. Son discours du 18 mars 1878, à Lévis, est demeuré dans les mémoires à cause de sa péroraison. Quelques mois plus tard, le ministère libéral de Joly est renversé; Chapleau devient premier ministre.

« Souvenez-vous de cette parole d'un profond politique: « Où finissent les grandes questions commencent les petits partis » et ne permettez pas au petit parti rouge de faire disparaître dans ses mesquineries, dans sa *politique de bouts de chandelle,* la gravité du problème soulevé par l'escamotage du pouvoir, si audacieusement pratiqué par ses chefs. Il n'est pas ici question d'une misérable taxe de quinze sous, ni du salaire de quelques pauvres employés, ni des dépenses d'un commissaire de chemin de fer, ni même d'un tracé de chemin: ce sont là de petites choses bien dignes d'un parti qui n'a jamais eu dans le pays d'autres points d'appui que le préjugé, ce préjugé vulgaire qui ne vit que de petitesse; mais il s'agit de choses autrement grandes et sérieuses. Comme je vous le disais en commençant — et je finirai par la même pensée — c'est la liberté du peuple qui est violée, c'est le premier de nos droits qui est menacé. Qu'importent, après tout, certaines fautes d'administration? Elles sont toujours réparables, lorsque la représentation nationale conserve sur le gouvernement le contrôle légitime que lui attribue la constitution. Ce qui peut être un mal irréparable, c'est l'abandon de ce contrôle, c'est la violation de la souveraineté nationale. Que devient le principe que « *le peuple gouverne* », s'il est permis à un seul homme d'enlever le gouvernement des mains auxquelles le peuple l'avait confié?

À tout prix, sauvez ce principe du naufrage! Qu'il soit pour nous un point de ralliement! Oublions, un jour au moins, nos divisions locales, nos querelles de clocher, pour nous unir autour du drapeau de la constitution. Que nos cœurs grandissent avec les circonstances, et ne craignons pas de demander à notre passé, à ce passé plein de généreuses luttes, des inspirations pour nous guider dans ce combat

VOIR ILLUSTRATION — 85

nouveau que l'on nous force d'accepter. Le premier qui ait réclamé la responsabilité ministérielle dans ce pays est celui que l'on a appelé le grand Bédard, et celui qui a le plus fait pour introniser chez nous ce régime de la liberté est aussi un des nôtres, LaFontaine aidé de ses nobles amis, Morin et Baldwin. Et vous rappellerai-je le nom de Cartier, continuateur de ce grand œuvre, hier encore notre chef, le vrai type du politique conservateur, prudent et actif, adversaire des démagogues autant que défenseur fidèle des libertés constitutionnelles? Voilà quels étaient nos guides dans le passé, quels doivent être nos modèles dans le présent.

> Messieurs, j'oublie un nom, celui de Papineau,
> Lui, le puissant tribun que la foule en démence
> Saluait tous les jours d'une clameur immense! ...
> Sa voix, sa grande voix aux sublimes colères,
> Sa voix qui déchaînait sur les flots populaires
> Tant de sarcasme amer et d'éclats triomphants,
> Sa voix qui, des tyrans déconcertant l'audace,
> Quarante ans proclama les droits de notre race...

Vous connaissez cette poésie, dont l'auteur est votre propre député aux Communes d'Ottawa, et je le lui demande à lui-même, comment Papineau a-t-il mérité d'être ainsi chanté par une voix libérale, si ce n'est en luttant corps à corps durant la moitié de sa vie contre des gouverneurs de province, despotes au petit pied qui ne se contentaient pas de régner, mais qui voulaient aussi gouverner à leur guise.

Dans cette lutte, Papineau a bien mérité de la patrie, et, malgré les fautes de sa vie, son souvenir vivra comme celui d'un grand champion des libertés populaires.

Plût à Dieu que le parti libéral qu'il a fondé respectât ses enseignements! Que dirait donc Papineau, lui, l'expulsé des gouverneurs, s'il voyait maintenant ses héritiers devenus les défenseurs et les complices de l'expulsion de ceux en qui le peuple avait confiance? Que dirait-il? Il ferait entendre un de ces accents terribles dont l'écho est venu jusqu'à nous, et s'écrierait:

« Faites taire la voix de Spencer Wood, et laissez parler la grande voix du peuple! »

HONORÉ MERCIER (1840-1894)

Chapleau a trouvé un rival redoutable dans la personne d'Honoré Mercier, longtemps député provincial puis un des premiers ministres les plus célèbres de la Province de Québec. L'éloquence de Mercier est plus directe que celle de Chapleau et, par sa carrure autant que par son ton, Mercier fut plus populaire que Chapleau. Le souvenir vivace laissé par Mercier tient autant à sa réputation d'orateur qu'à l'œuvre considérable et novatrice qu'il a réalisée pendant son bref passage à la tête du gouvernement. Pour les contemporains, Mercier rappelle irrésistiblement Papineau — moins l'anticléricalisme — par ses allures de tribun au style volontiers négligé et à l'expression ardente. Thomas Chapais, qui a vu Mercier à son zénith, ne peut cacher son admiration pour ce rude adversaire politique: « Il n'avait, rappelle-t-il, ni les dons oratoires de Chapleau, ni ceux de Laurier... Mais tellement persuasif!... Son argumentation était la plausibilité même, et il nous arrivait de nous demander: Est-ce qu'il aurait raison? Est-ce que nous serions vraiment ce qu'il affirme? Dieu sait pourtant que nous étions convaincus du contraire! »

« RIEL, MON FRÈRE »

Les noms de Riel et de Mercier sont indissolublement liés. Mercier a posé au défenseur de Riel dans toutes les occasions, en particulier par son discours célèbre du 22 novembre 1885, au Champ de Mars, à Montréal. Dans un autre discours prononcé à l'Assemblée Législative le 7 mai 1886, l'orateur rattache l'action de Riel à celle des patriotes de 1837, dont le souvenir reste encore vivace.

« On m'a reproché d'avoir appelé Louis Riel « mon frère ». J'aime mieux appeler Louis Riel « mon frère » que de faire comme certains hommes qui appellent les orangistes « leurs frères ». J'aime mieux être parent avec un métis, que d'être parent avec certains hommes politiques, qui cherchent à écraser notre race et à détruire notre religion. Et je n'ai jamais eu honte d'un pendu, quand il a été pendu pour l'amour de son pays. Je n'ai jamais eu honte d'un De Lorimier, d'un Duquet, d'un Chénier, je n'ai jamais eu honte de mon père fait prisonnier en 1837 parce qu'il aimait son pays.

Il faudrait que je fusse bien dégénéré pour avoir honte d'appeler Louis Riel mon frère. Louis Riel est mon frère par le sang, comme il est le frère de chacun de vous. Vous avez beau chercher à le renier, cet homme-là, vous serez toujours forcés de vous rappeler qu'il a votre sang comme vous avez le sien: et avant longtemps, vous serez, bon gré mal gré, obligés de défendre sa mémoire, car souvenez-vous-en, un jour viendra où vos haines politiques disparaîtront, et vous retrouverez alors la place de votre cœur (...).

M. l'Orateur, j'achève mes observations. J'ai entendu l'autre jour avec surprise un honorable ministre dire: « Pourquoi donc faire ici tant de bruit pour Louis Riel? Les Métis ne s'occupent pas de Louis Riel; ils ne le regrettent pas. Il est mort et ils n'en parlent plus. » Eh bien! M. l'Orateur, voici des résolutions qui ont été passées quelques jours après l'exécution de Riel, pas à Montréal, pas à Québec, mais dans les prairies du Nord-Ouest, où les Métis se sont réunis. Ils se sont transportés de très loin, de distances immenses pour venir protester contre l'exécution de celui qu'ils appelaient leur frère. Ils ont demandé à leurs frères du Canada de reproduire ces résolutions pour prouver que leurs frères du Nord-Ouest ont du cœur. Et l'on dit qu'ils ne s'occupent plus de Louis Riel! Est-ce que ces messieurs ont oublié la triste scène des funérailles de Louis Riel? Riel eut son service funèbre dans l'église de Saint-Boniface. L'église de Saint-Boniface est à huit ou dix milles de la paroisse où demeurent la femme, la mère et les enfants de Riel, à Saint-Vital. Quand cette pauvre femme eut obtenu la permission de faire transporter le cadavre de son mari de Régina à Saint-Boniface, on a craint un soulèvement. Les Métis sont venus, comme l'attestent des informations que j'ai ici dans mon pupitre, les Métis sont venus de très loin pour veiller le corps de ce pauvre Riel. Et lorsque l'heure du départ fut arrivée, on peut dire que toute la nation métisse était là, à l'exception de ceux qui étaient en prison ou en exil. Et ce sont les Métis qui ont porté à sa dernière demeure

le corps de Riel. J'aurais voulu voir là les bourreaux de Riel. J'aurais voulu voir
là ceux qui disent que la nation métisse a répudié cet homme. Car, à en juger
par les lettres privées que j'ai reçues et par les conversations que j'ai eues avec
quelques-uns de ceux qui étaient là, c'était un spectacle réellement touchant et
il aurait fallu n'avoir pas de cœur pour ne pas être ému de ce qui se passait en
cette circonstance. Ceux-là qui viennent nous dire que Louis Riel était répudié
par ses gens en ont menti. Louis Riel a été respecté, vénéré jusqu'à ses derniers
moments. Toutes les nouvelles sont dans ce sens-là; et ceux qui aujourd'hui disent
le contraire, parlent pour avoir un prétexte de salir cette réputation nationale.
Il n'y a rien de nouveau là-dedans. Est-ce qu'on n'a pas traîné dans la boue nos
patriotes de 1837? Est-ce qu'on ne s'est pas emparé de la mémoire de Chénier,
de Sanguinet et des autres patriotes de l'époque, pour la salir de la fange de la
calomnie? N'avez-vous pas vu *La Minerve,* journal fondé par un grand patriote,
M. Duvernay, jeter l'injure à la face de ces grandes figures nationales? Est-ce que
vous n'avez pas vu, vous qui avez lu l'histoire, est-ce que vous n'avez pas vu dans
la chambre d'assemblée, en 1849, au moment où le parlement brûlait grâce à la
torche des orangistes, en 1849, au moment où Sir John Macdonald refusait de
laisser passer le bill d'indemnité en faveur des patriotes, n'avez-vous pas vu
M. Blake se lever et dire: Vous m'insultez aujourd'hui parce que je veux défendre la mémoire des patriotes de 1837, mais avant dix ans le pays rendra justice
à ces hommes qui ont sauvé les libertés dont le Canada est fier aujourd'hui!

M. l'Orateur, c'est l'histoire qui se répète. Tous les grands patriotes ont
été traînés dans la boue. Tous les grands hommes ont été insultés par des hommes
qui n'étaient pas dignes de dénouer les cordons de leurs souliers. Lisez l'histoire
et vous verrez cela.»

WILFRID LAURIER (1841-1919)

Wilfrid Laurier fut de son vivant un héros pour tout le Canada
français et son nom est devenu le symbole d'une génération. Lancé
dans l'arène politique en 1871, il devient premier ministre du Canada en 1896, poste qu'il occupe jusqu'en 1911. Après des études au
collège de l'Assomption, il continue brillamment son droit à l'université McGill: sa double formation française et anglaise lui permet
d'évoluer avec une égale aisance parmi ses compatriotes des deux
langues. Ses études à McGill, sa cléricature chez les avocats radicaux
Doutre et Laflamme, ont fait à Laurier une réputation d'hostilité au
clergé dont il prendra du temps à se débarrasser. Son discours célèbre du 26 juin 1877 à Québec, où il distingue soigneusement libéralisme politique anglo-saxon et libéralisme révolutionnaire conti-
nental, témoigne de ses efforts soutenus pour désarmer ses adversaires.
Arrivé au pouvoir, Laurier sera, sur le plan idéologique, le plus
conservateur des premiers ministres. Sa pensée politique est dominée
par le souci de réconcilier les libéraux canadiens de l'Ontario et du
Québec autour de la Confédération à faire grandir. D'où l'opportu-
nisme de sa pensée et de son action: ses adversaires ont beau jeu
de le mettre en contradiction avec lui-même. Ainsi, en 1900, au mo-

ment où Laurier célèbre l'empire britannique et ses avantages, rappelle-t-on au premier ministre ses plaidoyers des débuts des années 90 en faveur d'une réciprocité illimitée avec les États-Unis.

Laurier qui, au dire de son contemporain Fréchette, représente « la distinction même », charme par ses manières posées, sa nature bienveillante, la dignité de son maintien, la grâce de son geste. Il n'a rien de la fougue d'un Mercier et il ne cherche pas les effets oratoires, comme Chapleau. Son éloquence, essentiellement parlementaire, n'a rien de populaire. Elle cherche à convaincre plus qu'à émouvoir, ce qui n'enlève rien à sa force communicative. L'élévation de sa pensée situe Laurier bien au-dessus des tribuns de son temps, et fait oublier le caractère un peu froid de sa prose.

LAURIER À PARIS

Au cours d'un grand banquet donné le 2 août 1900, en son honneur, par des amis du Canada, le premier ministre résume ses sentiments à l'endroit de la Grande-Bretagne, de la France et de son pays.

« Séparés de la France, nous avons toujours suivi sa carrière avec un intérêt passionné, prenant notre part de ses gloires et de ses triomphes, de ses joies et de ses deuils, de ses deuils surtout. Hélas! jamais peut-être nous ne sûmes à quel point elle nous était chère, que le jour où elle fut malheureuse. Oui, ce jour-là, si vous avez souffert, j'ose le dire, nous avons souffert autant que vous.

Cependant, séparés de la France par les mers, par la distance, c'eût été faiblesse de notre part de nous éterniser dans d'inutiles regrets et de stériles espérances. Notre devoir était clair et net: c'était de nous redresser fièrement comme des hommes, de porter haut la tête, de conserver pieusement notre héritage, de savoir nous faire respecter en nous respectant nous-mêmes et de développer les immenses ressources de notre pays. Ce devoir, je puis ici l'affirmer, nous l'avons accompli.

Aujourd'hui le Canada est une nation. Oui, je le répète avec quelque orgueil, le Canada est une nation, bien qu'il ne soit encore que colonie. Mais si le Canada est colonie, c'est parce que nous sommes un peuple uni, c'est parce que nous avons la conviction profonde que l'indépendance ne nous donnerait pas plus de liberté réelle que celle dont nous jouissons. Le lien qui nous rattache à la Grande-Bretagne n'est pas un lien imposé par la force; c'est un lien maintenu par l'affection et la gratitude — par la gratitude, dis-je, pour la grande nation qui, non seulement protège notre liberté, mais protège nos intérêts à ce point que, sur notre demande, elle vient, il n'y a encore que quatre jours, de dénoncer le traité de commerce qu'elle avait depuis trente ans avec l'Allemagne.

Notre pays est un pays plein de sève, de vigueur, d'activité et d'ambition. Le sang de la jeunesse bout dans ses veines, il a foi dans son avenir, et il peut s'appliquer cette belle expression d'André Chénier:

L'illusion féconde habite dans mon sein.

J'ai les ailes de l'espérance!

Ce n'est pas à vous, Français, qui avez le culte ardent, passionné de la patrie, ce n'est pas à vous pour qui chaque parcelle du sol de la patrie est sacrée, ce n'est pas à vous, dis-je, que j'ai à m'en expliquer; vous me comprendrez, si je vous dis sans déguisement:

« J'aime la France qui nous a donné la vie; j'aime l'Angleterre, qui nous a donné la liberté; mais la première place dans mon cœur est pour le Canada, ma patrie, ma terre natale. »

L'ÉLOQUENCE SACRÉE

L'éloquence religieuse est une forme d'apostolat. Ses variétés sont nombreuses. Le sermon proprement dit consiste dans un discours soigné, solennel et d'une certaine longueur. On le réserve pour les grandes circonstances; on fait alors appel à un orateur réputé, et le choix même du temple n'est pas indifférent. La cathédrale de Québec, l'église Notre-Dame de Montréal aux amples nefs, furent le théâtre de la plupart des grands sermons de la fin du XIXe siècle. Le prône et l'homélie ont un caractère plus familier et n'ont pas laissé de monuments dans notre littérature. Les conférences religieuses ont, à l'imitation de ce qui se faisait en France, fleuri dans les années 1840 avec l'abbé Holmes: ce type de prédication continue chez nous, après 1860, chez certains clercs comme l'abbé Napoléon Bourassa. On y traite de questions sociales ou philosophiques, mais toujours dans un but d'éducation religieuse. L'oraison funèbre (oraison au sens de « discours ») portée à un haut point de perfection par Bossuet, reste bien pratiquée au XIXe siècle québécois.

L'éloquence religieuse gagne en qualité après 1860, du moins chez les grands noms de la chaire. La recherche des effets faciles s'atténue; on s'attache plus à la doctrine, avec la rénovation du thomisme (ce qui entraîne aussi de la sécheresse chez maints prédicateurs) ; on s'efforce, dans les séminaires, d'améliorer les qualités d'élocution. Comme dans la vie politique, une manifestation d'éloquence religieuse est un événement qu'on prépare avec soin, auquel on participe avec intérêt et dont on garde longtemps le souvenir. Les fêtes du deuxième centenaire du Séminaire de Québec, en 1863, les noces d'or de Mgr Bourget, le congrès catholique de Québec de 1880, comptent parmi les grands moments de l'histoire de l'éloquence religieuse au Canada français.

Comme dans le cas des orateurs politiques, la littérature n'a conservé que quelques grands noms parmi la foule des prédicateurs de retraites, des curés de paroisses, des aumôniers d'institutions et des professeurs de collèges, des évêques qui ont fait retentir les églises et les chapelles de leurs sermons. Certains orateurs gagneraient à être publiés, comme Mgr Bruchési, célèbre de son temps et qui s'illustra, dès 1880, par son sermon au Congrès catholique. D'autres noms méritent au moins une mention: l'abbé Louis-Honoré Pâquet, dont les sermons ont été réunis et qui était tenu par Chauveau, orfèvre en la matière, pour « le premier de nos orateurs sacrés »; ou encore, l'abbé Gustave Bourassa, petit-fils de Papineau, orateur cultivé et homme de goût. Il faut faire une place à part aux deux grands orateurs religieux du temps: Mgr Antoine Racine et Mgr François-Louis Laflèche.

Mgr ANTOINE RACINE (1822-1893)

Antoine Racine a été curé de Saint-Jean-Baptiste de Québec de 1853 à 1874, puis premier évêque de Sherbrooke jusqu'à sa mort en 1893. C'est entre 1860 et 1880 qu'il a prononcé la plupart de ses grands discours religieux. Il possédait les qualités du grand orateur: la prestance, la dignité du geste, la voix qui domine les foules, l'autorité du regard. Ses discours étaient préparés avec soin et les études qu'il avait faites à Rome lui donnaient une autorité doctrinale qui ajoutait à ses dons oratoires.

PARALLÈLE DES ABBÉS DEMERS ET HOLMES

Lors des célébrations du deuxième centenaire de fondation du Séminaire de Québec, en 1863, Mgr Racine est invité à prononcer le grand discours. À cette occasion, il a recours au parallèle, procédé courant dans les panégyriques, pour rappeler le souvenir de deux gloires de l'institution.

« M. Jean Holmes est, avec Jérôme Demers, le ministre de la divine Providence pour imprimer une impulsion nouvelle aux sciences, aux lettres et aux arts, non seulement dans le séminaire, mais encore dans tout le Canada. Le séminaire de Québec les a possédés en même temps. Ne les séparons pas dans nos éloges et dans notre amour.

Tous deux, distingués par leur savoir, animés du même désir d'être utiles à la religion et à la patrie, s'élevaient comme deux oliviers féconds, brillaient comme deux candélabres d'or (Apoc. II, 14). Tous deux sont éloquents: l'un, par l'autorité et la véhémence de sa parole, jette l'épouvante dans les âmes, met sous les yeux du pécheur le tableau formidable des vengeances divines et le remplit de crainte au souvenir du souverain juge des vivants et des morts; l'autre, doué d'une imagination plus vive, par son geste noble, son regard inspiré, sa voix sonore et harmonieuse, l'élévation de ses pensées, la vivacité des images, captive son auditoire, le suspend à ses lèvres. L'un, par son éloquence sévère, sa logique forte et entraînante, ressemble à saint Basile; l'autre, par la beauté des images, les fleurs du langage semées dans son discours, rappelle à son auditoire attentif saint Grégoire de Nazianze. Celui-là s'associe aux grandes entreprises, travaille à promouvoir le bonheur de la famille canadienne. Les intérêts de son pays sont le sujet de ses études pénétrantes, approfondies, et, par le respect qu'inspire son talent supérieur, par la noblesse de ses sentiments, ses connaissances variées, la justesse de son jugement, la fermeté de son caractère, la bonté de son cœur, il s'attire le respect et la vénération du clergé et il devient le guide et le conseil des hommes les plus distingués. Celui-ci met son immense talent, fortifié par l'étude, à la défense de la religion. À la vue des attaques nouvelles des implies contre l'Église, « de l'effrayante série de catastrophes et de crimes qui chaque jour se succèdent en Europe », à la nouvelle de la prise de Rome « par des hommes qui ne sont pas même chrétiens », il veut prémunir la jeunesse contre les dangers qui l'attendent. Il paraît dans la chaire de cette église et, tout de suite, il se montre profond et savant apologiste, et, dans ses conférences, hélas! trop tôt terminées, il se place à côté des premiers orateurs sacrés.

En ces deux hommes, quelles lumières! quelles connaissances variées! quel amour pour la jeunesse! Quels travaux n'ont-ils pas entrepris dans la philosophie, dans les sciences, dans les lettres, dans la géographie et dans l'histoire, pour élever le niveau des études et développer l'intelligence de leurs élèves! Quelle passion de faire le bien embrasait leurs âmes! Quelle admiration et quelle estime ils se portaient l'un à l'autre! L'un, plein de jours et de mérites, s'éteint à un âge avancé. Sur le bord de la tombe, il a bien droit de se réjouir de la route parcourue, de la prospérité que cette maison de Québec doit à son énergie, à son travail et à son dévouement. L'autre meurt dans la force de l'âge, « laissant, avec l'admiration de ce qu'il a fait, un regret universel de ce qu'il eût pu faire. »

Mgr LOUIS-FRANÇOIS LAFLÈCHE (1818-1898)

La vie et l'œuvre de Mgr Louis-François Laflèche, qui fut évêque des Trois-Rivières dans le dernier quart du XIXᵉ siècle, appartiennent à l'histoire du Canada français tout entier. Un des chefs de file des ultramontains, il a été mêlé à toutes les luttes politico-religieuses de son temps. Cet ancien missionnaire de la Rivière-Rouge, où il a œuvré pendant douze ans, a gardé toute sa vie une âme de feu, et il est mort sur la brèche. L'influence de sa pensée, sur l'importance de l'agriculture, sur la mission des clercs dans l'enseignement, sur le rôle de la nation canadienne-française, a été incalculable. Son patriotisme ardent, son tempérament d'une ardeur tout ascétique, sa foi intransigeante, son amour du peuple, dont il resta toujours proche, créent, de son vivant, une figure de légende. Ces qualités lui assurent aussi l'admiration des multiples adversaires que n'avaient pas manqué de lui susciter ses énergiques prises de position.

287

LES ZOUAVES PONTIFICAUX

Le 19 février 1868, à Notre-Dame de Montréal, Mgr Laflèche prononce le discours en l'honneur du départ du premier contingent de zouaves canadiens qui vont défendre les États pontificaux.

« Partez maintenant, soldats du Christ et de la vérité, partez. Allez jusqu'à Rome, sur ce théâtre des grands événements de l'histoire, sur ce sol arrosé du sang des saints, dans cette ville dont le nom rappelle l'éternité. Allez-y défendre notre Père attaqué, notre Mère outragée, nos frères dépouillés et trahis. Allez prendre dans la milice sacrée du Pontife la place que le Canada doit revendiquer au milieu des nations. Allez porter aux Italiens l'écho de la voix de Pierre et de Paul parvenue jusqu'ici, *et in fines orbis terrae verba eorum*, et leur demander ce qu'ils veulent faire de la foi catholique. Dites-leur que les confins de l'univers se soulèvent d'indignation à la vue de leur ingratitude, et qu'ils réclament impérieusement, au centre du monde, le petit coin de terre que la divine Providence avait donné au Vicaire de Jésus-Christ pour faire rayonner de là sur eux la lumière et la vie. Dites aussi à la vieille Europe, par vos actes plus encore que par vos paroles, que si par impossible elle n'a plus de place chez elle pour l'Épouse de Jésus-Christ, qui l'a formée, nourrie et sauvée, il y en a en ces lieux; dites combien nous serions heureux de recevoir sur nos bords son auguste Chef, et de lui offrir, dans son exil, sur le sol hospitalier du Nouveau-Monde, l'air, l'espace et la liberté! Ô sainte Église de Dieu, il est pénible, il est cruel pour vous d'être méconnue et attaquée par des fils ingrats et barbares, mais qu'il est doux pour nous d'avoir à vous défendre! Vous nous avez donné la croix que nous adorons, vos missionnaires nous l'ont apportée pour notre salut à travers les mers et les dangers; nous vous envoyons avec bonheur aujourd'hui notre épée pour votre soutien, l'épée du soldat des Chaudières, de Carillon, de Châteauguay. Cette épée est inconnue du vieux monde qui ne l'a jamais rencontrée, mais vous, Église de Dieu, qui voyez au fond des forêts et jusqu'aux entrémités du monde, vous la connaissez; d'ailleurs, c'est vous-même qui la dirigiez et lui donniez sa force. Puissiez-vous la soutenir encore! Quelle qu'en soit la valeur, elle est néanmoins sans souillure et digne de servir votre cause sacrée. Nos fils vous la porteront telle que nous l'ont léguée nos pères, ils vous la porteront aussi au milieu des mers et des dangers. Quel est celui d'entre vous, jeunes Canadiens, qui, dans cette noble mission, ne fût heureux de verser son sang? En vous rappelant combien l'Église en a répandu pour nous sur cette terre, il n'y a pas un seul, j'en suis persuadé, qui ne regardât comme une faveur insigne de répandre là-bas le sien afin d'acquitter au moins l'intérêt de notre dette. Ô soldats chrétiens! fut-il jamais une cause plus belle, plus grande, plus sainte! On a tiré l'épée pour soutenir l'injustice et propager l'erreur, vous la tirerez pour défendre le droit et la vérité; on l'a fait par avarice et par orgueil, vous le ferez par reconnaissance et par abnégation; on s'est servi de la force pour pervertir et renverser, vous vous en servirez pour guérir et conserver; enfin, on a constamment combattu pour des intérêts vils et terrestres, vous combattrez pour des intérêts spirituels et célestres. La cause du Saint-Père, c'est la cause du faible,c'est la cause de la vertu, c'est la cause de la justice, la cause de la propriété, du pouvoir et de la vraie liberté, la cause des âmes, des temps et des lieux, la cause de la société, de la Religion et de Dieu même, enfin la cause de tous et de tout. *Estote fortes in bello et pugnate cum antiquo serpente accipietis regnum aeternum.* « Soyez forts et courageux dans la guerre, combattez contre l'ancien serpent et vous obtiendrez un royaume éternel. »

135. Mgr Bourget.

134. La chaire de l'église Notre-Dame de Montréal.

136. Les labours d'automne à Saint-Hilaire.

288b

137. Maison Gérin-Lajoie, à Yamachiche.

138. Église Saint-Mathias de Rouville.

139. Laure Conan.

140. Scène du comté de Charlevoix.

141. Napoléon Bourassa.

142. Souper chez un seigneur canadien.

143. Danses et contredanses.

144. La terrasse Dufferin à Québec.

288*h*

145. Montréal à la fin du XIXe siècle.

146. Laurier.

147. La première automobile.

148. La maison de Laurier à Arthabaska.

149. Edmond de Nevers: un regard vers l'avenir.

150. Les mines d'Asbestos en 1904. — L'industrie de la pulpe à Grand'Mère en 1901. — L'électricité à Shawinigan en 1904.

151. Henri Bourassa.

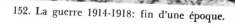
152. La guerre 1914-1918: fin d'une époque.

288o

153. Pour finir, un poème... le « veilleux ».

L'ÉLOQUENCE ACADÉMIQUE

L'éloquence académique vise à plaire plus qu'à convaincre. Elle apparaît en général plus soignée que l'éloquence politique. Mais elle glisse souvent dans la moralisation facile ou dans la creuse rhétorique. Elle a été abondamment pratiquée chez nous dans ces dernières années du XIXe siècle où se multiplient les démonstrations, les inaugurations et les visites. On retrouve, parmi les grands représentants de ce genre, plusieurs auteurs que nous étudions ailleurs: Laurier, Chapleau, Mercier, Thibault, David, Fabre, Beaugrand, Chapais, Sulte, Buies. Deux personnalités dominent nettement: Chauveau et Routhier.

P.-J.-OLIVIER CHAUVEAU (1820-1890)

Pierre-Joseph-Olivier Chauveau, né en 1820, a été mêlé pendant un demi-siècle à bien des aspects de la vie de son temps. À sa mort, Chapais salue en lui l'« une de nos plus grandes figures contemporaines » et rappelle l'activité très diversifiée de Chauveau: orateur, poète, romancier, historien, critique, bibliographe, journaliste, député, ministre, professeur. Et le journaliste de conclure: « Il a touché à tous les sommets auxquels les hommes doués d'un talent supérieur peuvent atteindre dans notre pays. »

Chauveau aime beaucoup parler. En 1860, il est l'orateur de circonstance le plus recherché au Bas-Canada. Son discours prononcé en 1855, lors de la pose de la première pierre du monument aux Braves de 1760, a soulevé l'enthousiasme des dix mille personnes présentes. Même après 1877, pendant sa demi-retraite, alors qu'il est shérif à Montréal, on fait appel à lui. Encore en 1889, il prononce un discours lors de l'inauguration du monument Cartier-Brébeuf à Québec.

─────── ÉLOGE DE ROME ET DE PIE IX ───────

C'est du pontificat de Pie IX (1846-1878) surtout, que date l'attachement des Canadiens français au pape et à la Ville Éternelle. Les malheurs du pape-roi, sa personnalité bienveillante, la facilité plus grande des voyages à Rome, ont contribué à faire de Pie IX une figure éminemment célèbre chez nous. Dans son discours à l'occasion du 50e anniversaire du sacerdoce de Pie IX, prononcé le 10 avril 1869, Chauveau se fait l'interprète du sentiment canadien-français. L'exorde présente la Ville et le Pape.

« Il y a dans le monde une ville plus célèbre, plus connue des pauvres et des ignorants qu'aucune autre ville, une ville qui, ainsi que Londres, étend son empire dans toutes les régions que le soleil éclaire de sa lumière, qui, encore plus que Paris, exerce une influence constante, indiscutable, universelle sur les idées, les opinions, les mœurs de tous les peuples, dont le nom, comme celui de Jérusalem qui lui fut autrefois soumise, est le cri de ralliement des nations, une ville où l'art, la science, les lettres, la philosophie, groupées autour de la religion, sont parvenues et se maintiennent à leur apogée, une ville que de toutes les parties du monde on vient vénérer comme un temple, admirer comme une merveille, étudier comme un livre; cette ville, c'est Rome!

Il y a dans le monde un homme plus saint que tous les autres hommes, plus savant d'une science incontrovertible que toutes les académies et les universités, plus puissant que les plus grands monarques, plus habile dans sa piété et sa simplicité que les plus grands diplomates, plus aimé de ses innombrables sujets que le plus sage et le plus populaire des souverains, un homme qui, pauvre, n'a qu'à parler pour voir affluer des subsides de toutes les parties du monde, qui, faible, n'a qu'à pousser un cri de détresse pour que des légions inconnues viennent des contrées les plus lointaines se ranger autour de lui, qui, vieillard, a tout l'enthousiasme, toute l'ardeur, toute la vigueur, tout l'indomptable courage de la jeunesse, un homme enfin que l'on chérit, que l'on vénère, que l'on prie même, comme si déjà il était au ciel; cet homme, c'est le Pape!

Rome, la plus grande chose, Pie IX la plus grande existence; Rome, le centre de vos pensées religieuses, Pie IX, le centre de vos affections; Rome et le pape, objets de votre vénération, de votre amour, de vos craintes et de vos espérances, voilà les deux sujets que, dans cette fête religieuse, artistique et littéraire, je suis appelé à traiter ce soir. »

ADOLPHE-BASILE ROUTHIER (1839-1920)

Esprit représentatif de l'élite bien-pensante de son temps, le juge Adolphe-Basile Routhier a tâté de plusieurs genres. Auteur de copieux récits de voyage, critique littéraire à ses heures, romancier selon la manière mise à la mode par le cardinal Wiseman dans *Fabiola,* il reste l'orateur préféré des fêtes patriotiques et religieuses de la fin du siècle. Sa pensée profondément conservatrice et catholique, le ton de ses discours, tantôt familier et tantôt sublime suivant les circonstances, lui ont valu une réputation sans doute un peu surfaite.

┌─── L'ABANDON DU CANADA PAR LA FRANCE ───

Invité à prendre la parole dans une réunion d'amis du Canada à La Roche-sur-Yon, en Vendée, le 17 avril 1884, Routhier revient sur un thème fécond et durable: l'abandon du Canada par la France au XVIIIe siècle. On y retrouve le providentialisme qui règne alors en maître dans la pensée québécoise.

« Si la France eût persévéré dans l'œuvre de colonisation chrétienne qu'elle avait commencée en Amérique; si, restant fidèle à sa mission, elle eût continué d'être le missionnaire et le soldat de Dieu dans les deux continents, le royaume qu'elle eût fondé en Canada aurait multiplié sa puissance et sa gloire d'une manière merveilleuse.

Mais vous savez sur quelle pente fatale elle glissa avec le dix-huitième siècle. En repoussant les lumières de la foi, ses gouvernants et ses philosophes devinrent aveugles, et ils ne virent pas l'avenir possible de ces immenses et riches possessions d'Amérique.

Le jour vint où la Providence jugea la mère-patrie indigne de conserver plus longtemps la garde de sa fille, et la lui arracha pour la confier à une tutelle étrangère.

Après une lutte des plus glorieuses, après des victoires qui rappellent votre guerre des géants, le nombre l'emporta sur le courage, et la malheureuse colonie qui avait coûté tant de sacrifices à nos pères et aux vôtres, passa sous le joug de l'Angleterre.

Ah! messieurs, vous avez connu comme nous les douloureux lendemains de la défaite! Vous avez souffert et pleuré comme nous en voyant l'étranger traverser en vainqueur la terre de la patrie!

Mais vous n'avez pas connu la suprême agonie d'un peuple qui se meurt! Vous n'avez pas entendu les trompettes de l'ennemi retentir comme un glas funèbre au sein de la patrie conquise et annoncer ses funérailles!

Voilà par quel deuil suprême et indescriptible vos frères d'Amérique ont passé. La patrie nouvelle qu'ils avaient fondée était dévastée, solitaire, transformée en un vaste cimetière, et sur la rive de leur grand et bien-aimé fleuve le conquérant avait planté une pierre funéraire avec cette inscription: Ci-gît un enfant courageux et de noble lignée qui s'appelait la *Nouvelle-France!*

Ah! me direz-vous, quel désespoir ce dut être pour nos ancêtres glorieux!

Eh bien non, ces grands cœurs ne furent pas encore désespérés.

Dans les brumes lointaines de l'avenir, ils crurent voir luire encore je ne sais quels rayons d'espérance. Ils persistèrent à croire que les nations chrétiennes ne meurent pas ainsi, et qu'elles peuvent même ressusciter quand la mort les a atteintes!

Ô patrie des Cathelineau, des La Rochejacquelein et des Charette, vous le savez bien, vous, que les peuples catholiques ne sont pas faits pour être longtemps couchés dans la tombe; car ils ont pour chef Celui que le tombeau n'a pu contenir que trois jours, et quand il les rappelle à la vie, ils entendent sa voix jusque dans le sommeil de la mort!

C'est à cette voix, dont notre clergé fut le fidèle écho, que nos pères se relevèrent et gardèrent leur confiance en la Providence des nations. »

L'ÉLOQUENCE DU PRÉTOIRE

Ce ne sont pas les occasions de s'exercer qui ont jamais manqué, au Québec, à l'éloquence judiciaire, ou éloquence du barreau. La mentalité procédurière de l'habitant, les querelles politico-religieuses ont encouragé maintes poursuites et suscité de belles plaidoiries. L'affaire Guibord, qui déchire le Québec pendant six ans, donne lieu à des échanges de diatribes entre les grands avocats du temps, sur des problèmes d'importance comme celui des relations de l'Église et de l'État. Le procès pour « influence indue » qu'a présidé à la Malbaie le juge Routhier durant l'hiver de 1875-76, à la suite d'une élection contestée dans Charlevoix, a fait époque. Les poursuites pour dommages à la réputation se multiplient en ces temps fertiles en polémiques. En mars 1891, par exemple, le fougeux directeur de la *Semaine religieuse de Québec,* l'abbé David Gosselin, est traîné devant le tribunal par Aristide Filiatrault, directeur de *Canada-Revue.* Le journaliste montréalais, anticlérical notoire, exige dix mille dollars du curé québécois parce que celui-ci, dans un entrefilet, l'a traité d'« empoisonneur public »! La condamnation de *Canada-Revue* par Mgr Fabre, l'année suivante, donne lieu à un procès retentissant au cours duquel les avocats de la défense et ceux de la poursuite élèvent le débat au niveau des grandes discussions politico-religieuses.

François-Xavier-Anselme Trudel [1], défenseur de la fabrique dans le procès Guibord; Gustave Lamothe, son jeune associé, auquel les communautés religieuses confient régulièrement leurs intérêts à la fin du XIXᵉ siècle et au début du XXᵉ; Chapleau, brillant défenseur de Lépine et des autres Métis lors du soulèvement de la Rivière-Rouge; Joseph Doutre et Rodolphe Laflamme, juristes renommés, adversaires acharnés de Mgr Bourget et des ultramontains, procureurs de la veuve Guibord et de l'Institut Canadien; Charles Langelier, que ses adversaires appellent avec mépris « l'homme de l'influence indue » depuis qu'il a plaidé dans l'affaire de la contestation de l'élection de Charlevoix, ont prononcé les plaidoiries les plus retentissantes, et il serait souhaitable que leurs écrits fussent plus accessibles.

BIBLIOGRAPHIE

ÉTUDES:

Dandurand, abbé Albert, *Nos orateurs,* Montréal, l'Action can.-franç., 1939.

SOURCES:

L'honorable J.-A. Chapleau, Sa biographie, suivie de ses principaux discours, manifestes, etc., Montréal, Eusèbe Sénécal, 1887.

1. « Il s'était décidément formé à Montréal un groupe de laïcs plus ultramontains que le pape, prétendant accaparer l'Eglise, interpréter ses paroles, et ne craignant pas, au besoin, de faire la leçon aux évêques... C'étaient des hommes de valeur, dignes dans leur vie privée, sincères dans leurs convictions, et d'autant plus forts. Des âmes droites, abstraites et violentes. Leur chef, le sénateur François-Xavier Trudel, bien découplé, intelligent, frappant de la plume comme d'une épée — du plat et du tranchant — était une personnalité marquante. Très pieux, il n'écrivait jamais rien sans s'abîmer auparavant dans la prière, afin d'implorer les lumières du Saint-Esprit. Il puisait des forces dans cette méditation et, se relevant de son prie-dieu, il assénait à ses adversaires deux ou trois colonnes vigoureuses que *Le Monde* insérait. Une grande statue du Sacré-Cœur occupait la place d'honneur dans son salon. Naturellement, ce moine laïque avait épousé une femme coquette et dépensière, qui se lassa d'une pareille existence. Elle demanda la séparation et poussa la cruauté jusqu'à prendre pour avocat Joseph Doutre. » (Robert Rumilly: *Histoire de la province de Québec,* tome III, pp. 82-83).

Pelland, J.-O., *Biographie, Discours, Conférences de l'Hon. Honoré Mercier*, Montréal, s.éd., 1890

Discours de Wilfrid Laurier à l'étranger et au Canada, Montréal, Beauchemin,

Rumilly, Robert, *Mgr Laflèche et son temps*, Montréal, Ed. du Zodiaque, 1938.

Barthe, Ulric, *Wilfrid Laurier à la tribune*, Québec, Turcotte et Ménard, 1890. 1909.

Labarrère-Paulé, André, *Mgr Laflèche*, Montréal, Fides, coll. « Classiques canadiens » (à paraître). Extraits de l'œuvre, accompagnés d'une bio-bibliographie.

P.-J.-O. Chauveau, extraits de l'œuvre, accompagnés d'une bio-bibliographie, Montréal, Fides, coll. « Classiques canadiens », 1962.

Routhier, Adolphe, *Conférences et discours*, Montréal, 1889 et 1904, 2 volumes; et Montréal, Beauchemin, 1913

Chapitre XXVII

L'HISTOIRE
(1860-1900)

par Pierre SAVARD

L'exemple brillant de l'historien François-Xavier Garneau, consacré de son vivant « historien national », et l'importance qu'on attache à l'histoire, au Canada français, à cette époque, aident à comprendre la fécondité des quarante dernières années du XIXᵉ siècle. La production historique reste alors étroitement liée à l'évolution de l'idéologie, des conceptions politiques et religieuses, des conflits d'intérêts. La condition de l'historien, celle des développements de l'érudition, aident aussi à comprendre le caractère de cette production.

Métier d'historien et état des recherches

Débats et combats de l'époque trouvent des échos dans les œuvres des historiens. L'optimisme qui a saisi les Canadiens français après 1850, l'assurance de la survie de leur ethnie qu'on trouve déjà dès les rééditions de Garneau, éclatent triomphalement chez Sulte; pour leur part, les historiens de l'Union, un Gérin-Lajoie, un DeCelles ou un David, s'appliquent à colmater les fissures qui séparent, au milieu du siècle, les irréductibles du type de Papineau des conciliateurs comme LaFontaine. C'est le slogan de Mercier: « Cessons nos luttes fraticides », transposé dans l'historiographie. Toutefois, le souvenir des hommes de 1837 reste vif et leur équipée est chaudement discutée.

Le courant laïque, nettement exprimé chez Garneau, s'atténue; Sulte, avec ses tirades anti-jésuites, reste peu écouté. En revanche, les écrits de Ferland et de Faillon semblent s'appliquer à corriger Garneau et fournissent aux Canadiens français, de plus en plus convaincus de l'union de la foi et de la nationalité, une image du passé plus conforme à leurs aspirations du moment.

La place importante occupée par l'histoire religieuse entraîne des chicanes d'auteurs qui sont souvent des rivalités de congrégations. L'abbé Faillon exalte Saint-Sulpice et Montréal, au grand dam de Québec et de son Séminaire, et sous les horions de l'abbé Tanguay. Le jésuite La Rochemonteix malmène à la fois le séculier québécois Auguste Gosselin et le sulpicien qui, a son avis, n'ont pas rendu justice aux pères de la Compagnie. Puis ce seront les franciscains qui entreront en lice pour revendiquer leur rôle de pionniers de la foi en Nouvelle-France.

La multiplication des liens avec la France fait apparaître un courant sentimental dans cette littérature historique. L'abbé Casgrain et ses contemporains, aux velléités aristocratiques, rêvent du XVIIIe siècle et de sa douceur de vivre. Par contre Sulte, qui ne cache pas sa francophobie, exalte le petit peuple canadien-français abandonné sans contrition par la métropole.

C'est à cette époque qu'apparaît un effort organisé et continu pour recueillir les documents d'archives essentiels au travail historique. Les gouvernements et des institutions privés s'attellent à la tâche, et même si l'effort ne peut se comparer à celui des État-Unis et de la France du temps, les progrès sont remarquables.

Déjà la Société historique et littéraire de Québec, fondée en 1824, s'était donné la mission de recueillir et de publier des documents relatifs à notre histoire. Depuis 1838, elle avait édité quelques volumes de *Documents historiques* à partir de copies faites en France. Le gouvernement de l'Union avait fait exécuter des copies de documents conservés à Paris, et Garneau avait enrichi sa deuxième édition de ces sources.

Les historiens que nous étudions ici n'hésitent pas à se lancer eux-mêmes dans la chasse aux documents. L'abbé Ferland fait un voyage en Europe en 1856 et il en rapporte une moisson considérable, qui servira à son *Cours d'histoire du Canada*. Le sulpicien français Faillon utilise largement des fonds inédits d'archives françaises et fait exécuter d'innombrables copies dans l'Ancien et le Nouveau Monde. Le jésuite Martin recueille systématiquement ce qui a trait aux anciennes missions de sa Compagnie de l'Amérique du Nord. En 1852, il traduit de l'italien et publie à Montréal l'ouvrage de son confrère missionnaire du XVIIe siècle, François-Joseph Bressani, sous le titre de « Relation abrégée de quelques missions des pères de la Compagnie de Jésus dans la Nouvelle-France ». C'est aussi à partir des transcriptions de Martin que le gouvernement du Canada publie trois volumes des *Relations* des jésuites en 1858. L'abbé Casgrain consacre près d'un quart de siècle à prospecter les archives françaises publiques et privées afin d'obtenir documents et copies qu'il lègue au Séminaire de Québec. Par ses soins, on acquiert des sources précieuses sur la Guerre de Sept Ans en Amérique, comme les papiers de Montcalm, ceux de Lévis, et ceux de Bougainville. L'abbé Charles-Honoré Laverdière, du Séminaire de Québec, procure de savantes éditions des *Oeuvres de Champlain,* des *Relations* et du *Journal* des jésuites.

Le gouvernement de la Confédération crée en 1872 une section des Archives et, à partir de 1890, fait copier systématiquement les fonds d'archives françaises relatifs au Canada, en particulier la précieuse correspondance des gouverneurs et des intendants. En 1904, les Archives d'Ottawa possèdent 223 volumes de copies françaises et un nombre beaucoup plus considérable de copies de documents faites à Londres.

Une autre condition qu'il faut garder présente à l'esprit pour comprendre la production historique de cette période, c'est le fait qu'elle est l'œuvre d'autodidactes qui, le plus souvent, écrivent l'histoire durant les loisirs que leur laisse leur profession. Sulte, par exemple, n'a pas pu passer par le collège; il a dû gagner sa vie très jeune. Fonctionnaire à Ottawa, il ne peut même pas consulter la riche bibliothèque du Parlement, qui ouvre et ferme aux mêmes heures que son bureau! L'auteur de l'*Histoire des Canadiens français* déplore la triste condition de l'historien, d'autant plus que le pays a un si pressant besoin d'écrivains de cette discipline:

> « Il n'y a pas chez nous d'historien de profession, faute de pouvoir tirer des livres que l'on écrit un revenu qui donne le pain quotidien. Nous sommes donc des amateurs, qui publions, à nos risques et périls, des ouvrages dont les éditeurs, en Europe, par exemple, achèteraient les manuscrits (...). Il y a entre les historiens de l'ancien monde et nous, cette différence que nous travaillons pour la patrie, sans espoir de rémunération, tandis que nos confrères de là-bas exploitent, avec profit à la clef, un monde déjà formé aux études, payant ce qui vaut la peine d'être payé et honorant l'érudition. Tout est encore maigre et étroit chez nous, à cet égard. »

On retrouve chez les historiens de ce temps les deux grandes catégories traditionnelles, les érudits et les artistes. Les premiers hésitent à se lancer dans les vastes synthèses ou les hypothèses audacieuses: ils préfèrent une histoire plus localisée mais plus proche des hommes. Le plus souvent, ils se contentent de reproduire des documents et ne poussent pas loin l'analyse. À ce premier groupe se rattachent l'abbé Laverdière et l'abbé Hospice-Anthelme Verreau; ce dernier a été le compilateur d'un utile recueil de documents sur l'invasion américaine.

Les véritables historiens, au besoin artistes, font un choix dans les documents de plus en plus nombreux que les archivistes rendent accessibles. Ils n'hésitent pas, à une époque où l'histoire compte parmi les genres littéraires les plus prestigieux, à rehausser leurs écrits de beaux morceaux: narrations, portraits et descriptions. C'est qu'ils cherchent à communiquer au lecteur l'illusion de la vie, sans sacrifier l'exactitude mais en arrangeant l'ensemble des traits qu'ils conservent. Les historiens que nous étudions ici ont tous, à des degrés divers et avec plus ou moins de succès, souscrit aux règles du genre telles qu'on les conçoit alors.

Les histoires générales

Trois clercs historiens ont laissé à des titres divers un nom durable dans l'historiographie de la seconde moitié du XIXe siècle: le sulpicien français Faillon et les abbés québécois Ferland et Casgrain.

L'*Histoire du Canada* de Garneau, saluée avec enthousiasme comme une grande source de fierté nationale, n'avait pas manqué cependant de susciter de vives réactions, de la part de membres du clergé surtout. L'esprit libéral de Garneau — libéral français de 1830, imprégné de philosophisme — et son intérêt peu marqué pour les questions religieuses — mise à part celle des relations entre les deux pouvoirs — appelait un correctif, dans une société de plus en plus unanime quant à l'union indéfectible de la religion et de la nationalité. Garneau lui-même avait atténué certains de ses premiers jugements dans des éditions subséquentes; c'était trop peu encore. Il appartiendrait à deux clercs de récrire l'histoire du Canada, surtout celle du XVIIe siècle, dans un esprit plus conforme à l'idéologie dominante et afin de rendre justice aux pionniers religieux de la Nouvelle-France.

ÉTIENNE-MICHEL FAILLON (1799-1870)

Dès 1852 paraît, sous la plume d'un sulpicien français, une *Vie de Marie d'Youville*, fondatrice des Sœurs de la Charité. L'année suivante, coup sur coup, le même auteur donne une biographie de

M. Olier, « fondateur du Séminaire de Saint-Sulpice et de la colonie de Montréal », et une *Vie de la Sœur Bourgeoys,* fondatrice de la Congrégation de Notre-Dame, suivie de l'histoire de la congrégation. L'année 1854 voit paraître une autre *Vie,* celle de Jeanne Mance, continuée par une histoire de l'Hôtel-Dieu de Montréal. Mais la grande œuvre de l'historien Étienne-Michel Faillon, c'est l'*Histoire de la colonie française en Canada,* publiée en 1865 et 1866 en trois forts volumes de plus de cinq cent pages chacun. Cette histoire, parue sans nom d'auteur, couvre la période allant de 1532 à 1675.

Originaire du Midi de la France (Tarascon), sulpicien en 1825, successivement professeur de dogme et directeur de noviciat, Faillon se retrouve, dans les années 1850, visiteur des maisons sulpiciennes d'Amérique. Des raisons de santé l'obligent à se retirer à Montréal de 1857 à 1862. Il a déjà publié à ce moment les biographies qui l'ont poussé à étudier les origines de la colonie. Faillon est un passionné d'histoire, un chercheur infatigable qui inventorie, fait copier, analyse des masses de documents dans les dépôts d'archives et les bibliothèques ecclésiastiques des deux Mondes. Son érudition, impressionnante, ne s'accompagne pas d'un égal sens critique. Sa vie de M. Olier, sévèrement attaquée, a dû être refaite, et ses écrits sur l'hagiographie provençale ont vite été dépassés. L'œuvre canadienne de Faillon reste quand même digne d'admiration: c'est lui, le premier, qui a attiré l'attention sur la grande période mystique de la Nouvelle-France.

L'EXPLOIT DU LONG-SAULT

C'est Faillon qui, le premier et plus que tout autre, a contribué à installer l'exploit du Long-Sault dans l'historiographie. Dans son *Histoire de la colonie française,* il nous donne un long récit de l'affaire, puis cherche à percer les mobiles de ces héros. Ces pages de Faillon, dont nous donnons ici la conclusion, seront rééditées en 1920, au moment où Dollard deviendra un héros national.

« Il faut à l'homme raisonnable des motifs d'intérêt personnel pour le déterminer au sacrifice de lui-même, & ce dévouement pur & désintéressé, dont nous voyons tant d'exemples dans les martyrs, ne peut être inspiré que par la certitude inébranlable des espérances de la Foi. Ce fut ce motif qui détermina Dollard & ses compagnons d'armes à la résolution inouïe de se battre jusqu'au dernier soupir; & si, avant leur départ pour le combat, tous ces braves eurent soin de se purifier de leurs moindres souillures par le sacrement de Pénitence & de se nourrir du Pain des forts, en s'engageant encore, par un serment solennel, à n'accepter aucun quartier, c'était pour avoir une plus grande assurance de recevoir, de Celui à la gloire duquel ils voulaient se sacrifier ainsi, la récompense qu'il a promise à ses serviteurs fidèles.

C'était là toute leur ambition, & elle se manifeste jusque dans les dispositions teftamentaires qu'ils avaient faites avant d'aller au combat. Nous avons sous les yeux le teftament d'un de ces héros chrétiens, dicté par lui-même au notaire public de Villemarie, la veille même du départ, 18 avril 1660. Il y déclare que: « Désirant aller en parti de guerre, avec le sieur Dollard, pour courir sur les Iroquois, & ne sachant comment il plaira à Dieu de disposer de sa personne dans ce voyage, il inftitue, en cas qu'il vienne à périr, un héritier universel de tous ses biens, à la charge seulement de faire célébrer, dans la paroisse de Villemarie, quatre grand's-messes & d'autres pour le repos de son âme. » Voilà tout ce que ces braves se proposaient en se sacrifiant ainsi. « M. Dollard, dit la Sœur Bourgeoys, assembla seize ou dix-sept hommes des plus généreux pour aller attaquer les sauvages & à dessein d'y donner leur vie, si c'était la volonté de Dieu; mais ils furent trahis & tous tués. » L'intrépide Major Closse, avons-nous dit, eût voulu se joindre à eux; c'était pareillement pour trouver sûrement, dans cette rencontre, le bonheur de mourir pour Dieu & pour l'établissement de son Eglise, unique motif qui l'avait attiré lui-même en Canada. Quelques-uns lui ayant un jour représenté qu'il exposait trop sa vie, en courant, selon sa coutume, partout où il y avait quelque danger, il leur fit cette réponse, bien digne d'un héros & d'un martyr chrétien: « Messieurs, je ne suis venu ici qu'afin de mourir pour Dieu, en le servant dans la profession des armes; & si j'étais assuré de ne pas y doner ma vie pour lui, je quitterais ce pays & irais servir contre le Turc, afin de n'être pas privé de cette gloire. »

Quel autre motif pouvait inspirer tant de résolution & de courage à ces héros chrétiens, alors que le pays, encore dans son enfance, ne leur offrait aucune perspective de fortune ni d'avancement personnel, comme le montrait assez l'exemple de tous ceux qui jusqu'alors s'étaient exposés ou sacrifiés pour l'établir? Eloignés de douze cents lieues de leur patrie, perdus au-delà de l'Océan, dans des pays inhabités, ils étaient assurés que leur mémoire périrait avec eux, qu'aucun hiftorien ne raconterait leurs actions, & que même les Relations de la Nouvelle-France ne les nommeraient pas, comme il était arrivé jusqu'alors à leurs concitoyens. Aussi les noms de ces dix-sept braves sont-ils reftés dans l'oubli, à l'exception de celui de Dollard, que la relation de 1660 nomme comme en passant; & même, ce qu'on a peine à comprendre, l'hiftorien de la Nouvelle-France, le P. de Charlevoix, quoiqu'il n'eût pas pour but d'écrire l'hiftoire des missions des Révérends Pères Jésuites, n'a pas non plus nommé ces braves ni mentionné la célèbre action du Long-Saut, qui eft, sans contredit, le plus beau fait d'armes de toute l'hiftoire Canadienne. Nous faisons ici ces remarques pour montrer la pureté des motifs qui animaient ces dix-sept braves; mais nous ne pensons pas diminuer la gloire qu'ils se sont acquise devant Dieu, si nous tirons aujourd'hui de l'oubli des noms si glorieux & si dignes de notre admiration, & si nous formons le vœu de voir élever un jour, dans la cité de Villemarie, un monument splendide qui rappelle d'âge en âge, avec les noms de ces braves, l'héroïque action du Long-Saut. »

J.-B.-ANTOINE FERLAND (1805-1865)

Un contemporain de Faillon, le Canadien Jean-Baptiste Antoine Ferland, poursuit une œuvre parallèle à la sienne. Ferland est ordonné prêtre en 1828, passe quelque temps dans le ministère, puis vient enseigner au Séminaire de Nicolet, où ses leçons d'histoire du Canada passionnent ses élèves, parmi lesquels se trouvait Antoine Gérin-Lajoie. L'abbé apparaît alors comme un novateur par sa façon de rendre vivante l'étude de l'histoire et par l'importance qu'il donne à l'histoire nationale, dans un monde plus tourné intellectuellement vers l'antiquité classique que vers son passé nord-américain. En 1850, alors qu'il est supérieur du Séminaire de Nicolet, Mgr Turgeon le rattache à l'évêché de Québec. La vocation historique de Ferland se précise. En 1853, il réfute avec succès les allégations fantaisistes d'un voyageur français, l'abbé Brasseur de Bourbourg, auteur d'une *Histoire du Canada*. L'année suivante il publie des *Notes sur les registres de Notre-Dame de Québec,* la plus vieille paroisse de la colonie. Après un séjour en Europe pour y recueillir de la documentation, il donne, de 1858 à 1862, des cours publics d'histoire du Canada à l'Université Laval. Ses *Cours d'histoire du Canada,* publiés en 1861 et en 1865 (2 volumes, couvrant le régime français), ont connu trois éditions dont la dernière, abondamment répandue, est de 1929. L'abbé est aussi l'auteur d'une précieuse biographie de Mgr Plessis (1863), de récits de voyages et de contes qui le classent parmi les bons auteurs du genre. Le récit de sa visite au légendaire sorcier Gamache, de l'île d'Anticosti, se retrouve dans toutes les anthologies.

MGR DE LAVAL ET LA TRAITE DE L'EAU-DE-VIE

Garneau a jugé sévèrement Mgr de Laval, qu'il a présenté comme un être despotique et encombrant pour les chefs politiques de la colonie. L'abbé Ferland souligne le rôle éminent du premier évêque de Québec non seulement dans l'ordre religieux mais aussi dans les questions civiles. L'évêque a particulièrement lutté contre la vente de l'eau-de-vie aux Indiens. Après avoir décrit quelques-unes des funestes conséquences de ce commerce, Ferland termine par un éloge du rôle joué par Mgr de Laval dans cette affaire.

« En retour de tous ces maux, quels profits le pays retirait-il de la vente des boissons enivrantes? Les droits imposés sur l'eau-de-vie rapportaient environ deux mille francs par année; les coureurs de bois, qui la portaient aux Sauvages, ruinaient leur santé en peu d'années, et à la fin de leurs courses étaient exploités et pressurés par ceux qui les avaient équipés pour le voyage. En somme, les profits revenaient à une quinzaine de cabaretiers, haïs et méprisés des vrais amis du pays, et qui s'empressaient, après avoir fait fortune, de retourner en

VOIR ILLUSTRATION — 98

France, pour dépenser, loin du théâtre de leur infamie, une fortune honteusement acquise. E* c'était pour l'avantage de ces misérables que des gouverneurs, des intendants, des membres honorables de la société s'élevaient contre le courageux évêque, criaient à la tyrannie du clergé, et invoquaient à haute voix la liberté de conscience. La morale foulée aux pieds, l'injustice dépouillant les pauvres victimes, les réduisant à la plus abjecte misère, et leur inspirant la haine et le mépris pour la nation à laquelle appartenaient leurs oppresseurs; les tribus amies de la France détruites par l'ivrognerie, et leurs tristes restes s'éloignant du siège de la contagion et s'enfonçant dans la profondeur des forêts pour échapper au fléau; les jeunes gens d'une partie de la colonie usant leurs forces, ruinant leur santé et perdant leurs mœurs dans des courses qui ne les enrichissaient point; la culture des terres abandonnée, le progrès de la population arrêté, le pays tout entier s'appauvrissant pour remplir les coffres de quelques aventuriers qui avaient réussi à tromper les autorités: voilà le triste tableau que l'évêque présentait à la cour; et ce tableau, des documents authentiques le prouvent, n'avait pas été chargé, ni assombri. Un spectacle semblable avait commencé à se montrer dans les colonies anglaises, et le gouverneur Andros, dans l'intérêt de la morale et de l'humanité, proposa aux Français d'interdire la vente des boissons enivrantes aux Sauvages, promettant d'en faire autant de son côté; mais sa demande fut rejetée. Les législateurs de la Nouvelle-Angleterre avaient si bien reconnu les désordres causés par l'ivrognerie, qu'ils publièrent une ordonnance par laquelle il était défendu, sous de graves peines, de distribuer des eaux-de-vie aux Sauvages; le même règlement fut établi par Penn dans sa pacifique colonie; et ces hommes ont trouvé de nombreux panégyristes. Mais, lorsqu'un évêque et ses coadjuteurs viennent réclamer, au nom de Dieu et de la patrie, que l'on mette fin aux pratiques désastreuses auxquelles se livraient quelques marchands, pour eux l'on n'a que des paroles de haine et de mépris.

Aujourd'hui que les passions de l'époque se sont tues depuis longtemps, il est impossible de ne pas admirer l'énergie que déployait le noble évêque, implorant la pitié du monarque pour les pauvres Sauvages de la Nouvelle-France avec tout le courage que montrait Las Casas, lorsqu'il plaidait la cause des Sauvages de l'Amérique espagnole. Dédaignant les hypocrites clameurs de ces hommes qui prostituaient le nom de commerce pour couvrir leurs spéculations et leurs rapines, il s'exposa aux mépris et aux persécutions pour sauver les restes de ces vieilles nations américaines, pour garantir son troupeau de la contagion morale qui menaçait de s'appesantir sur lui, et pour ramener dans la bonne voie les jeunes gens qui allaient se perdre au milieu des tribus sauvages (...). »

HENRI-RAYMOND CASGRAIN (1831-1904)

On sait la place considérable — on l'a vu au chapitre de la poésie — qu'occupe l'abbé Henri-Raymond Casgrain dans la littérature canadienne. Lié à la plupart des auteurs des années 1860, il a joué un rôle non négligeable, qu'il n'a pas manqué de souligner lui-même, dans le mouvement qu'on a baptisé avec quelque présomption l'« École » de Québec.

Plus jeune que Faillon et Ferland (il est né en 1831), l'abbé occupe la scène jusqu'au début du XXᵉ siècle, tandis que les deux premiers sont disparus l'un en 1870, l'autre en 1865. Romantique impénitent, profondément marqué par la lecture de Chateaubriand, Casgrain, en publiant en 1860 ses *Légendes*, brossait en fait des tableaux de mœurs. Son inclination à écrire des œuvres d'imagination imprègne sa production historique abondante et soutenue. De 1864 à 1897, il publia plusieurs biographies, dont la plus copieuse reste une *Histoire de Marie de l'Incarnation*, et la plus célèbre, une vie de Garneau. Il donna aussi, entre autres ouvrages, une *Histoire de l'Hôtel-Dieu de Québec* et surtout un *Montcalm et Lévis*, en 1891.

Le vif succès de l'œuvre historique de Casgrain auprès de ses contemporains, friands de scènes dramatiques, de personnages hauts en couleur et d'exploits héroïques, ne doit pas faire illusion. Le mérite véritable et durable de Casgrain a résidé dans son application continue à recueillir et à publier des matériaux pour les historiens futurs du Canada. Si plusieurs grandes familles françaises ont accepté de livrer aux chercheurs des manuscrits de leurs ancêtres mêlés à notre histoire, si les conservateurs ont ouvert de bon gré leurs fonds d'archives aux érudits, si bien des historiens français et des plus grands ont découvert le Canada et lui ont fait une place dans leur œuvre, c'est en grande partie grâce à l'action de l'abbé Casgrain, le plus efficace de nos ambassadeurs culturels du siècle dernier.

LA MORT DE MONTCALM

Le meilleur ouvrage historique de Casgrain reste son *Montcalm et Lévis*, dans lequel il raconte la Guerre de Sept Ans en Amérique du Nord. L'auteur utilise largement les témoignages contemporains, surtout les mémoires et la correspondance des officiers français, qu'il se contente souvent de paraphraser. La mort et la sépulture de Montcalm abondent en beaux gestes et en mots historiques dans le goût des lecteurs de Casgrain.

« Le dernier billet de Montcalm, écrit par son secrétaire à dix heures du soir, avait été remis à Vaudreuil avant qu'il eût quitté le camp de Beauport. Le porteur de ce billet ne lui avait pas caché que le général était expirant. Montcalm avait été transporté dans la maison du docteur Arnoux, chirurgien du roi, lequel se trouvait alors à l'île aux Noix avec Bourlamaque. Son frère, le jeune Arnoux, chirurgien comme lui, fut appelé à sa place. Il examina attentivement la plus grave des deux blessures; puis, hochant la tête, il regarde l'illustre patient.

« La blessure est mortelle? interrogea Montcalm,

— Oui, répondit Arnoux sans ambages.

— J'en suis content, répliqua Montcalm; combien ai-je encore de temps à vivre?

— Pas vingt-quatre heures.

— Tant mieux! repartit le mourant; je ne verrai pas les Anglais dans Québec ».

Son fidèle aide de camp Marcel était accouru auprès de lui dès qu'il avait appris sa blessure. Il s'établit à son chevet et ne le quitta plus. C'est à Marcel que Montcalm confia ses dernières recommandations; il le chargea d'écrire à Candiac et d'aller, à son retour en France, porter un suprême adieu à sa mère, à sa femme, à ses enfants. Au chevalier de Lévis, son meilleur ami, il légua tous ses papiers.

Quand M. de Ramezay, commandant de la garnison, vint lui demander des avis sur la défense de Québec, il le congédia en lui disant: « Je n'ai plus d'ordres ni de conseils à donner; le temps qui me reste est très court, et j'ai à traiter des affaires bien plus importantes! »

Cependant, à travers les ombres de la mort qui l'enveloppaient, il entrevit un dernier devoir public à remplir: celui d'implorer la clémence du vainqueur pour le peuple de colons dont la défense lui coûtait la vie. Il écrivit au successeur de Wolfe, le brigadier Townshend: « L'humanité des Anglais me tranquillise sur le sort des prisonniers français et sur celui des Canadiens. Ayez pour ceux-ci les sentiments qu'ils m'avaient inspirés. Qu'ils ne s'aperçoivent pas d'avoir changé de maître. Je fus leur père, soyez leur protecteur. »

Un instant après entra le vénérable évêque de Québec, dont la figure de mourant portait l'empreinte d'une douleur inexprimable. Il le prépara à la mort et lui administra les derniers sacrements, que le général reçut avec l'ardeur de sa foi méridionale. Mgr de Pontbriand ne voulut pas le quitter avant d'avoir reçu son dernier soupir. « Je meurs content, répéta de nouveau le général, car je laisse les affaires du roi, mon maître, entre de bonnes mains; j'ai toujours eu une haute opinion des talents de M. de Lévis. » Il rendit le dernier soupir le 14 septembre, à l'aube du jour. Il n'était âgé que de quarante-sept ans et six mois. »

UN FRANC-TIREUR : BENJAMIN SULTE (1841-1923)

L'œuvre de Benjamin Sulte, auteur d'une *Histoire des Canadiens français* et d'un grand nombre de monographies, n'a pas connu le succès de celles des Ferland et des Casgrain. Il est vrai que son *Histoire* représente une tentative de synthèse nettement prématurée. Remplie de longues citations et d'énumérations sèches, elle manque aussi des qualités de pensée et de style d'une grande œuvre. De plus, Sulte, à tout bout de champ, part en guerre contre le clergé, les jésuites surtout, et il révèle une francophobie agressive. Autant de traits qui expliquent le peu de faveur de ses écrits dans le Québec des années 1880, où triomphent l'influence cléricale, les principes du conservatisme politique et religieux, et les efforts de rapprochement culturel avec l'ancienne mère-patrie.

Pourtant, l'œuvre de ce prolifique auteur — entre 1862 et 1886 seulement, il a publié cent articles dans *La Revue canadienne* — ne manque pas de mérites. Il a voulu écrire l'histoire du peuple à une époque qui voit régner en maître l'histoire des grands chefs politiques et militaires. Par ses publications innombrables et ses conférences, il a entretenu, chez nous, le goût de l'histoire. À côté de jugements fantaisistes, on trouve dans son œuvre des aperçus originaux et neufs, par exemple sur la vie économique, la vie militaire, les explorations.

LA NOUVELLE-FRANCE, COLONIE MILITAIRE

Les pages que Sulte consacre à la vie militaire comptent parmi les meilleures de son œuvre. Dans le sixième tome de son *Histoire des Canadiens français*, l'auteur explique la force de résistance qu'a déployée la colonie.

« Faible comme chiffre de population, comparée à ses voisines de la Nouvelle-Angleterre, la colonie canadienne présentait néanmoins le spectacle d'une nation redoutable sur les champs de bataille et envahissante par système. L'habitude de porter des armes et de repousser les attaques des sauvages date des commencements de la colonie, et cela non pas dans une certaine classe de la population canadienne seulement, mais dans toutes — les femmes et les enfants compris. Si les Anglais nous eussent aidés tout d'abord à vaincre les Iroquois, le goût des combats ne se serait point développé parmi nous. L'élément militaire s'était ainsi constitué ou plutôt s'était emparé des habitants plusieurs années avant l'arrivée des troupes (1665). A partir de ce moment, le roi et ses ministres appuyèrent leur politique américaine sur la passion que les Canadiens nés dans le pays témoignaient pour le métier des armes, et ils cultivèrent celle-ci de plus en plus. Lorsque la France et l'Angleterre en vinrent aux prises (1689), notre milice était chose établie de longue date. Il n'en coûtait pas plus à un Canadien d'entreprendre des courses de cent lieues, en toutes saisons, qu'à un soldat ordinaire de faire étape d'une ville à l'autre. L'été en canot d'écorce, l'hiver sur des raquettes, le milicien, peu embarrassé de son mince bagage, s'enfonçait dans les profondeurs des bois et vivait à même le pays qu'il parcourait. Dormir dans la neige, raccommoder chemin faisant son embarcation, ses armes, son vêtement; conserver une bonne humeur inaltérable au milieu des épreuves de cette rude existence, voilà le type dont nulle colonie anglaise ou espagnole ne nous offre d'exemple. Lorsque les rivages inhospitaliers de la baie d'Hudson résonnaient des refrains de nos chansons à boire; que les flots du Mississipi et du golfe du Mexique portaient nos joyeux canotiers redisant des couplets d'amour, ou lorsque venait éclater aux oreilles des garnisons anglaises l'hymne de guerre des fils du Saint-

Laurent, tout un continent rendait hommage à la race héroïque de ces campagnards devenus soldats par nécessité, découvreurs par goût et poètes par vocation. De tels hommes fondent des empires. C'était à la France à surveiller l'impulsion de leur ardeur, à tenir l'équilibre entre ces forces éparpillées au loin et le foyer d'origine, le Bas-Canada. Au lieu de leur fournir aide et protection, la mère-patrie exigea davantage des Canadiens, elle les poussa aux aventures, honora le métier des armes, puis cessa d'envoyer des cultivateurs; elle fit peser sur ce petit peuple le dur monopole du commerce, et tendit enfin jusqu'à les briser les ressorts de cette machine admirable. »

L'histoire politique

Un Sulte qui, à la manière de Garneau, embrasse l'histoire canadienne dans son ensemble, reste une exception. Les historiens du temps, généralement plus conscients de l'abondance toujours plus grande des sources et des difficultés de leur tâche, limitent leurs entreprises. Avec l'histoire religieuse, l'histoire politique connaît beaucoup de faveur. Dans la pensée du temps, l'histoire politique sert à initier les jeunes générations au fonctionnement des institutions et à leur maniement. D'où l'importance d'écrire une histoire politique portant surtout sur les périodes récentes et contemporaines. De plus, pour les hommes de 1860, la conquête du gouvernement responsable constitue une étape décisive, l'aube de temps nouveaux, le fait capital de l'histoire nationale. Il convient non seulement de marquer l'importance d'une telle victoire, mais aussi d'en célébrer les bienfaits. Avec Turcotte, Gérin-Lajoie, David et De Celles, une tradition d'histoire politique — déjà, il est vrai, présente chez Garneau — s'établit solidement et elle pèsera sur l'historiographie québécoise jusqu'à nos jours.

LOUIS-PHILIPPE TURCOTTE (1842-1878)

Louis-Philippe Turcotte, obligé d'interrompre ses études au Séminaire de Québec à la suite d'un accident qui le rend invalide pour le reste de ses jours, découvre dans ses loisirs forcés sa vocation d'historien. À la fin des années 1860, il rédige une histoire du *Canada sous l'Union* publiée en deux volumes, en 1871 et 1872. L'ouvrage, appliqué et honnête, tient plus par moment de la compilation que de l'histoire. Il constitue un recueil utile de faits et de statistiques, auquel des générations de chercheurs ont eu recours. Même si l'histoire politique y tient la part du lion, l'auteur cherche aussi à décrire les progrès matériels et culturels du Canada de l'époque. Turcotte a publié une histoire de l'Île d'Orléans en 1867, et il donne, après son

Canada sous l'Union, plusieurs brochures de biographies politiques. Il participe activement aux travaux historiques et littéraires de l'Institut canadien de Québec, dont il est élu président l'année de sa mort (1878).

LES PROGRÈS SOUS L'UNION

Dans la conclusion du *Canada sous l'Union,* l'auteur résume les grandes réalisations du pays sous ce régime. Le tableau, résolument optimiste, reste un témoignage sur l'état d'esprit des contemporains de Turcotte, en ces premières années de la Confédération. L'historien s'arrête, dans l'extrait qui va suivre, aux progrès dans l'ordre matériel.

« Malgré ces grandes luttes politiques, le Canada progressa cependant avec rapidité. Lorsque l'on jette un coup d'œil sur l'état des provinces avant leur union, on a une meilleure idée des changements qui se sont opérés en toutes choses. En effet, depuis 1841, le progrès matériel, le progrès dans la législation, etc., a été immense. Les Canadiens ont d'abord amélioré la navigation du Saint-Laurent, et en ont fait une des plus belles voies de communication du monde entier. Ils ont agrandi et achevé leurs canaux, bâti des phares, des bouées etc. Ils ont enveloppé la province dans un réseau de lignes télégraphiques et de chemins de fer. Ces grands travaux ont activé le commerce, l'industrie, augmenté la valeur des produits et des propriétés, et amené par là la prospérité des individus. Grâce à des communications faciles, le commerce a pris des proportions gigantesques. Depuis la concession de la liberté commerciale en 1849, les vaisseaux de tous les pays ont navigué dans les eaux du Saint-Laurent, les marchands ont établi des relations commerciales avec les nations étrangères. Le commerce augmente si considérablement qu'en 1867, les chiffres des importations et exportations atteignent $100,000,000., montant considérable pour une province de moins de 3,000,000 âmes.

La colonisation a aussi marché à grands pas, et un grand nombre de belles paroisses se sont élevées au milieu de la forêt. L'agriculture s'est également développée; les expositions annuelles, les écoles d'agriculture, les journaux agricoles ont beaucoup contribué à ce progrès. Plusieurs belles industries, celles du bois, des pêcheries, des mines, etc., ont augmenté sur un grand pied; quelques autres ont été créées et sont aujourd'hui prospères. »

ANTOINE GÉRIN-LAJOIE (1824-1882)

Chez Antoine Gérin-Lajoie, auteur de *Dix ans d'histoire du Canada, 1840-1850,* l'histoire apparaît, plus nettement encore que chez Turcotte, ordonnée à l'éducation politique. L'auteur des *Jean Rivard,* toujours animé de préoccupations civiques, destine particulièrement ces pages « aux jeunes gens qui désirent prendre une part active aux affaires publiques et dont la première ambition est de connaître les annales de leur pays.» La période que couvre Gérin-Lajoie est moins étendue que celle étudiée par Turcotte et son histoire est plus étroitement politique. Mais *Dix ans d'histoire* est mieux construit et plus agréable à lire que le livre de Turcotte. Gérin-Lajoie s'était mis à l'étude de l'histoire après avoir établi sa réputation de romancier: son ouvrage, écrit dans les dernières années de l'Union et au tout début de la Confédération, ne fut livré au public qu'en 1888.

LA DIVISION DES LIBÉRAUX CANADIENS-FRANÇAIS

La session de 1849 a été prorogée à la suite des émeutes provoquées par le *Lower Canada Rebellion Losses Act*. Devant le déploiement du fanatisme tory, les Canadiens français se divisent sur l'attitude à prendre.

«Durant les mois qui suivirent la prorogation, une lutte violente, acharnée, s'engagea dans la presse canadienne-française. M. Papineau, tout en protestant de sa confiance dans la nouvelle administration, avait déjà montré plus d'une fois dans le cours de la session qu'elle était loin d'avoir toutes ses sympathies. Il était facile de voir qu'il n'attendait qu'une occasion pour lui déclarer ouvertement la guerre. Cette occasion ne se présentant pas assez tôt, il prit le premier prétexte venu. Une députation ayant été le prier d'assister à une certaine réunion irlandaise, M. Papineau publia, quelques jours plus tard, la conversation qui avait eu lieu entre lui et les membres de la députation. Dans cette conversation, M. Papineau ne ménageait point les nouveaux ministres; il les accusait d'avoir brûlé de remplacer leurs prédécesseurs, lui qui avait, quelques mois auparavant, fait l'éloge de leur désintéressement; il se servait même à leur égard d'un langage insultant. En même temps il répétait ce qu'il avait déjà dit si souvent sur les injustices de l'acte d'Union et sur la nécessité d'en demander le rappel.

Les journaux, qui jusqu'alors n'avaient pas voulu attaquer de front l'ancien tribun, rompirent enfin le silence et repoussèrent ses attaques. M. Papineau répondit par un troisième et un quatrième manifestes, dans lesquels la passion politique ne le cédait qu'à la violence du langage. La population canadienne dut choisir entre son ancien chef, dont la voix éloquente l'avait autrefois électrisée, et les hommes qui la dirigeaient depuis dix ans: l'attitude de M. Papineau ne laissait pas d'autre alternative. Ce fut un moment pénible pour notre population, qui avait été si heureuse de voir M. Papineau se rallier franchement à cette phalange dont la conduite prudente et patriotique avait en quelques années opéré un changement si important dans notre situation politique.

Un journal, l'*Avenir*, fondé depuis quelques mois à Montréal, devint bientôt l'organe de M. Papineau. Une douzaine de jeunes gens de talent et d'ambition formèrent un comité de rédaction, et se firent les apôtres ardents et dévoués des doctrines de M. Papineau. A Québec, le *Canadien* se rangea bientôt sous le même drapeau. D'un autre côté, la *Minerve*, le *Journal de Québec*, la *Revue canadienne*, restèrent fidèles au parti de la réforme et du progrès et combattirent énergiquement ces nouveaux dissidents. La lutte, qui dès le principe avait été plus personnelle que politique, continua à l'être plus que jamais. »

LAURENT-OLIVIER DAVID (1840-1926)

Laurent-Olivier David, fidèle partisan libéral qui devint sénateur en 1903, a été l'ami et le confident de la plupart des écrivains et des politiques de son temps, sur lesquels il a laissé des témoignages précieux *(Biographies et portraits, Mes contemporains)*. David a beaucoup écrit sur l'histoire du Canada au XIX⁰ siècle: il a refait à son tour la biographie de Louis-Joseph Papineau et de son père; il a donné, lui aussi, une histoire du Canada sous l'Union et on lui doit un livre au succès durable sur les Patriotes de 1837-38. Dans son *Histoire du Canada depuis la Confédération, 1867-1887*, il est à la fois témoin et historien.

L'INFLUENCE INDUE

Dans son *Histoire du Canada depuis la Confédération,* David brosse un tableau des malheurs du parti libéral dans les années 1870. Un des points culminants de l'offensive ultramontaine a été l'élection de 1875 dans Charlevoix, suivie d'un procès pour « influence indue » du clergé.

« Les libéraux dénoncés, humiliés, écrasés sous le poids des accusations, protestaient et réclamaient le droit de préférer un parti à l'autre.

Ils souffraient dans leur âme et conscience d'être ainsi dénoncés par leurs prêtres, par des hommes qu'ils aiment et vénèrent, il leur était cruel de se trouver dans l'obligation de leur déplaire afin de rester fidèles à leurs convictions politiques, car ils sont rares parmi les Canadiens-français ceux qui n'apprécient pas avec enthousiasme les vertus, le dévouement et le patriotisme de leur clergé.

Ils affirmaient que, depuis trente ans, ils n'avaient rien fait pour mériter les accusations dont ils étaient victimes, et que rien ne justifiait le peuple de redouter un parti plutôt que l'autre, au point de vue religieux. Ils disaient que loin d'être les ennemis du clergé, ils étaient ses amis les plus fermes, les plus dévoués. Mais plus ils se plaignaient et protestaient, plus on les anathématisait, et les journaux qui se faisaient les interprètes de leurs plaintes et de leurs griefs, étaient ostracisés. Enfin les chefs libéraux résolurent de se protéger, et de revendiquer leurs droits de citoyens en s'adressant aux tribunaux.

Une élection avait eu lieu en 1876, dans le comté de Charlevoix, entre un ancien ministre, l'hon. M. Langevin, et un député, M. Tremblay, un brave homme, un bon catholique, un député modèle qui, à Québec comme à Ottawa, avait noblement et courageusement fait son devoir. Malgré sa popularité, Tremblay fut écrasé par l'intervention active des prêtres du comté dans la lutte.

 VOIR ILLUSTRATION — 108

Il y avait, à Québec, un avocat de talent et de caractère, l'un des professeurs les plus estimés de l'Université Laval. Au risque de perdre sa chaire et d'encourir des colères formidables, il entreprit de faire annuler l'élection de M. Langevin, pour influence indue et intimidation spirituelle. Il réussit à prouver d'une façon irréfutable et à établir clairement que partout, dans toutes les paroisses du comté de Charlevoix, les curés avaient proclamé que voter pour le candidat libéral était un péché grave et un grand danger pour la religion.

Le juge Routhier avait eu la faiblesse de décider que les tribunaux civils n'avaient pas juridiction en pareille matière et que la cause relevait uniquement de l'autorité religieuse. Mais la cause fut portée devant la Cour Suprême et le juge Taschereau, frère de l'archevêque de Québec, rendit, au nom de cette cour, un jugement conçu en termes énergiques qui annulait l'élection de M. Langevin pour influence indue et proclamait énergiquement que les faits établis constituaient une violation flagrante de la constitution et des lois du pays, en ce qu'ils empêchaient les électeurs d'exercer librement leurs droits de citoyens. Rien de plus vrai. Qui va prétendre sérieusement que l'électeur menacé du refus des sacrements ou des vengeances du ciel est libre de voter suivant son jugement et sa conscience? »

Les monographies

L'abondance des matériaux mis à la disposition des chercheurs par les inventaires et par les publications privées ou publiques, l'intérêt croissant pour la « petite patrie », encouragent des écrivains à se lancer dans les monographies, ce qui établit, là encore, l'une des traditions solides de l'historiographie canadienne-française. Sulte, qui paie d'exemple, a lancé un appel pressant aux amateurs d'histoire locale: « Ne soyez pas architectes, je le veux bien, mais devenez l'un des maçons de l'édifice, votre part sera belle encore. C'est rendre service au pays que d'aider à reconstituer son histoire. Toute pierre est utile; apportez-en beaucoup et il viendra un homme qui les mettra en place pour élever un monument à la patrie commune. » La production dans ce domaine apparaît bien inégale. Trop d'histoires sont l'œuvre d'amateurs manquant de méthode, ou trop préoccupés de célébrer des gloires locales. Les œuvres d'Ernest Gagnon, du docteur Narcisse-Eutrope Dionne, d'Ernest Myrand, goûtées par les contemporains à cause de leurs sujets plus que pour leurs qualités intrinsèques, ont bien vieilli. Un ouvrage dépasse toutefois le niveau des écrits du temps: c'est l'*Histoire de la seigneurie de Lauzon* de Joseph-Edmond Roy (1858-1913), publiée en cinq volumes entre 1897 et 1904.

JOSEPH-EDMOND ROY (1858-1913)

Joseph-Edmond Roy a révélé l'apport précieux des archives paroissiales, notariales et judiciaires, à la connaissance de l'existence quotidienne d'autrefois. En inscrivant son étude dans les cadres d'une seigneurie, il a replacé la vie des habitants dans un contexte familier et naturel. Son étude nous présente le paysan de Lauzon dans tous les domaines de son activité, tant matérielle que spirituelle. On peut faire grief à l'auteur de certaines généralisations difficiles à éviter dans une étude de ce genre, ou encore de certains jugements sévères inspirés par des préoccupations contemporaines. L'*Histoire de la seigneurie de Lauzon* n'en reste pas moins une œuvre indispensable à consulter pour comprendre la mentalité canadienne traditionnelle.

ROUTINE ET STAGNATION AGRICOLE AU DÉBUT DU XIXe SIÈCLE

Dans le quatrième tome de l'*Histoire de la seigneurie de Lauzon*, l'auteur décrit l'état de l'agriculture au début du XIXe siècle. Il s'appuie surtout sur les archives notariales. Il utilise aussi les journaux de l'époque ainsi que les récits des voyageurs. Ses considérations dépassent les cadres de la monographie et enrichissent la connaissance de l'histoire générale de la période.

« L'instruction agricole, complètement négligée sous le régime français, n'avait fait aucun progrès sous le nouveau gouvernement. L'habitant en était encore aux modes surannés de culture que les premiers colons avaient mis en œuvre lors de l'établissement du pays. Il ignorait l'art des assolements et comment mettre à propos les champs en jachère. Il cultivait la même pièce en céréales pendant des années et des années, sans jamais laisser se reposer la terre ou lui donner un nouvel aliment. La culture des arbres fruitiers semblait être dans l'enfance, ils n'étaient ni émondés ni délivrés des plantes parasites. Aussi, les beaux pommiers et les pruniers aux fruits succulents que l'intendant Talon avait jadis fait venir de France ne produisaient plus que des rejetons rachitiques. La routine dominait de partout. « Lorsqu'ils sont forcés de cultiver la terre au printemps, dit un écrivain anglais sympathique aux Canadiens pourtant, ils retournent légèrement le gazon, et, sans labourer leurs champs, sans même aplanir les mottes de terre, ils jettent leur grain avec la même indolence, et laissent au hasard à décider du succès de leurs travaux, sans se tourmenter d'autres soins jusqu'au moment de la récolte. »

L'élevage des bestiaux se faisait sans principes arrêtés, sans soins minutieux. Aussi, quels maigres troupeaux voit-on dans les inventaires de l'époque. C'est la règle pour un cultivateur de ne jamais posséder plus de trois vaches, une paire de bœufs, une génisse et une taure, six brebis, un cochon et une truie, trois ou quatre nouritureaux, un ou deux veaux. D'autres en possèdent moins, encore. La basse-cour n'est pas mieux. Il est rare que l'on dépasse la douzaine de poules. Sur dix fermes dont nous avons fait l'inventaire minutieux, nous n'en trouvons qu'une où l'on élève des dindes, c'est celle d'Ignace Nadeau, à Saint-Henri.

Quel contraste avec les fermiers des terres nouvellement ouvertes dans les cantons près de la frontière, qui conduisaient déjà au marché, par la route Craig, des bestiaux de premier choix!

Ce n'est qu'à grande peine qu'une société d'agriculture fondée à Québec vers la fin du siècle et composée d'Anglais et de Français, pouvait faire accepter de temps en temps un conseil timidement donné parce qu'il avait été repoussé tant de fois.

L'exemple des cultivateurs anglais, irlandais et écossais récemment établis à ses côtés et qui tiraient déjà un bon bénéfice de leurs exploitations, aurait dû, il semble, faire ouvrir les yeux de l'habitant. N'avait-il pas là devant lui une excellente leçon de choses? Mais il était décidément rebelle aux innovations de source étrangère. Il avait surtout une répulsion invincible à accepter de ces nouveaux venus leurs méthodes, quelque excellentes qu'elles pussent être. Il ne voulait sympathiser avec eux pour aucune raison. Il semblait, dans son entêtement, vouloir leur dire comme les bonnes gens de Rouen et de Poitiers disaient aux Anglais pendant la guerre de cent ans: « La terre prise, les cœurs sont imprenables. »

... L'habitant, se confiant à la fertilité de la terre, habitué à faire des récoltes abondantes sans se donner trop de tourments, se laissait donc entraîner doucement au courant de la vie, dans une indolence qu'on lui a souvent reprochée. Sans être riche, comme il ignorait le luxe et que son ambition était bornée, et qu'il dépensait un sous avec autant de répugnance que nous dépensons un louis de nos jours, il trouvait que le produit de sa terre suffisait à ses besoins, et il ne s'inquiétait pas d'amasser de large fortune. Il n'était ni le serf, ni le colon du moyen âge. Propriétaire de son bien, maître de sa destinée, il travaillait pour lui et sa famille, considérant tout le reste comme du superflu.

A la conquête du pays, le Canadien avait été laissé dans la pénurie la plus complète. Il n'avait été habitué ni à recevoir, ni à être aidé, mais à compter sur lui et sur ses propres ressources, et il ne sortait pas de là. Il n'eût jamais pensé à fonder des banques ou des institutions de crédit, ou à emprunter pour améliorer son sort. Ce furent les étrangers qui firent tout cela pour lui. »

BIBLIOGRAPHIE

ÉTUDES:

Maurault, Mgr Olivier, p.s.s., « M. Étienne-Michel Faillon », dans *Les Cahiers des Dix*, 24, 1959 (Montréal, 1959), bio-bibliographie.

Charland, Thomas-M., *J.-B.-A. Ferland*. Extraits de l'œuvre, accompagnés d'une bio-bibliographie, coll. « Classiques canadiens », Montréal, Fides, 1959.

Roy, abbé Camille, *L'Abbé Henri-Raymond Casgrain, la formation de son esprit, l'historien, le poète et le critique littéraire*, Montréal, Beauchemin, 1913.

Malchelosse, Gérard, *Cinquante-six ans de vie littéraire, Benjamin Sulte et son œuvre*, Montréal, Le Pays Laurentien, 1916.

D'Arles, Henri, *Nos historiens*, Montréal, Bibl. de l'Action française, 1921.

Chapitre XXVIII

LE JOURNALISME
(1860-1900)

par Pierre SAVARD

La période de 1860 à 1900 voit une prolifération sans précédent de journaux. Un érudit y a relevé près de six cents titres de journaux et de revues. Nous traitons ici de la presse quotidienne et hebdomadaire, mais il faudrait aussi faire une place, dans une histoire plus détaillée, aux petites revues qui naissent à l'époque et qui tiendront un rôle important dans l'évolution intellectuelle et littéraire du pays. La revue la plus célèbre par sa durée et par la qualité de ses collaborateurs reste *La Revue canadienne*, publiée de 1864 à 1922. Ce périodique a été conçu à l'image des grandes revues du type de *La Revue des Deux-Mondes, Le Correspondant*, le *Catholic World* ou la *North American Review*. On retrouve dans ses articles, commentaires et comptes rendus presque toutes les bonnes plumes du temps. D'autres revues, malgré leur titre spécialisé, restent éclectiques dans le choix de leurs sujets. *L'Enseignement primaire, L'Écho du cabinet de lecture paroissial* (1859-1875), *La Semaine religieuse* de Montréal et celle de Québec, *Le Naturaliste canadien* même, s'intéressent volontiers aux grandes questions politiques, sociales et littéraires. L'on a vu, pour les années 1860, que *Les Soirées canadiennes* et *Le Foyer canadien* avaient joué un rôle éphémère mais décisif dans le mouvement patriotique et littéraire.

La condition du journaliste et la vie des journaux

Il est frappant de constater les ressources restreintes des journaux à cette époque. Souvent, la feuille est imprimée sur les presses d'une imprimerie voisine. Le personnel est, lui aussi, comprimé au maximum. Les « bureaux » ou mieux la pièce qui sert de salle de rédaction est occupée par quelques tâcherons surchargés. Celui qui porte le titre ronflant de rédacteur en chef, ou même de directeur, a beaucoup à faire: Alphonse Lusignan, directeur du *Pays* dans les années 1860, rédige à la fois les réclames, les annonces, les faits divers et les articles de fond. Thomas Chapais, dans ses souvenirs au *Courrier du Canada* des années 1880, rappelle:

> « Lorsque nous sommes entré dans la presse, un rédacteur en chef était un homme à tout faire. Aidé à peine d'un ou deux sous-rédacteurs, il devait mettre la main aux différentes besognes qui ont pour objectif d'emplir les colonnes du journal: traduction des dépêches, rédaction des faits divers, des comptes rendus, voire des annonces et des réclames, correction des épreuves, et même surveillance de la mise en pages. Il lui fallait souvent, pour un même numéro, s'occuper de tout cela en même temps. Tâche agréable et intéressante! La division du travail, qui est la règle du journalisme en France, en Angleterre et ailleurs, était ici chose à peu près inconnue, par suite du défaut de ressources (...). Plus d'une fois (...) les heures matinales nous ont surpris courbé sur les colonnes rébarbatives des comptes publics et des rapports de l'auditeur général. Plus d'une fois, aux époques de crise et de polémique à jet continu, les premiers rayons de l'aube ont fait pâlir la lueur de la lampe qui avait éclairé notre labeur nocturne. Un grand nombre de nos confrères pourraient nous faire la même confidence. »

Les gazettes sont le plus souvent la propriété d'hommes ou de groupes entièrement dévoués aux intérêts d'un parti politique. Parfois, le journal a été fondé par un groupe mixte de clercs et de laïcs, en vue de promouvoir les intérêts religieux d'abord; mais ce genre de feuille s'est vite inféodé à la formation politique conservatrice. Le seul journal complètement indépendant que l'on connaisse reste *La Vérité* de Jules-Paul Tardivel, hebdomadaire au tirage restreint et dont les déficits sont comblés par la générosité des amis du directeur-propriétaire. Un tel climat général est peu propice à la formation de journalistes de valeur. La plupart du temps, les salles de rédaction sont peuplées de fruits secs de l'intelligence, qui écrivent sous la dictée des propriétaires. Même les journalistes doués doivent se plier à la discipline de parti.

On conçoit que, dans cette masse de papier imprimé, il y ait plus de paille que de bon grain. Les journaux sont rédigés à la hâte, dans une prose souvent bourrée d'anglicismes, surtout dans les comptes rendus de débats parlementaires. Il y a peu d'annonces, il est vrai, mais les informations aussi sont rares. Elles sont en retard, souvent déformées, interprétées et triées en fonction des positions du journal. Les reproductions de journaux européens, qu'il s'agisse d'articles politiques ou religieux, abondent, solution dont abusent les feuilles en mal de copie. Parfois, ces reproductions rehaussent à tout le moins le niveau littéraire du journal. Nombreuses et interminables sont les polémiques. Celle, célèbre, entre Fréchette, Dessaules et Routhier, à propos des *Causeries du Dimanche* de ce dernier, occupe plus de cent cinquante pages d'un volume de format moyen.

Les grands organes reflètent les principales options politiques et idéologiques du temps. *La Minerve* de Montréal, fondée en 1826 et qui achève de paraître avec le siècle, organe dévoué depuis les années 1850 au parti conservateur, reste dans l'ensemble le mieux fait. *La Presse,* fondée à Montréal en 1884 et favorable aux conservateurs jusqu'à 1898, apparaît comme le journal le plus dynamique par ses innovations techniques et son adaptation à la formule du journalisme à grand tirage. À Québec, *Le Canadien,* dont les débuts en 1806 ont constitué une page décisive dans l'histoire de notre journalisme, connaît d'autres heures de célébrité entre 1874 et 1893, sous la direction d'Israël Tarte. Comme *Le Canadien, Le Journal de Québec* (1842-1889), puissant surtout dans le troisième quart du siècle sous la direction de Cauchon, passe d'une formation politique à l'autre au gré de ses propriétaires. Dans la seconde moitié du siècle, à Québec, c'est *Le Courrier du Canada* qui représente le plus fidèlement le courant conservateur orthodoxe et ultramontain. Fondé en 1857 à l'instigation des évêques par un groupe de clercs et de laïcs, *Le Courrier* reste entre les mains des conservateurs jusqu'à sa disparition en 1901. Dans les années 70, un autre quotidien ferraille dans le camp ultramontain, c'est *Le Nouveau-Monde* (1867-1900), connu plus tard sous le nom du *Monde,* puis du *Monde canadien,* qui glisse aux mains de conservateurs en politique. Son esprit se retrouve dans *L'Étendard* (1883-1893) du sénateur François-Xavier-Anselme Trudel, resté célèbre pour ses prises de positions violentes en faveur de Riel et pour son appui au mouvement national. Ces deux journaux attaquent sans désemparer non seulement les radicaux, mais tous ceux qu'ils soupçonnent de concessions au libéralisme, tels Benjamin Pâquet, le recteur de Laval, et l'archevêque Taschereau. C'est sans conteste dans *Le Franc-parleur* de Montréal (1870-1878), rédigé surtout par des plumes ecclésiastiques, que les attaques anti-libérales atteignent leur plus haut période. On retrouve dans plusieurs villes de la province d'autres organes dévoués aux conservateurs, tels le *Courrier de Saint-Hyacinthe* publié depuis 1853 et illustré par une série de rédacteurs en chef solides, *Le Pionnier* de Sherbrooke (1866-1902), *Le Journal des Trois-Rivières* (1865-1893), organe officiel de Mgr Laflèche.

Certains journaux méritent une place à part. *L'Evénement,* fondé en 1867 par Hector Fabre, est attaché au parti libéral de 1873 à

1878, mais ses lecteurs le lisent surtout pour la prose déliée de Fabre, son principal rédacteur. *L'Opinion publique* (1870-1883) se fait remarquer par l'excellence de son illustration et de sa typographie, de même que par la qualité littéraire de ses collaborateurs: Fréchette, Beauchemin, Chapman, Marmette, Faucher de Saint-Maurice, Chauveau, Casgrain... *La Vérité*, dont Jules-Paul Tardivel est directeur-propriétaire, reste à la fin du siècle le plus célèbre des journaux politiquement indépendants et le seul à pénétrer dans bien des collèges.

Le parti libéral compte quelques journaux dévoués, comme *L'Électeur*, de Québec, qui depuis 1880 lutte contre plusieurs adversaires. *Le Franco-Canadien*, de Saint-Jean d'Iberville, rédigé avec talent par les libéraux Charles Laberge et Félix-Gabriel Marchand, se range parmi les meilleurs journaux régionaux. *L'Union libérale*, publié à Québec, groupe de 1888 à 1896 une brillante pléiade de jeunes qui vont laisser leur marque dans la vie du Québec, comme Alexandre Taschereau et Adélard Turgeon. La victoire électorale des libéraux à Ottawa, en 1896, et à Québec l'année suivante, va finir par renverser la situation à leur avantage. Les chefs libéraux des années 1860 à 1900 ont fort à faire pour calmer les organes radicaux qui se réclament volontiers de leur parti. *Le Pays*, de Montréal, rédigé par une équipe sortie tout droit de l'Institut canadien, a pris la relève de *L'Avenir* en 1852. Jusqu'à 1871, ce journal lutte sans trêve contre les conservateurs et la Confédération, contre le clergé et l'aile modérée des libéraux. Dans les années 80, c'est *La Patrie* de Honoré Beaugrand, maire de Montréal, qui continue la lutte anti-cléricale. Mais une succession de condamnations épiscopales, jointes à l'action pacificatrice de Laurier qui fait acheter *La Patrie* par Tarte, vont décimer la presse radicale.

Si la carrière de journaliste reste précaire, cette multiplicité des journaux et l'encombrement des professions libérales favorisent l'éclosion de nombreux talents. Des éditorialistes vigoureux s'affirment. Joseph Cauchon, du *Journal de Québec*, ne sait guère écrire, mais il tape dur. Joseph-Charles Taché, du *Courrier du Canada*, manie une plume alerte et ses entêtements sont célèbres. Oscar Dunn fait sa marque comme rédacteur en chef à *L'Opinion publique*, au *Courrier de Saint-Hyacinthe* et au *Journal de l'Instruction publique*. Joseph-Israël Tarte, du *Canadien*, embrasse avec brio les causes les plus contradictoires. Thomas Chapais, au *Courrier du Canada*, apparaît solennel et rigoureux dans son orthodoxie conservatrice. Jules-Paul Tardivel, avant tout attaché aux intérêts religieux, s'illustre par sa phobie de la franc-maçonnerie. Le radical Dessaulles scandalise autant par son style fautif que par ses attaques contre Mgr Bourget.

Joseph-Charles Taché, même après son abandon du journalisme actif, trempe volontiers sa plume dans une encre vengeresse pour fustiger les libéraux et les radicaux. Sa réponse à Sulte, sous le titre « Les Histoires de M. Sulte », est justement célèbre. L'abbé Alexis Pelletier, du *Franc-parleur*, reste le polémiste le plus redoutable suscité par les querelles politico-religieuses qui remplissent de leur tumulte cette époque; son impertinence et sa violence de ton lui valent des désaveux épiscopaux. Le dominicain Pierre-Théophile Gonthier (1853-1917) combat avec talent la poussée d'anticléricalisme et de libéralisme qui marque la fin du siècle.

* *
*

Parmi les journalistes qui ont laissé des recueils de *Mélanges* pour la postérité, deux noms s'imposent par la continuité de leur action, le ton élevé de leurs écrits et l'étendue de leur influence: Thomas Chapais et Jules-Paul Tardivel.

THOMAS CHAPAIS (1858-1946)

Thomas Chapais s'est taillé une carrière enviable d'orateur et d'historien. On oublie trop les vingt années de sa vie qu'il a consacrées au journalisme actif. En 1880, alors qu'il n'a que dix-sept ans, Chapais commence à collaborer au *Courrier du Canada*, dont il devient rédacteur en chef quatre ans plus tard. Jusqu'à la disparition du journal en 1901, Chapais y rédige des articles de fond imprégnés d'une pensée conservatrice tant sur le plan politique que religieux. Le vieux Joseph-Charles Taché, qui s'y connaît en conservatisme, lui écrit en 1883: « De toute la génération qui pousse et qui compte beaucoup de bons et de beaux talents, c'est vous qui me donnez le plus d'espoir. Si ma plume valait le prix que vous semblez y attacher et que, sur mon lit de mort, j'eusse à la passer à quelqu'un, je vous dirais: « Prenez! » À partir de 1899, Chapais tiendra aussi, pendant plus de vingt ans, une chronique dans *La Revue canadienne*, où il commentera les événements du mois. Chapais s'affiche carrément ultramontain, défenseur ardent de la papauté et du pouvoir temporel des papes; il pourfend les catholiques libéraux et les radicaux, se pose en défenseur de la morale en dénonçant toutes les manifestations littéraires et artistiques qui ne répondent pas à la sévérité de ses critères. En politique, il fait preuve d'une fidélité exemplaire au parti de

 VOIR ILLUSTRATION — 104

Macdonald et refuse — avec Mgr Laflèche — de suivre les ultra-montains québécois dans leur adhésion au parti national créé à la suite de l'affaire Riel. Sans trêve, il dénonce Laurier qui, à ses yeux, prépare l'annexion aux États-Unis et sacrifie les Canadiens français de l'Ouest dans les questions scolaires.

LES IDÉES DE « L'ÉLECTEUR »

Le quotidien québécois *L'Électeur* s'est permis de railler la presse ultra-montaine. Chapais, rédacteur en chef du *Courrier du Canada*, en profite pour asséner quelques coups de gourdin à la feuille rivale, par surcroît organe du parti libéral.

« Des sphères supérieures où il plane, *L'Électeur* a laissé tomber un regard sur une « certaine presse » de Québec. Et une grande pitié s'est emparée de lui. Hélas! dans quel état est cette presse, et combien peu elle répond à l'idéal que *L'Électeur* s'est fait du journalisme intelligent et consciencieux! Songez donc qu'il se rencontre à Québec des journaux qui s'occupent des questions religieuses, qui suivent avec intérêt le mouvement des idées en Europe, qui prennent part à tout ce qui émeut l'Église! Peut-on méconnaître à ce point le rôle et la mission de la presse?

Ah! *L'Électeur* ne donne pas dans ce travers, lui. Il offre à son public une nourriture plus saine, il se fait l'interprète d'idées plus élevées, il s'occupe de plus nobles intérêts, il traite de sujets d'une plus haute portée. Ce n'est pas lui qu'on prendra jamais à étudier une question religieuse. L'indépendance et la liberté de l'Église, les grands problèmes posés devant la société chrétienne au XIXe siècle, les faits qui se produisent dans le monde moral, que lui importe tout cela? Est-ce pour s'amuser à de pareilles futilités qu'on est journaliste? Non, ce qui convient à des écrivains dignes de leur mission, c'est de se décerner à soi-même des lauriers, c'est de ramasser des cancans et de colporter des calomnies, c'est de cultiver les préjugés et d'amuser les badauds, c'est de populariser les mauvais livres et de prôner le mauvais théâtre. Voilà le véritable rôle de la presse, surtout de la presse catholique...

L'organe de M. Langelier est très curieux. Il pose une série de questions des plus importantes avec une volubilité sans égale.

« Est-il possible, en effet, s'écrie-t-il, de trouver *nulle part ailleurs sur la surface du globe,* une société religieuse plus fidèle, plus soumise que la nôtre? Est-on capable de signaler chez la population catholique de notre district un seul acte de révolte contre l'enseignement des autorités religieuses, l'expression d'une seule doctrine fausse, d'une seule idée subversive émanant de quelque quartier que ce soit, de la classe instruite comme de la classe illettrée? »

C'est toute une enquête que demande *L'Électeur*. Toutefois, sans avoir fait d'investigation spéciale, nous connaissons, pour notre part, un journal québécois qui a prôné une troupe de comédiens, plusieurs jours après que celle-ci a été solennellement dénoncée par l'Ordinaire; qui a publié des réclames scandaleuses, en faveur de livres abominables; qui a prêté ses colonnes aux annonces d'une association maçonnique; qui a traité avec une injustice et un manque de respect absolus d'éminents dignitaires ecclésiastiques, etc., etc. *L'Électeur* connaît bien ce journal.

317

C'est probablement parce qu'il le connaît trop bien qu'il écrit de si belles choses contre la certaine presse qui, très souvent, se place à un point de vue religieux pour publier des critiques importunes. Nous comprenons le zèle de *L'Électeur,* nous ne sommes pas surpris de l'entendre nous dire: faites comme moi, laissez de côté les principes.

Mais son éloquence ne nous convainc pas, et son exemple ne nous séduit pas. »

JULES-PAUL TARDIVEL (1851-1905)

Un autre journaliste de l'époque est resté célèbre tant par sa personnalité que par l'influence qu'il a exercée: Jules-Paul Tardivel (1851-1905). Comme Chapais, Tardivel se pose en défenseur du catholicisme intégral et de la morale entendue au sens le plus rigoriste. Comme le rédacteur du *Courrier du Canada,* le directeur-propriétaire de *La Vérité* se modèle sur Louis Veuillot et reste en relations étroites avec les catholiques de France, qui lui fournissent des armes. D'accord sur les questions étrangères à la vie canadienne, lui et Chapais ne s'entendent pas, toutefois, sur les problèmes de chez nous. Alors que Chapais défend le parti conservateur contre vents et marées, Tardivel affiche une indépendance farouche à l'égard de tous les partis politiques, allant jusqu'à refuser les annonces gouvernementales dans son journal. Comme Veuillot, il s'est aussi exprimé par le roman *(Pour la patrie,* roman antimaçonnique, 1895).

L'ESPRIT DE PARTI

Le directeur-propriétaire de *La Vérité* s'est toujours gardé à distance du pouvoir et des partis politiques. Dans un article écrit au moment de l'agitation rielliste, il dénonce « l'esprit de parti » qui, avec la vénalité et la corruption, affaiblit le groupe canadien-français. Comme remède à ce fléau, Tardivel lance un appel au sens catholique qui fait juger selon les intérêts du « royaume de Dieu », et non en fonction des combinaisons humaines.

« L'esprit de parti est un aveuglement de l'intelligence qui nous fait juger les événements non d'après les principes éternels du droit, de la justice et de la vérité, mais selon les intérêts de tel ou tel homme politique, de tel ou tel groupe parlementaire. Celui qui est affligé de ce mal cruel parlera sensément de tout ce qui ne touche pas à son parti; il jugera sainement les affaires d'Europe, des Etats-Unis, de l'Afrique, de l'Asie; sur les questions abstraites, sur les questions d'histoire, de littérature, de finance, de commerce, d'industrie, d'agriculture et de colonisation, il émettra des opinions raisonnées et raisonnables; mais du moment qu'il touche à la *politique de parti,* il perd la tête, il parle et agit comme un véritable aliéné. L'esprit de parti est une aliénation mentale, une monomanie bien caractérisée. (...) Le partisan dira que le blanc est noir et que le noir est blanc dix fois par jour sans se douter seulement des lamentables contradictions dans lesquelles il tombe.

318

Il blâme chez le parti opposé ce qu'il approuve ou pardonne chez les siens. La corruption électorale exercée par les autres est un crime impardonnable; pratiquée par *son* parti, c'est de l'*organisation*, c'est une *louable et patriotique ardeur dans la lutte*. Si les chefs bleus achètent un journaliste *rouge* ou un député *rouge*, tous les bleus admireront l'habileté de leurs chefs et s'élèveront avec des transports de rage contre la vénalité de leurs adversaires. De leur côté, les *rouges* parleront peu de la vénalité des leurs; cette vénalité ne les empêchera pas d'avoir confiance dans les hommes que les *bleus* ont corrompus. Mais ils répandront les flots de leur indignation contre les *bleus* corrupteurs.

Bleus et *rouges*, aveuglés par l'esprit de parti, ne voient que le mal qui se produit chez leurs adversaires; leurs propres turpitudes leur apparaissent comme des vertus. Les *bleus* s'allient aux orangistes, les défendent, refusent de voir en eux des ennemis de l'ordre social, et ils se voilent la figure, crient au scandale quand les *rouges* chantent la *Marseillaise!* Les *rouges* reprochent aux *bleus* leur alliance avec les orangistes et ils ont pour coryphées des francs-maçons notoires et des apostats! Comédie et hypocrisie sur toute la ligne!

Les *bleus* font un crime à M. Blake d'avoir offert cinq mille dollars, pour l'arrestation de Riel, il y a quinze ans; jamais, disent-ils, on ne pourra tolérer cet homme au pouvoir à cause de cette offre inique: et en même temps ils acclament comme leur chef inviolable Sir John Macdonald qui a pendu ce même Riel! Offrir une récompense pour l'arrestation de Riel, c'est un crime impardonnable. Pendre Riel, c'est un acte de haute et bonne politique! Dans les affaires du Nord-Ouest, négligées par les deux partis, on ne voit que la faute de *l'autre* parti.

Les *bleus* qui cherchent sans cesse à exploiter la religion, accusent les *rouges* d'impiété; les *rouges*, sous prétexte de réagir contre les abus des *bleus*, ont travaillé pendant des années à éliminer le prêtre de la vie sociale et politique.

Les *bleus* mettent une grande ardeur à proclamer et à défendre les principes, pourvu qu'ils puissent, par la même occasion, porter des coups aux *rouges*. S'agit-il de lutter pour un principe que *nos amis* ont violé, c'est autre chose! Alors il faut y mettre beaucoup de précaution, force circonlocutions, une extrême prudence et une douceur infinie! Ce cher parti *bleu*, voyez-vous, aurait peut-être à souffrir d'un parler trop franc, les *chefs* pourraient en être froissés, embarrassés. Les *rouges*, dans l'opposition, font des discours à perte d'haleine sur les gaspillages et le népotisme de leurs adversaires, mais on n'a jamais vu qu'ils aient fait des merveilles en fait d'économie et de désintéressement une fois arrivés au pouvoir.

Et, détail piquant, *rouges* et *bleus* ont en horreur l'esprit de parti *chez les autres*. Vous rencontrez un *bleu* sur la rue, et vous entamez une discussion politique avec lui; vous serez édifié de l'entendre déclamer contre l'esprit de parti qui aveugle son voisin *rouge* et qui l'empêche de voir les méfaits de ces obstinés libéraux. Et lui-même suinte l'esprit de parti par tous les pores. Cinq minutes après, ce « voisin rouge » vous accoste et, lui qui ne jure que par *La Patrie* ou *L'Électeur*, vous déclarera, avec une grande sincérité, que seul l'esprit de parti le plus stupide peut pousser les *bleus* à croire aux balivernes de *La Minerve* et du *Monde*. »

* *
*

Les chroniqueurs

Les années 1860 et surtout 1870 ont vu fleurir chez nous un genre littéraire mineur qui a permis à certains écrivains de laisser leur nom à la postérité. Dans la chronique comme on l'entend à l'époque, l'auteur, utilisant les événements du jour ou des scènes familières, essaie de trousser un article spirituel. Ce genre s'est beaucoup développé en France de 1815 à 1870 et a notamment rendu célèbre, en son temps, le nom d'Alphonse Karr. Cette littérature de circonstance a beaucoup vieilli, mais elle reste précieuse pour reconstituer l'ambiance sociale d'une époque. Des écrivains comme Arthur Buies et Hector Fabre, qui ont vécu à Paris et ont lu les publications parisiennes, ont acclimaté ce genre de chronique au Canada. La mentalité cancanière des villes du temps créait des conditions propices à l'éclosion d'une telle littérature. Tout journaliste de ce temps fut, à un moment donné, chroniqueur, depuis L.-O. David, promis à des occupations plus graves, jusqu'à Jules-Paul Tardivel, qui tonnait contre le carnaval sous le pseudonyme de « Blaise », en passant par Edmond Paré, auteur de chroniques spirituelles et de style alerte dans *L'Union libérale*. [1]

La chronique, toute mondaine, légèrement « boulevardière », comptait des ennemis vigilants chez les ultramontains. Routhier, dans ses *Causeries du Dimanche*, exprime son mépris pour ce genre « stérile » qu'on nomme « plaisant... bien qu'il ne le soit guère » :

> « Ces auteurs ont pris le nom de chroniqueurs: le nom de farceurs leur conviendrait mieux. C'est leur métier de colliger des facéties, des bons mots, des petites histoires, des petits scandales, et d'assaisonner cela d'un peu de sel de cuisine pour amuser le public. Il est rare qu'ils s'élèvent au-dessus du fait divers... Un homme qui a de l'intelligence et qui sait tenir une plume, ne pourrait-il pas écrire autre chose? »

À la vérité les maîtres de la chronique en viennent à déplorer leur succès facile, qui correspond chez leurs lecteurs à une conception assez étriquée de la littérature. Buies regrette d'être condamné « à subir le préjugé si commun, si futile et si injuste, qui fait de (lui) un écrivain bon tout au plus à amuser. » Et il précise: « Ceux-là même qui m'accablent de l'épithète léger, sont les premiers à me demander des écrits légers. » Fabre, dans une chronique intitulée « Spirituel confrère », abonde dans le même sens. Les limites du genre n'ont pas empêché Arthur Buies et Hector Fabre de donner à la littérature canadienne quelques-unes de ses bonnes pages.

---

1. Citons ensemble Hubert Larue (1833-1881), Napoléon Legendre (1841-1907), Alphonse Lusignan et Oscar Dunn (1845-1885), chroniqueurs alertes qui ont également consacré des œuvres à la langue, à la littérature et au folklore.

ARTHUR BUIES (1840-1901)

La carrière bien remplie d'Arthur Buies, « homme de lettres », seul écrivain québécois ayant vécu de sa plume au XIXᵉ siècle, dépasse singulièrement la pratique de la chronique, mais cette part de son activité reste celle où il a montré le talent le plus vif. Singulière destinée que celle de Buies, qui semble né pour étonner ou scandaliser ses contemporains. Adolescent, il se fait jeter à la porte successivement de trois collèges — ce qui n'est pas une recommandation, à l'époque — puis va échouer dans un lycée parisien sans d'ailleurs y terminer ses études. De Paris, il vole se joindre aux volontaires garibaldiens, au moment précis où le Canada français est emporté dans un mouvement d'enthousiasme sans précédent pour la papauté et le pouvoir temporel, où les jeunes gens se précipitent pour devenir « zouaves pontificaux ». À son retour au pays, il publie pamphlets et articles qui font naturellement scandale, célébrant la démocratie américaine et dénonçant à cor et à cri le cléricalisme. En septembre 1868, il lance l'éphémère *Lanterne*, feuille brillante, bruyamment agressive à l'égard du clergé, d'ailleurs vite condamnée et enterrée. Il s'éprend d'une femme mariée, l'importune à la porte d'une église: en vain; il trouve sa vie perdue et fuit en Californie *(Desperanza)*. Nouveau coup de collier en 1876, avec *Le Réveil*. Dans les années 80 et pour le reste de sa vie, il s'attache au « curé Labelle » et à l'œuvre de la colonisation. Il publie alors des ouvrages descriptifs des régions neuves du Québec, dans lesquels il chante la nature québécoise avec des accents peu communs en ces temps d'une littérature fort livresque.

C'est entre 1868 et 1878 surtout que Buies asseoit sa réputation de « prince des chroniqueurs canadiens ». Son tempérament riche et son style varié lui permettent de passer avec aisance de l'ironie légère et mordante à une mélancolie digne des plus authentiques romantiques.

LE PRINTEMPS À QUÉBEC

Dans une chronique de fin d'avril, Buies décrit l'arrivée du printemps dans la ville de Québec. Sous cette évocation pittoresque percent aussi les sentiments anticléricaux et anti-conservateurs de l'auteur.

« Il pleut, il grêle, il neige; un rayon de soleil par ci par là, des entassements de glaçons dans les rues, des chaos insondables, des trottoirs à moitié dénudés, des passages étroits entre les monceaux de glace et des ornières pleines de neige fondue, un fumier flasque qui vole en éclats sous le pied, des maisons qui suintent, des chariots que mille travailleurs, interceptant le passage, emplissent de glace souillée et d'ordures de toutes sortes, des débris s'ajoutant aux eaux crottées qui se cherchent en tous sens une issue vers les égoûts, voilà le printemps en Canada, précurseur de la belle saison, rénovateur de la vie; voilà ce qui s'appelle retrouver les beaux jours, sortir d'une léthargie de six mois et renaître sous le soleil!

Cette année, renaître sous le soleil signifie percer à travers vingt pieds de neige, quelquefois trente; il y a même des poteaux de télégraphe complètement enfouis qui, eux aussi, vont renaître sous le soleil. Dans les cours de certaines maisons, la neige domine les toits; il y a jusqu'à des rues entières où, pendant un mois, les locataires n'ont eu d'autre issue que par les lucarnes. Maintenant que la neige a fondu de moitié, ils sortent par les fenêtres du troisième ou du deuxième, suivant le cas; c'est ainsi que fait John A. Macdonald, bloqué par la motion Huntington. Il lui faut descendre d'étage en étage jusqu'à ce qu'enfin il arrive à la porte qui l'attend avec la débâcle.

Tous les printemps c'est la même chose dans cette ville en compote où tout le monde se plaint et où tout le monde laisse à l'abandon s'entasser devant sa porte des monceaux de fumier et les ordures de toute la province. Avec cela que le pont de glace est inébranlable; il résiste à la pluie, au vent, au soleil, aux prières de 60,000 âmes en état de grâce et toutes-puissantes au ciel. Les ponts de glace sont des châtiments, ils ont l'impassibilité d'une sentence; jour par jour, je dirai heure par heure, on va regarder si l'un des grands dissolvants de la saison entame sensiblement cette épaisse couche qui tient notre fleuve bloqué, et, chaque fois, c'est une déception nouvelle.

Depuis trois jours le pont n'a pas bougé d'une ligne. À trois ou quatre cents pieds seulement de l'endroit où il s'arrête, les voitures passent comme en plein cœur d'hiver, et l'on voit, presque sur la limite même de cette prison de glace, un bateau à vapeur tenter d'impuissants efforts pour en sortir. « Quand on aura le chemin de fer du Nord, disent les pauvres québecquois, on se moquera du pont de glace. » Eh oui! mais en attendant, ils ne l'ont pas ce chemin tant désiré, et c'est le pont de glace qui se moque d'eux. »

HECTOR FABRE (1834-1901)

La vie d'Hector Fabre fut plus rangée que celle de Buies. Cet avocat est le frère de l'archevêque de Montréal et le beau-frère de Georges-Étienne Cartier. Élevé au sénat en 1875, il est nommé sept ans plus tard agent du gouvernement canadien à Paris, poste qu'il remplit jusqu'à sa mort en 1910. Le fonctionnaire a fait beaucoup pour consolider l'amitié franco-canadienne. Par une revue, *Paris-Canada*, d'une excellente tenue littéraire, par des conférences et des rencontres, il a puissamment contribué à intéresser les Français au Canada. Les écrivains et les artistes canadiens en France bénéficiaient aussi largement de son aide.

Membre-fondateur de la Société Royale du Canada, Fabre aurait pu, comme bien de ses contemporains, glisser dans le ton emphatique et compassé. Cet homme de goût à la simplicité aimable, se présente au contraire comme le plus naturel de nos auteurs. Il a établi sa réputation de chroniqueur au temps où il dirigeait son propre journal, *L'Événement*, publié à Québec de 1867 à 1879. Le tout-

VOIR ILLUSTRATION — 107

Québec se délectait alors de ses chroniques allègres et fort bien rédigées.

LA LOI DE LA GRAVITÉ

Les contemporains de Fabre lui reprochent volontiers son air dilettante et son manque de « gravité » ou de sérieux. Dans une chronique intitulée « Spirituel confrère », Fabre se plaint du préjugé qui veut que ce qui est solennel seul mérite la considération, et il en profite pour décrire un travers de son temps.

« Il est certain que dans notre aimable patrie, c'est la gravité qui fait le succès. L'homme qui ne rit jamais arrive à tout. Puisqu'il ne se déride en aucune occasion, il faut qu'il soit constamment occupé de hautes pensées. Nous voyons son corps droit et roide, mais son esprit erre dans les cieux: c'est sûr. Il se contient ici-bas, afin de causer à loisir avec les astres.

Si les morts pouvaient prendre part à nos luttes de chaque jour, ils l'emporteraient aisément sur les vivants, à cause de leur air lugubre.

Condamnés par état au sérieux perpétuel, ils en imposeraient à la foule et écraseraient leurs rivaux. On se dirait que, retirés chaque soir dans les tombeaux, ils y approfondissent les questions. Sortant de leur retraite, au petit jour, ils gagneraient sans obstacle les hauteurs. Les populations viendraient admirer leur majestueux silence. Tout céderait devant eux. S'il est déjà difficile de se mesurer avec les gens qui ne s'expriment que par monosyllabes, comment lutterait-on avec ceux qui ne parleraient pas?

Aussi, la plus sûre manière d'arriver est-elle de *faire le mort*.

Vous vous tenez dans un coin, ne bougeant que le moins possible, la vue fixe, quelques mèches de cheveux jetées sur la tempe: tous ceux qui passent vous remarquent.

— A quoi peut-il bien penser? se dit-on.

Personne ne met en doute que vous ne pensiez à quelque chose; c'est le point important.

— Voilà un garçon sérieux, dit Prudhomme.

— Un homme de tête, reprend Calino.

Votre attitude muette continue à faire son effet et, un jour, dans une réunion de magistrats et de députés, un vieillard qui, avant de mourir, veut trouver un gendre, s'écrie:

— C'est un jeune homme de talent.

Votre réputation est faite; votre fortune va l'être.

Le jour où le vieillard aura besoin d'un second lui-même, il viendra vous tirer de votre coin. Vous ferez mine de résister, sous prétexte que le bruit vous importune; puis, vous vous résignerez à hériter du bonhomme.

Règle générale: quand un jeune homme ne possède ni le don de la parole, ni l'art d'écrire, ni aucun savoir, ni aucun talent, on proclame qu'il a du *jugement* et surtout du *tact*. Ces deux qualités, timides de leur nature, ne se produisent, paraît-il, qu'en l'absence des autres. Elles aiment l'ombre et le silence; elles flottent dans le vide.

C'est d'abord pour consoler les parents affligés, que l'on dote de ces qualités précieuses les *fruits secs*. Mais avec le temps et bien administré, ce petit

323

bien est la source d'une grande et belle fortune. Celui qui en est l'heureux pos-
sesseur peut commettre impunément toutes les sottises, l'étiquette: *tact* et *jugement* lui reste attachée au front. On la gravera sur son tombeau de marbre.
Dans le clergé, on a une autre expression pour pallier les faiblesses intellectuelles. Quand un bon curé n'a pas la parole en bouche et qu'il n'a point de
savoir de reste, on dit que *c'est un bon administrateur.*
  Cela le classe parmi ses confrères. Il a sa spécialité. On le nomme curé des
paroisses dont la moralité est parfaite, mais dont les finances sont embarrassées.
Il conserve les âmes en bon état et rétablit les affaires de la fabrique.»

BIBLIOGRAPHIE

ÉTUDES ET SOURCES:

Beaulieu, André, et Hamelin, Jean, *Les journaux du Québec de 1764 à 1964*, Québec, Les Presses de l'Un. Laval, 1965. Catalogue comprenant une bibliographie et de nombreuses notices
Bonenfant, Jean-Charles, *Thomas Chapais*, Montréal, 1957. Extraits de l'œuvre
  accompagnés d'une bio-bibliographie, coll. « Classiques canadiens », Mont
  réal, Fides, 1957.
Savard, Pierre, *Jules-Paul Tardivel*, Montréal (à paraître). Extraits accompagnés
  d'une bio-bibliographie; *Jules-Paul Tardivel, la France et les États-Unis,
  1851-1905*, Québec, Les Presses de l'Université Laval, 1967.
Halden, Charles ab der, *Nouvelles études de littérature canadienne-française* (sur
  Buies: pp. 49-184), Paris, de Rudeval, 1907.
Lamontagne, Léopold, *Arthur Buies*. Extraits accompagnés d'une bio-bibliographie,
  coll. « Classiques canadiens », Montréal, Fides, 1959; *Arthur Buies, hom-
  me de lettres*, Québec, Presses de l'Université Laval, 1957.
Douville, Raymond, *La Vie aventureuse d'Arthur Buies*, Montréal, Ed. Albert
  Lévesque, 1932.
Gagnon, Marcel-A., *La Lanterne d'Arthur Buies*, Montréal, Ed. de l'Homme, 1964;
  Le Ciel et l'enfer d'Arthur Buies, Québec, Les Presses de l'Un. Laval,
  1965.
Buies, Arthur, *Chroniques, humeurs et caprices*, Québec, Typographie C. Darveau,
  1873.
Fabre, Hector, *Chroniques*, Québec, s.éd., 1877.

Chapitre XXIX

L'ESSAI
(1860-1900)

par Pierre SAVARD

La littérature canadienne-française de la seconde moitié du XIXe siècle en est une de moralistes plus que d'artistes. La préoccupation didactique imprègne profondément l'œuvre de nos romanciers, de nos poètes, de nos orateurs et de nos journalistes. Les romans à thèse, les conférences, les nombreux tomes de *Mélanges* littéraires, politiques ou religieux attestent cette préoccupation. Deux ouvrages bien différents d'inspiration et de succès: *Quelques considérations sur les rapports de la société civile avec la religion et la famille*, répandu surtout à partir de 1866, et *L'Avenir du peuple canadien-français*, publié trente ans plus tard, méritent ici, à des titres divers, une place à part.

Mgr LOUIS-FRANÇOIS LAFLÈCHE (1818-1898)

Mgr Laflèche occupe une place considérable dans la vie et la pensée canadiennes-françaises. [1] Par son action et ses écrits, il a posé, chez nous, au champion de l'ultramontanisme. Ses idées sur les grands problèmes du Canada français, il les a exprimées dans une œuvre de jeunesse, *Quelques considérations sur les rapports de la société civile avec la religion et la famille*. Ces pages, contemporaines du *Syllabus* de Pie IX, connaissent un succès durable. Les Chapais, les Tardivel, les Louis-Philippe Masson et tous les autres hérauts du Canada français traditionnel, vont répéter à l'envi les thèses de Mgr Laflèche.

Sa doctrine se ramène à quelques propositions qui constituent l'essentiel de l'idéologie ultramontaine. Les prêtres ont un devoir impérieux de se prononcer dans les questions politiques, car trop d'er-

---

1. *Cf.* pp. 287-288.

reurs circulent: les plus nocives de ces erreurs sont celles relatives à notre nationalité. Cette nationalité est constituée autant par l'unité de la foi que par celle de la langue; elle est renforcée par l'unité des mœurs et des coutumes. L'histoire sainte et profane enseigne la vocation providentielle de chaque peuple. Celle des Canadiens français est essentiellement religieuse: ce fut, autrefois, la conversion des Indiens, c'est aujourd'hui l'extension du royaume de Dieu par une nationalité avant tout catholique. La monarchie tempérée, apportée ici grâce à la conquête anglaise qui a été voulue par la Providence, est la meilleure forme de gouvernement puisqu'elle garde à la fois des excès de l'aristocratie et de ceux de la démocratie. Il faut surtout protéger nos écoles et notre société des principes du libéralisme, celui-ci n'ayant pour but que de chasser Dieu de partout. C'est aussi un devoir d'unir nos forces pour lutter contre l'émigration vers les États-Unis, ce fléau de notre nationalité. Enfin, le critère le plus sûr pour guider l'électeur, est la conformité des idées que prônent les candidats avec la doctrine de l'Église catholique.

LE CLERGÉ ET LA POLITIQUE

Les ultramontains défendent avec opiniâtreté le rôle du clergé comme guide politique des masses. L'auteur répond ici à quelques objections courantes de la part des radicaux anticléricaux. L'« influence indue » du clergé divisera les Québécois jusqu'à la fin du siècle, et même au-delà.

« Examinons d'abord ce que veut la modeste prétention qu'ont ces hommes d'exclure absolument de toute immixtion dans les affaires politiques de notre pays le clergé en général. Quand ils ont dit: « Le prêtre ne doit pas se mêler de politique », ils croient avoir proclamé là un axiome aussi évident que la lumière du soleil en plein midi.

Nous savons maintenant à quoi nous en tenir sur l'intervention du prêtre, en tant que prêtre et pasteur, dans la politique; nous avons vu que non seulement il peut s'en mêler, mais qu'il a le devoir et l'obligation d'aborder toutes les questions politiques sur les points qui, de près ou de loin, touchent à la conscience, lorsque le bien de son peuple le demande. Quand ces hommes se voient serrés de près sur ce point, ils en font généralement assez volontiers la concession. Ils consentent facilement à restreindre la trop grande portée de leur axiome.

« C'est bien, nous disent ces hommes qui regardent la prêtre comme un ennemi dont il faut se défier, c'est bien, nous vous accordons ce point, mais au moins vous nous accorderez que pour le côté qui regarde le temps et les intérêts purement civils, le prêtre n'a rien à voir dans les affaires politiques. » Et pourquoi pas? Sur quoi donc ces messieurs appuient-ils cette seconde prétention? Quelle est la loi de notre pays qui frappe de mort civile l'homme qui entre dans les rangs du sanctuaire pour être plus utile à son prochain en servant son Dieu plus fidèlement? Ou bien quelle est la loi de Dieu qui défend à cet homme de

L'ESSAI

dévouement de rendre à sa patrie les services qu'elle demande à tous ses enfants, lorsqu'il sera en son pouvoir de le faire?

Nous ne connaissons aucune loi divine ou humaine qui défende au prêtre de dire son opinion sur les affaires de son pays en la manière qu'il jugera convenable et conforme aux règles de conduite que lui tracent ses supérieurs. D'ailleurs le prêtre est citoyen, et comme tel il est sur un pied d'égalité avec tous ses compatriotes. Comme eux il est obligé de porter sa part des charges de l'État en autant qu'elles ne l'arrachent pas à des devoirs supérieurs, d'en respecter les lois, et d'obéir fidèlement aux supérieurs que la Providence lui a donnés dans l'ordre civil. Puisque la loi de Dieu et des hommes ne défend point au clergé, en sa qualité de partie intégrante de la nation, de prendre part, autant qu'il le juge convenable, aux affaires de son pays, sur quoi donc peuvent-ils s'appuyer pour lui faire un crime d'user d'un droit qui lui appartient tout aussi bien qu'aux autres citoyens?

En France, ne voyons-nous pas, à l'heure qu'il est, des cardinaux, des archevêques, des évêques, siéger dans les rangs des sénateurs, en vertu même de la constitution, et prendre une part importante à toutes les délibérations de ce corps qui est la personnification de la sagesse nationale? Au temps des rois très chrétiens, le clergé n'était-il pas officiellement reconnu comme l'un des grands corps de l'État? Toutes les fois que la gravité des affaires nécessitait la réunion des États généraux, le clergé ne siégeait-il pas, dans ces grandes assemblées, sur un pied d'égalité avec les autres classes de citoyens? C'est au nom de l'égalité, de la liberté et de la fraternité que l'on a renversé cet ancien ordre de choses. La première application que l'on a faite de ces grands principes de liberté, d'égalité, de fraternité révolutionnaires, ç'a été de profaner et de fermer les églises, d'envoyer les prêtres à la mort ou de les forcer à l'exil. Si l'on étudie avec soin les hommes qui sont aujourd'hui le plus opposés au clergé, on reconnaîtra facilement qu'ils sont les plus grands admirateurs de ces principes démagogiques et révolutionnaires. C'est sans doute au nom de cette liberté qu'ils veulent gêner le prêtre dans l'exercice d'un droit qui lui appartient tout aussi bien qu'à eux-mêmes. C'est au nom de cette égalité qu'ils veulent lui imposer cette loi d'exclusion et le frapper d'ostracisme; enfin c'est encore au nom de la fraternité révolutionnaire qu'ils dénoncent le prêtre comme un homme dangereux, dont il faut se défier et qu'il faut bien se garder d'écouter quand il s'agit de faire une élection ou de former son opinion sur quelque question importante et qui touche aux plus chers intérêts de notre nation.

Pourquoi cette antipathie? Pourquoi ces soupçons, cette défiance qu'ils s'efforcent par tous les moyens de jeter dans l'esprit de nos compatriotes? Les prêtres canadiens ne sont-ils pas aussi bien qu'eux les enfants du peuple? N'ont-ils pas au milieu de ce peuple leurs plus chères affections, et leurs plus grands intérêts? Leur sort n'est-il pas intimement lié au sien? La prospérité et les revers de la nation ne leur sont-ils pas communs? Pourquoi donc chercher à élever un mur de division entre ceux que la nature et la religion ont aussi intimement unis. »

EDMOND DE NEVERS (1862-1906)

Alors que Mgr Laflèche a connu une influence immense chez nous, la vie et l'œuvre d'Edmond de Nevers ont presque passé inaperçues. Et pourtant, par son itinéraire intellectuel singulier autant que par la pénétration de ses jugements, Nevers mérite une place dans notre littérature. Il n'a laissé que deux ouvrages: *L'Avenir du peuple canadien-français*, publié discrètement à Paris en 1896, et l'*Âme américaine*, paru en 1900. Dans ce dernier ouvrage, Edmond de Nevers, qui a observé sur place les Américains, révèle une connaissance et une intuition de l'esprit américain bien au-dessus des jugements des Canadiens français du temps. Mais c'est par *L'Avenir* qu'il mérite surtout l'attention de la postérité.

Si Edmond de Nevers (Edmond Boisvert, né en 1862), a pu porter sur notre société un regard neuf, c'est en partie dû au fait qu'il a vécu studieusement à l'étranger et que son esprit a pu s'élargir et se livrer, en Europe en particulier, à des comparaisons fécondes. C'est surtout à Berlin, dans cette Allemagne impériale des années 1880, prestigieuse autant par sa science que par sa politique, et à Paris qu'il observe, médite et parfait sa formation [1], acquise d'abord au collège de Nicolet. Edmond de Nevers lit énormément, surtout les historiens et les premiers auteurs qui s'illustrent dans les sciences sociales. Quand il étudie son Canada français, il apporte à cet examen une méthode et une culture peu communes chez ses contemporains.

L'Avenir du peuple canadien-français se présente comme un diagnostic lucide en même temps qu'un appel à l'action. L'auteur, dont la finesse et la vigueur de pensée sont d'un écrivain né, paraît convaincu que, « depuis un quart de siècle surtout, des symptômes de décadence se font sentir chez nous », parce que l'« âme canadienne-française, sortie de longues périodes de luttes, n'a pas encore trouvé sa vie et qu'elle s'est laissée envahir par l'apathie et l'égoïsme. » Edmond de Nevers fustige particulièrement les effets néfastes du « politiquage à outrance » et de l'électoralisme. [2] Il met le doigt sur les

---

1. Il y a des détails étonnants dans la vie d'Edmond de Nevers. Il a étudié à Berlin avec l'illustre Mommsen. A Paris, où il a vécu huit ans (rédacteur à l'Agence Havas), aprè savoir parcouru le Portugal, l'Espagne et l'Italie, il s'est fait le traducteur d'Ibsen (*L'Union des jeunes, Les soutiens de la société*, avec la collaboration de Pierre Bertrand, 1893) et de Mathew Arnold (*Etude sur les Etats-Unis*, Québec, 1902). On sait le bien qu'a dit Ferdinand Brunetière de *L'Ame américaine*, dans *La Revue des Deux Mondes*.

2. « Si de Nevers est plein d'enthousiasme pour la période qui va du début de la colonie à 1867, ses observations sont beaucoup plus sévères et pessimistes sur notre vie nationale des trente dernières années, c'est-à-dire de l'avènement de la Confédération à 1894. Pendant cette dernière période, le peuple canadien-français est devenu apathique parce que, sur le plan militaire comme sur le plan politique, « nous n'avons plus rien à réclamer, tout ce que nous demandions, nous l'avons obtenu » (p. 93). C'est alors, précise-t-il, que s'est développé dans notre province un phénomène nouveau: l'inflation de la politique. Ici, de Nevers devient violent. Il stigmatise avec force la « speechomanie et le cabotinage » (p. 98) qui marquent notre mentalité politique... » (Jean-Paul Montminy, o.p., compte rendu paru dans *Recherches sociographiques*, VI, 2, mai-août 1965.)

faiblesses de notre système d'enseignement, et il regrette notre retard économique. Mais l'essayiste n'a rien du déraciné qui promènerait sur son pays natal des jugements hautains et détachés. Il a « foi en nos destinées »; aussi propose-t-il des solutions. Des efforts sérieux doivent être faits pour organiser les études supérieures. La rentabilité de l'agriculture québécoise doit être accrue. Les Québécois ne doivent pas, d'autre part, avoir peur de se lancer dans le monde des usines et du commerce. Un soin particulier doit être porté à la langue et à l'expression, qui occupent une place essentielle dans l'épanouissement de l'âme canadienne-française.

L'INSTRUCTION, CLÉ DU PROGRÈS

Dans les années 1890, l'enseignement est à l'ordre du jour. Mercier a proclamé les bienfaits de l'instruction. En 1893, Fréchette a lancé des attaques spectaculaires contre le traditionalisme des collèges classiques. Edmond de Nevers qui, par ses voyages, a pu mesurer nos retards, dénonce ici illusions et préjugés sur l'instruction au Québec.

« La question de l'éducation est l'une de celles sur lesquelles nos compatriotes sont le plus divisés; elle a donné lieu en ces derniers temps à de nombreuses polémiques et a engendré, je le crains, beaucoup de partis pris et d'entêtements.

Lorsqu'il s'agit de la diffusion de l'instruction primaire, de l'encouragement à donner aux écoles communales, tout le monde est d'accord et chacun pérore à qui mieux mieux sur les bienfaits de l'éducation, excepté toutefois un certain nombre des principaux intéressés. Ceux-ci, pères de famille peu à l'aise ou d'un esprit trop borné, prétendent que leurs enfants en savent assez, que le temps passé à l'école est perdu pour le travail; et l'on ne va pas plus loin. Le spectre de l'instruction obligatoire, qui, du reste, n'a pas encore osé se montrer ouvertement au Canada, recule devant le respectable principe de l'autorité paternelle. La question est résolue.

Il est tout naturel que l'homme de nos classes dites instruites, qui n'a aucun point de comparaison à sa portée, qui ne rencontre que des gens ayant à peu près la même somme de connaissances que lui, qui vit en dehors de tout mouvement littéraire, scientifique et artistique, loin de toute bibliothèque et qui n'a pas eu l'avantage de bénéficier d'une instruction universitaire élevée, trouve également qu'il en sait assez. Comment lui persuader le contraire? N'a-t-il pas appris, naguère, les dates auxquelles ont eu lieu nombre de batailles, de faits d'armes glorieux, de prises de citadelles? Ne se rappelle-t-il pas avoir traduit jadis César, Virgile, Horace et Homère et les Pères de l'Église? N'a-t-il pas lu Corneille, Racine, Boileau, plusieurs comédies de Molière (édition corrigées à l'usage de la jeunesse), les *Harmonies* de Lamartine et les *Contemplations* de Victor Hugo? Que peut-on exiger de plus?

Il existe une moyenne instruction composée du maigre stock de latin et de littérature emporté du collège, des renseignements multiformes puisés dans les journaux, et des études professionnelles que nul ne peut dépasser sans concevoir une fort haute idée de sa science.

UN POST-ROMANTISME CIVIQUE (1860-1900)

M. X..., citoyen éminent de Montréal, a rencontré M. Z..., citoyen non moins éminent de Québec. La conversation a été des plus relevées, et tous deux se sont quittés enchantés de leur savoir mutuel et respectif. M. X..., a causé pertinemment des œuvres de Bonald, du comte de Maistre et de Montalembert; M. Z..., a cité avec à propos quelques traits méchants de Louis Veuillot, rappelé quelques phrases « risquées » de ce malpropre de Zola et critiqué cet exalté de Victor Hugo « qui avait beaucoup d'imagination, mais dont le jugement avait été faussé par les mauvaises lectures ». Les quelques profanes qui entouraient nos deux compatriotes étaient émerveillés... En vérité, il faudrait être bien exigeant pour demander plus aux citoyens dirigeants d'aucun pays.

Et puis, après tout, tant de science est-elle nécessaire pour faire un beau speech et devenir un illustre tribun?

« Quel besoin avons-nous d'études ardues et compliquées, diront ceux de nos hommes instruits qui ne s'illusionnent pas sur l'étendue de leur savoir; notre peuple en sera-t-il plus heureux? L'instruction donnée dans nos collèges classiques et notre université nous a amplement suffi jusqu'à présent; pourquoi ne continuerait-elle pas à nous suffire? » Nous pourrions à la rigueur, répondrai-je, nous passer de latin, de grec, d'extraits d'auteurs classiques et même d'histoire. On manque rarement de pain pour ne pas savoir ces choses; les jouissances du cœur sont aussi fécondes pour les simples que pour les lettrés; mais on déchoit comme peuple, on perd, peu à peu, tout sentiment de fierté, et l'on prépare les voies à la domination étrangère. Car ce sont finalement les peuples les plus cultivés qui dominent et qui absorbent les autres.

Cette vérité, je le sais, ne s'imposera que difficilement à l'esprit d'un grand nombre de Canadiens. Nous sommes si habitués à la routine peu compliquée de notre existence villageoise et citadine, si bien protégés contre tous les courants du dehors, que plusieurs considèrent notre force d'inertie comme un rempart contre la décadence et qu'ils redoutent le progrès.

Dans la petite ville souriante et gaie où la vie se déroule avec son activité facile, son indolence aimable, on se demande ce que la science viendrait faire, quel rôle elle serait appelée à jouer, quelle somme de bonheur elle pourrait ajouter à celui que l'on possède déjà. »

BIBLIOGRAPHIE

ÉTUDES:

Falardeau, Jean-Charles, *L'Essor des sciences sociales au Canada français*, Québec, Ministère des Affaires culturelles, 1964.

Rumilly, Robert, *Monseigneur Laflèche et son temps*, Montréal, Ed. du Zodiaque, 1938.

D'Arles, Henri, « Sur Edmond de Nevers, le penseur et l'artiste », dans *Essais et conférences*, chez l'auteur, Montréal, 1909, pp. 179-234.

Galarneau, Claude, *Edmond de Nevers essayiste. Suivi de textes choisis, présentés par C. Galarneau*, Québec, Les Presses de l'Université Laval, 1960.

SOURCES:

Laflèche, abbé Louis, *Quelques considérations sur les rapports de la société civile avec la religion et la famille*, Montréal, s.éd., 1866.

Nevers, Edmond de, *L'Avenir du peuple canadien-français*, Montréal, Fides, coll. « Nénuphar », 1964, réimpression préfacée par M. Claude Galarneau; éd. originale: Paris, Henri Jouve, 1896; *L'Âme américaine*, 2 vol., Paris, Jouve et Boyer, 1900.

INDEX

INDEX DES NOMS

A

B

G

J

K

L

T

INDEX DES TITRES

A

B

C

D

E

P

Q

R

S

TABLE DES MATIÈRES

Troisième partie:

LE ROMANTISME LIBÉRAL (1830-1860)

TABLE DES ILLUSTRATIONS

*La peinture reproduite sur la couverture est
« L'Anse-aux-Mères » de Maurice Cullen.*

Achevé d'imprimer
par les Ateliers de la Librairie Beauchemin Limitée
à Montréal, le vingt-septième jour du mois de septembre
mil neuf cent soixante-huit.

20

Imprimé au Canada
Printed in Canada